MARIE STUART

La femme et le mythe

DU MÊME AUTEUR

Jacques Ier Stuart, Paris, 1985, Presses de la Renaissance.

Michel Duchein

MARIE STUART

La femme et le mythe

Fayard

AVANT-PROPOS

La hache qui s'abattit au matin du 8 février 1587 sur le cou de Marie Stuart n'a pas cessé de retentir à travers les siècles.

De ce jour, deux images contrastées de la reine d'Écosse ont divisé l'Europe. D'un côté, l'héroïne martyre de sa foi, auréolée de toutes les vertus, parée de tous les prestiges du malheur et de la tragédie. De l'autre, la femme perverse, meurtrière de son mari, persécutrice de l'Église de Dieu — entendons la calviniste —, « la plus grande putain du monde ».

Plus proche de nous, une vision romantique propose l'image d'une femme ardente, sacrifiant sa vie à sa passion suicidaire pour Bothwell. Et les cœurs ne cesseront jamais de battre à l'évocation de la captive de Fotheringay, victime de sa jalouse rivale Élisabeth et de la plus cynique des machinations policières.

Qui fut donc en réalité Marie Stuart ? « La femme la plus calomniée de l'histoire », ou une « panthère sauvage » ? « Une peste doublée d'une sotte », ou une « ambitieuse trahie par le destin » ? « La plus excellente et vertueuse princesse qui fut jamais », ou la « fatale fée qui faisait tout le danger du monde » ? Une « figure tragique dévorée par son feu intérieur », ou l' « archétype de l'innocence sacrifiée » ?

Si toutes ces images de Marie Stuart coexistent depuis quatre siècles, la raison en est que, de son vivant même, elle fut — selon le mot d'Élisabeth — « fille de contradic-

tion ». Les témoignages des contemporains préfigurent, par leurs contrastes, le débat qui se renouvelle de génération en génération.

Nous n'aurons pas la prétention d'apporter, dans ce livre, une solution définitive au mystère accumulé par les années autour de celle qui fut, comme elle ne manquait jamais de le rappeler, « reine de France et d'Écosse, et héritière d'Angleterre ».

Du moins tenterons-nous, en retraçant l'histoire du mythe Marie Stuart, *de le dégager, à travers les apports successifs des siècles, de ce qui peut être su, authentiquement, de la* femme Marie Stuart. *« La femme et le mythe » : tel sera le fil conducteur de cette étude.*

Pour progresser dans cette direction, deux voies nous sont ouvertes. La première est de situer le personnage dans son temps, psychologiquement et politiquement. C'était une femme de la Renaissance, placée par son destin au cœur de la plus grande déchirure idéologique de l'histoire de l'Europe. Sa personnalité ne se conçoit pas hors de ce contexte.

La seconde est de procéder comme pour une enquête policière : c'est-à-dire, puisque les témoignages contemporains sont si divergents, de peser la valeur de chacun d'eux en fonction de son origine, de la personnalité de son auteur, de ses motivations personnelles, et de les confronter les uns aux autres, pour en faire ressortir les contradictions, les invraisemblances, les inexactitudes flagrantes ou probables.

*Nous avons délibérément choisi de nous appuyer, en les critiquant un à un, sur les textes d'époque — mémoires, rapports d'ambassadeurs, correspondances, documents officiels —, et en premier lieu sur les lettres mêmes de Marie Stuart. Pour leur garder toute leur saveur et toute leur authenticité, nous les citerons dans leur forme originale, cette belle langue du XVI*e *siècle si colorée et si drue (seules l'orthographe et la ponctuation ont été modernisées, pour ne pas imposer au lecteur un effort de transposition inutile).*

Pour autant, les interprétations successives auxquelles ont donné lieu le caractère et le rôle de Marie Stuart depuis quatre siècles ne peuvent être ignorées. Chaque époque y a apporté ses propres préoccupations, ses propres obsessions parfois ; tout n'est pas à rejeter dans ces travaux, dont beaucoup ont contribué, par petites touches, à éclaircir des points litigieux, sinon toujours à dissiper les obscurités. L'apport d'historiens tels que Thomas Henderson, Gordon Donaldson, Lady Antonia Fraser (pour ne citer que trois noms parmi les principaux en notre siècle) est essentiel pour toute tentative de nouvelle approche : hommage doit lui être rendu comme il le mérite.

Un travail comme celui-ci ne saurait se réaliser sans de nombreuses aides. Il serait injuste de ne pas citer, parmi tous ceux qui m'ont apporté la leur pour cet ouvrage, mes collègues des Archives de France, de la Bibliothèque nationale, de la bibliothèque de l'Arsenal, de la British Library ; *Mr. Andrew Broom, archiviste au* Scottish Record Office ; *Mr. Patrick Cadell, conservateur des manuscrits de la* National Library of Scotland ; *Mr. Peter Walne, archiviste du comté de Hertfordshire ; madame la princesse Raoul de Broglie et M. François Garnier, qui m'ont aimablement ouvert l'accès aux archives d'Esneval au château de Pavilly ; M. Marc Silvera, du Centre national de la Cinématographie ; et les responsables du château d'Édimbourg, du palais royal de Holyrood, du musée de Lennoxlove, du musée d'Abbotsford House, qui m'ont fourni maints précieux renseignements.*

Enfin, ce livre n'aurait pas été ce qu'il est sans l'aide inlassable et la critique éveillée de ma sœur Simone Duchein, qui en a suivi l'élaboration de la première à la dernière page.

À tous vont mes remerciements et ma gratitude.

M. D.

PREMIÈRE PARTIE

Prions le Roi des Rois qu'il Lui plaise maintenir lesdits princes en joie, prospérité et amour, afin que le peuple en soit sustenté et en paix gouverné.

Discours du grand et magnifique triomphe fait au mariage de très noble et magnifique prince François de Valois, Roi-Dauphin, et de très haute et vertueuse princesse Madame Marie d'Estuart, Reine d'Écosse... (24 avril 1558).

CHAPITRE PREMIER

« Cela a commencé avec une fille... »

L'enfance d'un être humain est toujours importante pour connaître les racines et le développement de sa personnalité ; mais il est rare qu'elle présente, en soi, un intérêt historique. Tel est pourtant le cas de Marie Stuart, qui, si elle n'est pas « née reine » (comme elle se plaisait à le dire par la suite), n'en a pas moins joué, dès son apparition sur la scène du monde, un rôle essentiel dans l'histoire de son pays.

Circonstances tragiques que celles de cette naissance, le 8 décembre 1542*. Tandis que la reine d'Écosse Marie de Guise donnait le jour à l'enfant au château de Linlithgow, près d'Édimbourg, son époux le roi Jacques V Stuart agonisait à quelques lieues de là, accablé par le désastre qui venait de frapper son royaume. L'indépendance nationale était menacée après la victoire des Anglais au champ de bataille de Solway Moss, et beaucoup croyaient que c'en était fait de l'Écosse. Quand on annonça au mourant l'accouchement de sa femme, il eut une réaction désabusée : « Adieu donc ! cela a commencé par une fille, cela finira par une fille [1]. » Il faisait allusion au fait que le premier roi Stuart était monté sur le trône, deux siècles plus tôt, par son

* Il y a une légère incertitude sur la date exacte de la naissance. Certains contemporains l'ont fixée au 7 décembre. Marie elle-même se croyait née le 8, fête de la Conception de la Vierge. Aucun document irréfutable n'existe pour trancher absolument le débat. Le 8 décembre est la date la plus communément admise.

mariage avec l'héritière de la couronne ; mais, dans son pessimisme de vaincu et de malade, il se trompait sur l'avenir : sa fille ne devait pas être la dernière reine d'Écosse, mais au contraire la souche d'une dynastie qui compterait six souverains après elle et dont descend encore, aujourd'hui, la famille royale d'Angleterre *.

Ainsi, dès les premières heures de la vie de Marie Stuart, dès avant même sa naissance, se posait la question qui allait dominer son existence et qui, finalement, causerait sa perte : celle de l'indépendance de l'Écosse vis-à-vis de l'Angleterre.

La nature et l'histoire, il est vrai, n'ont pas été généreuses pour l'Écosse. Située tout au nord de l'île que nous appelons la Grande-Bretagne (c'est précisément à l'époque de la jeunesse de Marie que ce terme apparaît avec son sens actuel), occupée pour deux tiers par des montagnes arides, entourée de mers hostiles, baignant pendant plusieurs mois de l'année dans des brouillards et des pluies glacées, battue de vents et de tempêtes, elle n'avait guère comme sources de richesse, au XVIe siècle, que les vallées et les collines du sud, justement là où la pénétration anglaise était la plus facile.

Par contraste, l'Angleterre, incomparablement plus riche, plus peuplée, plus ouverte vers l'Europe continentale, faisait figure de grande puissance, même si, à l'époque de la naissance de Marie Stuart, elle était loin d'être aussi prospère que la France ou les Pays-Bas.

Pourtant, malgré tous leurs efforts, les rois d'Angleterre, depuis la lointaine époque de Guillaume le Conquérant, n'avaient jamais vraiment réussi à mettre la

* Dans ce livre, nous utiliserons de façon systématique l'orthographe française du nom Stuart. L'orthographe écossaise, Stewart, était de règle en Écosse et en Angleterre à l'époque qui nous intéresse, et la forme française ne s'y substitua qu'au XVIIe siècle ; toutefois Marie elle-même, élevée en France, écrivait *Stuart*. La dynastie tirait son origine de Walter, « stewart » (intendant) du roi d'Écosse Robert Ier, qui avait épousé en 1315 la fille de ce roi ; le fils issu de ce mariage, Robert Stewart, succéda à son oncle maternel comme roi d'Écosse en 1371 sous le nom de Robert II.

main sur le royaume du nord. À certaines époques — surtout au temps d'Édouard Ier, au XVIe siècle — il y avait eu un protectorat anglais sur l'Écosse ; mais à chaque fois, les Écossais réussissaient, tôt ou tard, à rejeter le joug et à reprendre leur indépendance ; ce qui n'empêchait pas, bien entendu, la pénétration des influences anglaises dans les domaines culturel et économique.

Pour survivre dans ces conditions difficiles, l'Écosse se tournait, traditionnellement et logiquement, vers l'ennemi héréditaire de l'Angleterre : la France. Cette « vieille alliance » — l'*Auld Alliance* comme on l'appelle encore aujourd'hui à Édimbourg — remontait très loin dans l'histoire, avant même l'avènement des Stuart. Certains la faisaient dater de Charlemagne ; plus sûrement, elle existait au début du XIVe siècle. Pendant la guerre de Cent Ans, des contingents écossais combattaient sous la bannière aux fleurs de lys. Des seigneurs écossais se fixaient en France — dont une branche de la famille Stuart, devenue Stuart d'Aubigny en Berry. Des étudiants écossais venaient en grand nombre s'inscrire aux universités de Paris, d'Orléans, de Montpellier. Louis XI, roi de France, épousait la douce et mélancolique princesse Marguerite d'Écosse, fille du roi Stuart Jacques Ier. Une garde écossaise veillait sur la sécurité des souverains français.

Du point de vue français, l'alliance présentait l'intérêt d'assurer, en cas de conflit avec l'Angleterre, la possibilité d'ouvrir un second front au nord. L'Écosse était, selon la formule célèbre, « la porte arrière de l'Angleterre ». Du point de vue écossais, l'avantage était plus évident encore : aide économique, et surtout aide militaire pour défendre un pays essentiellement faible et menacé.

Ainsi, au gré des combinaisons matrimoniales et des variations de l'équilibre des forces européennes, l'Écosse se retrouvait tantôt étroitement unie à la France, tantôt soumise à l'Angleterre. Chacune des deux grandes puissances y entretenait une clientèle de nobles chargés d'y maintenir leur influence respective. Et souvent, comme on pouvait s'y attendre, les réconciliations franco-anglaises se faisaient sur le dos de la pauvre Écosse.

Les caractères des souverains jouaient aussi leur rôle. Au début du XVIe siècle, quelque quarante ans avant la naissance de Marie Stuart, le roi écossais Jacques IV avait épousé la fille du roi d'Angleterre, Marguerite Tudor ; avec ce mariage s'était ouverte une période de prépondérance anglaise, qui avait duré jusqu'à la majorité du fils de Jacques IV et de Marguerite, Jacques V. Mais alors — en partie à cause des maladresses de la reine Tudor, et surtout en raison des ambitions par trop éclatantes de son frère Henri VIII d'Angleterre — Jacques V était revenu vers l'alliance française, tombée en sommeil depuis quelques décennies.

Henri VIII, c'est bien connu, n'était pas patient. L'idée que son neveu d'Écosse pût lui tenir tête le mettait hors de lui. Une nouvelle occasion de conflit entre les deux pays n'allait pas tarder à naître à propos des problèmes religieux. La nouvelle doctrine issue des prédications de Luther commençait à faire son apparition en Écosse. En 1528, le premier bûcher s'alluma pour consumer le jeune abbé de Ferne, membre de la puissante famille des Hamilton. Jacques V prit d'emblée le parti de l'Église traditionnelle, tout comme François Ier en France, alors qu'en 1534 Henri VIII rompait avec Rome et consommait le schisme anglican.

Dans ces conditions, le renouvellement de l'antique alliance franco-écossaise allait d'autant plus de soi que les relations franco-anglaises étaient au plus bas. Jacques V demanda à François Ier la main d'une princesse française, Marie de Bourbon, fille du duc de Vendôme, et partit la chercher en France. Une anecdote, vraie ou fausse, veut qu'ayant vu par hasard à la cour la princesse Madeleine, fille du roi, il en tomba aussitôt amoureux et transporta sur elle sa demande de mariage. François Ier la lui accorda et la noce fut célébrée en grande pompe à Notre-Dame de Paris, le 1er janvier 1537*.

* À cette époque, l'année commençait le 25 mars en France, en Écosse et en Angleterre. Dans ces trois pays, la date du 1er janvier ne fut adoptée respectivement qu'en 1565, 1600 et 1752. Nous transcrivons ici toutes les dates selon le calendrier actuel.

Par malheur, la nouvelle reine d'Écosse était de santé fragile. Elle supporta mal la traversée, plus mal encore le climat de son lointain royaume. Elle mourut en juillet, sans doute de tuberculose, ou d'une pneumonie ; elle avait seize ans. Mais Jacques V était bien décidé à avoir quand même une épouse française ; un jeune prélat écossais ambitieux qui vivait en France, David Beaton, fut chargé de rechercher une nouvelle candidate dans l'entourage du roi. Son choix se porta sur une jeune femme de vingt-trois ans, veuve depuis un an et mère d'un fils. C'était Marie de Guise, duchesse de Longueville.

Remarquable personnalité que celle de Marie de Guise *. Si, en 1538, les qualités politiques dont elle devait donner la preuve par la suite n'étaient pas encore connues (et pour cause), elle apparaissait déjà comme une femme de vertu insoupçonnée, de caractère enjoué, de solide santé et d'une belle prestance physique. On racontait qu'Henri VIII, après la mort de sa troisième femme Jeanne Seymour, l'avait fait demander en mariage, séduit par ce qu'il entendait dire d'elle, et qu'elle avait répondu, sur le ton badin, que « si elle était de grande taille, elle avait le cou petit » — défaut rédhibitoire, en effet, si l'on songeait à l'habitude qu'avait l'Anglais de faire décapiter ses épouses. (Cette anecdote, pourtant, paraît assez sujette à caution car, précisément, ce qui frappe dans tous les portraits de Marie de Guise est la longueur de son col. Mais ce n'était sûrement pas un inconvénient pour Jacques V.)

Le mariage du roi d'Écosse et de la princesse lorraine eut lieu par procuration à Paris le 18 mai 1538, puis renouvelé à la cathédrale de Saint-André le 25 juin. En remerciement de ses bons offices, David Beaton devait, quelques mois plus tard, recevoir le chapeau de cardinal, puis, l'année suivante, être nommé archevêque de Saint-André et primat d'Écosse. Marie de Guise le retrouvera bientôt dans des circonstances moins fastes pour elle et pour lui.

* La famille de Guise étant une branche de la maison de Lorraine (voir p. 44), on appelle indifféremment la mère de Marie Stuart Marie de Guise ou Marie de Lorraine. Pour la clarté du récit, nous nous bornerons à utiliser le premier de ces deux noms.

Cette fois, l'union de Jacques V fut non seulement durable, mais heureuse et féconde. Marie sut se faire aimer très vite de ses nouveaux sujets. Loin de mépriser la pauvre Écosse, elle se montrait enchantée de tout ce qu'elle voyait, allant jusqu'à comparer favorablement le château de Linlithgow aux châteaux de la Loire, ce qui était quand même un peu exagéré, et, comme on l'a remarqué, témoignait plus en faveur de son sens de la diplomatie que de sa culture artistique. Elle aimait la danse, les divertissements sportifs, la vie au grand air, choses où les Écossais excellaient. Sa seule peine était d'avoir dû laisser en France son fils du premier lit, le petit duc de Longueville, confié à la garde de sa grand-mère. La correspondance qu'elle entretint avec celle-ci, et qui nous a été conservée, la montre pleine d'affection pour l'enfant, mais aussi d'amour pour son nouveau mari.

À Jacques V, Marie de Guise donna un fils après vingt-deux mois de mariage. Ce fut un moment de joie pour l'Écosse : l'avenir de la dynastie était assuré. L'influence française triomphait à la Cour, dans les arts, dans les mœurs. Dans la religion aussi, où, le cardinal Beaton aidant, la répression antiprotestante s'accentuait.

Jacques V est une personnalité assez contradictoire. Ses portraits nous le montrent doté d'un physique plutôt ingrat, long nez, lèvres minces, menton fuyant ; pourtant, ses contemporains affirment qu'il avait du charme. Homme à femmes, certainement : il eut de nombreuses maîtresses et de nombreux bâtards. Plusieurs d'entre eux devaient se faire un nom et créer des difficultés à ses successeurs ; son petit-fils, Jacques VI, à la fin du siècle, rédigeant à l'intention de son héritier un petit manuel de morale monarchique, citera l'exemple de Jacques V pour illustrer les inconvénients d'une conduite par trop irresponsable avec les femmes.

Avec cela, Jacques V était bien un homme de sa génération, c'est-à-dire de la Renaissance. Sportif, habile aux exercices du corps qui étaient alors considérés comme le propre de la noblesse, il aimait aussi les arts et les lettres ; fastueux quand l'état du Trésor le lui permettait, son rêve était de faire de l'Écosse un royaume européen « comme les autres », avec des institutions administratives et judiciaires stables. Les constructions qu'il éleva à Holyrood, à Falkland, à Linlithgow, à Stirling, doivent beaucoup aux artistes venus du continent, mais montrent surtout la volonté du roi de vivre à l'instar des autres souverains, dans un cadre qui ne serait plus uniquement celui des forteresses féodales bâties de bric et de broc.

Catholique, il le prouva tout au long de son règne, et détestant les Anglais ; ce qui ne l'empêchait pas de se montrer sévère pour un clergé débauché et trop riche, pour une Église oublieuse de ses devoirs spirituels. Un moment, peut-être, il fut tenté, comme son oncle Henri VIII, de s'emparer de la fortune foncière des évêchés et des abbayes, qui dépassait, de loin, celle de la couronne. Beaton réussit à parer le coup, et l'Écosse resta dans le giron de Rome ; mais le ver était dans le fruit, et l'idée d'une réforme religieuse faisait son chemin, inexorablement.

En définitive, le trait le plus frappant de la personnalité de Jacques V, celui que peut-être il transmettra le plus visiblement à sa fille, est une curieuse instabilité caractérielle. Il était sujet à des enthousiasmes et à des dépressions alternés. Ce n'était pas l'homme des ambitions poursuivies avec ténacité contre vents et marées. Il se décourageait vite, sa volonté s'effondrait dans les moments difficiles. À cet égard, il offre le plus parfait contraste avec sa femme, qui devait donner toute sa mesure dans l'adversité.

Soudain, en 1541, après trois années de bonheur et de réussite, le destin tourna. Marie de Guise, enceinte pour la deuxième fois, donna naissance à un fils qui mourut presque aussitôt ; et, peu de temps après, le premier fils, celui en qui l'Écosse mettait tant d'espoir, disparaissait aussi, victime d'une de ces maladies infantiles qui fauchaient alors des générations entières de nourrissons. La couronne se retrouvait sans héritier direct, les grandes familles féodales relevaient la tête devant l'affaiblissement de l'autorité royale.

Pour comble de malchance, des incidents de frontières

éclatèrent avec l'Angleterre. Avec son arrogance coutumière, Henri VIII convoqua son neveu à York pour s'en entretenir avec lui. Jacques V n'était pas homme à céder à un tel ultimatum. Marie de Guise était à nouveau enceinte ; peut-être un nouvel héritier allait-il redonner confiance aux Écossais. Jacques V fit attendre sa réponse à Henri VIII puis, au dernier moment, fit savoir que ses obligations l'empêchaient d'aller retrouver son oncle. Celui-ci fut furieux, humilié. Dès lors, il n'eut plus qu'une idée : infliger une leçon à ce petit insolent d'Écossais qui voulait faire l'indépendant.

La leçon prit la forme d'une déclaration de guerre, à l'automne de 1542. Le commandant de l'armée anglaise était le duc de Norfolk, le plus grand seigneur du nord de l'Angleterre. Seul un sursaut patriotique aurait pu sauver l'Écosse. Mais Jacques V s'était fait beaucoup d'ennemis dans sa propre noblesse, et le parti protestant et proanglais était déjà devenu une force trop considérable pour qu'on pût éviter de compter avec lui.

Pendant quelques semaines, la fortune des armes sembla, paradoxalement, plutôt favorable aux Écossais. Norfolk, après avoir pillé et brûlé la région frontalière, se retira en Angleterre. Jacques V eut le tort de vouloir le poursuivre. Son armée n'était ni assez puissante ni assez loyale pour une telle entreprise : le 24 novembre 1542, les Anglais contre-attaquèrent à Solway Moss et ce fut la défaite, ou plutôt la déroute : 10 000 soldats écossais s'enfuirent devant 300 cavaliers anglais. Les prisonniers écossais étaient plus de mille, dont plusieurs des principaux seigneurs du pays. Depuis longtemps l'Écosse n'avait subi un tel désastre.

Jacques V, en apprenant la catastrophe, fut comme frappé par la foudre. Il erra de château en château, passa quelques jours à Linlithgow où sa femme vivait ses dernières semaines de grossesse, puis se fixa, épuisé, au château de Falkland — tous ces châteaux royaux, il est vrai, ne sont distants les uns des autres que de quelques dizaines de kilomètres. Sur la nature de la maladie qui, à l'annonce de la défaite de Solway Moss, saisit Jacques V, les opinions médicales diffèrent. À l'époque, on dit qu'il mourut « d'un cœur brisé par le déshonneur », ce qui n'a guère de sens cliniquement. Les témoins nous le décrivent frappé d'apathie, d'un abattement profond, « restant des heures sans prononcer un mot, ne se réveillant de sa léthargie que pour se frapper la poitrine comme pour en arracher le poids du désespoir qui l'oppressait ». Il cessa de se nourrir et de s'intéresser aux choses. La fièvre acheva de ruiner un organisme affaibli par la dépression et la neurasthénie. C'est alors, tandis qu'il sombrait dans le mutisme et l'indifférence, qu'on lui apporta la nouvelle de la naissance, à Linlithgow, de l'héritier naguère tant espéré. De l'héritier ? Non : de l'héritière, hélas. Nous avons déjà rapporté le mot désabusé et faussement prophétique avec lequel il accueillit cette annonce. Cinq jours plus tard, le 13 décembre 1542, parvenu au dernier degré de l'épuisement, « il donna sa main à baiser à ses fidèles, les regarda quelques instants avec douceur et tristesse, puis il tourna la tête vers le mur et expira[2] ».

Il avait trente ans ; le sort de l'Écosse reposait désormais sur l'enfant qui venait de naître à Linlithgow.

Cet enfant, venu au monde sous de si lugubres auspices, on crut d'abord qu'il ne vivrait pas. Toute la vie publique du pays était désorganisée depuis le désastre de Solway Moss. Il est d'ailleurs possible que les émotions et l'angoisse aient provoqué chez Marie de Guise un accouchement prématuré. En Angleterre, quand la naissance du bébé fut connue, on parla d'un enfant mort-né, ou du moins très faible. À la fin de décembre encore, l'ambassadeur de l'empereur Charles Quint à Londres écrivait que les médecins désespéraient de sauver la mère et l'enfant[3].

Était-ce la vérité, ou s'agissait-il de bruits que les Anglais faisaient courir pour décourager les Écossais, il nous est bien difficile de le savoir. Aucun témoignage direct sur les premiers jours de Marie Stuart ne nous est parvenu. Nous savons seulement qu'elle faillit s'appeler Élisabeth (ce qui, convenons-en, aurait bien compliqué la tâche des historiens futurs avec deux Élisabeth occupant simultanément les trônes de Londres et d'Édimbourg), et qu'elle fut proclamée reine dès la mort de son père, les yeux à peine ouverts sur le monde.

L'Écosse était toujours plongée dans les affres de la défaite. Si, à ce moment, Henri VIII avait voulu lui donner le coup de grâce, il n'y aurait rencontré aucune difficulté : la moindre armée anglaise aurait achevé l'effondrement, et Marie de Guise aurait été faite prisonnière avec le bébé royal, à moins de s'embarquer vers la France, ce qui, en plein hiver et relevant de couches, eût été bien hasardeux. Pourquoi Henri VIII, homme que les scrupules n'étouffaient pas, ne fit-il pas ce geste, qui aurait mis fin à l'existence de l'Écosse comme royaume indépendant ?

Apparemment, il recula devant l'aspect antichevaleresque d'une campagne contre la veuve et l'orpheline, et il entrevit qu'une combinaison matrimoniale remplacerait avantageusement une expédition militaire. Il avait lui-même un fils (enfin, après tant d'années d'attente !), Édouard, né en 1537. Dans une quinzaine d'années, Marie Stuart serait un parti idéal pour lui ; l'Écosse serait absorbée pacifiquement ; cela valait mieux que la réprobation du monde chrétien, et peut-être la réaction armée de la France, qui auraient suivi la capture de Marie de Guise et de sa fille. L'Écosse eut donc droit à un répit, une sorte de liberté surveillée, et il fallut songer à l'organisation du pouvoir pendant la longue régence qui s'annonçait.

Pendant l'agonie de Jacques V à Falkland, le cardinal Beaton était resté près de lui pour le réconforter. Aussitôt le roi mort, il exhiba un testament, qu'il affirmait avoir été rédigé par le défunt, lui confiant, à lui archevêque de Saint-André, la charge de « gouverneur », c'est-à-dire de régent du royaume *, assisté de

* C'est le terme de « gouverneur » qu'utilisent les textes de l'époque, celui de « régent » ne se trouvant que plus tard, au moment où Marie de Guise succédera à Arran. Le terme de régent étant beaucoup plus habituel en français, nous l'utiliserons de préférence ici.

quatre grands seigneurs, les comtes d'Arran, Argyll, Huntly et Moray.

Sur le moment, il n'y eut pas d'opposition ouverte, et Beaton prit le pouvoir. C'était une forte personnalité, certainement l'un des hommes les plus remarquables de sa génération en Écosse. Il avait, comme nous le savons, vécu en France (François Ier l'avait nommé évêque de Mirepoix, en Gascogne, dans le cadre de la « vieille alliance » où tant d'Écossais occupaient des hautes charges dans le royaume ami), puis était devenu archevêque de Saint-André et, à ce titre, chef de l'Église en Écosse.

Énergique, conscient des difficultés de son pays qu'il aimait sincèrement, il voulait une Écosse forte, unie, catholique, pour tenir tête à l'Angleterre ennemie et protestante. Il avait été un des principaux et des plus influents conseillers de Jacques V dans ses dernières années ; l'idée de le voir exercer le pouvoir au nom de son héritière n'avait donc rien de scandaleux ni d'absurde. En outre, artisan du mariage de Marie de Guise avec le roi d'Écosse, il ne pouvait avoir avec elle que les meilleures relations.

Mais il avait affaire à forte partie pour imposer son autorité à la noblesse écossaise. Une période de minorité royale ouvrait, dans tous les pays d'Europe, le champ libre à toutes les ambitions, à toutes les avidités. Face à un prélat catholique, très décidé à éliminer le protestantisme, les tenants de la nouvelle religion firent bientôt front. Beaton prêtait le flanc à la critique en ce qui concerne sa vie privée ; il avait des maîtresses, peut-être pas aussi nombreuses que le prétendaient ses ennemis, mais enfin ce n'était pas le modèle de vie à proposer à un peuple que travaillait activement la propagande venue de Genève. Le prédicateur protestant John Knox le qualifie, dans le style qui lui est propre, de « chef de l'empire des ténèbres » et va jusqu'à insinuer qu'il aurait eu, avec Marie de Guise, des relations coupables. Pure calomnie sans aucun doute (Marie de Guise était irréprochable sur le plan des mœurs), mais qui sait si le peuple écossais ne le croyait pas ?

Toujours est-il que le triomphe du cardinal fut de

courte durée. Son compétiteur, le comte d'Arran, regroupa rapidement autour de lui les adversaires de Beaton et, dès la fin de décembre 1542, se fit reconnaître comme régent. Quelques semaines plus tard, Beaton était arrêté et mis en résidence surveillée dans un château appartement à lord Seton, un des partisans d'Arran ou présumé tel.

Il est difficile d'imaginer contraste plus saisissant que celui des deux personnalités de David Beaton et de Jacques Hamilton, comte d'Arran. Les termes dont se servent tous les contemporains pour caractériser Arran sont : indécision, irrésolution, faiblesse de caractère, inconstance. Il était très exactement ce que nous appellerions, de nos jours, une girouette. Nous le verrons successivement catholique, protestant, puis à nouveau catholique, et encore protestant ; anglophile, francophile, en alternance ; bref, le plus parfait modèle de l'inconséquence politique.

Mais il était, par sa naissance, le premier des seigneurs d'Écosse, et même, apparemment, le plus proche dans la ligne de succession au trône. Son père était le petit-fils de Jacques II, donc le cousin germain de Jacques IV ; faute d'autre filiation plus directe, Arran pouvait se considérer comme l'héritier éventuel de l'enfant Marie Stuart. Toutefois, il existait une certaine difficulté à ce sujet, car il était issu du troisième mariage de son père, et on n'était pas très sûr que le deuxième mariage eût été annulé par l'Église selon les formes canoniques. Beaton, en sa qualité d'archevêque-primat, disposait là d'un moyen de pression non négligeable, car il pouvait toujours, après mûr examen, déclarer que l'annulation avait été irrégulière et que le comte d'Arran était, en conséquence, un bâtard aux yeux de l'Église.

Pour l'instant, en janvier 1543, on n'en était pas là. Arran prit le pouvoir, ou plutôt le titre de régent *. Il se trouva bientôt affronté aux exigences de l'Angleterre, qui n'avait garde d'oublier sa victoire de novembre. Henri VIII disposait d'ailleurs d'une force d'intervention en la personne des nobles qui avaient été faits prison-

* « Gouverneur » : voir note p. 22.

niers lors de la bataille de Solway Moss et qu'il détenait. Il les fit amener à Londres et leur mit le marché en main : ou ils restaient captifs, ou ils rentraient en Écosse pour s'y faire les artisans de sa politique. Plusieurs n'hésitèrent pas : c'étaient les comtes de Cassillis et de Glencairn, Lord Maxwell, Lord Oliphant, Lord Somerville, tous de sympathies protestantes, auxquels se joignirent le comte d'Angus et son fils Georges Douglas, qui vivaient exilés en Angleterre depuis quinze ans pour cause d'opposition à Jacques V et de vieilles rancunes de clan.

Moyennant engagement solennel et garde d'otages — Henri VIII était prudent et connaissait ses partenaires —, tout ce beau monde rentra en Écosse à la fin de janvier 1543. L'idée générale était d'obliger le nouveau régent Arran à éliminer définitivement Beaton, que le roi d'Angleterre détestait, en le faisant condamner pour haute trahison, et de fiancer la petite reine au berceau avec le prince Édouard, fils et héritier d'Henri. Pour plus de sécurité, Marie serait emmenée en Angleterre et élevée à la cour avec son futur époux. (C'était, on le remarquera, exactement le scénario qui devait se jouer six ans plus tard, mais avec d'autres partenaires et dans un autre décor.)

Tout se passa effectivement comme prévu, pendant quelques mois. La réaction proanglaise battit son plein en Écosse. Le Parlement, convoqué en mars 1543 par le régent Arran, vota le principe du mariage de Marie Stuart et du prince Édouard ; la lecture de la Bible en langue vulgaire fut autorisée — premier pas vers la légalisation du protestantisme, au grand scandale des catholiques. Mais il y avait des limites à ne pas dépasser ; Georges Douglas, le plus ardent des anglophiles, avouait que « s'il parlait à ses amis des projets du roi d'Angleterre, tous se tourneraient contre lui[4] ». Malgré les pressions de toute sorte, le Parlement écossais se refusa à autoriser le départ de la petite reine pour l'Angleterre et à approuver la clause, exigée par Henri VIII, selon laquelle, au cas où Marie et Édouard n'auraient pas d'enfants, l'Écosse perdrait son indépendance. « Les Écossais souffriront toutes les extrémités plutôt que de se soumettre à la domination de l'Angleterre », constatait l'ambassadeur anglais Sadler. « Ils veulent avoir leur royaume libre et vivre selon leurs propres lois et coutumes. »

Là-dessus, le cardinal Beaton, grâce à des complicités plus ou moins avouées, faussa compagnie à son gardien Lord Seton et reprit sa place comme archevêque. Le régent, de son côté, était ardemment travaillé par son propre demi-frère, l'abbé de Paisley, qui lui montrait tout l'intérêt qu'il aurait à se rallier au parti catholique et francophile ; Arran et Beaton se réconcilièrent ouvertement. Henri VIII, furieux de l'opposition rencontrée par ses ambitions, se vit obligé de jeter du lest. Le traité de paix anglo-écossais, finalement signé à Greenwich le 1er juillet 1543, reprit le projet de mariage entre Marie et Édouard, mais renonça à l'expatriation immédiate de la petite reine et reconnut solennellement l'indépendance de l'Écosse.

Pendant tout ce temps, Marie de Guise et l'enfant étaient restées au château de Linlithgow, beau bâtiment dominant un lac et renommé pour la salubrité de son climat *, où avait eu lieu la naissance. Apparemment, les inquiétudes qu'avait pu donner la santé de l'enfant dans les premières semaines se dissipèrent vite, car les projets de mariage la concernant ne font aucune allusion à un risque de la voir disparaître prématurément. Marie de Guise, au cours de ces premiers mois de 1543, restait discrète, mais elle était en liaison étroite avec le cardinal Beaton et avec la France. On le vit bien lorsque, en avril, arriva en Écosse un nouveau personnage, qui devait par la suite jouer un rôle néfaste dans la vie de Marie Stuart : Mathieu Stuart, comte de Lennox.

Les Stuart-Lennox étaient une branche cadette de la maison royale, descendant, comme les Hamilton, de la sœur de Jacques III. Dans l'ordre d'aînesse, les Hamilton passaient premiers ; mais si la légitimité de la naissance du régent Arran était contestée, alors les

* Le château de Linlithgow a été incendié en 1746, pendant la guerre du prince Charles-Édouard. Il n'en subsiste plus que les murs, qui ont encore grande allure dans leur cadre romantique.

Lennox devenaient les héritiers du trône. On voit tout de suite l'avantage qu'un homme habile comme Beaton pouvait tirer de la présence d'un prétendant de rechange : c'était un moyen de chantage permanent à l'encontre du régent. Or Mathieu, comte de Lennox, était tout prêt à jouer ce jeu. Exilé d'Écosse depuis onze ans à la suite d'une obscure affaire de vendetta contre les Hamilton, il s'était fait naturaliser Français, et revenait entièrement acquis au parti antianglais. C'était surtout un maître fourbe et un grand pêcheur en eau trouble. Beaton eut tôt fait de regrouper autour de lui les nobles catholiques, et le 21 juillet 1543, sans violence, avec l'évidente complicité de la reine mère, la petite reine fut enlevée de Linlithgow, trop exposé à une éventuelle incursion anglaise, et conduite à Stirling, où elle fut confiée à la garde de lord Erskine, un fidèle de Jacques V.

Le château de Stirling, qui nous est parvenu presque intact, au moins dans son architecture extérieure, reste encore de nos jours un monument impressionnant. Perché au sommet d'une falaise abrupte qui domine la plaine à l'extrémité de laquelle se dressent les montagnes des Highlands, c'était une forteresse pratiquement imprenable. Marie Stuart y était en sécurité, à l'abri des coups de main anglais. Mais sous ses aspects de château fort, c'était aussi un palais de la Renaissance, avec des façades décorées, des plafonds de bois sculptés, une grande salle de cérémonie tendue de tapisseries somptueuses. Nulle part, si ce n'est peut-être à Falkland, le goût de Jacques V pour l'art français des châteaux de la Loire et de Fontainebleau ne s'était manifesté de façon aussi réussie. Le vent avait décidément tourné : le régent Arran, plus ou moins mis devant le fait accompli, se convertit en grande pompe au catholicisme (à la vive indignation de Knox, qui le qualifie à cette occasion de renégat et de pauvre homme. Ce n'était pourtant que le premier grincement de la girouette, qui devait en faire entendre bien d'autres).

Pour l'instant, le parti francophile triomphait. Marie Stuart, âgée de neuf mois, fut couronnée par l'archevêque à Stirling dans l'église des Franciscains — cérémonie intime, avec la couronne, l'épée et le sceptre qui constituaient les « Honneurs d'Écosse » et qu'on admire encore au château d'Édimbourg. Des renforts français, envoyés par François Ier à la demande de Beaton et de Lennox, ne tardèrent pas à arriver. Un légat pontifical, le patriarche Grimani, vint étudier avec le régent et le cardinal les moyens de mettre fin à la diffusion du protestantisme ; des bûchers s'allumèrent, une femme fut même condamnée à la noyade pour avoir refusé d'invoquer la Vierge. Bientôt on découvrit les preuves de la collusion des Douglas avec l'Angleterre ; leurs châteaux furent saisis et l'ambassadeur anglais Sadler expulsé. Un nouveau Parlement, convoqué en novembre 1543, annula le traité anglo-écossais de juillet précédent. Cette fois, le parti anglophile était acculé à la défensive.

Mais c'eût été bien mal connaître Henri VIII que de s'imaginer qu'un an après sa victoire de Solway Moss, il accepterait de se laisser déposséder de ses espérances d'Écosse. Il est alors entré dans la dernière partie de sa vie, où l'ancien prince charmant s'est transformé en un tyran brutal, sanguin, alourdi par la bonne chère et par l'abus des femmes. La trahison des Écossais, car c'est ainsi qu'il considéra le revirement d'Arran et de son parti, le fouetta jusqu'à la fureur. Puisque ces menteurs, ces parjures, ne voulaient pas tenir leurs promesses, eh bien, il irait les leur rappeler, les armes à la main. Il savait pouvoir compter, en Écosse même, sur tous les ennemis d'Arran. Précisément, le parti anglophile s'étoffait d'une recrue de choix : le comte de Lennox, par haine héréditaire des Hamilton, déçu de ne pas se voir associer au gouvernement, faisait des offres de service et écrivait à Henri VIII, de concert avec Angus, Cassillis et Glencairn, pour l'appeler à l'aide contre Arran et Beaton.

Le 1er mai 1544, une flotte anglaise, conduite par le grand amiral Lord Lisle et par le comte de Hertford, entrait dans le Firth of Forth et pillait Leith — le port d'Édimbourg, que les Français nommaient le « Petit Lit », comme ils nommaient Édimbourg « Lislebourg », avec cette manie qu'ils ont toujours eue de travestir les noms étrangers. Faute de pouvoir s'emparer d'Édimbourg, trop bien défendu, Hertford brûla les faubourgs, ravagea la région environnante jusqu'à Linlithgow et saccagea le palais royal de Holyrood. Mais le régent Arran avait eu le temps de réunir une armée et, cette fois, il réussit à détourner l'orage. Lennox, qui combattait aux côtés des Anglais, fut battu sous les murs de Glasgow et n'eut d'autre ressource que de s'enfuir en Angleterre. Il devait y rester vingt ans, y épouser une cousine d'Henri VIII et n'en revenir, en 1564, que pour le malheur de Marie Stuart.

À l'automne, les Anglais réapparurent : près de 200 villages de la région frontalière furent brûlés et pillés, 10 000 têtes de bétail abattues.

En 1545, ce fut pire : l'Écosse fut bouleversée par la sauvagerie de l'armée d'invasion. Le château de Broomhouse fut incendié avec la châtelaine et toute sa famille. En quelques semaines, 5 villes, 243 villages, 7 monastères, 16 châteaux, 13 moulins, 3 hôpitaux furent détruits. Henri VIII ne rêvait que vengeance et massacre. Il payait des assassins pour tuer Beaton, le régent Arran, tous les traîtres qui l'avaient trompé.

Alors, la personne de Marie Stuart devient l'enjeu d'une partie sans pitié, dont le sort de son pays dépend. Cette enfant de deux ans et demi, dont nous ne savons pas grand-chose — car les témoignages sur elle sont rares en ces premières années, mises à part les correspondances familiales de sa mère —, est en quelque sorte l'otage dont chacun se sert ou veut se servir.

Le régent Arran, une nouvelle fois, vacillait. Le parti protestant essayait de le regagner. Pour le conforter dans le parti catholique, Beaton imagina de fiancer la petite reine au fils d'Arran, Jacques Hamilton, âgé alors de quatorze ans. Une différence d'âge de douze ans n'était pas alors considérée comme choquante, mais il faudrait quand même attendre longtemps avant de pouvoir célébrer les noces ; de toute façon, Marie était toujours officiellement promise au prince héritier d'Angleterre, et Henri VIII était moins que jamais disposé à y renoncer.

En fait, la position de l'archevêque Beaton était de

plus en plus contestée en Écosse. Son acharnement contre les protestants lui suscitait un nombre croissant d'ennemis, comme aussi son influence trop évidente sur le gouvernement. Le roi d'Angleterre était résolu à l'abattre, par tous les moyens. Beaton le savait ; il voulut frapper le premier. Le 28 mars 1546, il faisait brûler vif, en sa présence, devant son château archiépiscopal de Saint-André, le populaire prédicateur calviniste Georges Wishart, qui qualifiait l'Église catholique de « pestilentielle, blasphématoire, abominable, inspirée de Satan ».

C'était une faute : un groupe de protestants, décidés à venger le martyr, s'emparèrent du château deux mois plus tard, par surprise, déguisés en ouvriers, et massacrèrent le cardinal. Le corps du prélat, nu et mutilé, fut pendu à la fenêtre, aux applaudissements de la foule ; après quoi, les meurtriers se retranchèrent dans le château, bien fortifié du côté de la mer, et défièrent le pouvoir du régent.

Cette dramatique journée du 29 mai 1546 marque un tournant dans l'histoire de l'Écosse, et d'abord dans la vie de Marie Stuart. L'assassinat d'un cardinal n'était pas, au XVIe siècle, chose de petite conséquence. L'écho en Europe fut considérable. Marie de Guise, qui jusqu'alors avait peu fait parler d'elle depuis la mort de son mari, fit sentir au faible régent Arran le danger de sa position. S'il laissait les protestants révoltés maîtres du château de Saint-André, autant valait pour lui renoncer à exercer le pouvoir : c'était, à brève échéance, la guerre civile qui s'annonçait ; et le roi d'Angleterre ne manquerait pas d'aider les rebelles de Saint-André.

Arran, affolé, changea une nouvelle fois de cap. Il renonça officiellement à l'idée de marier son fils à la jeune reine et se rallia à la perspective d'un appel à l'aide français. C'est là où aboutissaient, en définitive, la violence et la maladresse de la politique d'Henri VIII : en voulant imposer sa loi à l'Écosse, en réclamant la possession de Marie Stuart par le fer et le feu — ce qu'un contemporain appelait ironiquement « une manière brutale de faire sa cour[5] » —, il avait réussi à rejeter l'Écosse dans les bras de la France. Et du même coup, il avait fixé, irrévocablement, le destin de Marie.

Presque simultanément, Henri VIII et François Ier moururent (28 janvier et 31 mars 1547). L'Angleterre entrait dans une période difficile, avec un roi mineur — Édouard VI, toujours en principe fiancé à sa cousine d'Écosse — et un régent ambitieux, l'ancien comte de Hertford devenu duc de Somerset ; tandis qu'en France montait sur le trône un roi jeune, en pleine santé, décidé à s'imposer : Henri II.

Très vite, Henri II répondit favorablement à l'appel du gouvernement écossais. Il était fermement catholique, très lié aux Guise, très hostile aux protestants et à l'Angleterre. Dès juin, il envoya en Écosse une petite flotte commandée par Léon Strozzi, prieur de Capoue, un cousin de sa femme Catherine de Médicis. Le corps expéditionnaire, dirigé par Charles d'Humières et Philippe de Maillé-Brézé, eut tôt fait de reprendre le château de Saint-André, qu'assiégeaient vainement depuis plus d'un an les troupes impuissantes du régent Arran. Les rebelles qui l'occupaient furent faits prisonniers et condamnés à ramer sur les galères du roi de France ; parmi eux, un jeune pasteur protestant véhément, qui devait faire beaucoup parler de lui par la suite : John Knox.

Mais le nouveau régent d'Angleterre, Somerset, qui s'était si bien illustré précédemment, sous le nom de Hertford, contre les malheureux Écossais, était décidé à poursuivre la politique d'Henri VIII. Pour lui, Marie Stuart était toujours fiancée à Édouard VI, et il résolut d'aller la chercher à la tête d'une armée : décidément, la « cour brutale » était la seule méthode connue des Anglais pour conquérir leur future reine. Cette fois, ce fut l'affolement en Écosse. Le petit corps expéditionnaire français était trop insignifiant pour jouer un rôle efficace face à une armée d'invasion de quinze mille hommes. Malgré le vieux rite païen de la « croix de feu » — croix de noisetier rougie au feu et éteinte dans le sang d'un bouc sacrifié, qu'on envoya de village en village pour mobiliser les hommes —, la bataille qui se livra le 8 septembre 1547 à Pinkie Cleugh, dans la banlieue d'Édimbourg, fut un nouveau désastre pour l'Écosse. Le champ de bataille jonché de morts mutilés ressemblait, selon un témoin, à un pâturage rempli de moutons.

Une fois encore, le pays était à la merci de l'Angleterre. Une fois encore, le pire fut évité parce que Somerset n'osa pas rester trop longtemps éloigné de ses bases et retraversa la frontière, non sans conserver le château de Haddington, où il laissa une forte garnison anglaise, menace permanente pour Édimbourg.

Cette fois, le danger pour Marie de Guise et Marie Stuart était immédiat. La faiblesse et l'incompétence du régent Arran étaient par trop évidentes. La reine mère décida, en accord avec Lord Erskine, gouverneur de Stirling, de mettre l'enfant à l'abri dans un endroit inaccessible : le prieuré d'Inchmahome, situé sur une petite île du lac de Menteith, dans les monts Trossach. Lieu paisible, dans la verdure et le silence, où Marie était en sécurité, loin des routes d'invasion ; loin aussi des intrigues de cour et des luttes pour le pouvoir. Elle y demeura quelques mois, avant de revenir à Stirling pour l'hiver, puis d'être transférée dans l'imprenable forteresse de Dumbarton, près de Glasgow.

Mais son destin allait bientôt prendre un tour nouveau, et décisif. Après les ravages de Somerset, personne en Écosse n'envisageait plus qu'elle pût épouser le roi d'Angleterre. Un seul recours existait : la France. Précisément, le nouveau roi Henri II avait un fils, le dauphin François, âgé de quatre ans. L'idée d'un mariage franco-écossais s'imposait d'elle-même. Henri II y était favorable ; plus encore les Guise, qui se voyaient déjà oncles du futur roi de France. En février 1548, le Parlement d'Écosse vota l'annulation des fiançailles de Marie avec Édouard VI et le principe de son mariage avec le dauphin. Une clause spéciale du contrat spécifiait que la reine serait élevée en France auprès de son futur époux, mais que l'Écosse conserverait en toute circonstance son indépendance et ses propres lois. En compensation de la renonciation d'Arran à marier son fils à la reine, le roi de France lui conféra le titre de duc de Châtellerault, qui l'élevait en dignité au-dessus de tous les nobles écossais. On ne l'appellera plus, désormais, que « le duc » — il n'y en avait pas d'autre en

Écosse — et le titre de comte d'Arran passa à son fils aîné.

Somerset comprit qu'il était allé trop loin et qu'il allait tout perdre pour avoir voulu trop gagner. Il proposa, *in extremis,* d'unir l'Écosse et l'Angleterre en une « Grande-Bretagne » sur qui régneraient conjointement Édouard Tudor et Marie Stuart. La ficelle était un peu grosse : Châtellerault et Marie de Guise refusèrent, d'un commun accord.

D'ailleurs il était trop tard. Une nouvelle flotte française, impressionnante, sous Léon Strozzi et son frère Pierre, arrivait à Leith le 16 juin 1548, avec six mille hommes, et des chefs aussi prestigieux que François d'Andelot, André de Montalembert d'Essé, Henri Clutin d'Oisel. Aussitôt les Français mettaient le siège devant le château de Haddington que les Anglais tenaient depuis l'année précédente.

Une fois l'armée débarquée, un groupe de galères, sous l'habile direction d'un des meilleurs marins français du siècle, Durand de Villegagnon, gagna le large et fit mine de rentrer en France. Les Anglais, qui craignaient de le voir emmener avec lui Marie Stuart, faisaient bonne garde. Mais Villegagnon savait ce qu'il faisait : au lieu de repartir vers le sud, il vira au nord, passa au large des Orcades et entra dans la mer d'Irlande — un exploit jusqu'alors considéré comme irréalisable pour des galères. Dans les derniers jours de juillet, il remontait l'estuaire de la Clyde et paraissait devant Dumbarton, où Marie de Guise l'attendait avec sa fille[6].

Un secret remarquable avait été gardé : ce n'est que le 4 août que les Anglais surent qu'ils avaient été joués. Pour accompagner Marie Stuart dans son voyage, Châtellerault et la reine mère avaient constitué une suite où figuraient son gouverneur Lord Erskine, Lord Livingston, le jeune Lord Jacques Stuart — fils naturel de Jacques V, donc demi-frère aîné de la petite reine —, Lady Fleming, destinée à être en France la gouvernante de l'enfant, et quatre petites filles du même âge que celle-ci : Marie Beaton, Marie Fleming, Marie Livingston, Marie Seton — les « quatre Marie de la reine », comme on devait les appeler plus tard.

Le départ fut mouvementé. La tempête empêchait la sortie des galères, qui restèrent une semaine ancrées dans l'estuaire sans pouvoir prendre le large. La belle et capricieuse Lady Fleming s'ennuyait et voulait redescendre à terre : « Si elle veut débarquer, qu'elle y aille à la nage », répliqua le capitaine, exaspéré[7]. On s'inquiétait d'une possible arrivée des Anglais. Mais tout se passa bien finalement. Le 7 août 1548 la flotte prit la mer et Marie Stuart quitta pour treize ans son pays natal. Une nouvelle vie commençait pour elle. Elle avait cinq ans et huit mois.

CHAPITRE II

« Une des plus parfaites créatures qui fut jamais vue... »

Cette enfant qui voguait vers une France inconnue à travers les périls d'une mer hostile, nous la connaissons jusqu'à présent relativement peu. Au milieu des troubles qui avaient entouré sa naissance et sa première enfance, elle était plutôt un pion sur l'échiquier diplomatique qu'une personne. Mais au moment où elle va aborder dans un pays dont elle est destinée à devenir la reine, soudain les Français s'intéressent à elle, et du même coup son image commence à se préciser.

Il est bien difficile, reconnaissons-le, de caractériser de façon frappante une petite fille de cinq ans. Trois qualités, cependant, apparaissent dans tous les témoignages de l'époque : la santé, la grâce, l'intelligence. On nous parle bien, à l'occasion, de maux de dents, voire de fièvre ou d'indigestion, mais, à part quelques exceptions, ces malaises ne semblent pas avoir inquiété l'entourage de l'enfant. Parmi ces exceptions il faut noter la maladie qui, en mars 1548, quelques mois avant son embarquement pour la France, sembla mettre ses jours en danger : rougeole, scarlatine, ou peut-être variole, d'après les médecins d'aujourd'hui. Plus tard elle devait avoir des troubles digestifs, des poussées infectieuses, mais apparemment rien de grave. Cette belle santé était particulièrement remarquable en comparaison des troubles de toute nature dont souffraient presque tous les enfants d'Henri II et de Catherine de Médicis, avec qui Marie devait être élevée en France.

Ce qui frappait unanimement tous les contemporains était le charme extrême de l'enfant. Déjà en Écosse, le capitaine Jean de Beaugué, l'un des compagnons de Montalembert d'Essé, avait noté : « C'était une des plus parfaites créatures qui jamais fût vue et telle que, dès ce jeune âge, avec émerveillables et louables commencements, elle a donné si grande attente de soi qu'il n'est possible de plus espérer de princesse sur la terre[1]. » Il faut, sans doute, faire la part de la courtisanerie dans les qualificatifs appliqués à la future reine de France ; mais tous les commentaires, lors de l'arrivée de la petite Écossaise à la cour, traduisent une évidente séduction.

Physiquement, les descriptions des contemporains manquent de précision ; le langage de l'époque était volontiers stéréotypé quand il s'agissait de la beauté féminine, plus encore de la grâce enfantine. Elle était blonde, avec un teint de lait et une peau d'une finesse extrême. Ses yeux « petits et un peu enfoncés » — caractéristique qui persistera — étaient d'une couleur dorée, sa bouche petite, son menton ovale. Un portrait au crayon, commandé par Catherine de Médicis, conservé aujourd'hui au musée Condé de Chantilly, confirme cette impression de délicatesse et de charme. On comprend qu'Henri II, quand il vit pour la première fois sa future bru, se soit écrié qu'elle était « l'enfant le plus accompli qu'il eût jamais vu[2] ». Les poètes de cour n'allaient pas manquer de sujet d'inspiration pour les années à venir.

En attendant, il fallait penser à l'installation de la nouvelle princesse.

La traversée d'Écosse en France fut longue et difficile : six jours au moins, avec une forte houle dans la mer d'Irlande et la Manche, qui devait être particulièrement pénible à supporter dans les longues et basses galères. Il y eut même une tempête au large du cap Land's End, et le gouvernail d'un des navires cassa. Vrai ou faux, on nous dit que Marie fut la seule à ne pas souffrir du mal de mer ; elle devait, par la suite, donner d'autres preuves de ses qualités d'endurance maritime.

La petite flotte aborda en Bretagne entre le 13 et le

20 août — les témoignages divergent. On ne sait même pas exactement où l'enfant foula pour la première fois la terre de son futur royaume : la tradition dit Roscoff, sans qu'on en soit absolument certain. Elle passa sa première nuit à Morlaix, où rien n'était prêt pour la recevoir ; la navigation, en ce temps, comportait une forte marge d'incertitude[3]. De Morlaix, le cortège gagna Nantes par terre. À Nantes, on s'embarqua sur les bateaux des mariniers de Loire et on remonta le fleuve à petites étapes jusqu'à Orléans.

Maintenant que l'arrivée de Marie était officielle, la Cour prenait ses dispositions pour l'accueillir. La première personne qu'elle vit accourir à sa rencontre à Ancenis fut sa grand-mère, la duchesse de Guise, née Antoinette de Bourbon. Elle la connaissait pour en avoir entendu parler avec amour et respect par sa mère Marie de Guise ; et de fait, la duchesse Antoinette était une femme remarquable, estimée et admirée de tous ses contemporains. Femme de tête, qui administrait avec rigueur et habileté la vaste fortune des Guise ; femme d'esprit, prompte à la repartie (on citait d'elle une anecdote, bien digne de l'époque de Brantôme : ayant appris que son mari donnait rendez-vous à une jeune villageoise dans une petite hutte forestière, elle fit en secret meubler et décorer la hutte comme une salle de château, puis elle y fit venir le duc en sa compagnie. Comme il s'étonnait de ce qu'il voyait, « c'est pour que le lieu soit digne de sa destination », dit-elle. Le duc, confus, comprit la leçon ; mais on ne nous dit pas s'il renonça à voir la paysanne en un autre lieu). Antoinette était aussi une femme de cœur, célèbre pour ses charités et sa vertu ; et une femme de caractère, qui refusa un jour le titre de princesse du sang, estimant que, née Bourbon et mariée à un Guise, sa noblesse se suffisait à elle-même.

Au moment où sa petite-fille Marie Stuart arrivait en France, la duchesse avait cinquante-quatre ans. Elle fut séduite, dès la première rencontre, par sa petite-fille venue du nord. « C'est la plus jolie et la meilleure que ce que vous vîtes oncques de son âge », écrit-elle à son fils Aumale. La seule chose à reprendre était l'accoutrement de l'enfant, vraiment par trop « sauvage et barbaresque », et aussi sa langue, que les Français jugeaient, selon Brantôme, « fort rurale, barbare, mal sonnante et séante ». Il ne faudra d'ailleurs que quelques semaines à Marie Stuart pour parler le français, qui deviendra vite sa langue naturelle ; sans doute s'y était-elle déjà initiée à Stirling et à Dumbarton avec sa mère.

Tout au long des treize années de sa vie en France, Marie conservera pour sa grand-mère Guise une immense affection. Enfant, puis adolescente, elle effectuera de fréquents séjours chez elle, au beau château de Meudon, près de Paris. Tout en étant traitée à la Cour en princesse royale, elle sera toujours considérée comme un membre de la famille de Guise, au point même, plus tard, d'être quelque peu englobée dans l'impopularité de cette dernière auprès d'une partie de l'opinion.

En attendant, c'est à la duchesse Antoinette qu'incombe le soin d'accompagner sa petite-fille jusqu'à Saint-Germain-en-Laye, où Henri II a décidé qu'elle rencontrerait la Cour. Le voyage se fait à petites journées, pour laisser le temps aux ouvriers de rendre les appartements habitables à Saint-Germain — le château est, à cette époque, en pleins travaux d'agrandissement. D'emblée, la duchesse a décidé, en accord avec le roi de France, d'alléger l'entourage écossais de Marie, jugé trop « farouche ». Les quatre petites compagnes (les « Marie ») sont envoyées se civiliser dans un couvent ; seules demeurent auprès de la petite reine sa nourrice Jeanne Sinclair, une ronchonne affectueuse, et la belle Lady Fleming, bien décidée à ne pas se laisser oublier. En même temps, on se préoccupe de faire exécuter pour l'enfant une garde-robe digne de son rang, ce qui explique sans doute la longueur des étapes dans les châteaux royaux échelonnés le long de la Loire.

Enfin, le 16 octobre — deux mois après le débarquement en Bretagne —, le cortège arrive, non à Saint-Germain, qui n'est pas encore totalement nettoyé (on a une peur panique de tout ce qui pourrait favoriser une maladie contagieuse), mais au vieux château de Carrières-sur-Seine. C'est là que Marie Stuart prend son premier contact avec la famille qui sera désormais la sienne.

Henri II, à ce moment précis, est en Italie, où se poursuit la campagne contre les armées espagnoles. Mais l'arrivée de sa petite bru l'occupe beaucoup ; il écrit au duc de Guise, à la duchesse Antoinette, pour avoir des nouvelles, savoir comment se comporte la fillette. Il a déjà décidé qu'elle prendrait le second rang parmi les enfants royaux, immédiatement après le dauphin : d'abord parce qu'elle est destinée à épouser ce dernier, donc à régner ; ensuite parce qu'elle est reine couronnée dans son pays.

Comme chacun sait, le mariage d'Henri II et de Catherine de Médicis était longtemps demeuré stérile, au grand désespoir de la Florentine ; mais, depuis que les traitements médicaux, ou la magie, ou les prières, ou tout simplement la nature, l'avaient enfin rendue féconde, Catherine ne cessait plus d'accoucher. Au moment où Marie Stuart vient s'ajouter à la famille, le couple royal a trois enfants : d'abord François, dauphin, le fiancé de Marie, âgé de quatre ans et dix mois ; puis Élisabeth, future reine d'Espagne, trois ans et six mois ; enfin Claude, future duchesse de Lorraine, âgée d'à peine un an. Plus tard, d'autres frères et sœurs viendront, le futur Charles IX en 1550, le futur Henri III en 1551, Marguerite — la « reine Margot » — en 1553, François d'Alençon en 1554, sans parler des morts-nés ou des morts au berceau.

Tout ce petit monde vivait, cela va de soi, en marge de la Cour : par mesure d'hygiène d'abord — on redoutait les épidémies, si meurtrières alors pour les nourrissons et les jeunes enfants ; par commodité aussi, car la Cour, sans cesse itinérante, vivait dans un perpétuel tohu-bohu où l'éducation de petits princes et princesses aurait été bien difficile[4].

Les enfants eux-mêmes, d'ailleurs, changeaient souvent de résidence. C'était le style de vie de l'aristocratie d'alors ; seuls de fréquents déplacements permettaient d'aérer et de nettoyer les châteaux, où manquaient bien entendu l'eau courante et le tout-à-l'égout. Les médecins attachaient aussi beaucoup d'importance au changement d'atmosphère, chaque ville ou domaine étant censé posséder un « air » avec des propriétés particulières, variant selon les saisons. L'énumération des résidences successives des enfants royaux, telles que nous les révèlent les documents comptables et les correspondances, donne le vertige : Saint-Germain, Fontainebleau, Bury en Touraine, Anet, Madon en Blésois, Blois, Chambord, Amboise, Écouen, Villers-Cotterêts... Ce n'étaient pas tous des châteaux royaux : Anet appartenait à Diane de Poitiers, Écouen au connétable de Montmorency. Les séjours y étaient plus ou moins longs, de quelques jours à plusieurs semaines, et il faut imaginer les petits princes et princesses voyageant en « chariots », en litières, ou par eau si le trajet s'y prêtait. (Encore au XVIIe siècle, quand la Cour de Louis XIV allait passer l'automne à Fontainebleau, le plus gros du transport se faisait par le fleuve.)

Les enfants royaux avaient une « maison », c'est-à-dire un ensemble de serviteurs consacrés exclusivement à leur service. Ce n'est que lorsqu'ils atteignaient l'adolescence qu'ils avaient droit à une « maison » particulière, d'une importance proportionnée à leur rang dans la hiérarchie dynastique. Le baron de Ruble, qui a dépouillé au XIXe siècle les archives relatives à la vie de Marie Stuart pendant ses années françaises, donne une liste impressionnante de la maison des petits princes, en augmentation constante à mesure que Catherine de Médicis donnait le jour à de nouveaux rejetons. En 1550, elle comptait, entre chambellans, maîtres d'hôtel, panetiers, échansons, maîtres queux, marmitons, rôtisseurs, potagers, pâtissiers, fruitiers, écuyers, huissiers, valets et femmes de chambre, portemanteaux, maréchaux des logis, maîtres de la garde-robe, tapissiers, lavandières, brodeurs, lingères, trésoriers, secrétaires, contrôleurs, médecins, apothicaires, chirurgiens, barbiers, aumôniers, chapelains, confesseurs, maîtres d'école, précepteurs, et sans compter les garçons et filles d'honneur qui n'étaient pas rétribués, de 300 à 500 personnes. Le baron de Ruble remarque avec surprise que dans tout ce monde ne figure qu'un porteur d'eau, ce qui est aussi inquiétant du point de vue de la sobriété que de celui des soins de toilette. L'échelle des salaires était large : 400 livres par an pour le premier médecin, 50 livres pour un aide-pâtissier.

La consommation d'une telle troupe donne, elle aussi, à rêver : en un seul repas de 1553 furent consommés 276 pains, 18 pièces de bœuf, 8 moutons, 20 chapons, 120 poulets ou pigeons, 3 chevreaux, 6 oisons, 4 levrauts, etc., pour une dépense totale de 152 livres 4 sols 12 deniers soit plus des deux tiers du salaire annuel du premier médecin ! On comprend qu'après un séjour un peu prolongé en un château quelconque, la campagne environnante devait être plus ou moins épuisée.

Tout le style de vie était à l'avenant : vêtements, trousseau, jouets, divertissements — animaux domestiques, oiseaux d'appartement, petites voitures, troupes de saltimbanques et de baladins, « danseries », et même des bêtes sauvages, loups, sangliers, biches, ours, qu'on maintenait en cage à grands frais pour amuser les enfants princiers.

La responsabilité de cette lourde machinerie reposait sur le gouverneur des enfants de France, d'abord Jean d'Humières, puis, après la mort de celui-ci en juillet 1550, Claude d'Urfé. C'étaient, l'un et l'autre, des militaires et des diplomates. Mme d'Humières dirigeait les nourrices et les gens de service, ce qui lui conférait un rôle d'une importance toute particulière.

Tel était le monde dans lequel, en octobre 1548, Marie Stuart se trouva soudain plongée. Le premier contact avec ses futurs compagnons de jeux et d'études fut idéal ; d'emblée, elle fut adoptée comme membre de la famille. Le petit dauphin, surtout, s'attacha à elle comme à une sœur : ils furent « dès le premier jour aussi apprivoisés ensemble comme s'ils se fussent connus de tout temps », écrit Catherine de Médicis au duc de Guise, grand-père de la petite Écossaise. Quant à la princesse Élisabeth, elle deviendra l'amie très chère de Marie et le restera jusqu'à leur séparation en 1559.

La reine Catherine, on le sait, était très maternelle. Après tant d'années de stérilité, ses enfants étaient sa joie, sa passion, son anxiété aussi. Ils avaient, pour la plupart, une faible nature (seuls Henri III et Margot devaient vivre au-delà de la trentaine), et le souci de leur santé occupait la reine nuit et jour. Mais Catherine n'était pas la seule à superviser l'éducation de ses enfants : Diane de Poitiers, l'indestructible maîtresse du roi, avait son mot à dire dans ce domaine comme dans celui de la politique et de la religion. Elle jouait volontiers le rôle d'une tante gâteau, et les séjours que les petits princes faisaient chez elle dans son château enchanté d'Anet comptaient parmi les plus agréables de leur existence.

Pour Marie, dont l'intelligence était vive, cette vie féerique offrait un incroyable contraste avec l'austère séjour de Stirling ou de Dumbarton. En ce qui la concerne, étant donné son origine, à l'autorité officielle du roi et de la reine — et officieuse de Diane de Poitiers — s'ajoutait celle de sa mère, restée dans son lointain royaume mais correspondant régulièrement avec la France, et aussi de sa grand-mère la duchesse Antoinette et de ses oncles Guise.

Une première question se posait d'abord : celle de son escorte écossaise. Tout le monde la trouvait encombrante et mal élevée. Petit à petit tous les seigneurs et dames venus d'outre-mer avec elle repartirent vers leur pays natal. L'Écosse s'éloignait de plus en plus de son horizon. Personne, sur le moment, n'en vit le danger : après tout, sa destinée était en France — du moins le croyait-on.

L'éducation proprement dite des enfants était confiée, sous la supervision très attentive de la reine Catherine et de Diane de Poitiers, à toute une équipe de professeurs et de précepteurs. Conformément aux idées du temps, c'était un enseignement tout classique, où le latin, l'italien, l'histoire et la géographie tenaient une large place, mais où les exercices du corps et les arts d'agrément n'étaient pas moins importants. Aucun des enfants d'Henri II et de Catherine de Médicis ne fut un intellectuel au sens absolu du mot, mais un Henri III, une Marguerite de Navarre, comptaient parmi les princes les plus cultivés de leur génération.

Les contemporains ont beaucoup loué l'esprit et la

science de Marie Stuart. On a conservé un recueil de thèmes latins qu'elle rédigea dans sa jeunesse, sur des sujets assez pédants comme il était de mode. Brantôme a gardé le souvenir émerveillé d'un discours latin qu'elle prononça, devant le roi, la reine et toute la Cour, dans la grande salle du Louvre, « soutenant et défendant, contre l'opinion commune, qu'il était bienséant aux femmes de savoir les lettres et arts libéraux ». Le poète Antoine Fouquelin en devenait lyrique :

Quant ta bouche céleste eut ouvert ton souci,
L'on eût dit que les cieux soulaient parler ainsi,*
Et que d'un prince était digne telle excellence
Tant avait de douceur ta divine éloquence.

Elle écrivait elle-même des vers, dans le style de Ronsard et de Joachim du Bellay, ses deux poètes préférés. Elle apprit à jouer du luth et à chanter, d'une voix paraît-il enchanteresse. Elle dansait à ravir. Plus tard, tous ces talents rendront fort jalouse sa cousine Élisabeth d'Angleterre et susciteront l'indignation de John Knox, qui y verra les artifices du démon.

Marie Stuart, toutefois, ne devint jamais, à l'inverse précisément d'Élisabeth, ce qu'on pourrait appeler une savante. Elle aimait lire, mais préférait s'amuser, danser, chasser. Elle pouvait parler latin si nécessaire, mais n'en faisait pas étalage comme sa cousine. En revanche, elle parlait couramment l'italien, langue diplomatique de l'époque ; quant à l'anglais, elle ne l'apprit qu'après son retour en Écosse.

Dans ces exercices — parmi lesquels il ne faut pas oublier ceux de piété, car l'enseignement des petits princes était fort catholique — se passèrent, presque insensiblement, les premières années de Marie Stuart en France. Cependant, étant donné le destin qui l'attendait comme fiancée du dauphin, sa présence en France ne pouvait être dissociée de la situation politique du pays ; et sa parenté Guise joue ici un rôle essentiel.

* Avaient l'habitude de.

Nous savons que la mère de Marie Stuart était la fille aînée du duc Claude de Guise et de sa femme Antoinette, née Bourbon. Il nous faut maintenant présenter de façon un peu plus détaillée cette illustre famille, qui tient une telle place dans l'histoire française du XVIe siècle, et dans celle de Marie Stuart en particulier.

Le duc Claude était un cadet de la famille ducale de Lorraine — pays alors indépendant — qui s'était fixé en France au temps de François Ier et y avait fait fortune grâce à ses talents guerriers. De son mariage avec Antoinette de Bourbon, il avait eu douze enfants, dont deux surtout devaient atteindre aux plus hautes destinées : François, duc de Guise après son père, et Charles, cardinal de Lorraine. Le duc est le héros militaire, le cardinal est le génie politique.

Vers 1548, à l'époque où leur nièce Marie Stuart débarquait d'Écosse, ils n'exerçaient pas encore la prépondérance qui sera la leur plus tard, mais ils constituaient déjà à la Cour un parti puissant et travaillaient inlassablement à affermir la fortune de leur famille. En face d'eux, ils avaient comme principal opposant le très influent connétable de Montmorency, que le roi appelait son « père » et qui veillait à ne pas laisser les « Lorrains » occuper trop de terrain. L'idée de voir la nièce de ses rivaux épouser l'héritier du trône le remplissait d'inquiétude. Nous retrouverons les uns et les autres tout au long des années que Marie passera en France, jusqu'au jour où leurs ambitions et leurs haines déboucheront sur la guerre civile.

Sans appartenir à proprement parler à l'un ou l'autre parti — elle était trop habile pour se compromettre —, Diane de Poitiers savait s'allier à bon escient pour l'avantage de sa propre famille. Sa fille Louise a épousé en 1547 le duc d'Aumale, l'un des frères Guise. *A priori,* elle sera donc plutôt favorable au mariage du dauphin et de Marie Stuart, grâce à quoi elle deviendra grand-tante du futur souverain.

Quant à la reine Catherine de Médicis, elle est encore dépourvue d'influence politique à l'époque de l'enfance de Marie : son heure ne viendra que plus tard. Mais elle se rapproche volontiers de Montmorency, qui se prête à tout ce qui peut affaiblir les Guise et la favorite.

Henri II, quant à lui, caractère faible (on connaît la chanson qui courait à propos de l'influence exercée sur lui par Diane : « Sire vous n'êtes plus, vous n'êtes plus que cire »), balançait entre les diverses factions et laissait se développer dangereusement les intérêts conflictuels.

Tel est l'arrière-plan politique sur lequel se déroulent, de la Seine à la Loire, les années de formation de la petite reine d'Écosse, bien loin de son royaume brumeux et turbulent.

Ce lointain royaume se rappelle toutefois à son souvenir — si l'on peut parler de souvenir pour une fillette de huit ans — lorsqu'en septembre 1550 sa mère, Marie de Guise, débarque en France pour un long séjour d'un an.

Nous savons déjà l'affection et le respect que Marie Stuart portait à celle qui l'avait mise au monde et qui avait veillé sur ses premières années. Depuis qu'elle l'avait quittée, elle n'avait jamais cessé d'entendre parler d'elle par sa grand-mère et de correspondre avec elle. On peut donc aisément imaginer la joie qu'elle eut à la revoir, bien que les causes de ce voyage n'eussent rien de réjouissant.

Il faut, en effet, revenir quelque peu en arrière pour évoquer les événements qui s'étaient déroulés en Écosse depuis le départ de la petite reine et dont les conséquences devaient un jour influer sur sa propre destinée.

Le pays, ruiné par les années de guerre avec l'Angleterre, était de plus en plus ingouvernable. L'entretien des troupes françaises coûtait cher ; une fois le péril anglais écarté, au moins pour l'immédiat, l'opinion publique se tournait contre les nouveaux étrangers dont elle oubliait trop facilement qu'elle les avait appelés quelques années plus tôt. Le régent anglais Somerset ne manquait pas, selon la tradition inaugurée par Henri VIII, d'entretenir en sous-main les nobles protestants d'Écosse et de les pousser contre leur gouvernement.

Officiellement, le régent était toujours le comte

d'Arran, devenu duc de Châtellerault et fort fier de cette dignité ; mais les années ne lui apportaient pas, malheureusement, le sens des responsabilités ni la force de caractère. Il restait indécis, soumis à toutes les influences et fondamentalement peu fiable. Par jalousie envers Marie de Guise et ses compatriotes français, il se laissait maintenant impressionner par les lords protestants, conscient ou non de jouer ainsi le jeu de l'Angleterre. C'est dans ces circonstances que la reine douairière, inquiète de cette évolution politique, désireuse de revoir sa fille et son fils du premier lit, soucieuse au surplus de se procurer des ressources, avait décidé de venir en France pour y chercher conseil et secours.

Marie de Guise fut accueillie par le roi et la reine de France avec tout le faste et toute la cordialité dus à une parente et à une alliée. Mais la conjoncture était défavorable ; les relations avec l'Espagne étaient au plus bas, la reprise de l'interminable guerre entre Valois et Habsbourg se profilait à l'horizon européen : les problèmes d'Écosse n'étaient certes pas prioritaires pour la Cour de France.

Malgré les fêtes, les voyages et les réceptions d'apparat, les résultats du séjour de Marie de Guise furent assez décevants. Elle repartit avec de l'argent, mais moins qu'elle n'avait espéré. Apparemment, cette grande dame en deuil (elle avait perdu son père l'année précédente), austère et quémandeuse, finissait par lasser le roi. Du moins, en accord avec son frère le cardinal, qui faisait de plus en plus figure de chef politique de la famille, mit-elle au point un projet de mini-coup d'État en Écosse, qui lui permettrait d'évincer l'instable Châtellerault et de se faire conférer la régence ; nous verrons que les choses ne devaient pas, cependant, se passer aussi facilement qu'elle l'espérait.

Pendant les douze mois qu'elle passa en France, la reine douairière fit plusieurs séjours, seule ou avec sa fille, chez la duchesse Antoinette sa mère ; le clan Guise se resserrait autour de l'aïeule, et Marie Stuart devait en rester marquée toute sa vie.

C'est à cette époque que se situe un curieux épisode, assez mal connu : une tentative d'assassinat dont Marie

Stuart aurait été l'objet, et qui fut révélée par l'ambassadeur d'Angleterre à Henri II. Un certain Robert Stuart, Écossais établi en France, se serait introduit auprès des officiers de bouche de Marie pour « savoir les viandes qu'elle avait à son goût » afin de les empoisonner. Le projet aurait été porté à la connaissance du gouvernement anglais par un complice, nommé Hérisson. Qui avait intérêt à la disparition de Marie Stuart ? Le duc de Châtellerault ? Le comte de Lennox ? Tous les deux, sans doute. Mais on se contenta d'emprisonner Robert Stuart et nous n'en savons pas davantage.

Plus pittoresque, mais heureusement moins dramatique, est le scandale de cour qui éclata à la fin du séjour en France de Marie de Guise, et qui devait avoir une conséquence immédiate pour Marie Stuart. Il s'agit du comportement de la gouvernante, Lady Fleming, cette blonde pulpeuse que Marie avait amenée avec elle et qui appartenait à l'une des premières familles d'Écosse (à vrai dire, elle était même la petite-fille du roi Jacques V par la main gauche). Si elle avait paru un peu rustique lorsqu'elle avait débarqué en France, elle s'était vite acclimatée, au point d'attirer, certaines complicités aidant, l'attention du roi.

Diane de Poitiers, maîtresse en titre, veillait de près sur la vertu de son amant ; le connétable de Montmorency, qui se méfiait de Diane, trop proche des Guise, joua volontiers les intermédiaires (mot poli) entre l'Écossaise et le souverain, tant et si bien que celui-ci se fit surprendre, tout penaud, alors qu'il sortait de chez la belle Fleming. Le lendemain, toute la Cour commentait la scène : c'était un scandale fort croustillant, mais audelà de l'anecdote graveleuse l'arrière-pensée de Montmorency avait sans doute été de compromettre l'enfant Marie Stuart, afin, plus tard, de pouvoir invoquer l'inconduite de sa gouvernante pour rendre impossible son mariage avec le dauphin : d'où la fureur des Guise.

Quoi qu'il en soit, Henri II, fort soucieux d'apaiser sa chère Diane, promit aussitôt de ne plus revoir l'Écossaise, mais celle-ci, par malchance, était devenue grosse des œuvres royales. « Elle n'en faisait pas la petite bouche, raconte Brantôme, mais très hardiment disait dans son écossais francisé : " J'ai fait tant que j'ai pu, que, Dieu merci, je suis enceinte du Roi, dont je m'en sens très honorée et très heureuse ; et si, je veux dire que le sang royal a je ne sais quoi de plus suave et friande liqueur que l'autre, tant que je m'en trouve bien, sans compter les bons brins de présents que l'on en tire. "[6] » Avec de pareils discours, on se doute que l'épouse et la maîtresse en titre s'entendirent pour renvoyer l'inflammable Fleming à sa Calédonie natale, dès qu'elle eut accouché d'un beau bâtard royal qui devait devenir célèbre sous le nom de chevalier d'Angoulême et mourir grand prieur de l'ordre de Malte, trente-cinq ans plus tard *.

De ce galant scandale, Marie Stuart, qui avait huit ans, ne connut sans doute rien, sauf qu'elle vit un jour sa gouvernante lui faire ses adieux et une autre gouvernante, française celle-là, la remplacer : Françoise de Parois, qui devait se révéler désagréable et maladroite, au point d'entrer, quelques années plus tard, en conflit aigu avec son élève.

La fin du séjour en France de Marie de Guise fut attristée par la mort, à l'âge de seize ans, de son fils du premier lit, François de Longueville. Ce fut, après la mort de son grand-père Guise, le premier deuil d'un proche parent que connut Marie Stuart. Elle aimait tendrement ce demi-frère qui, de son côté, l'adorait. Désormais, Marie de Guise n'avait plus comme raison de vivre que sa fille. Elle rentra en Écosse décidée à tout faire pour lui conserver son royaume — catholique et francisé comme elle. Tout le drame des années à venir était en germe dans cette politique.

Maintenant, tout doucement, Marie Stuart sortait de l'enfance pour entrer dans l'adolescence, qui, à cette

* À titre de curiosité orthographique, on ne résiste pas au plaisir de citer dans le texte original une lettre envoyée par Catherine de Médicis à la duchesse de Guise à propos du départ de Lady Fleming : « La comtesse print avantyer conjié de moy mès ay (elle) n'a lesé pour cella de venir arsouyr (hier soir) coucher an sete vylle. » L'orthographe de Catherine était aussi hésitante que sa politique...

époque, était plus précoce qu'aujourd'hui, surtout pour les filles de sang royal.

Personne n'oubliait que la reine d'Écosse était en France au titre de fiancée du dauphin. Cette perspective réjouissait certes les Guise, ses oncles ; pour cette même raison, elle n'enchantait pas leurs ennemis, au premier rang desquels le connétable de Montmorency. En 1556, ce dernier réussit à faire envisager une nouvelle combinaison matrimoniale, selon laquelle Marie épouserait non plus le dauphin comme prévu, mais un aristocrate anglais, Lord Courtenay, descendant des York et, à ce titre, éventuel prétendant à la couronne d'Angleterre ; ce qui, au cas — probable — où la reine de ce pays, Marie Tudor, mourrait sans enfants, aurait assuré au couple Courtenay-Stuart une chance supplémentaire de lui succéder. Mais Lord Courtenay mourut de malaria à Padoue, et la combinaison tomba à l'eau. Décidément, Marie serait dauphine.

En attendant, son train de vie coûtait de plus en plus cher. Françoise de Parois, la gouvernante qui avait succédé à la belle Fleming, réclamait sans cesse des crédits supplémentaires. La pauvre Marie de Guise, de sa lointaine Écosse, était bien en peine d'en fournir. Le cardinal de Lorraine, consulté, reconnaissait qu'il fallait au moins 60 000 livres par an pour permettre à sa nièce de tenir son rang ; on le conçoit d'autant plus volontiers que Marie Stuart devenait coquette, exigeait des broderies d'or sur ses vêtements, des robes de toile d'or. Pour la seule année 1551, les comptes de sa maison, que nous fait connaître le baron de Ruble, font état de seize robes, six devants de cotte, trois jupes, trois coiffes, deux vertugadins, deux basquines, un collet, un corsage, un manteau, un manchon de velours fourré, sans parler des rubans d'or, d'argent et de soie, des pattes de martre zibeline et des peaux de loup cervier, des gants, des épingles, des peignes, des brosses, des boutons « à croissants émaillés de blanc et noir, en or à 22 carats », des ceintures d'or émaillées de rouge, des chaînes, colliers, broderies et affiquets de toute sorte.

Finalement, il fut résolu que la famille de Guise prendrait à sa charge une partie de l'entretien de la maison de Marie, mais les conflits de celle-ci avec sa gouvernante, Mme de Parois, ne cessaient de s'aggraver. On imagine assez facilement que la jeune fille supportait avec une impatience croissante la tutelle d'une femme de rang inférieur et de caractère, semble-t-il, difficile. Dans les lettres qu'elle écrivait à sa mère, Marie se plaint sans cesse de « Madame du Parroy ». Elle l'accuse de tenter de la brouiller avec sa grand-mère, de colporter des ragots, de la négliger. « Elle a presque été cause de ma mort pour la peur que j'avais d'être hors de votre bonne grâce, et, davantage (de plus), ce m'est honte de quoi il y a plus de cinq mois qu'elle n'a couché deux nuits en ma chambre : pour quoi, Madame, je vous supplie très humblement y donner ordre » (lettre de mai 1557). Françoise de Parois quitta ses fonctions, que rien ne justifiait plus pour une princesse de quinze ans[7].

Conflits typiques de l'adolescence : Marie Stuart abordait l'âge difficile. Sa santé, à cette époque, donnait du souci à son entourage. Elle avait des troubles digestifs « quand quelquefois elle s'oublie et mange un peu trop », des fièvres, des périodes alternées d'abattement et d'excitation. Peut-être la puberté y était-elle pour quelque chose; en tout cas, non seulement sa beauté n'en souffrait pas, mais elle devenait chaque jour plus éclatante. C'est l'époque où les poètes la chantent à l'envi : « Venant sur les quinze ans, note Brantôme, sa beauté commença à faire paraître sa lumière en beau plein midi et à en effacer le soleil. »

À partir de 1555 environ, elle commence à paraître à la Cour, où ses oncles et Diane de Poitiers l'accueillent avec le faste dû à son rang. Henri II raffole d'elle et, selon le cardinal de Lorraine, elle passe son temps à deviser avec lui « comme ferait une femme de vingt-cinq ans ». C'est d'ailleurs l'époque où s'affirme l'influence prépondérante des Guise, surtout du cardinal de Lorraine, qui voit très régulièrement sa nièce et l'initie à ses devoirs de reine d'Écosse et future reine de France.

Ces années 1551-1557 sont mouvementées dans l'histoire de l'Europe. La guerre franco-impériale, qui s'étendait à l'Italie, à la Lorraine, aux Pays-Bas et à l'Espagne, avait à nouveau éclaté en 1552, après huit ans de paix instable, avec, au début, un éclatant succès français : le duc François de Guise avait mis en déroute l'armée impériale qui assiégeait Metz, et, du coup, était devenu le héros national (janvier 1553). De son côté, Montmorency collectionnait les échecs : l'astre des Guise était décidément ascendant dans le ciel de France, et la position de leur nièce Marie Stuart ne pouvait que s'en trouver renforcée.

En Écosse, depuis son retour de France, la reine douairière obtenait aussi quelques beaux résultats. Elle visait à ôter la régence à l'incertain Châtellerault, et, avec toute l'habileté d'une Guise, elle gagnait peu à peu à sa cause les nobles catholiques, inquiets de la faiblesse du régent. Elle était aidée, notamment, par le propre demi-frère de Châtellerault, l'ex-abbé de Paisley devenu archevêque de Saint-André après l'assassinat du cardinal Beaton, homme énergique et d'une tout autre trempe que le duc. Une campagne de pacification dans la région des Borders (frontière anglo-écossaise, où foisonnaient les brigands), en 1552, eut un succès remarqué : la reine douairière faisait la preuve de sa capacité à gouverner et à maintenir l'ordre. Sa popularité monta en flèche.

Finalement, après beaucoup de tergiversations, de fausses promesses et de repentirs, Châtellerault accepta d'abandonner la régence. Le Parlement d'Écosse, réuni en avril 1554, le remercia de sa gestion depuis la mort de Jacques V, lui reconnut officiellement le titre de duc que lui avait conféré le roi de France, le proclama « deuxième personne du royaume » et héritier présomptif de la couronne au cas où Marie Stuart mourrait sans enfants, et lui confia la garde du château de Dumbarton. C'était une sortie plus qu'honorable pour un homme dont le gouvernement avait été au-dessous du médiocre. Moyennant quoi, il abdiqua solennellement la charge de « gouverneur ».

La régence était donc vacante. Marie Stuart, qui avait alors onze ans et demi, la confia aussitôt à sa mère, désignation qui fut approuvée par le Parlement. La reine-régente fut conduite en procession au palais de Holyrood et les nobles vinrent lui prêter serment. Le parti français — on disait couramment le « parti Guise » — prit alors effectivement le pouvoir en Écosse, et des Français commencèrent à occuper les hauts postes de l'administration écossaise.

Ce nouveau régime fut d'abord bien accueilli. Après le gouvernement faible et impuissant de Châtellerault, Marie de Guise faisait régner l'ordre. Une série d'excellentes lois réformèrent la justice et l'administration ; même les protestants étaient satisfaits, car la régente veillait à faire respecter les bonnes mœurs, à supprimer les fêtes païennes de l'arbre de mai et de l' « abbé de Folie », à punir les prêtres coupables de vie scandaleuse.

Mais l'état de grâce ne dura pas ; c'est, comme souvent dans l'histoire, un problème financier qui y mit fin. Il fallait de l'argent pour payer une armée permanente, seule façon de protéger l'Écosse contre le danger anglais ; or les ressources faisaient cruellement défaut. L'idée d'un impôt foncier à la française, lancée par la régente, souleva immédiatement l'opposition farouche des nobles et de l'Église. Du coup, l'impopularité des Français éclata au grand jour. Châtellerault, comme il fallait s'y attendre, digérait mal son éviction ; il se rapprocha des opposants, Argyll, Huntly, Cassillis. L'Angleterre — gouvernée par Marie Tudor depuis la mort prématurée de son frère le jeune Édouard VI, ancien fiancé de Marie Stuart, en juillet 1553 — se tenait, comme toujours, prête à pêcher en eau trouble.

Précisément, le conflit européen prenait de l'ampleur, en cette année 1557. Marie Tudor, mariée au roi d'Espagne Philippe II et entièrement soumise à son influence, déclara la guerre à la France, le 7 juin 1557. (Galamment, Henri II répondit au héraut anglais venu lui porter la déclaration qu'il se bornait à regretter cette décision, « parce que c'est une reine qui vous envoie ; si c'était un roi, je vous parlerais sur un autre ton » ; mais ce n'en était pas moins la guerre.) Cette fois, après les victoires de 1552, les choses se présentaient mal pour la France : le 9 août 1557, c'était le désastre de Saint-Quentin, Montmorency prisonnier des Espagnols, la panique à Paris. Le duc de Guise, qui avait lui-même subi des échecs en Italie, était rappelé précipitamment et réussissait, *in extremis,* à redonner confiance au pays par la prise inopinée de Calais, possession chérie des Anglais ; la situation générale n'en restait pas moins préoccupante, et l'avenir chargé de nuages.

L'opposition antifrançaise en Écosse saisit aussitôt l'occasion qui lui était offerte par la conjoncture européenne. Comme il était prévisible, elle se doublait d'une opposition anticatholique qui, malgré les efforts et l'énergie de la régente, n'avait cessé de s'affermir depuis l'assassinat du cardinal Beaton. Les conversions au protestantisme se multipliaient dans la bourgeoisie et dans la noblesse. Marie de Guise tenait tête, avec l'aide de ses conseillers français et des lords restés catholiques, mais le rapport des forces, peu à peu, s'inversait. Les soucis de la guerre européenne absorbaient trop le gouvernement français pour qu'Henri II pût prêter grande attention à la lointaine Écosse, et les calvinistes écossais en avaient parfaitement conscience.

Quelques mois après la défaite française à Saint-Quentin, les nobles protestants d'Écosse décidèrent de former, à la fin de 1557, une « Congrégation » — c'est le nom qui leur resta dans l'histoire —, entendons : la Congrégation de Dieu contre celle du diable, c'est-à-dire du pape. « Voyant combien Satan, par le moyen de ses Antéchrists, cherche à renverser et détruire l'Évangile du Christ, nous soussignés, considérant qu'il est de notre devoir de combattre jusqu'à la mort pour le triomphe de la cause de Dieu, jurons que nous consacrerons tout notre pouvoir, notre richesse et même nos vies à maintenir, promouvoir et établir Sa sainte parole et à défendre Sa congrégation contre les pouvoirs maudits qui la tyrannisent et la menacent[8]. » Les signataires étaient parmi les plus grands seigneurs du royaume : comtes d'Argyll, de Glencairn, de Morton, Lord Archibald Lorne, Sir Jacques Sandilands, Jean Erskine de Dun, Guillaume Maitland de Lethington. D'emblée, la Congrégation se posait en contre-pouvoir opposé à la régente catholique et française : on le vit bien, quelque temps plus tard, lorsque Marie de Guise tenta d'engager l'Écosse à déclarer la guerre à l'Angleterre, aux côtés de la France : les nobles protestants s'y opposèrent, et la régente dut renoncer, à son vif dépit.

Pour resserrer les liens, qui commençaient ainsi dangereusement à se distendre, entre l'Écosse et la France, Marie de Guise et Henri II avaient également intérêt à faire enfin célébrer le mariage du dauphin et de Marie Stuart, dont le principe avait été conclu en 1548. Marie avait quinze ans au début de décembre 1557 ; elle était nubile, ou du moins considérée comme telle par le monde politique et diplomatique. Le dauphin François, lui, atteignait à peine quatorze ans, et sa santé n'était pas très rassurante, mais ce n'était pas une raison pour ne pas le marier.

Les deux adolescents s'aimaient tendrement. « C'est une fort jolie petite fille, écrivait l'ambassadeur de Venise deux ans plus tôt, et le dauphin a beaucoup de goût pour elle. Il arrive que, se faisant tous les deux des caresses, ils aiment à se retirer à part dans un coin de la salle pour qu'on ne puisse entendre leurs petits secrets. » Le mariage, auquel tout les préparait depuis leur enfance, n'avait rien pour eux que d'attendu et de désiré.

Restaient toutefois à régler les aspects politiques de la question. Si, du côté français, aucun obstacle n'était à envisager — surtout depuis que Montmorency était prisonnier à Bruxelles et que François de Guise était le héros du jour —, il n'était pas certain que le Parlement écossais accepterait sans difficultés l'union proposée

Pourtant, grâce à l'habileté de Marie de Guise, l'assemblée, réunie en décembre 1557 (quelques semaines après la formation de la Congrégation) confirma sa volonté de voir la reine mariée au dauphin ; mais elle désigna, pour venir à Paris négocier le contrat, une délégation assez hétéroclite où voisinaient l'archevêque de Glasgow Jacques Beaton (un neveu du feu cardinal, catholique intransigeant), l'évêque de Ross David Panter, l'évêque des Orcades Jacques Reid, les comtes de Rothes et de Cassillis, Lord Fleming, Lord Seton, Jean Erskine de Dun et ce Jacques Stuart, demi-frère de Marie, que nous avons déjà vu au nombre de ceux qui l'avaient accompagnée dans son voyage en 1548. Parmi ces députés, deux au moins, Cassillis et Erskine de Dun, étaient de sympathie ouvertement protestante et membres de la Congrégation ; Jacques Stuart n'allait pas tarder à incliner dans le même sens.

Les conditions qu'ils venaient soumettre aux Français étaient les suivantes : le dauphin et la reine régneraient conjointement sur l'Écosse et, le moment venu, sur la France ; leur fils aîné leur succéderait sur les trônes des deux pays ; au cas où ils n'auraient que des filles, l'aînée de celles-ci succéderait à sa mère comme reine d'Écosse (la loi salique interdisait, en revanche, à une femme de ceindre la couronne de France). Si le mariage restait stérile, le trône d'Écosse reviendrait au chef de la Maison de Hamilton, c'est-à-dire au duc de Châtellerault ; celui-ci serait régent si Marie Stuart venait à décéder en laissant un héritier mineur. D'autre part, tant que Marie résiderait hors d'Écosse, sa mère la reine douairière en resterait régente. Les questions financières n'étaient pas moins délicates. Marie recevrait, comme épouse du dauphin, un douaire d'un revenu de 300 000 livres, porté à 600 000 livres le jour où elle deviendrait reine de France.

Après longue discussion à Fontainebleau, où Marie Stuart était représentée par sa grand-mère la duchesse Antoinette, l'accord fut conclu et le contrat signé solennellement le 19 avril 1558 dans la grande galerie du nouveau palais du Louvre. Rien n'était plus clair, et apparemment plus honnête, que ces conditions matrimoniales : chacun des deux royaumes gardait son indépendance, ses lois, son administration ; ils resteraient unis tant qu'ils auraient un souverain commun, et reprendraient leur destinée individuelle le jour où les lois successorales les sépareraient à nouveau.

Mais Henri II ne voulait pas s'en tenir là. Ignorant ou méprisant le particularisme écossais, il prétendait unir à tout jamais le lys et le chardon. Sans doute poussé par le cardinal de Lorraine, dont on devine la main dans toute cette affaire, il fit signer par Marie, en grand secret, trois actes qui annulaient en fait le contrat officiel. Si elle mourait sans enfants, elle « léguait » son royaume d'Écosse à la France ; tout vote du Parlement écossais allant à l'encontre de cette disposition serait nul et sans effet ; enfin, les revenus du Trésor écossais seraient mis à la disposition du roi de France pour le rembourser des frais engagés par lui pour la défense de l'Écosse[9].

Ces actes secrets étaient, il faut le dire, scandaleux. Quand leur existence fut connue ou soupçonnée (assez rapidement, grâce à des indiscrétions), les Écossais furent indignés, et Marie Stuart devait porter toute sa vie le poids de cette duplicité qu'on pouvait même assimiler, sans exagération, à un parjure.

Ses apologistes ont dépensé beaucoup d'éloquence et d'habileté pour la laver de toute culpabilité dans cette affaire. Elle était, plaident-ils, entièrement entre les mains d'Henri II et de ses oncles, dépourvue d'expérience, dans l'incapacité de décider par elle-même. Sans doute. Mais il n'en reste pas moins que, dès son entrée dans la vie politique, elle apprenait deux choses : d'une part qu'on pouvait violer sa parole, signer un engagement officiel et en même temps, en secret, un autre niant le premier ; d'autre part, qu'un souverain est maître de son royaume et peut en disposer à son gré, le léguer au candidat de son choix sans consulter ses sujets. Double et périlleuse expérience. Marie Stuart n'oubliera aucun de ces deux funestes préceptes. Là résidera, très vite, la source de son irrémédiable malentendu avec son peuple.

En attendant, l'heure était venue, enfin, du mariage. Soit par goût naturel du faste, ou pour montrer aux yeux de l'Europe que la France, malgré ses revers militaires de l'année passée, restait le pays le plus riche de la chrétienté (on se rappelle le début de *La Princesse de Clèves :* « La magnificence et la galanterie n'ont jamais paru en France avec tant d'éclat que dans les dernières années du règne de Henri second »), le roi avait voulu que cette cérémonie dépassât en splendeur tout ce qu'on avait pu voir jusqu'alors. Il s'agissait, à tout prendre, du mariage de l'héritier du trône, d'où devait sortir toute une lignée de rois de France (encore que les intimes du futur souverain aient pu avoir des doutes sur ce point, mais de cela le bon peuple n'avait pas connaissance). Et la beauté de la jeune princesse ne pouvait que prêter aux cérémonies un éclat supplémentaire.

Les divisions de la France entre catholiques et protestants, entre partisans des Guise et des Montmorency, prenaient un tour inquiétant en ce début de 1558. Il est évident qu'Henri II et Diane de Poitiers voulurent saisir l'occasion du mariage pour resserrer autour du jeune couple l'amour et le loyalisme du peuple. Le fait que Marie fût la nièce de François de Guise, l'idole des Parisiens depuis la prise de Calais, ne faisait qu'ajouter aux raisons d'enthousiasme. Des exemples récents nous rappellent d'ailleurs qu'un mariage princier, même en notre XXe siècle, est une grande fête populaire.

À défaut de journaux et de télévision, l'imprimerie existait déjà. Elle servit à diffuser une petite brochure de propagande monarchique, intitulée *Discours du grand et magnifique triumphe faict au mariage de très noble et magnifique prince Françoys de Vallois, Roy-Dauphin, filz aisné du Très chrétien Roy de France Henry II du nom, et de très haulte et vertueuse princesse Madame Marie d'Estreuart, Roine d'Ecosse,* grâce à laquelle nous pouvons suivre tous les détails des cérémonies, en un style qui, curieusement, évoque celui de Léon Zitrone en circonstance analogue [10] !

Toute la Cour était présente à Paris en ce radieux 24 avril 1558 : le roi, la reine, tous leurs fils et filles, la princesse Marguerite, sœur du roi — avec qui Marie Stuart était fort liée, et qui était encore célibataire —, le duc de Lorraine qui n'allait pas tarder à épouser une sœur du dauphin, le roi de Navarre Antoine de Bourbon, premier prince du sang, et sa femme, son frère le prince de Condé, et bien entendu les Guise au grand complet. Le duc François était d'ailleurs responsable de l'organisation des cérémonies, en l'absence du grand maître de la Maison du Roi, le connétable de Montmorency, toujours prisonnier des Espagnols. On peut penser que cette absence ne fut pas regrettée de la jeune épousée ni de sa famille.

En accord avec le roi, Guise avait fait construire, devant le portail de Notre-Dame, un « échafaud » ou tribune de douze pieds de haut, relié à l'évêché par une galerie ornée de pampres à l'antique, « de telle magnificence et forme qu'il n'y a eu ouvrier qui n'en ait eu quelques bons deniers pour sa part ». Ce décor était destiné à ce que la foule, massée sur le parvis et dans les rues avoisinantes, ne perde rien du spectacle : la monarchie était la propriété de tous, et à plusieurs reprises au cours de la cérémonie le duc de Guise et le roi lui-même intervinrent pour que la vue fût bien dégagée ; la brochure y revient à plusieurs reprises.

Au matin du 24 avril — c'était un dimanche —, les Suisses de la garde royale prennent place, en livrée, avec leurs hallebardes, tambourins et fifres sonnant. Peu après arrivent les joueurs d'instruments « comme trompettes, clairons, hautbois, flageolets, violes, violons, sistres, guiternes et autres infinis, sonnant et jouant si mélodieusement que c'était chose fort délectable ». Croyons-en les témoins, bien qu'un tel amas d'instruments divers ait plutôt risqué de produire une certaine cacophonie.

Le cortège royal arrive vers dix heures : d'abord les gentilshommes du roi, puis les princes « tant richement ornés et vêtus que c'était chose merveilleuse », les abbés, les évêques, les archevêques, les six cardinaux français, le cardinal Trivulzio, légat du pape. Immédiatement derrière le légat viennent le fiancé et la fiancée, celle-ci conduite par le roi et le duc de Lorraine. Elle est vêtue « d'un habillement blanc comme lis, fait si somptueusement et richement qu'il serait impossible de l'écrire », avec une queue « longue à merveilles ». Son corsage étincelle de carcans et colliers de grand prix, et elle porte sur la tête une couronne d'or « garnie de perles, diamants, rubis, saphirs, émeraudes et autres pierreries de valeur inestimable, et par espécial une escarboucle estimée valoir 500 000 écus et plus ». Ferment le cortège la reine Catherine, conduite par le prince de Condé, la reine de Navarre, la princesse Marguerite sœur du roi, et leur suite, « accoutrées tant noblement qu'à peine pourrait-on écrire ». (Le style du chroniqueur n'est pas aussi brillant que le spectacle qu'il décrit).

Parvenus sur l'estrade, les fiancés sont accueillis par l'archevêque de Rouen, cardinal de Bourbon, prince du sang, qui les marie selon les formes sacramentelles. L'évêque de Paris prononce alors une « scientifique et savante oraison », puis, pendant que le cortège royal entre dans la cathédrale et remonte vers le chœur pour entendre la messe, le duc de Guise fait jeter au peuple, du haut de la galerie, une telle quantité de « henris, ducats, écus au soleil, pistolets, demi-écus, testons et douzains », que dans la bousculade qui s'ensuit, plusieurs personnes s'évanouissent, d'autres perdent leur manteau et leur bonnet, « tellement que le peuple cria aux hérauts qu'ils n'en jetassent plus ». En sortant de l'église, le souverain, « comme prince et roi débonnaire », fait dégager le passage « pour se montrer au peuple ».

Un banquet attend les princes à l'évêché, suivi d'un bal « en plus grande magnificence que jamais l'on ait vu ». Mais la journée n'est pas finie : à cinq heures du soir, le cortège repart vers le palais (que nous appelons Palais de justice), les princesses en coches et litières parés de drap d'or, pour le banquet de nuit au son des musiques, offert à Leurs Majestés par ces Messieurs du Parlement de Paris, tous « vêtus de leurs robes rouges en grand'magnificence ». Pour terminer la soirée, un spectacle est donné dans la grande galerie du Parlement, sous forme de « masques, mômeries, ballades et autres jeux et passe-temps », dont les épisodes les plus réussis sont l'apparition de douze chevaux artificiels caparaçonnés de toile d'or et d'argent, « cheminant et allant de telle sorte qu'on eût dit iceux être vivants », et montés par les plus jeunes des princes, puis le passage de coches où « des pèlerins chantaient mélodieusement des hymnes et cantiques à la louange des mariés et du mariage », enfin les évolutions de six navires « si ingénieusement faits et conduits de si grande dextérité qu'on eût dit iceux flotter en l'eau et être menés par les vagues et ondes de mer, comme s'ils eussent été tourmentés et agités de vent contraires ». Comble de galanterie, chacun des capitaines des navires descend pour emmener à son bord la dame de ses pensées : le roi emmène la reine (sans doute aurait-il préféré Diane de Poitiers, mais le protocole a ses exigences...), le dauphin sa jeune épouse, et ainsi de suite, jusqu'au duc de Lorraine qui enlève la princesse Claude, avant de l'épouser effectivement quelques mois plus tard.

Tout le monde rentra au Louvre vers trois heures du matin, mais les festivités durèrent encore plusieurs jours, ce que le journaliste-chroniqueur conclut en « priant le Roi des Rois qu'il Lui plaise maintenir lesdits princes en joie, prospérité et amour, afin que le peuple en soit sustenté et en paix gouverné ».

Jamais prière ne devait être plus mal exaucée.

CHAPITRE III

« Une œuvre méritoire à la gloire de Dieu »

Il est, dans l'histoire de l'Europe, des années charnières qui changent le destin des peuples. Soudain, en quelques mois, ignorant les frontières, le rythme des événements s'accélère, les protagonistes de la vie publique disparaissent, les décisions se prennent, sur les champs de bataille ou dans le secret des chancelleries, qui mettent en forme l'avenir.

Les années 1558-1560 sont de ce nombre. En Angleterre, en Écosse, en Espagne, en Flandre, en France, tout change, à commencer par les personnes des souverains ; et tous ces bouleversements, sans qu'elle en soit le moins du monde responsable, auront une influence directe sur la vie de Marie Stuart. À beaucoup d'égards, on peut dire qu'entre son mariage avec François II, le 24 avril 1558, et son veuvage, le 5 décembre 1560, se joue sa destinée, en son absence, sinon à son insu.

Mais s'il y a bien une héroïne, il n'y a ni unité de lieu ni unité d'action. La scène, comme dans les mystères du Moyen Âge, doit être dressée en multiples compartiments, où les acteurs jouent chacun pour soi, seul le spectateur — en l'occurrence l'historien — embrassant l'ensemble du théâtre. Au reste, les événements se succèdent de façon si rapide et sont si étroitement imbriqués les uns dans les autres qu'un récit purement chronologique, pendant ces deux années fatidiques, est pratiquement impossible.

En prologue, présage des drames à venir, les députés du Parlement écossais, rentrant dans leur pays après les cérémonies du mariage, furent frappés à Dieppe d'une maladie assez mystérieuse, sans doute une intoxication alimentaire, qui en tua quatre — l'évêque des Orcades, les comtes de Cassillis et de Rothes et Lord Fleming — et laissa les autres gravement affaiblis, y compris le demi-frère de Marie, Jacques Stuart, qui devait, dit-on, en rester marqué toute sa vie. Dans l'ambiance du temps, on parla bien entendu de poison, qu'on attribua aux Guise.

En novembre, le Parlement d'Écosse ratifia le contrat de mariage et vota la naturalisation de tous les Français résidant en Écosse comme sujets écossais, en échange de la naturalisation des Écossais vivant en France décidée par Henri II (ce qui leur donnait le droit de « librement habiter, venir, résider et demeurer dans ledit royaume, et y accepter, tenir et posséder tous biens, honneurs, dignités... » : on voit aisément l'intérêt qu'une telle disposition présentait pour les Écossais, toujours à l'affût de prébendes et revenus en France [1]).

Mais déjà les prétentions du dauphin — auquel le roi de France avait conféré le titre de « roi dauphin », et à Marie celui de « reine dauphine » — soulevaient de l'opposition à Édimbourg. Il voulait — ou plutôt les Guise voulaient en son nom — que la couronne des Stuart fût envoyée en France. Le Parlement du royaume fit traîner la discussion en longueur, et la couronne ne quitta pas son pays. François et Marie n'en signèrent pas moins désormais conjointement « roi et reine d'Écosse », et leurs armoiries furent écartelées de Dauphiné et d'Écosse.

La force du parti protestant écossais n'allait pas tarder à s'affirmer au grand jour comme un défi ouvert à Marie de Guise. Le 1er septembre 1558, en sa présence, un groupe de calvinistes profana la procession traditionnelle de saint Gilles, patron d'Édimbourg ; les prêtres furent bousculés, la statue du saint enlevée, mutilée et jetée dans le lac qui s'étendait alors au pied de la ville *. Peu après, les lords de la Congrégation présentèrent à la régente un véritable ultimatum, exigeant que fût mis fin « aux désordres de l'Église et du gouvernement » — autrement dit, au catholicisme et à la présence des Français. Il était évident qu'on n'éviterait pas longtemps l'affrontement, surtout si l'Angleterre s'en mêlait.

Précisément, la reine Marie Tudor mourut le 17 novembre 1558 en son palais londonien de Saint-James.

Elle était, comme on sait, ardemment catholique. Son mariage avec le prince d'Espagne Philippe, devenu entre-temps le roi Philippe II, était resté stérile, tout comme sa tentative désespérée de restaurer la foi traditionnelle dans les cœurs des Anglais.

Sa succession se présentait de façon paradoxale. Fille aînée du roi Henri VIII, elle était aussi la seule à être issue d'un mariage célébré selon le rite romain, avant la rupture de son père avec le pape. L'autre fille, Élisabeth, sa sœur cadette, était née d'Anne Boleyn, donc bâtarde aux yeux de l'Église ; mais bâtarde aussi aux yeux de la loi anglaise, puisque Anne Boleyn avait été condamnée à mort pour adultère et sa fille déclarée illégitime par le Parlement, sur l'ordre de son père.

Pourtant, avec un manque parfait de logique, Henri VIII, dans son testament, avait décidé qu'Élisabeth, toute bâtarde qu'elle fût, viendrait après sa sœur aînée dans l'ordre de la succession au trône : ce que ne pouvaient guère admettre les catholiques, pour qui ni le roi ni le Parlement n'avaient loisir de modifier la loi de Dieu. Pour eux, l'héritier naturel de Marie Tudor, faute de frère, sœur, neveu ou nièce légitime, ne pouvait être qu'un cousin ou une cousine.

Or Henri VIII avait eu une sœur aînée, Marguerite Tudor, qui, nous le savons, avait en son temps épousé le roi d'Écosse Jacques IV ; la petite-fille issue de ce mariage, Marie Stuart, reine d'Écosse et catholique,

* Là où sont aujourd'hui la gare de Waverley et la Galerie nationale.

semblait donc devoir recueillir l'adhésion de tous ceux qui, en Angleterre, rejetaient le protestantisme.

Mais c'eût été compter sans le patriotisme des Anglais et sans leur haine traditionnelle de la France, car Marie Stuart avait beau être la descendante légitime des Tudor, elle avait pour les Anglais, en cette année 1558, le défaut irrémédiable d'être aussi la femme du dauphin de France. Après l'expérience malheureuse du roi espagnol Philippe, époux de Marie Tudor, il n'était pas un Anglais pour accepter l'idée d'un Valois sur le trône de Westminster.

D'ailleurs, Marie Tudor elle-même, ennemie acharnée des Français (on se rappelle son mot, apocryphe ou non : « Si l'on ouvre mon cœur, on y verra gravé le nom de Calais »), avait eu la même réaction. Sur son lit de mort, oubliant les rivalités et les amertumes passées, elle avait accueilli sa demi-sœur Élisabeth comme son héritière. Grâce à quoi Élisabeth fut proclamée reine sans coup férir, sans qu'aucune voix se fût manifestée en faveur de la cousine Stuart mariée à un Valois.

Élisabeth était populaire. Lcs malheurs de son enfance et de son adolescence, le fait même qu'elle eût été reniée par son père, touchaient les cœurs. Sans être encore très connue du public, on savait qu'elle était intelligente, cultivée, gracieuse, et que malgré les ordres de sa sœur elle penchait vers le protestantisme — ce qui était d'ailleurs logique puisque les catholiques s'obstinaient à la considérer comme bâtarde. Elle avait, au moment de la mort de Marie Tudor, vingt-cinq ans, et son entourage rassurait. Anglaise de père et de mère, née et élevée en Angleterre, elle s'identifiait parfaitement à l'âme du pays. On le vit sans tarder, lorsqu'elle fit son entrée solennelle à Londres le 28 novembre, au milieu de l'enthousiasme populaire ; plus encore le 15 janvier 1559, pour les fêtes fastueuses de son couronnement. Jamais, depuis le début du siècle, un souverain anglais n'avait suscité une telle ferveur et un tel amour. En ces jours de joie, aucune note discordante ne se fait entendre en Angleterre. Quelques semaines encore, et il ne restera rien du règne de Marie Tudor et de sa tentative de restauration catholique. Dès janvier 1559, le

Parlement se réunit et, après deux mois de discussion, rétablit le protestantisme comme religion d'État — il ne devait plus cesser de l'être jusqu'à nos jours —, sans oublier, ce qui était bien la moindre des choses, d'abolir la loi de 1536 par laquelle Élisabeth avait été déclarée bâtarde. Preuve de l' « état de grâce » qui marque alors le règne commençant, ce triomphe de l'hérésie ne soulève pas, au moins ouvertement, l'indignation des catholiques ; il faudra attendre plusieurs années avant que leur opposition se manifeste de façon active. Au début de 1559, l'Angleterre tourne donc, sans heurts, une page essentielle de son histoire, et rompt à tout jamais avec son passé religieux.

Dans ces conditions, Marie Stuart, la cousine catholique, n'avait, apparemment, qu'à s'incliner. Mais le jeu diplomatique du XVIe siècle avait d'autres règles que la logique ; les principes y servaient souvent, comme de nos jours, de pavillon couvrant des mobiles fort peu idéalistes.

Au moment où Élisabeth montait sur le trône, la France et l'Angleterre étaient en guerre depuis plus d'un an. Il était tentant, pour le roi Henri II, de jouer la carte de sa bru écossaise, qui vivait en France et était entièrement en sa main. Il décida de reconnaître souveraine d'Angleterre non la protestante Élisabeth (qu'il soupçonnait, par-dessus le marché, d'avoir partie liée avec l'Espagne, ce qui n'était qu'à moitié faux), mais la catholique dauphine.

Outre-Manche, le scandale fut énorme. Élisabeth protesta hautement : d'emblée, sa cousine Marie Stuart, qui avait jusqu'alors tenu bien peu de place dans sa vie, se posait devant elle en rivale. Quelques mois plus tard, lorsque la paix fut signée en avril 1559 au Cateau-Cambrésis, Henri II revint à la charge : dans la discussion sur le sort de Calais, il affecta de ne vouloir d'autre interlocuteur que sa bru, seule reine d'Angleterre reconnue par lui. Élisabeth ne le pardonna jamais.

Pourtant, Henri II ne devait manifester à aucun moment l'intention de conquérir l'Angleterre pour y installer Marie. Il en eût d'ailleurs été bien incapable, le Trésor étant à sec et la France épuisée après sept ans de guerre avec l'Espagne. La proclamation de Marie comme reine d'Angleterre et d'Irlande n'était, et ne pouvait être, rien d'autre qu'un « geste » : mais il est, en politique, des gestes plus néfastes que des opérations militaires. Certains ont voulu y voir une manœuvre machiavélique de la France pour affaiblir l'Angleterre. C'est faire beaucoup d'honneur à une simple rodomontade dynastique, qui fut d'ailleurs ressentie comme telle par toute l'Europe. Philippe II, souverain catholique s'il en fut, n'esquissa même pas une reconnaissance de Marie comme reine d'Angleterre : au contraire, il se mit à courtiser aussitôt Élisabeth et à lui offrir sa main. Une demi-Française sur le trône de Londres était un rêve, une vue de l'esprit. Mais Henri II n'en démordit pas : tant qu'il vécut, l'écusson d'Angleterre et d'Irlande accompagna ceux d'Écosse et de Dauphiné partout où paraissait sa bru. « Les vieux crimes projettent de longues ombres », dit le proverbe britannique. Les vieilles erreurs aussi : l'avenir lointain le prouverait un jour.

L'irréalisme de la position française dans cette affaire était si évident que, dès la paix du Cateau-Cambrésis signée, Henri II se mit à échanger des ambassadeurs avec Élisabeth, que pourtant, officiellement, il ne reconnaissait pas comme reine. Telle était, dans toute sa naïveté, la diplomatie du XVIe siècle : affirmations solennelles démenties par les faits, engagements contradictoires et simultanés, prétentions de pure forme, promesses mensongères. Élisabeth en donnera par la suite d'autres exemples ; Marie Stuart aussi, et sans attendre longtemps. Il faut nous y habituer quand nous étudions cette époque. Marie elle-même, tout en continuant à s'intituler reine d'Angleterre et d'Irlande, écrit à Élisabeth le 21 avril 1559 — trois semaines à peine après le traité de paix : « Très haute et très excellente princesse, notre bien-aimée sœur et cousine », et lui promet de se montrer toujours sa « bonne sœur et entière amie ». Comprenne qui pourra...

Cependant, dans l'immédiat, ce n'est plus à Londres mais à Paris que le destin va maintenant frapper. Le traité du Cateau-Cambrésis (où l'Angleterre ne jouait, à vrai dire, qu'un rôle assez marginal) prévoyait d'asseoir la paix franco-espagnole sur un double mariage : le roi d'Espagne Philippe II, ayant renoncé à Élisabeth d'Angleterre, épouserait une autre Élisabeth, fille d'Henri II — et donc belle-sœur de Marie Stuart —, tandis que Marguerite, sœur d'Henri II, épouserait le duc de Savoie Emmanuel-Philibert, allié des Espagnols.

Fidèle à la politique de prestige des Valois, Henri II décida de donner aux fêtes matrimoniales, dont la date était fixée à juillet 1559, un éclat exceptionnel. On oubliait vite, en ce temps, l'humiliation des défaites comme les malheurs des peuples ; on l'avait constaté sous François Ier, on le verrait encore à maintes reprises dans l'avenir.

Parmi les festivités prévues à Paris, entre cérémonies religieuses, banquets et cavalcades, figurait un tournoi à la façon médiévale, dans un champ clos aménagé rue Saint-Antoine, là où se trouve aujourd'hui l'hôtel de Sully. On connaît la suite : Henri II s'obstinant, malgré les présages et les avertissements, à rompre une dernière lance avec le comte de Montgomery ; la visière du casque éclatée sous la violence du choc ; l'œil perforé, le cerveau atteint ; l'impuissance de la chirurgie avouée par Ambroise Paré ; la lente agonie de onze jours ; la mort du roi, le 10 juillet, au milieu de sa famille éplorée.

Henri II, en pleine santé et force de l'âge, avait quarante ans. Rien n'était plus imprévu (sauf des devins, s'il faut en croire la célèbre prédiction de Nostradamus « Dans cage d'or les yeux lui crèvera... ») que cette disparition d'un des principaux protagonistes de la politique européenne. En quelques mois, les quatre grands trônes de l'Europe avaient changé de titulaire : l'Espagne et l'Empire par l'abdication de Charles Quint, l'Angleterre par la mort de Marie Tudor, et maintenant la France.

Pour Marie Stuart, le drame de la rue Saint-Antoine avait les conséquences les plus directes, puisqu'il faisait d'elle la reine de France. Une reine de seize ans, mariée à un roi maladif de quinze ans et demi. Elle n'avait aucune expérience politique, mais elle était la nièce de deux des plus puissants seigneurs du royaume, qui par elle allaient mettre la main sur le gouvernement. Le règne de François II, comme on l'a dit à l'époque même, devait être le règne des Guise ; là encore, le destin de Marie se jouait sans qu'elle en fût personnellement responsable.

Car les Guise, en 1559, ne sont pas seulement une famille ambitieuse : ce sont les champions et les symboles du catholicisme, dans une France où les antagonismes religieux s'exacerbent. Leur avènement a donc une signification politique bien précise : le pouvoir royal va désormais s'engager à fond contre les protestants.

Dès le lendemain de la mort d'Henri II, le connétable de Montmorency (libéré par les Espagnols dès la signature du traité du Cateau-Cambrésis, et revenu aussitôt en faveur à la Cour) est poliment prié d'aller « s'ébattre chez lui ». Le prince de Condé, fortement sympathisant de la nouvelle religion, est écarté de la Cour par une opportune mission en Belgique. Au couronnement du nouveau roi à Reims, le 18 septembre 1559, le duc de Guise est le second des pairs laïcs, et son frère le cardinal de Lorraine, en sa qualité d'archevêque de Reims, pose la couronne sur la tête de son neveu. Une de leurs sœurs, Renée de Lorraine, est en outre supérieure de l'abbaye Saint-Pierre-aux-Nonnains, où loge la princesse Élisabeth, sœur du roi, amie d'enfance de Marie Stuart, qu'on vient de marier par procuration au roi d'Espagne.

Marie Stuart, quant à elle, n'était ce jour-là que spectatrice, puisque, étant déjà reine d'Écosse, elle n'avait pas à être sacrée ni couronnée une seconde fois ; mais, vêtue d'une immense robe « de toile d'argent frisée », et marchant sous un dais de velours rouge à franges d'or, elle attirait tous les regards — ceux du moins que ne retenait pas la fontaine érigée devant le portail de la cathédrale, où trois statues féminines « jetaient du vin clairet par les mamelles », par-dessus des paniers « remplis de toute sorte de fruits » pour le plaisir du bon peuple.

Une fois terminées les cérémonies et la Sainte Ampoule réintégrée en grande pompe à l'abbaye de Saint-Remi — en attendant le prochain sacre, plus proche que les assistants ne l'imaginaient —, toute la Cour, jeune roi en tête, se rendit en Lorraine pour rendre visite au duc, cousin des Guise, et à la duchesse, sœur du roi. L'opinion publique y vit, non sans raison, une nouvelle preuve de la mainmise des « Lorrains » sur la monarchie française.

La volonté de reconquête catholique apparut bientôt évidente : le 23 décembre 1559, le conseiller protestant Anne du Bourg était brûlé vif à Paris, malgré toutes les interventions en sa faveur. Il fut aussitôt considéré comme un martyr par les fidèles de la nouvelle religion.

Dans cette politique, Marie Stuart n'avait évidemment nulle responsabilité personnelle. Aucun des ambassadeurs qui suivaient et commentaient au jour le jour l'actualité française ne signale de rôle particulier joué par elle. Le contraire eût d'ailleurs été étonnant, car la tradition du royaume capétien n'était pas que les reines fussent associées au pouvoir, privilège réservé aux favorites quand il y en avait. Néanmoins, vue de l'étranger, et surtout d'outre-Manche, Marie Stuart, nièce des Guise, ne pouvait manquer d'apparaître comme une marionnette manipulée par ses oncles.

Or ceux-ci ne se souciaient guère, à l'égard de l'Angleterre, de diplomatie ou de finesse. Loin de chercher à se concilier Élisabeth, ils faisaient confirmer d'emblée par François II le titre de reine d'Angleterre et d'Irlande pour sa femme ; il fallut l'intervention de Condé pour éviter que le roi n'adoptât un sceau portant accolées les armes de France et d'Angleterre. La réaction d'Élisabeth ne se fit pas attendre : son ambassadeur, Nicolas Throckmorton, éleva une protestation solennelle au nom de sa souveraine. Il reçut de bonnes paroles et rien de plus.

Il était dès lors à prévoir que, dès qu'elle le pourrait, Élisabeth ne manquerait pas de rendre à sa bonne cousine d'Écosse la monnaie de sa pièce ; l'occasion n'allait s'en présenter que trop tôt.

En France, la situation évoluait de façon grave. Depuis dix ans au moins, les protestants (qu'on commençait à appeler les huguenots) se transformaient de minorité religieuse en parti d'opposition. Dans ces conditions, la politique de répression systématique entreprise par les Guise à partir de l'automne 1559 — perquisitions, arrestations, condamnations aux galères et au bûcher — ne pouvait manquer de soulever de graves difficultés. Des régions entières du royaume étaient, sinon totalement converties à la nouvelle religion, du moins fortement noyautées. La bourgeoisie commerçante et l'artisanat des villes surtout étaient touchés, mais aussi les milieux intellectuels, avocats, professeurs et même — phénomène plus grave du point de vue du gouvernement — la noblesse. En violences, verbales et physiques, les huguenots ne le cédaient en rien aux catholiques dans l'ardeur de leurs revendications. Dans ses terres de Béarn, la reine de Navarre, Jeanne d'Albret, épouse du premier prince du sang de France, allait bientôt interdire purement et simplement la célébration de la messe. De tous côtés, l'affrontement se préparait.

Dans cette atmosphère de veillée d'armes, les Guise focalisaient les haines des protestants. Aux yeux de ceux-ci, le roi était prisonnier de la clique lorraine ; du cardinal surtout, car l'aîné, le duc François, suscitait encore trop de respect pour qu'on osât l'attaquer ouvertement. Le cardinal, lui, faisait figure, dans les brochures de propagande huguenote, de monstre vomi par l'enfer. On faisait son anagramme : *Charles de Lorraine* devenait *Hardi larron se cèle.* On racontait qu'à la sortie d'une maison de débauche il s'était fait attaquer par des bandits et qu'il avait transformé cette sordide affaire en une attaque des hérétiques contre un prince de l'Église (en réalité, l'anecdote, si elle est authentique, concernerait son oncle, le premier cardinal de Lorraine, connu pour sa vie dissolue au temps de François Ier ; le cardinal Charles était, lui, de mœurs plutôt correctes pour l'époque, et son zèle comme archevêque était fort apprécié à Reims).

À la fin de l'hiver 1559-1560, un gentilhomme calviniste du Périgord, le baron de La Renaudie, en complicité avec l'ambitieux et remuant prince de Condé, se mit en tête de surprendre la Cour au château de Blois avec une troupe de conjurés armés. Quel était exactement le but de la conjuration ? Certainement, en premier lieu, d'éliminer les Guise, sans doute physiquement. Ensuite, selon toute vraisemblance, ils auraient proclamé François II « libéré » de ses oppresseurs, et une nouvelle tutelle aurait été établie sur lui, où Condé aurait tenu la première place. Les lois antihérétiques auraient été abolies, et peut-être, qui sait, la France aurait-elle suivi la voie ouverte l'année précédente par l'Angleterre : l'établissement officiel du protestantisme comme religion d'État.

Malheureusement pour La Renaudie, son projet fut éventé par des indiscrétions. Avertis à temps, les Guise firent transférer d'urgence la Cour de Blois à Amboise, château plus facile à défendre avec ses hautes murailles fortifiées, et répartirent des troupes pour surveiller les routes d'accès. Les uns après les autres, les gentilshommes protestants qui convergeaient vers la ville, ignorant que leur plan était découvert, furent pris au piège. La Renaudie lui-même devait être tué dans la forêt de Châteaurenault le 18 mars 1560. En quelques jours, il y eut plusieurs centaines de prisonniers[2].

Le cardinal de Lorraine tira le parti maximal de la situation. François II, persuadé qu'on en avait voulu à sa vie — ce qui n'est nullement prouvé —, acquiesça à la répression la plus féroce. Sa mère, Catherine de Médicis, qui pourtant n'aimait pas les Guise et penchait plutôt vers leurs adversaires politiques, admit qu'il fallait frapper fort, pour impressionner les éventuels candidats à un nouveau complot ; tout ce qui touchait à la sécurité des personnes royales était, dans l'Europe du XVIe siècle, matière d'État au plus haut degré.

Après jugement sommaire, les prisonniers furent exécutés : décapités, noyés, pendus aux créneaux du château, sous les yeux de la Cour. Les historiens protestants ont tracé de ces scènes tragiques un tableau sinistre, que connut bientôt toute l'Europe ; les deux célèbres gravures de Tortorel et Périssin, imprimées à Genève, en restent le témoignage souvent reproduit. Même si les chiffres et les détails donnés par le huguenot Régnier de La Planche (dont le récit est la source la plus fréquemment citée sur le drame d'Amboise) doivent être admis avec précaution, en raison de leur partialité évidente, il n'en est pas moins certain qu'avec le sang versé en ces journées de mars 1560, quelque chose d'irrémédiable s'était produit. Désormais il y aurait deux France, celle des martyrs d'Amboise et celle des bourreaux ; et de cette dernière, les Guise étaient le symbole exécré.

Aucun témoignage de l'époque ne permet de penser que Marie Stuart ait joué le moindre rôle dans le drame. Avec le roi et le reste de la Cour, elle s'était réfugiée à Amboise, elle avait vécu d'heure en heure la capture des conjurés. Comme toute la famille royale, elle assista aux exécutions, que le cardinal et la reine mère voulaient exemplaires et publiques. Certains historiens postérieurs, de sympathie protestante, nous décrivent Marie impassible devant l'affreux spectacle ; d'autres, au contraire, de sympathie guisarde, la disent émue et presque évanouie. Résignons-nous à ignorer ce qu'il en fut vraiment ; par la suite, comme reine d'Écosse, elle devait donner des preuves de ce qu'elle n'aimait pas à répandre le sang, mais qu'elle ne s'y refusait pas quand elle le jugeait nécessaire.

Pendant ce temps, dans le lointain royaume du nord, Marie de Guise tenait tête de son mieux aux progrès et aux empiètements des lords de la Congrégation, qui visaient ouvertement à ruiner le catholicisme : curieux parallélisme entre les deux pays.

Au printemps de 1559, la paix du Cateau-Cambrésis rendait à la France la liberté d'apporter son aide à la sœur des Guise. Celle-ci, saisissant l'occasion, convoqua les prédicateurs protestants devant la justice royale à Stirling le 10 mai, puis, ceux-ci s'étant abstenus d'obéir, les fit déclarer rebelles. En apparence, elle triomphait.

Malheureusement pour elle, elle avait sous-estimé l'échauffement des esprits que provoquait l'arrivée inopinée d'un pasteur de cinquante-quatre ans, à l'éloquence enflammée, John Knox. Celui-ci, après avoir connu bien des aventures *, avait été exilé à Genève, où

* Voir p. 31.

il avait vécu dans l'entourage de Calvin ; il rentrait maintenant en Écosse plein de zèle et de fureur contre le papisme et l'influence française. Le 11 mai, répliquant au coup d'audace de la régente contre ses coreligionnaires, il monta en chaire dans l'église principale de Perth et prêcha un sermon incendiaire contre l'Église de Satan et ses suppôts. Le moment était bien mal venu, pour le prêtre de la paroisse, de sortir de la sacristie revêtu de ses ornements sacerdotaux pour célébrer la messe. Un jeune garçon, tout chaud encore des invectives de Knox contre le culte catholique, lança une pierre à l'ecclésiastique comme il montait à l'autel ; le prêtre, excédé, lui donna une taloche. Petite cause, grands effets : la foule, rendue furieuse, se mit à tout casser dans l'église, statues, autels et vases sacrés ; « En un moment, plus aucun monument d'idolâtrie ne subsista. » Puis, le mouvement étant donné et pour ne pas interrompre une œuvre si sainte, on alla envahir et détruire, dans la foulée, les couvents des Franciscains, des Dominicains et des Chartreux, où l'on trouva des richesses « qui prouvaient bien que leur profession de pauvreté était mensongère ». La rapidité des démolitions frappa les imaginations : en deux jours, l'église des Chartreux fut rasée « au point qu'on n'en voyait même plus l'emplacement sur le sol ». Le chroniqueur protestant qui relate ces actes de vandalisme les présente avec « admiration » (le mot y est) comme « une œuvre méritoire à la gloire de Dieu[3] ».

En apprenant ces événements, Marie de Guise convoqua aussitôt son armée. En vain les lords protestants lui écrivirent-ils pour l'assurer de leur obéissance « pour tout ce qui n'est pas contraire à la loi de Dieu » : en même temps, ils proclamaient qu'il n'y aurait jamais de paix entre eux et l'Église catholique, « pas plus qu'entre Israël et Canaan, jusqu'à ce que disparaisse la honteuse idolâtrie[4] ».

Le 28 mai, l'armée royale occupait Perth. Le 30 mai, la régente y faisait son entrée, bien décidée à punir les meneurs de la rébellion. La municipalité fut révoquée, les auteurs des déprédations condamnés à la prison ou à l'amende, le culte catholique solennellement rétabli.

Mais Knox et ses fidèles s'étaient regroupés à Saint-André, la métropole archiépiscopale, où, dès le 12 juin, il prêchait dans la cathédrale sur le thème de Jésus chassant les marchands du Temple ; aussitôt, les églises de la ville étaient saccagées et les prêtres molestés. L'archevêque, prévoyant la chose, avait quitté son palais et rejoint la régente à Falkland, à trente kilomètres de là.

Le 24 juin, les troupes de la Congrégation occupaient Perth en achevant la destruction des églises si brillamment commencée le mois précédent. C'est alors que fut rasée la célèbre abbaye de Scone, dans la banlieue de Perth, qui donna lieu à cette phrase mémorable d'une vieille femme : « Depuis mon enfance, j'ai connu ce lieu pour être un repaire de putains, où ont été déshonorées je ne sais combien de femmes et de filles honnêtes, spécialement par cet homme maudit qu'on nomme l'évêque. Si tout le monde savait ce que je sais, on louerait Dieu de ce qui arrive maintenant. » Si elle disait vrai, cela explique sans doute beaucoup de choses dans l'acharnement des protestants à détruire les abbayes.

Cependant la fortune des armes, à long terme, se révélait plus favorable à la régente qu'à ses adversaires. Malgré une occupation temporaire d'Édimbourg, les protestants reculèrent bientôt sur tous les fronts et se retrouvèrent, à la fin de l'été, en position défensive. La mort d'Henri II et la prise du pouvoir par les Guise en France permettait de penser que des renforts n'allaient pas tarder à arriver pour leur sœur ; l'écrasement de la Congrégation et du calvinisme en Écosse était prévisible à brève échéance.

Alors les protestants, acculés à la défaite, se tournèrent vers l'Angleterre pour demander son aide : comme toutes les guerres civiles, le conflit écossais s'internationalisait. Pour Élisabeth, le dilemme était de taille. Intervenir aux côtés des lords rebelles, c'était violer la paix du Cateau-Cambrésis (vieille d'à peine trois mois), affronter la France — puisque François II et Marie Stuart étaient roi et reine d'Écosse comme de France —, donner un bien mauvais exemple à d'éventuels conspirateurs en Angleterre. Le fait qu'il y eût en Écosse des troupes françaises ne justifiait en rien une immixtion anglaise, puisque, en droit, les Français étaient chez eux dans le royaume du nord en vertu de la loi de naturalisation générale des Français promulguée par Marie de Guise en novembre 1558.

D'un autre côté, laisser la régente catholique et francophile écraser le mouvement calviniste était dangereux pour Élisabeth. Une réaction antiprotestante au nord de la Tweed risquerait d'inciter les catholiques d'Angleterre, encore nombreux, à s'appuyer sur l'Écosse pour contester la politique religieuse de leur nouvelle reine. Et personne ne pouvait oublier que le trône d'Édimbourg était occupé par Marie Stuart, qui persistait à s'intituler reine d'Angleterre.

Dans cette conjoncture difficile, Élisabeth — dont c'était le baptême du feu diplomatique : elle régnait à peine depuis dix mois — trouva d'emblée son style. Tenant tête à son conseiller Guillaume Cecil, calviniste convaincu qui plaidait pour l'intervention ouverte au risque d'une guerre avec la France, elle joua le jeu de la plus parfaite hypocrisie. Des contingents anglais franchirent discrètement la frontière pour aller rejoindre l'armée de la Congrégation, des secours en argent furent acheminés par des messagers officieux, mais en même temps Élisabeth multipliait les proclamations de neutralité et de bonne volonté. Recevant l'ambassadeur de France, elle lui montrait le portrait de la régente d'Écosse comme celui de sa meilleure amie. Aider des sujets rebelles contre leur souveraine légitime, elle ? Ceux qui l'imagineraient seraient cruellement déçus « en leur folle entreprise ». Les Français ne savaient plus que penser ; le cardinal de Lorraine parlait des « déportements de la reine d'Angleterre, laquelle ne peut demeurer en sa peau et semble qu'elle ait envie de faire un saut en rue[5] ».

En Écosse, les événements se précipitaient, trop graves pour que la fiction de la neutralité anglaise pût subsister bien longtemps. Des renforts français, envoyés par les Guise au nom de François II et de Marie Stuart, arrivaient pour conforter l'armée de la régente. L'évêque d'Amiens, Antoine de Pellevé, revêtu de la dignité de légat pontifical, débarquait, accompagné de prédicateurs franciscains et dominicains, pour reconquérir les cœurs au catholicisme. Une cérémonie solennelle de purification et de reconsécration de l'église Saint-Gilles d'Édimbourg était célébrée en septembre 1559. Un trésor de 4000 livres sterling, envoyé par Élisabeth à la Congrégation, était saisi par un jeune seigneur aventureux, le comte de Bothwell — dont c'est la première apparition dans l'histoire, en attendant d'y jouer plus tard les premiers rôles. Les protestants échouaient à escalader les murailles de Leith, faute d'avoir des échelles assez longues. Méthodiquement, l'armée royale reconquérait la rive sud du Fith of Forth, puis sa rive nord, bastion de la Congrégation. À la fin de décembre 1559, la cause calviniste semblait perdue.

Pour Élisabeth d'Angleterre, c'était l'heure de vérité. Il n'était plus possible de tergiverser ni de feindre la neutralité. Elle se décida à recevoir officiellement les ambassadeurs des lords protestants, Guillaume Maitland et Jacques Melville, venus réclamer son aide immédiate. Le 23 janvier 1560, une flotte anglaise paraissait dans le Firth of Forth en face de Leith. Pour éviter d'être coupée de ses bases, l'armée franco-écossaise abandonna précipitamment la rive nord et, à marches forcées, sous une tempête de neige d'une rare violence, se replia sur Édimbourg et Leith.

L'effet diplomatique de l'intervention anglaise fut énorme. « Le roi trouve bien étrange comme la reine d'Angleterre se mêle si avant du fait des Écossais, où elle n'a rien justement que voir », écrit le cardinal de Lorraine. Élisabeth tentait en vain de dégager sa responsabilité. L'amiral anglais Winter, qui commandait la flotte du Forth, affirmait qu'il avait agi de sa propre autorité, et que son seul but était de faire la chasse aux pirates : « Tel masque, comme cela est trop aisé à découvrir, qu'un simple sujet et officier eût la volonté et encore moins le pouvoir de faire la guerre, sans le vouloir et commandement très exprès de la reine, et que l'on fasse la guerre aux dépens d'un prince sans qu'il en sache rien ! » s'exclama Marie de Guise, outrée[6].

En fait, il apparut assez vite que le gouvernement français n'avait pas l'intention, peut-être même pas les moyens, d'une réaction massive, ni surtout d'une guerre ouverte avec l'Angleterre. De son côté, le roi d'Espagne, tout catholique qu'il fût, ne voulait pas aider la France ; sans doute n'était-il pas désolé outre mesure des ennuis de son beau-frère François II dans son royaume du nord. Il faisait discrètement savoir à Élisabeth qu'à ses yeux les Français « ne tendent à autre fin que de désunir la confédération que la reine d'Angleterre a avec les rebelles d'Écosse et après, par les forces qu'à présent ils y ont et autres qu'ils mettent en ordre, suivre leur dessein sur ledit royaume [d'Angleterre] » — c'est-à-dire, en clair, renverser Élisabeth et établir Marie Stuart sur le trône de Westminster[7]. Rien ne pouvait mieux répondre aux préoccupations d'Élisabeth : cela signifiait qu'elle avait le feu vert de l'Espagne pour son intervention en Écosse.

Alors, sautant le pas, elle se résolut à conclure ouvertement alliance avec les rebelles. Le 27 février 1560, à Berwick, ville-frontière sur la Tweed entre les deux royaumes, son délégué, le duc de Norfolk, signait avec les représentants de la Congrégation un traité par lequel la reine d'Angleterre s'engageait à défendre l'indépendance de l'Écosse contre les empiétements des Français, et à mettre à la disposition du duc de Châtellerault, héritier de la couronne, « troupes, munitions et artilleries » pour chasser l'occupant français. Bien entendu, selon l'habitude de double langage du temps, ce traité conclu entre une reine étrangère et des sujets rebelles proclamait qu'aucun des contractants n'entendait mettre en cause l'autorité des souverains légitimes, François et Marie, alors même qu'on agissait ouvertement pour détruire cette autorité.

À partir de ce moment, la fortune des armes changea rapidement. L'armée anglaise, commandée par Lord Gray, fit sa jonction avec celle des lords protestants à la fin de mars. Le 1er avril, Marie de Guise, malade, se réfugiait au château d'Édimbourg*. Le moment était mal venu pour demander de l'aide à la France : c'était l'époque de la conjuration d'Amboise, et les Guise avaient trop de soucis à domicile pour pouvoir envoyer des troupes au secours de leur sœur. En revanche, les renforts anglais affluaient. Les Français, assiégés dans Leith, étaient virtuellement coupés de toute communication avec l'extérieur (« un rat n'y eût su seulement entrer », dit Brantôme). Il fallait se résigner à traiter ; à la fin de mai, François II et Marie Stuart donnèrent pouvoir à cinq commissaires pour négocier avec les Anglais les conditions de la paix.

Le paysage politique changeait à vue d'œil. La régente Marie de Guise, épuisée par tant de luttes, de trahisons et de déceptions, envahie d'hydropisie, se mourait. Knox, qui l'avait jadis aimablement comparée à une « vache enragée portant une selle sur le dos », jubilait. Pourtant, sa noblesse de caractère et son habileté politique se manifestèrent jusqu'au bout. Elle fit venir à son lit de mort les chefs de la Congrégation, les embrassa, les supplia de mettre fin à la guerre civile, les prit à témoins de ce qu'elle n'avait jamais, quant à elle, désiré que la paix et la liberté de tous. « Ce fut une femme honorable, de jugement sûr, pleine d'humanité, aimant la justice, secourable aux pauvres, modèle de chasteté et de gravité », de l'aveu même du protestant Spottiswoode. Elle mourut après avoir écouté patiemment un pasteur venu l'exhorter à renoncer à ses erreurs papistes, se bornant à l'assurer qu' « elle avait confiance d'être sauvée par les mérites et la passion de Jésus-Christ[8] ». C'était le 10 juin 1560.

Lorsqu'elle apprit la fin de sa mère, Marie Stuart, en France, pleura amèrement. Elle ne l'avait pas revue depuis neuf ans, mais l'aimait et la vénérait profondément, comme, au vrai, elle le méritait.

* Ce terme, qui reviendra souvent dans la vie de Marie Stuart, désigne la forteresse qui, du haut de ses murailles abruptes, domine la ville à l'ouest. Selon que son commandant était fidèle à la reine ou non, le sort de la monarchie variait.

Cette mort avait de dramatiques conséquences. Plus personne, en Écosse, n'était investi de l'autorité royale. Les commissaires français, laissés à eux-mêmes, conclurent avec les Anglais une paix draconienne, selon laquelle troupes françaises et anglaises devaient quitter l'Écosse, François et Marie renoncer à tout jamais à porter le titre de roi et reine d'Angleterre, les lords de la Congrégation et leurs partisans recevoir une amnistie complète pour leurs actions des deux années écoulées ; enfin, le Parlement écossais serait convoqué dans un délai d'un mois pour régler une fois pour toutes la question religieuse. C'est le traité d'Édimbourg, signé le 6 juillet 1560, dont les conséquences pour la vie de Marie Stuart devaient être si lourdes pendant les années à venir.

Aussitôt le traité signé, les troupes étrangères évacuèrent l'Écosse. Marché de dupes, puisqu'il serait toujours loisible à Élisabeth de faire franchir à nouveau la Tweed à ses soldats — Édimbourg est à peine à cent kilomètres de la frontière anglaise —, tandis que les Français auraient désormais à affronter les périls et les aléas d'une longue traversée et d'un débarquement en pays hostile. D'un trait de plume, c'étaient douze années de présence française dans le royaume du nord auxquelles mettait fin le traité. Tout était prêt, en revanche, pour en faire un protectorat anglais.

Quand ils connurent les termes du document, les Guise furent consternés, furieux même. L'évêque de Valence, Jean de Monluc, chef des commissaires français qui l'avaient négocié, eut fort à faire pour se disculper. « Votre Majesté peut comprendre, écrit-il à Catherine de Médicis le 9 juillet, combien il a été difficile et malaisé de conduire la négociation à bonne fin, et d'autant plus que notre vie était entre leurs mains et à 300 lieues du lieu d'où nous devions espérer conseil et avis sur les difficultés qui se sont présentées. Nécessairement il fallait faire une telle quelle paix ou voir perdre devant nos yeux 4000 hommes et un royaume. À ceux qui nous voudront dire que les articles ne sont tels qu'on les eût désirés, il nous suffira de dire que si l'on voulait une bonne paix, il fallait y venir plus tôt ou recommencer la guerre et rendre le jeu pareil (égal)[9]. »

En fait, la France subissait, après cette malheureuse guerre d'Écosse, la dure loi du vaincu. On en eut bien vite la preuve, lorsque se réunit à Édimbourg, au début d'août, le Parlement prévu par le traité. Sans convocation royale, sans représentant de la souveraine, donc, en droit strict, sans existence légale, le Parlement, entièrement dominé par les lords de la Congrégation, opéra en quelques jours, pratiquement sans opposition, la plus totale révolution religieuse qu'on eût jamais vue dans aucun pays. L'autorité du pape était abolie, la messe interdite sous peine de confiscation des biens à la première infraction, de bannissement à la deuxième, de mort à la troisième. L'assemblée adopta une *Confession de foi comme doctrine salutaire et sûre, fondée sur l'infaillible vérité de la Parole de Dieu,* qui n'était autre qu'un résumé, rédigé par Knox, du catéchisme de Calvin. C'était aller même plus loin que le Parlement anglais de l'année précédente qui, lui, du moins, avait agi sous l'autorité de la reine Élisabeth, et s'était bien gardé de rompre avec la liturgie catholique.

Quand Jacques Sandilands, un des chefs protestants, partit pour la France, le 27 août 1560, afin d'apporter à Marie Stuart et à son époux les décisions de l'assemblée, il ne devait pas se faire beaucoup d'illusions sur l'accueil qui lui serait réservé. Les souverains refusèrent tout net de reconnaître la validité de ce Parlement et de ses décisions, tout comme ils refusaient de ratifier le traité d'Édimbourg en sa forme actuelle. À l'ambassadeur d'Élisabeth qui insistait pour cette ratification, il fut répondu que Leurs Majestés, avant de s'engager, entendaient « voir et connaître en quel devoir se mettraient leurs sujets d'Écosse ».

La réponse à cette question n'était que trop évidente. Sans plus se préoccuper des souverains français, les lords de la Congrégation, qui tenaient la réalité du pouvoir, organisèrent le gouvernement sous forme d'un conseil, émané d'eux, entièrement dominé par les protestants. À toutes fins utiles, ils resserraient leurs liens avec Élisabeth en lui proposant d'épouser le comte d'Arran, calviniste décidé et fils du duc de Châtellerault, héritier présomptif de Marie Stuart si celle-ci venait à décéder sans enfants. Élisabeth demanda à réfléchir, mais avec des mots hautement flatteurs pour le comte. Ce n'était pas le premier de ses soupirants ; ce ne devait pas être le dernier.

En France, l'heure n'était pas à la belligérance extérieure. La politique antiprotestante des Guise soulevait de plus en plus de réticences et d'opposition. La reine mère Catherine de Médicis elle-même voyait désormais dans les ambitions trop évidentes des « Lorrains » un danger pour la dynastie. Elle commençait à pratiquer la politique de bascule qui devait faire d'elle, quelques années plus tard, la maîtresse du jeu politique ; elle recevait en secret des émissaires huguenots, se faisait surprendre par sa bru en train de lire des livres de propagande protestante (ce qu'apprenant, le duc de Guise se montra « comme forcené »). Des troubles éclataient en Provence, en Dauphiné, à Lyon.

Les Guise réagirent avec énergie. Ils n'eurent pas de peine à convaincre leur jeune neveu de la nécessité d'une répression rapide. Les États généraux convoqués à Orléans pour le 10 décembre, la ville fut entourée de troupes, et le prince de Condé, principal chef des huguenots, arrêté dès son arrivée. On avait maintenant des preuves de sa responsabilité dans la conjuration d'Amboise ; il fut jugé de façon expéditive et condamné à mort le 26 novembre 1560.

En ces mois dramatiques, les chroniqueurs évoquent peu Marie Stuart. Rien ne permet de penser qu'elle ait joué un rôle personnel, pas plus du reste que son époux. Le couple royal était tendrement uni, mais comptait peu dans la vie politique.

Vers septembre, on avait parlé à mots couverts d'une grossesse de la jeune reine. Certains disaient que François était littéralement fou de sa femme, et que ses excès sexuels avec elle ruinaient sa santé. C'est l'opinion que reprendra plus tard Michelet : « Il mourait de Marie Stuart. » D'autres, au contraire, prétendaient que le roi était impuissant : « Il avait les parties génératives du tout (totalement) constipées et empêchées, sans faire aucune action », pour citer le protestant Régnier de La

Planche, témoin partial mais généralement bien informé.

De toute façon, l'état de santé de l'adolescent (rappelons-nous qu'il n'avait que quatorze ans au moment du mariage) était déplorable. Depuis son enfance, il souffrait du nez et de l'oreille. « Il ne crachait ni ne mouchait », sans doute par suite d'une malformation des sinus. Son visage était blafard, avec des marbrures rouges de vilain aspect qui faisaient dire au bon peuple qu'il était atteint de la lèpre et qu'on le soignait en le baignant dans le sang de jeunes enfants : calomnie atroce, que les catholiques attribuaient aux protestants et les protestants aux Guise. Peut-être l'incertitude sur l'avenir explique-t-elle, au moins en partie, la hâte fébrile des oncles de Marie Stuart à bousculer les événements, à forcer le destin.

Mais la nature devait aller plus vite qu'eux. Le 16 novembre 1560 — trois semaines avant la date fixée pour l'ouverture des États généraux —, François II alla chasser dans la forêt aux environs d'Orléans. Il faisait froid et humide. En rentrant, il se plaignit de maux d'oreille. Le soir du 17 novembre, il s'évanouit en l'église des Jacobins d'Orléans. L'oreille gauche était enflée et commençait à distiller une « humeur puante ». On le ramena d'urgence à sa chambre. La fièvre montait, il délirait en « grandes douleurs, inquiétudes et rêveries ». En quelques jours, la nouvelle se répandit : le roi se mourait.

On fit des processions dans les rues, malgré le froid glacial. L'adolescent lui-même, dans ses moments dc lucidité, suppliait Dieu (nous dit le protestant Régnier de La Planche) de le laisser vivre assez pour exterminer les hérétiques. Le duc dc Guise insultait les médecins avec tant de jurements et blasphèmes « qu'ils semblaient plutôt sortir d'un homme forcené que d'aucun cerveau au jugement rassis » : il voyait le pouvoir lui échapper au moment même où il le croyait établi à jamais. On parlait d'un poison versé dans l'oreille du roi par un barbier huguenot, par un valet de chambre écossais ; mais la nature maladive du malheureux suffisait bien pour expliquer l'infection.

Marie Stuart, effondrée, était enfermée dans la chambre du malade et lui prodiguait ses soins. Elle l'aimait, d'un amour d'enfance et peut-être d'un amour de femme. Un moment, on parla de trépanation. Elle s'y opposa, ainsi que la reine mère : on devait le leur reprocher, mais elles savaient bien qu'il était trop tard et elles voulaient épargner au pauvre garçon les atroces souffrances d'une opération dans les conditions de l'époque[10].

François II mourut le 5 décembre 1560, à cinq heures du soir. Il n'avait pas dix-sept ans.

Marie Stuart était veuve à dix-huit ans — la mort de son mari coïncidait, à trois jours près, avec son anniversaire. Elle n'était plus rien en France ; l'Écosse l'ignorait et bafouait son autorité ; la reine d'Angleterre la considérait comme une rivale et une ennemie.

En deux ans, son destin s'était joué. Et pourtant il lui restait encore un quart de siècle à vivre.

DEUXIÈME PARTIE

Sa beauté, son élégance, sa jeunesse florissante, la finesse de son esprit, tout contribuait à la faire aimer.

George Buchanan, *Histoire des affaires d'Écosse*, 1583.

CHAPITRE IV

« Adieu France, je pense ne vous voir jamais plus »

Jamais souverain ne fut plus promptement oublié que François II. Même son enterrement fut bâclé « à la huguenote », tant chacun se préoccupait de l'avenir plus que du passé. Les protestants exultaient, tant en France qu'en Écosse (« il fut frappé d'un abcès dans son oreille qui s'était toujours refusée à entendre la parole de Dieu », jubile le charitable Knox[1]) ; les Guise voyaient le pouvoir leur échapper. Catherine de Médicis manœuvrait entre les différents partis.

Au milieu de toute cette agitation qui remplit le mois de décembre 1560 et le début de l'année suivante, Marie Stuart, la jeune veuve, est à la fois absente et fort présente. Absente parce que le deuil de Cour lui impose une sévère réclusion de quarante jours, dont les quinze premiers en une chambre close, drapée de noir, à la lumière de cierges allumés nuit et jour. Mais présente, parce que son sort à venir agite toutes les chancelleries et alimente toutes les conversations.

C'est alors, pour la première fois, que sa personnalité va commencer à se révéler et à s'affirmer. Jusque-là, elle a été une adolescente aimable et séduisante, mais, politiquement, elle est restée insignifiante. Maintenant, assez paradoxalement, au moment où le trône de France se dérobe sous elle, elle devient autre chose qu'un pion sur un échiquier diplomatique : une personne.

Qu'elle ait sincèrement pleuré son mari, rien ne permet d'en douter. Tous les témoignages de l'époque la décrivent éplorée — et il y avait de quoi. Elle écrit des poèmes de deuil :

En mon triste et doux chant
D'un ton fort lamentable
Je jette un deuil tranchant
De perte incomparable :
En mes regrets cuisants
Passe mes meilleurs ans...

ou encore celui-ci, assez ronsardien :

Si en quelque séjour,
Soit en bois ou en prée,
Soit pour l'aube du jour
Ou soit sur la vesprée
Sans cesse mon cœur sent
Le regard d'un absent[2].

Cependant, elle ne peut ignorer qu'autour d'elle on s'agite et qu'on se préoccupe activement de son remariage. Une telle hâte à parler d'épousailles, alors que le cadavre du pauvre François était à peine enterré, a de quoi surprendre selon nos convenances (elle choquait fort, au siècle dernier, l'historien puritain Froude, qui en faisait grief à Marie Stuart, laquelle n'en pouvait mais). Au XVIe siècle, elle allait de soi : une reine de dix-huit ans, veuve ou non, ne pouvait rester célibataire. Même pauvre, même indocile, l'Écosse était une des composantes du jeu européen, et chacun devait chercher à mettre la main dessus. Sans doute, Marie aurait pu, théoriquement, rester en France, soit veuve, soit remariée à un seigneur français. Elle jouissait d'un douaire plus que substantiel, que le nouveau roi, Charles IX, lui confirma dès le 20 décembre, à savoir 60 000 livres tournois de rente annuelle, assignées sur le duché de Touraine et le comté de Poitou, « soit en baronnies, châteaux, châtellenies, bourgs, villages, vassaux, sujets, cens, rentes, fours, moulins, étangs, rivières, bois, buissons, garennes, pâturages, prés, terres, dîmes, champarts, terrages, péages, passages, travers, fiefs, arrière-fiefs, mortailles, aubaines, épaves, amendes, forfaitures, confiscations, profits de fiefs, droits et devoirs seigneuriaux et autres choses quelconques[3] ». (Nos ancêtres ne reculaient pas devant la redondance; au total cela faisait un revenu des plus confortables.)

Mais le pouvoir des oncles Guise s'étant évanoui avec la mort de François II, la situation de leur nièce n'aurait pu être en France que malaisée. Elle n'avait ni l'âge, ni le tempérament à se retirer dans un couvent, comme le feront plus tard les veuves de Charles IX et d'Henri III. D'ailleurs les Écossais réclamaient son retour, et elle était femme à préférer une couronne, fût-elle dédorée, à une vie de sujette. Il ne fallait pas, en outre, négliger un aspect des choses qui avait son importance : la montée en puissance de Catherine de Médicis et son hostilité envers sa bru. On racontait à l'époque que Marie s'était aliéné la reine mère du temps où elle-même, dauphine ou jeune reine, l'avait qualifiée avec mépris de « fille de marchands ». C'est possible, même vraisemblable, de la part d'une princesse de sang illustre, parlant d'une Médicis. Mais il n'est même pas besoin d'invoquer une telle insolence pour expliquer la tiédeur de l'affection de Catherine pour Marie. Pendant dix ans, douze ans, la petite Écossaise avait été l'astre montant, puis l'astre au zénith, alors que la Florentine digérait en silence les humiliations. Michelet a écrit là-dessus de fortes pages, montrant Catherine reléguée au second rang derrière sa bru parée des joyaux de la couronne, et rongeant son frein. Une fois François II disparu, ni l'une ni l'autre des deux reines ne devait souhaiter que la cohabitation s'éternisât.

Dès le 6 décembre, conformément à la règle, Marie dut restituer les bijoux dont elle n'était que la dépositaire comme reine régnante[4]. Il n'y a là rien d'anormal, et on a eu tort, parfois, d'en faire un acte de vengeance de Catherine; il n'en reste pas moins que cette formalité, dûment consignée dans un acte officiel, marquait de façon presque symbolique le recul protocolaire de la jeune veuve.

Pour l'heure, le parti protestant, naguère presque anéanti par les Guise, reprenait de la substance et de l'audace. La reine mère inaugurait sa politique de ménagements, de faux-fuyants et de dosages subtils qui devait si rapidement mener la France à la ruine. Les Guise, sans être formellement disgraciés — Catherine était trop ondoyante, et aussi trop faible, pour cela — s'éloignaient de la Cour. Avec eux, Marie perdait ses principaux appuis.

Le petit roi Charles IX, pourtant, l'aimait. On racontait qu'il était amoureux d'elle, qu'il aurait souhaité l'épouser à son tour[5]. Mais il n'avait que dix ans, et sa mère, régente en son nom, n'entendait pas céder à ce caprice d'enfant. Un an et demi de règne des Guise par nièce interposée suffisait.

D'autres intrigues se nouaient, d'ailleurs, autour de la reine Stuart. La principale, dont les Guise étaient sans doute les instigateurs (nous n'en avons pas la preuve), tendait à la marier au prince héritier d'Espagne, Don Carlos, fils de Philippe II et de sa première femme Marie de Portugal, alors âgé de seize ans. Le jeu diplomatique était clair : donner l'Écosse à l'Espagne, y rétablir le catholicisme, et contrebalancer ainsi l'alliance d'Élisabeth et des protestants français, qui commençait à devenir évidente à tous les yeux. Mais l'avantage d'une telle combinaison pour l'Espagne était beaucoup moins sûr, vu les risques de guerre avec l'Angleterre qu'elle entraînait.

Fin décembre 1560, début janvier 1561, le mariage Marie-Carlos est l'objet de toutes les correspondances diplomatiques. Catherine de Médicis réagit avec rapidité et énergie. Pour elle, une union Guise-Stuart-Espagne serait catastrophique. Elle ne voit qu'une parade : proposer à Don Carlos, au lieu de l'Écossaise, sa propre fille Marguerite — la future reine Margot. Celle-ci n'a que neuf ans, mais peu importe ; on attendra le temps qu'il faudra. « Chacun a tant fait de discours, par cette Cour, sur le mariage de notre prince avec la reine veuve, que la reine mère en a pris opinion et jalousie, doutant que ceci vient de la maison de Guise », écrit, le 16 janvier, l'ambassadeur d'Espagne Chantonnay. Catherine envoie à son ambassadeur à Madrid, Sébastien de L'Aubespine, des lettres comminatoires. Elle propose de venir elle-même en Espagne, de présenter Marguerite à Philippe II pour « contenir et refroidir tous desseins qui se peuvent, par aventure, faire par le Roi Catholique au détriment de ce royaume [6] ». L'idée de ce mariage Don Carlos-Marie Stuart la hante comme un cauchemar. C'est son obsession jusque vers mars 1561.

En fait, elle s'affolait pour peu de choses. Philippe II n'envisageait pas sérieusement cette union. On en reparlera par la suite, mais pour l'instant l'entente avec l'Angleterre restait prioritaire dans les préoccupations du Roi Catholique (il avait envisagé, naguère, d'épouser Élisabeth, et son véritable adversaire restait la France). Il faudra encore de nombreuses années avant que la politique espagnole fasse de la reine protestante sa bête noire : donc, pas question pour lui, en 1561, de risquer de l'irriter en s'installant en Écosse.

Pendant que la reine mère de France envoyait à travers l'Europe ses agents pour contrecarrer les projets matrimoniaux de son ex-bru, celle-ci sortait de sa réclusion de deuil et reprenait pied dans la vie publique. Assez maladroitement — mais elle n'avait peut-être pas le choix —, elle décidait, au lieu de revenir à la Cour, de se réfugier dans sa famille Guise : d'abord à Reims, chez sa tante l'abbesse de Saint-Pierre (où sa mère, Marie de Guise, n'allait pas tarder à être inhumée), puis à Nancy chez son cousin le duc de Lorraine, enfin à Joinville auprès de sa grand-mère la duchesse Antoinette. Ce n'était pas une façon de se concilier les bonnes grâces de Catherine de Médicis. Mais, en février et mars 1561, Marie Stuart avait d'autres soucis que l'humeur de son ex-belle-mère. Elle avait à prendre une décision qui engageait son avenir : allait-elle, oui ou non, rentrer en Écosse ?

Elle avait quitté son pays natal, on s'en souvient, treize ans auparavant. Depuis qu'elle en était partie, la révolution politique et religieuse avait bouleversé la société ; le Parlement d'août 1560 avait établi le protestantisme comme religion d'État, interdit la messe ; un Conseil dominé par les protestants gouvernait l'Écosse ; plus que jamais le pouvoir royal était devenu purement nominal, puisque les lords du Conseil prenaient, « au nom de la reine », des décisions dont ils savaient pertinemment qu'elle ne pouvait les approuver.

Dans ces conditions, on aurait pu concevoir à la fois que Marie Stuart éprouverait peu d'enthousiasme à l'idée de revenir dans un pays rebelle où, par définition, elle aurait du mal à se faire obéir, elle catholique et demi-française ; et que les lords du Conseil écossais souhaiteraient voir rester éloignée cette jeune reine devenue pour eux presque une étrangère, sinon une ennemie.

C'est pourtant tout le contraire qui se produisit. Depuis la mort de Marie de Guise, il n'y avait plus de véritable représentant de la couronne à Édimbourg, et les lords se rendaient bien compte que leur pouvoir était fragile, reposant sur des bases légales plus que contestables. Jacques Stuart, qui s'affirmait de jour en jour comme le principal personnage du Conseil, comprit que, s'il réussissait à s'entendre avec la reine, sa demi-sœur, son ambition s'appuierait sur une autorité beaucoup plus solide que celle d'un Conseil dépourvu de légitimité. Seuls les protestants intransigeants renâclaient à l'idée de voir revenir une reine papiste et idolâtre. Mais Jacques Stuart finit, après d'âpres discussions, par imposer son point de vue. Il arracha au Conseil la promesse que, si Marie promettait de respecter le calvinisme comme religion d'État (conformément aux lois d'août 1560), elle aurait la permission de faire célébrer la messe dans sa chapelle privée, sans tomber sous le coup des mesures anti-messe. John Knox protesta, mais Jacques Stuart tint bon : ce n'était pas la dernière fois qu'il tiendrait tête au réformateur.

Muni de cette monnaie d'échange, Jacques quitta l'Écosse pour la France, le 15 janvier 1561 ; mais il s'arrêta, chemin faisant, en Angleterre, où il fit acte d'allégeance à Élisabeth et se fit confirmer la pension que celle-ci lui versait. D'entrée de jeu, les cartes étaient truquées. De leur côté, les catholiques écossais ne perdaient pas leur temps. Ils envoyaient en France l'ecclésiastique Jean Leslie, futur évêque de Ross, pour proposer à la reine de rétablir le catholicisme avec l'aide de troupes françaises et d'annuler toutes les lois protestantes votées sans consentement royal, en bref, d'opérer un coup d'État catholique.

Les arguments ne manquaient pas en faveur de cette deuxième solution : l'attachement personnel de la jeune reine à la foi romaine, son désir de régner sur l'Écosse comme le roi de France régnait sur son pays, sa tendance naturelle à favoriser l'influence française. Mais les choses n'étaient pas si simples. Le cardinal de Lorraine — principal conseiller de sa jeune nièce en ces jours décisifs — savait que l'Écosse ne pourrait être ramenée au catholicisme qu'au prix d'une guerre (non seulement civile, mais avec l'Angleterre) et que les chances d'un tel conflit seraient douteuses. Le parti guisard était nettement en perte d'influence en France où Catherine de Médicis multipliait les avances aux huguenots : ce n'était pas le moment d'aller tenter l'aventure dans les brumes calédoniennes.

D'autre part, pour Marie Stuart, dès ce moment et pour tout le reste de sa vie, la grande affaire est moins la possession effective du trône d'Édimbourg que l'espérance de celui de Westminster. Très clairement, toute son ambition est orientée vers ce but suprême : la succession d'Élisabeth. Sans aller jusqu'à dire — en paraphrasant à l'avance Henri IV — que « Londres vaut bien un prêche », elle entend écarter tout ce qui risque de la brouiller avec sa cousine. Et puisque celle-ci, de notoriété publique, soutient Jacques Stuart et la Congrégation, Marie s'entendra avec eux pour prouver sa bonne volonté et son esprit de conciliation.

Enfin, il ne faut pas minimiser, en cette circonstance, l'influence personnelle de Jacques Stuart. C'est l'une des plus fortes personnalités de son époque, et tout permet de penser que sa demi-sœur y fut sensible dès leur première entrevue. Ce n'était pas la première fois qu'elle le rencontrait. Il l'avait accompagnée en France, alors qu'elle avait six ans. Mais maintenant, il n'était plus ce personnage de second plan, au destin incertain, qu'il avait été en 1548. Ayant joué la carte de la Congrégation — la carte gagnante —, il avait récolté les bénéfices de son option. Pourtant, fils du roi Jacques V et d'une grande dame, Lady Marguerite Erskine *, né dix ou onze avant Marie Stuart, il avait été d'abord, comme tous les bâtards royaux, destiné à l'Église. Grâce au riche couvent dont il était le titulaire, on lc désignait sous le nom de « prieur de Saint-André » ou, plus simplement, de « Lord James » (forme anglo-écossaise du prénom Jacques). En 1561, il n'était pas marié et pouvait encore, par conséquent, rentrer dans le giron de l'Église catholique s'il le désirait. Marie, dit-on, le lui proposa, en lui promettant un chapeau de cardinal s'il abandonnait le parti calviniste ; il refusa, sentant que les moissons seraient plus riches du côté anglais et protestant que du côté français et romain.

Sur la sincérité de son engagement aux côtés de Knox, les avis des contemporains diffèrent ; ceux des historiens aussi. Knox ne lui faisait qu'une confiance limitée, tout en se servant de lui. En tout cas ce n'était pas un fanatique. Comme beaucoup d'hommes de son temps, il embrassait l'une ou l'autre des deux religions antagonistes beaucoup plus pour des raisons d'intérêt que pour des motivations spirituelles. Mais quoi qu'il en soit, il figurait parmi les têtes du parti protestant, et il bâtissait sa carrière sur cette option. Elle devait lui réussir au-delà de toute espérance.

Une constante de sa politique est la fidélité à l'Angleterre ; fidélité qui, aux yeux de beaucoup, était une trahison. Il était payé par Élisabeth et s'en cachait à peine ; les lettres de l'ambassadeur Randolph contiennent à cet égard des phrases qui ne prêtent pas à équivoque. Mais cela ne signifie pas nécessairement qu'il fût indifférent aux intérêts de l'Écosse ; il pensait sans doute, sincèrement, que l'alliance anglaise était la voie du salut pour son pays. Devenu bientôt le principal

* Lors de sa naissance, son père n'était pas encore marié. Marguerite Erskine devait soutenir, par la suite, qu'il l'avait épousée secrètement et que Jacques était, par conséquent, fils légitime du roi et héritier du trône. En 1542, à la mort de Jacques V, personne n'y avait fait allusion ; mais vingt ans plus tard, beaucoup d'ennemis de Jacques le soupçonneront d'aspirer à renverser sa demi-sœur et à se faire couronner roi. Ce n'est pas prouvé, mais ce n'est pas non plus invraisemblable.

conseiller de sa demi-sœur, il agira de toutes ses forces pour la maintenir en bons termes avec sa cousine de Londres, et ce n'est que beaucoup plus tard qu'il se rangera aux côtés d'Élisabeth contre Marie ; encore les torts ne seront-ils pas tous de son côté.

Marie Stuart accueillit Leslie, l'envoyé catholique, à Vitry-le-François, le 15 avril 1561. Elle lui donna de bonnes paroles, mais refusa nettement de s'engager dans la voie où le comte de Huntly aurait voulu la pousser. Cependant elle fut sensible à la personnalité de Leslie, qui devait devenir par la suite l'un de ses conseillers préférés et des plus fidèles.

Le lendemain, elle recevait Jacques Stuart à Saint-Dizier. Il lui fit part des propositions des lords du Conseil, ainsi que de la promesse qu'elle pourrait pratiquer librement sa propre religion. Il offrit, aussi, d'être son guide et son soutien. Elle le crut. Toute sa vie, elle devait être réceptive à l'influence d'un homme à la volonté puissante en qui elle mettrait sa confiance : son oncle le cardinal, son demi-frère, plus tard Bothwell. Ce sera l'une des causes des drames futurs, lorsque, pour une raison ou pour une autre, elle s'apercevra que cette confiance était mal placée.

Donc, en mai 1561, Marie Stuart avait fait son choix : elle rentrerait en Écosse, non pas à la tête d'une armée française pour rétablir le catholicisme et l'autorité royale, mais le rameau d'olivier à la main, en garantissant au parti protestant le maintien de ses conquêtes de l'année précédente. Pratiquement, elle se mettait en position d'otage. Aurait-elle pu agir autrement ? C'est bien douteux, dans le contexte de l'année 1561. Certains historiens, plus « marianistes » que Marie elle-même, lui ont reproché cette quasi-abdication initiale : mais c'était cela ou la guerre, et la guerre était impossible.

Il n'en reste pas moins que cette décision de suivre les conseils de Jacques Stuart était lourde de conséquences. D'abord, elle décevait — et pour cause — les catholiques d'Écosse, qui attendaient l'arrivée de leur reine avec l'espoir d'un retour au pouvoir. Elle ne tarderait pas à inquiéter les catholiques du continent, l'Espagne, le pape, qui verraient dans la politique de la jeune reine, au mieux une maladresse, au pis une trahison. En outre, après les promesses du début, il deviendrait difficile à Marie Stuart de tenter, par la suite, une restauration catholique, sous peine d'être accusée de duplicité. Le malentendu était perceptible dès le départ ; il ne cessera de s'approfondir au cours des années suivantes.

Personnellement, Marie était-elle heureuse de rentrer dans son pays d'origine ? Brantôme affirme que non : « Elle désirait cent fois plus de demeurer en France simple douairière que d'aller régner là en ses pays sauvages, mais messieurs ses oncles [le] lui conseillèrent, voire l'en pressèrent[7]. » C'est possible : quand on a vingt ans, on ne quitte pas sans peine les lieux de son enfance, les compagnons de l'adolescence, les horizons et les êtres familiers. Mais la perspective d'un royaume à gouverner, de la liberté, du pouvoir, avait aussi son attrait. La vie de Marie Stuart était devant elle, non derrière. Que pouvait lui offrir la France, avec Catherine de Médicis régente ? À Édimbourg, elle serait du moins maîtresse d'elle-même. Maîtresse de se choisir un nouvel époux, notamment. Le choix, tout compte fait, s'imposait de lui-même.

Restait, avant d'entreprendre le voyage, à s'assurer de la bonne volonté de la cousine d'Angleterre. Celle-ci, pour l'heure, n'avait qu'une idée : la ratification du traité conclu l'année précédente avec les lords écossais *. On se rappelle que Marie s'était énergiquement refusée à cette ratification, qui aurait équivalu, pour elle, à renoncer à tout jamais à la couronne d'Angleterre. Mais, pour Élisabeth, c'était là un intolérable manque de parole : les plénipotentiaires français avaient paraphé le traité au nom de François II et de Marie ; cette dernière était obligée, en conscience, d'honorer l'engagement de ses représentants.

Dès la fin de son deuil reclus, Marie reçut la visite du comte de Bedford, envoyé par Élisabeth pour présenter les condoléances de sa souveraine et rappeler l'urgence de la ratification du traité. Elle répondit en affirmant son

* Voir p. 79.

amitié pour sa cousine, mais, en ce qui concernait le traité, « je suis ici sans mon Conseil, et je ne saurais prendre une décision aussi grave sans l'avis des nobles et des sages hommes de mon royaume[8] ». Échappatoire sans doute, dont Bedford ne fut pas dupe ; Élisabeth devina qu'elle n'obtiendrait jamais la ratification tant souhaitée, et ses relations avec Marie en restèrent empoisonnées dès le départ.

Une fois résolu le retour en Écosse, Marie en informa aussitôt sa cousine, en lui demandant la permission de traverser l'Angleterre pour rejoindre Édimbourg : solution qui offrait le double avantage d'éviter les risques d'une longue traversée, toujours périlleuse en ce temps, et de permettre une entrevue entre les deux reines, chose que Marie désirait ardemment dans l'espoir d'être déclarée officiellement héritière d'Élisabeth.

En recevant cette demande, celle-ci réagit avec un manque total de générosité et même de bienséance. Prenant prétexte de la non-ratification du traité d'Édimbourg, elle refusa le sauf-conduit et laissa entendre que la reine d'Écosse était indésirable en Angleterre. L'opinion européenne réagit défavorablement à cet acte d'hostilité, et l'ambassadeur anglais Throckmorton lui-même, chargé de notifier à Marie Stuart la discourtoise réponse de sa souveraine, se montra fort embarrassé. L'ambassadeur de Venise, dans sa correspondance, parle d'une attitude « contraire aux lois divines et humaines[9] ». Pourquoi Élisabeth, si peu impulsive en règle générale, prenait-elle une décision aussi inamicale à l'égard d'une parente qu'elle allait, de toute façon, avoir pour voisine pendant de longues années ? Certains historiens, hostiles à Jacques Stuart et au parti protestant, ont cru que c'étaient eux qui avaient poussé Élisabeth à refuser le passage à Marie. Il est vrai que « ni les lords en Écosse, ni nous ici, ne désirons que la reine rentre dans son royaume », écrit alors le ministre anglais Cecil. Une ambassade française à Édimbourg, après la mort de François II, s'était fort mal passée, chacun ressassant ses griefs et la France persistant, en dépit de tout bon sens, à vouloir jouer le rôle du « grand frère » vis-à-vis du petit royaume du nord. Mais, puisque Marie avait accepté les conditions du Conseil d'Écosse, on ne voit pas bien quelles raisons Jacques Stuart aurait eues de chercher à empêcher son voyage.

Tout compte fait, il semble bien qu'Élisabeth, dans cette déplaisante affaire, ait agi sur le conseil de ses propres ministres, qui avaient tout à gagner à ce que la situation écossaise restât trouble et instable. Sans s'en douter, elle fournissait ainsi à sa cousine l'occasion d'affirmer pour la première fois sa personnalité et d'assumer à la face du monde le beau rôle qu'elle gardera jusqu'à la fin. En ces jours de mai-juin-juillet 1561, si la reine d'Angleterre se montre sous le jour d'une femme acariâtre et vindicative, celle d'Écosse — jeune, veuve, orpheline, en butte à d'opiniâtres ennemis — amasse un capital de sympathies et d'admiration mérité.

L'ambassadeur d'Angleterre à Paris, Nicolas Throckmorton, qui sert malgré lui d'intermédiaire dans cette négociation, ne peut s'empêcher, avec toute la prudence du style diplomatique, de laisser percer son estime pour la dignité dont fait preuve, en une circonstance aussi délicate et humiliante, cette presque adolescente ; la façon même dont il relate, dans ses dépêches, les phrases prononcées par Marie, montre assez clairement qu'il n'est pas éloigné de partager son point de vue. « Je suis bien désolée de m'être oubliée jusqu'à demander à votre reine cette faveur que rien ne m'obligeait à solliciter, lui déclare-t-elle. Je n'ai pas plus à lui rendre compte de mes déplacements qu'elle n'a à me rendre compte des siens. Je n'ai pas besoin de sa permission pour rentrer dans mes États. Je vois, malheureusement, qu'alors que vous me répétez sans cesse que l'amitié entre elle et moi est nécessaire et profitable à toutes deux, elle ne semble pas être de cet avis, et qu'elle fait plus de cas de l'amitié de mes sujets désobéissants que de la mienne. En vérité, son attitude m'invite à chercher des amis là où je n'y pensais pas, car je ne suis son inférieure en rien, et je ne manque pas plus qu'elle d'alliés et d'amis[10]. »

On imagine sans peine l'embarras de Throckmorton devant ce discours, dont le bien-fondé était difficilement niable. L'outrage infligé à Marie Stuart par le refus d'Élisabeth était si flagrant que Catherine de Médicis elle-même dut protester officiellement. Du coup, la ratification du traité d'Édimbourg prenait une tournure encore plus aléatoire : face à une attitude aussi inamicale, Marie se sentait moins que jamais encline à abandonner sans contrepartie ses droits à l'héritage de sa cousine. « Je serais stupide et légère de m'engager sans avoir consulté mon Conseil », répétait-elle. Elle rappelait qu'en tant que reine, elle aurait cru pouvoir compter sur la solidarité de sa « bonne sœur » face à ses sujets indociles. « Votre reine sait bien qu'il y a grand désordre en mon pays pour les choses de la religion, mais il n'y a pas de raison pour que des sujets imposent leur loi à leur souveraine [...] Je n'ai pas l'intention de contraindre mes sujets sur le point de la religion, mais j'entends qu'ils n'entreprennent pas, eux, de me contraindre. Je considère que ma religion est la plus agréable à Dieu, et je n'ai pas l'intention d'en changer[11]. »

Throckmorton, qui était un homme d'expérience, dut songer, en écoutant la jeune femme, aux gigantesques sources de conflits futurs que recélaient ces déclarations ; en bon Anglais et protestant, il s'en réjouit sans doute. Pour l'instant, la question cruciale restait celle du voyage. La reine d'Angleterre restait inflexible sur le sauf-conduit — le fait que Jacques Stuart, à son retour de France, se fût arrêté à Londres et l'eût rencontrée, prêtait d'ailleurs à diverses interprétations, dont la plus vraisemblable n'était pas en faveur de sa loyauté à l'égard de Marie. Mais Marie était désormais trop avancée pour reculer. Comme cela lui arrivera par la suite à diverses reprises, les obstacles l'aiguillonnent plus qu'ils ne la retiennent. « Monsieur l'ambassadeur, dit-elle à Throckmorton le 21 juillet, si mes préparatifs n'étaient pas aussi avancés, peut-être renoncerais-je à ce voyage ; mais maintenant je suis déterminée à partir, quoi qu'il puisse en advenir. J'espère que les vents me seront favorables. Si le malheur voulait que je doive aborder en Angleterre, alors ma sœur la reine Élisabeth m'aurait à sa merci, et si elle était assez cruelle pour vouloir ma mort, elle en serait maîtresse ; peut-être cela vaudrait-il mieux pour moi que de vivre. Mais il en sera comme il en plaira à Dieu[12]. »

Phrases émouvantes — Marie Stuart révèle, en cette occasion, son sens du pathétique, qui aidera tant à sa gloire posthume — ; phrases prophétiques aussi, qui pourraient presque paraître inventées après coup si elles ne figuraient dans les dépêches diplomatiques de ce mois de juillet 1561 : vingt-six ans avant Fotheringay.

Maintenant, la décision prise, il fallait organiser le voyage.

Pendant les longues semaines qui s'étaient ainsi écoulées en inutiles et frustrantes négociations, Marie Stuart n'avait pas cessé, dans ses résidences successives, Nancy, Joinville, Reims, Paris, Saint-Germain, de recevoir visites et ambassades de toutes sortes. On continuait à agiter autour d'elle des projets matrimoniaux, plus ou moins en sourdine. D'Espagne, arrivait Don Juan Manrique de Lara, venu porter les bons vœux de Philippe II. De Suède, on proposait la main du roi Éric XIV (qui, en même temps ou presque, courtisait aussi Élisabeth : mieux vaut deux fers au feu qu'un seul). D'Angleterre débarquait un élégant cousin, Henri Darnley, fils de ce comte de Lennox qui avait jadis donné tant de souci à Marie de Guise et qui avait dû, en conséquence, s'exiler au sud de la frontière écossaise. D'Écosse même, plusieurs seigneurs venaient, à tout hasard, se présenter à leur reine, soucieux de se placer dans ses bonnes grâces en temps utile ; parmi eux, une séduisante tête brûlée, le comte de Bothwell, grand amiral d'Écosse, peu embarrassé de scrupules et d'états d'âme. Rien ne nous permet de savoir si Marie, en ces jours où son départ de France occupait tout son esprit, éprouva un sentiment quelconque lors de ces premières rencontres avec ses deux futurs maris ; toute conjecture à cet égard en vaut une autre, mais le domaine de l'histoire n'est pas celui du roman psychologique.

Finalement, le départ fut fixé à la mi-août. À la dernière minute — sans doute conseillée par Throckmorton —, la reine d'Angleterre se rendit compte du vilain rôle que lui faisait jouer son refus d'accueillir sa cousine dans ses domaines. Elle se décida à signer le sauf-conduit ; mais quand il parvint en France, Marie était déjà partie.

Si Catherine de Médicis avait éprouvé peu de désir de voir sa bru se fixer en France, et moins encore de la voir épouser l'héritier du trône d'Espagne, elle avait tout lieu de se réjouir de son retour dans son pays natal. Malgré les soucis croissants que lui donnait l'évolution politique en France — les États généraux étaient convoqués à Pontoise pour la fin d'août, et bientôt allait s'ouvrir le colloque de Poissy où catholiques et protestants s'affronteraient sans espoir de rapprochement —, elle décida de donner aux adieux de la jeune reine douairière un éclat conforme à son rang.

Le cardinal de Lorraine, quant à lui, était plutôt contrarié de ce départ. Il aurait préféré garder sa nièce sous sa main, comme un pion utile sur son complexe échiquier. Du moins, puisqu'il ne pouvait l'empêcher de rejoindre son royaume, tenta-t-il de la persuader de laisser en France ses bijoux personnels, sous prétexte qu'ils seraient peu en sûreté dans la lointaine et turbulente Écosse. Marie répliqua, non sans bon sens, que si elle faisait confiance à ses sujets pour sa propre sécurité, elle pouvait bien en faire de même pour ses bijoux — en quoi elle se trompait pour l'une et les autres. Elle embarqua donc ses coffrets, se contentant de distribuer autour d'elle, avant de quitter la France, divers cadeaux, dont un magnifique collier de rubis, émeraudes et diamants à sa grand-mère la duchesse Antoinette.

La Cour lui fit ses adieux à Saint-Germain-en-Laye, le 25 juillet 1561. La reine mère Catherine, le jeune roi Charles IX, le duc d'Orléans (futur Henri III), le roi de Navarre Antoine de Bourbon, accompagnèrent le cortège sur quelques lieues, puis Marie poursuivit sa route vers le nord, à petites étapes, entourée de ses oncles Guise et de son escorte. Par mesure de sécurité, on avait gardé secret le lieu de l'embarquement. Le grand prieur de Malte, François de Guise, oncle de Marie, avait amené à Calais deux galères basées à Nantes ; le grand amiral Bothwell était chargé d'organiser le voyage, de concert avec les officiers français.

Le temps était épouvantable, pluie et tempête. Il fallut attendre jusqu'au 15 août pour pouvoir embarquer. Sur les galères royales montèrent, avec Marie Stuart, ses trois oncles, le grand prieur François, Claude d'Aumale et René d'Elbeuf ; le fils du connétable de Montmorency, Henri d'Amville, qu'on disait amoureux d'elle et dont certains prétendaient qu'il était loin de lui être indifférent, et toute une suite de nobles seigneurs et de courtisans, dont deux, au moins, devaient faire parler d'eux par la suite : Pierre de Bourdeille, abbé laïque de Brantôme, et Pierre de Châtelard, gentilhomme dauphinois et poète amateur. Les « quatre Marie » étaient également du voyage.

Brantôme a laissé de cette traversée un récit célèbre et souvent cité. Comme il était témoin oculaire, il n'y a aucune raison sérieuse de douter de sa véracité ; tout au plus est-il permis de penser qu'écrivant beaucoup plus tard — dix ans après la mort de Marie —, il a pu dramatiser et quelque peu embellir certains épisodes[13].

La flotte leva l'ancre au soir du 15 août. En sortant du port de Calais, on vit un bateau de pêche, malmené par la tempête, heurter un écueil et couler : « Ah, mon Dieu, quel augure de voyage est ceci ! » s'écria Marie, consternée. La mer restait agitée, et les rameurs avançaient peu ; au matin, on voyait encore la côte, à travers les embruns. Marie resta plusieurs heures à la regarder s'éloigner, faisant dresser son lit à la poupe pour pouvoir profiter des dernières images du pays qui lui était si cher. « Adieu France, disait-elle en pleurant. Adieu France, je pense ne vous voir jamais plus. » Même si les détails pathétiques que donne Brantôme sont peut-être amplifiés rétrospectivement, il est plus que vraisemblable que la reine, en quittant le pays de son enfance et de ses triomphes pour l'âpre terre de ses ancêtres, ait éprouvé un sentiment d'angoisse et de désespoir ; mais une jeune femme de dix-neuf ans, vigoureuse et en bonne santé, ne laisse jamais longtemps la nostalgie du passé obscurcir la vision de l'avenir *.

Pendant le voyage, on vit, au large de la côte d'Angleterre, une petite flottille qu'on craignit être envoyée par Élisabeth pour se saisir de sa cousine ; c'étaient en réalité — du moins Élisabeth l'affirma-t-elle plus tard — des garde-côtes chargés d'écarter les pirates.

La flotte royale arriva au large de l'Écosse, assez rapidement pour l'époque, le 19 ou le 20 août (les témoignages diffèrent sur la date exacte). Un épais brouillard cachait la côte, si opaque qu'il fallut attendre vingt-quatre heures avant de pouvoir accoster sans risque à Leith, le port d'Édimbourg. Selon la formule aimable de John Knox, « le soleil caché pendant quatre jours, et le ciel si sombre que de mémoire d'homme on ne l'avait vu ainsi, ne présageaient que trop la douleur, le chagrin, l'obscurité et l'impiété que cette femme apportait avec elle ; mais hélas, les hommes étaient sourds à l'avertissement de Dieu[14] ».

En fait, la traversée avait été plus brève que prévu, et rien n'était prêt pour l'accueil de la souveraine. Débarquée à Leith à neuf heures du matin, Marie dut attendre plusieurs heures dans la maison d'un marchand, le temps qu'on aille à Édimbourg avertir les membres du Conseil et la population. Dans l'après-midi seulement, on vint l'accueillir et l'escorter jusqu'à son palais royal de Holyrood, au pied de la colline d'Édimbourg, avec un cortège de petits chevaux mal harnachés. « Ce n'étaient pas les pompes, les apprêts, les magnificences ni les superbes montures de France », remarqua aigrement Brantôme ; mais Marie, décidée à assurer à ses retrouvailles avec son peuple le caractère le plus chaleureux, souriait de son plus gracieux sourire. Knox, témoin pourtant hostile entre tous, reconnaît — avec regret — que tout le monde se pressait avec enthousiasme pour la voir passer, et que « les protestants n'étaient pas les

* Le poème fade et sentimental *Adieu, plaisant pays de France*, qu'on cite parfois sous le nom de Marie Stuart, est, en réalité, l'œuvre d'un rimailleur du XVIIIe siècle, Meunier de Querlon.

derniers » ; visiblement, la préparation psychologique de Jacques Stuart avait porté ses fruits.

Le soir, retirée dans ses appartements de Holyrood (dont Brantôme avoue, comme malgré lui, que c'était « un beau bâtiment, qui ne tient rien du pays »), la reine fut gratifiée d'une sérénade au son des rebecs et des violes, tandis que « cinq ou six cents marauds se mirent à chanter des psaumes tant mal chantés et si mal accordés que rien plus. Hé ! Quelle musique et quel repos pour sa nuit ! » commente le sarcastique Périgourdin. Fragilité des témoignages : selon Knox, « elle témoigna aimer fort cette musique, et elle leur demanda de recommencer les nuits suivantes ». Admettons, sans invraisemblance, qu'elle ait proféré ces amabilités à haute voix, et qu'une fois refermées les fenêtres elle ait exprimé à ses intimes un avis plus conforme à la version de Brantôme.

Le palais avait été remeublé et redécoré par les soins de Jacques Stuart — nous savons qu'il avait été pillé par Hertford, au temps des guerres anglo-écossaises de 1544 et 1547. C'était un des plus somptueux bâtiments d'Écosse, édifié par Jacques V dans le style de la Renaissance à côté de l'ancienne abbaye royale de Holyrood (le Saint Bâton), qui perpétuait depuis le XIIe siècle le souvenir de l'apparition, au roi David Ier, d'une croix miraculeuse entre les branches d'un cerf. Les appartements royaux proprement dits, assez exigus selon l'habitude de l'époque, occupaient deux niveaux d'une des tours d'angle, avec un escalier intérieur ; le tout était assez confortable et même luxueux, sans atteindre, évidemment, aux splendeurs de Saint-Germain, de Fontainebleau ou du Louvre.

C'est là que Marie Stuart reçut, au cours des premières journées après son arrivée, l'hommage des nobles écossais et prit ses premiers contacts avec le peuple qu'elle allait avoir à gouverner. « Sa beauté, son élégance, sa jeunesse florissante, la finesse de son esprit, tout contribuait à la faire aimer », écrivit plus tard Georges Buchanan, pourtant son ennemi. Ce capital de sympathie devait durer assez longtemps pour expliquer les succès indéniables qu'elle allait remporter pendant plusieurs années avant la catastrophe.

Parmi les premiers visiteurs reçus à Holyrood figurait l'ambassadeur anglais Thomas Randolph, venu féliciter la reine de son heureuse arrivée. Il lui apprit à cette occasion que sa cousine Élisabeth lui avait envoyé en France le sauf-conduit désiré et qu'elle était désolée du retard qui avait empêché ce document d'arriver à temps. Bien entendu, le message contenait aussi l'exhortation rituelle à ratifier au plus tôt le traité d'Édimbourg. Marie se contenta de répondre en remerciant sa « bonne sœur » de sa sollicitude, en regrettant de n'avoir pas eu l'occasion de la rencontrer à Londres, et en exprimant l'espoir que cette entrevue aurait lieu un jour prochain. Quant au traité, il fallait d'abord qu'elle réunisse son Conseil, et elle ne manquerait pas d'envoyer, dès que possible, un ambassadeur à la reine d'Angleterre pour lui faire part de ses intentions à ce sujet.

Un cap délicat à passer pour Marie était le premier dimanche à célébrer en terre écossaise. Jacques Stuart avait bien promis, au nom des lords du Conseil, qu'elle aurait toute liberté pour écouter la messe dans sa chapelle privée ; mais on ne pouvait pas s'attendre à ce que Knox et les protestants militants acceptent sereinement de voir ainsi violée, de façon officielle, la loi de l'année précédente interdisant la messe dans le pays.

Nous avons peine, aujourd'hui, à concevoir la haine que les calvinistes d'alors éprouvaient pour la messe. Elle était vraiment au cœur de la guerre que se livraient les deux religions ennemies. « J'invoque le ciel et la terre contre cette pompeuse et orgueilleuse messe, par laquelle le monde (si Dieu n'y remédie) est et sera totalement ruiné, abîmé, perdu et désolé, quand en icelle Notre-Seigneur est si outrageusement blasphémé, et le peuple séduit et aveuglé », proclamaient les « placards » (affiches) apposés en 1534 sur la porte des appartements de François Ier. Trente ans plus tard, la véhémence n'a pas diminué : « Une messe est plus dangereuse pour ce pays que si dix mille hommes armés débarquaient sur nos côtes, tonnera John Knox quelques jours après le retour de Marie Stuart, car si nous souffrons l'idolâtrie Dieu lui-même nous abandonnera. »

Le dimanche 24 août au matin, « les gens commençaient à dire : permettrons-nous que l'idolâtrie revienne dans le royaume ? ». Knox schématise ainsi une réaction qu'il est permis de croire beaucoup moins spontanée qu'il ne le prétend[15]. Nul doute que, au cours des journées précédentes, il ait lui-même échauffé l'indignation de ses fidèles et les ait provoqués à agir. Au moment où le prêtre, revêtu de ses ornements sacerdotaux, pénétrait dans la chapelle (aménagée dans les appartements royaux, donc nullement publique), le Maître de Lindsay, « un furieux zélote », se précipita avec une troupe d'hommes armés, criant : « À mort les prêtres ! » Jacques Stuart, qui avait sans doute prévu la chose, se posta lui-même à la porte de la chapelle et empêcha les furieux d'y pénétrer ; il protégea de même la sortie de l'officiant. Knox fut indigné de cette intervention en faveur de l'idolâtrie. « Les nobles disent qu'il ne leur est pas possible d'empêcher leur reine de professer sa religion ; Dieu ne manquera pas de les punir de ce lâche abandon de Sa cause », écrivit-il à son maître Calvin.

Quant à Marie, « voici un beau commencement d'obéissance de mes sujets, dit-elle à Brantôme. Je ne sais quelle en sera la fin, mais je la prévois très mauvaise ». Pourtant, elle tenait parole pour sa part du contrat. Dès le 25 août — le lendemain de la messe mouvementée de Holyrood —, elle signait une proclamation royale par laquelle elle promettait de maintenir les lois existantes, c'est-à-dire le protestantisme comme religion officielle et l'interdiction de la messe, « jusqu'à ce que les États du royaume aient pu être réunis et que Sa Majesté ait pu prendre une décision définitive ». Cependant, elle ajoutait : « Que personne n'ose porter la main sur aucun des serviteurs domestiques de Sa Majesté ou des personnes qui l'ont accompagnée venant de France, ni les insulter ou molester en quelque manière que ce soit. » Le comte d'Arran, fils du duc de Châtellerault, protesta au nom du respect de la parole de Dieu, mais, dans l'ensemble, la proclamation fut bien reçue et on put avoir l'illusion qu'un *statu quo* pacifique allait s'établir.

En définitive, à part l'incident de la messe du 24 août, le premier contact de Marie Stuart avec la terre et avec le peuple écossais était plutôt favorable. Les bonnes gens allumaient des feux de joie en son honneur, se pressaient pour l'apercevoir aux fenêtres de son palais. Il était temps de procéder à son entrée solennelle, cérémonie traditionnelle et chère entre toutes au cœur des hommes de ce temps : occasion de réjouissances, mise en scène à grand spectacle, affirmation de loyalisme et parfois de prises de positions politiques significatives.

L'entrée de Marie Stuart à Édimbourg eut lieu le 2 septembre. La journée commença par un grand banquet au château, auquel prit part toute la noblesse à l'exception du duc de Châtellerault et de son fils Arran — décidément entrés en opposition, sans doute par hostilité envers Jacques Stuart qui faisait figure de principal conseiller de la jeune reine. Après quoi tous les canons du château se mirent à tonner, et le cortège s'engagea dans la longue rue qui, de la colline, descend vers Holyrood sur une longueur d'un *mile* — le « *Mile royal* ». Toutes les maisons étaient décorées d'étoffes armoriées ou, tout simplement, de draps blancs. On peut espérer (mais les textes d'époque ne le disent pas) que le brouillard, qui avait tant frappé Knox les jours précédents, s'était levé.

Un groupe de jeunes gens, vêtus de taffetas jaune, les jambes nues teintes en noir « à la façon des Maures », chapeaux noirs et masques noirs, vint entourer le dais de velours violet sous lequel chevauchait Marie, toute en velours noir et blanc. Suivait un char entouré d'enfants, portant le coffre qui contenait le cadeau offert par la ville à Sa Majesté, escorté des principaux bourgeois en habits de parade [16].

À hauteur du *Tolbooth* (la Maison de Ville), un arc de triomphe avait été érigé, du haut duquel « un joli enfant sortit des nuages comme si c'eût été un ange » et remit à la souveraine une Bible et les clefs de la cité. Marie descendit alors de cheval et prit place sur un trône dressé devant l'édifice, entouré de trois belles jeunes filles symbolisant la Fortune, la Justice et le Bon Gouvernement. Discours, chant de psaumes, puis le cortège se remit en marche.

À la Croix d'Édimbourg, face à l'église Saint-Gilles — fief de John Knox —, une estrade était préparée pour une représentation. Marie s'attendait sans doute à une allégorie mythologique comme elle en avait tant vu en France en pareille circonstance : la Discorde vaincue par la Justice, ou Minerve triomphant de Mars. Mais c'eût été compter sans l'esprit du temps et du lieu. La pièce offerte à la reine catholique était tirée de la Bible et montrait les infidèles Coré, Dathan et Abiron engloutis dans l'abîme en punition de leur apostasie : « Ainsi était signifiée la vengeance de Dieu contre les idolâtres », précise un témoin, comme si le message n'était pas, en soi, assez clair. Il paraît que, pour corser le spectacle, on avait envisagé de mettre en scène un prêtre catholique frappé par la foudre au moment d'élever l'hostie, et que le comte de Huntly avait à grand-peine réussi à empêcher cette insulte à la reine.

Du moins celle-ci ne put-elle échapper à un long discours sur l'abomination et la perversité de la messe. Après quoi, la foule entonna des psaumes et, le soir venu, Marie put enfin regagner le palais de Holyrood, en songeant sans doute que jamais un *mile* ne lui avait paru plus long. John Knox, dans sa maison, n'était d'ailleurs pas plus satisfait, car il n'avait pu empêcher la joyeuse entrée de s'accompagner de réjouissances populaires et de fontaines de vin selon la coutume : horribles rites païens, pour lesquels il redoutait que la colère divine s'abatte sur l'impie Édimbourg.

Maintenant, il était temps de songer à s'installer définitivement, et d'aborder au fond les problèmes politiques. L'entourage français qui avait accompagné Marie Stuart dans son voyage commençait à préparer son retour. Le 31 août, un grand banquet fut offert aux Français par la ville d'Édimbourg. Le 1er septembre, une première galère quitta Leith. Le 9 octobre, d'Amville et le grand prieur firent à leur tour leurs adieux ; il ne restait plus en Écosse que le marquis d'Elbeuf, oncle de la reine, et quelques intimes. Marie Stuart était désormais face à son pays et à son peuple.

CHAPITRE V

« Plus dangereuse que dix mille ennemis »

Ce pays que Marie Stuart allait maintenant gouverner, et où elle allait enfin vivre après en avoir été éloignée depuis treize ans, n'avait pas bonne réputation dans l'Europe du XVIe siècle.

Les étrangers — Français ou Anglais — le considéraient, presque de façon stéréotypée, comme une contrée sauvage — « barbaresque », disait Brantôme. Le navigateur et voyageur André Thevet le décrit ainsi : « C'est un pays par trop garni de paresseux et fainéants, qui quoiqu'ils soient réduits en extrême pauvreté, ne laissent pas pourtant à être enflés d'orgueil et gloire, autant et plus que les Anglais » — ce qui est tout dire, pour un Français d'alors [1].

Tous les témoins, notamment les diplomates, insistent sur cette pauvreté de l'Écosse, sur la misère des villages (où « les maisons sont fort étroites et couvertes de feurre (paille) ou de roseaux sauvages, dans lesquelles ils demeurent hommes et bêtes »), sur le caractère primitif des villes. Il est vrai que la population est maigre et clairsemée : sans doute pas plus de 600000 habitants, alors que l'Angleterre en a, à la même époque, 4 millions et demi, et la France environ 15 millions [2].

Encore faut-il distinguer entre le nord et le sud du pays. Toute l'agriculture, toutes les villes, la plupart des abbayes et couvents aux riches revenus sont concentrés au sud des vallées de la Clyde et de la Tay — approximativement une ligne Dumbarton-Perth. C'est là qu'on trouve la capitale Édimbourg, les deux archevêchés de Saint-André et de Glasgow, les résidences royales de Holyrood, Linlithgow, Stirling, Falkland, la ville industrieuse de Perth. Au nord de cette ligne, ce sont les « Hautes Terres » ou *Highlands,* domaine des « sauvages qui se retirent ès lieux solitaires et inaccessibles », échappant pratiquement au contrôle du gouvernement royal, sauf expéditions punitives assez exceptionnelles. Et ne parlons pas des îles de l'ouest et de l'extrême nord, Hébrides, Shetland, Orcades, qui sont à demi indépendantes.

La rudesse et la brutalité des Écossais sont un thème littéraire favori en Angleterre comme en France. Cependant, il y a en Écosse des universités — pas très anciennes, il est vrai, puisque la première, celle de Saint-André, ne date que de 1412 —, des abbayes richement dotées et superbement bâties, des châteaux de belle architecture, des marchands assez prospères. Il y a surtout, depuis deux siècles au moins, un incessant échange d'influences et de personnes avec la France et l'Angleterre, même avec l'Italie, voire avec les Pays-Bas et l'Allemagne, qui font pénétrer, dans les villes telles qu'Édimbourg, Perth, Saint-André, les idées du continent, les arts, la littérature, les raffinements de la vie de Cour. L'Écosse de 1560 n'est pas, quoi qu'en dise Brantôme, un pays de sauvages ; un Jacques Stuart, un Jacques Melville, un Guillaume Maitland, sont des gentilshommes cultivés, parfaitement à leur aise à Londres comme à Paris, à Hampton Court comme à Fontainebleau.

Cependant, la société écossaise se distingue bien de celles du reste de l'Europe occidentale par une caractéristique : l'importance politique et l'indiscipline de la haute noblesse. Beaucoup plus qu'en Angleterre ou en France à la même époque, les grands seigneurs (dont les plus importants portent le titre de comte) sont les véritables maîtres d'une grande partie du territoire. Il n'existe pratiquement pas d'administration royale, et l'influence du « gouvernement central » — terme anachronique — ne s'exerce que de façon très théorique sur les domaines des comtes, surtout dans le Nord.

Ces grandes familles nobles forment, en Écosse, ce qu'on appelle les *clans* (mot écossais), dont les innombrables et complexes ramifications, les rivalités, les alliances, les cousinages, les conflits remontant parfois à plusieurs générations, constituent la toile de fond de toute la vie politique du pays. Même le grand conflit idéologique qui, depuis 1550 environ, divise le pays en deux camps, catholiques et protestants, doit tenir compte du jeu des clans : si les Hamilton sont catholiques, les Douglas seront protestants ; si les Douglas sont protestants, les Gordon seront catholiques. Les mariages créent parfois des solidarités imprévues ; tel comte ou fils de comte, pris entre son clan paternel et le clan de sa mère ou de sa femme, pourra, à la faveur des circonstances, s'allier avec l'un ou avec l'autre.

Il ne faut pas négliger d'ailleurs, dans ces jeux subtils ou grossiers d'alliances et d'hostilités, les questions d'intérêt pur et simple. Rares sont les familles nobles écossaises qui ne sont pas pauvres, et qui ne recherchent pas — parfois au détriment des engagements pris et même des solidarités claniques — les occasions de profit. Rares, en fait, sont celles qui ne bénéficient pas de pensions payées par l'Angleterre, ou par la France, parfois par les deux à la fois : ce qui limite singulièrement leur liberté d'action en cas de conflit international.

Mais il serait faux d'imaginer que, face à cette féodalité remuante et avide, le pouvoir royal soit entièrement démuni et dépourvu de moyens d'action. D'abord, la famille Stuart est, de façon incontestée, assise sur le trône, et ses membres se succèdent de père en fils sans opposition. Rien ne ressemble, dans l'Écosse des XVe ou XVIe siècles, au système de la royauté élective réduite en tutelle par la noblesse qu'avaient connu, par exemple, en France les derniers Carolingiens ou les premiers Capétiens.

D'autre part, la supériorité intrinsèque de la couronne sur les seigneurs est admise par tous. Le roi ou la reine peut — avec l'accord du Parlement — prononcer la condamnation du plus haut comte pour trahison, et confisquer ses terres ; Marie Stuart recourra à cette procédure sans que personne en mette la légitimité en question. Les efforts menés par Jacques V pour imposer partout la justice royale n'ont pas été entièrement couronnés de succès ; ils n'ont pas été non plus tout à fait vains. Les seigneurs brigands existent toujours, mais les tournées d'assises sont une réalité, et plus d'un noble est mis par elles en accusation et condamné.

En fait, les deux phénomènes qui jouent le plus contre le pouvoir monarchique sont d'une part, la pratique des « ligues », d'autre part, l'immixtion de la famille royale dans les querelles claniques. Les ligues — nous traduisons ainsi les termes écossais *covenant* ou *bond* : on pourrait aussi bien dire « pactes » ou « alliances » — sont une coutume par laquelle un certain nombre de seigneurs, dans une circonstance donnée et généralement pour un but précis, s'unissent solennellement au moyen d'un document écrit (le *bond*). La fameuse « Congrégation » de 1557, évoquée plus haut *, était, au départ, un *bond* de ce genre. La plupart du temps, la ligue est dirigée contre quelqu'un ; parfois, elle s'oppose à une autre ligue, déclenchant la guerre civile si les deux parties sont décidées à en découdre. Le règne de Marie Stuart sera, par malheur pour elle, l'âge d'or des ligues ; elle finira par y succomber.

D'autre part, ni le souverain ni les nobles ne peuvent oublier que la famille Stuart est, à l'origine, une famille comme les autres, et qu'au cours des années, elle s'est alliée, par mariage, avec de nombreux autres clans. Le foisonnement des branches Stuart ** est d'autant plus proliférant que plusieurs rois de la dynastie ont eu de nombreux bâtards, qui ont à leur tour fait souche et épousé des filles de grandes familles. Si l'on ajoute à cette situation, déjà compliquée en elle-même, le fait que les mariages des nobles écossais sont souvent d'une régularité canonique douteuse — divorces hâtifs, dispenses épiscopales oubliées, parfois même bigamie pure et simple —, on conçoit que les problèmes de succession soient, dans bien des cas, d'une obscurité inextricable. Que le souverain, dès lors, se prononce en faveur de l'un

* Voir p. 53.
** Ou Stewart ; voir p. 14.

ou de l'autre des prétendants, et c'est tout un clan qui, selon le cas, va basculer dans le parti favorable à la couronne ou dans le parti hostile.

Or, si les choses en viennent au point de la guerre ouverte, le roi ou la reine Stuart n'est pas en position de force. Il n'existe pas, en Écosse, d'armée régulière : son entretien épuiserait vite les ressources modestes de la monarchie. Les grands seigneurs, eux, peuvent faire appel à leurs vassaux, sur lesquels ils exercent un pouvoir féodal très puissant. Tel grand comte du Nord peut mobiliser plusieurs milliers d'hommes en quelques jours — pouvoir les retenir longtemps est une autre affaire, et bien des tentatives avorteront à cause de cette instabilité des effectifs. Au milieu de ses hommes (on pourrait presque dire de ses sujets), un comte apparaît comme un chef de tribu et peut tenir tête à l'armée royale, recrutée à la hâte et souvent prête à se débander faute d'être payée. La seule chance pour le souverain, en pareil cas, est d'être aidé par les clans opposés à ceux de ses adversaires, ou de faire appel à l'étranger.

Il serait parfaitement illusoire de chercher à distinguer, sur le complexe échiquier politique écossais des années 1560, les pions noirs et les pions blancs. Les alliances se font et se défont, les fidélités se jurent et se parjurent au gré des intérêts et des circonstances. Citons seulement, pour les situer, les noms des principales familles qui reviendront régulièrement dans l'histoire de Marie Stuart au cours des cinq années de son règne.

La première, tout au moins en dignité et en proximité du trône, est la Maison de Hamilton. Son chef, qui porte le titre français de duc de Châtellerault, a été, nous le savons, régent d'Écosse au temps de l'enfance de Marie ; son fils, le comte d'Arran, est un protestant affirmé, qu'on a envisagé de marier à Élisabeth d'Angleterre. Ils sont, père d'abord, fils ensuite, les héritiers officiels de Marie si elle vient à décéder sans enfants. Mais ni l'un ni l'autre n'ont des personnalités aptes à soutenir leurs prétentions politiques. Nous connaissons Châtellerault comme un instable, un velléitaire ; en 1561, il a près de soixante ans et compte de moins en moins dans la vie du pays. Arran, quant à lui, a trente ans, et pourrait jouer un rôle de premier plan s'il n'était quelque peu déséquilibré ; il sera bientôt le héros d'une aventure qui le déconsidérera à tout jamais. En dehors de lui, un autre fils de Châtellerault, Claude — qu'on appelle couramment Lord Claude —, est plus ou moins catholique et sera un des fidèles de Marie Stuart. Mais l'homme fort de la famille est le frère bâtard de Châtellerault, Jean Hamilton, archevêque de Saint-André, pilier du parti catholique, qui finira tragiquement.

À côté des Hamilton, il faudrait citer la famille rivale, celle des Stuart-Lennox, qui leur dispute la prétention au titre d'héritiers présomptifs de la couronne * ; mais, en 1561, le comte de Lennox Mathieu, sa femme Marguerite Douglas — apparentée à Élisabeth d'Angleterre — et leurs fils Henri et Charles vivent en Angleterre, bannis d'Écosse depuis la révolte de Lennox en 1544 **. Ils reviendront bientôt, trop tôt pour le destin de Marie Stuart.

Dans le Nord « règne » la grande famille des Gordon, dont le chef Georges porte le titre de comte de Huntly. Catholiques par opposition au parti dominant d'Édimbourg, indociles, possédant d'immenses domaines, les Gordon jouent volontiers les demi-souverains dans leurs lointaines terres, qui commencent à Aberdeen. Huntly a essayé, avant l'arrivée de Marie Stuart en Écosse, de l'enrôler dans un projet de rétablissement du catholicisme, où les Gordon auraient évidemment joué le rôle de vice-rois. Marie n'a pas suivi cet avis, et Huntly en est resté amer et frustré.

Autre clan important, celui des Douglas, aux multiples ramifications et alliances. L'un des Douglas, Jacques, comte de Morton, est un des chefs du parti protestant ; cauteleux, brutal, avide, par-dessus tout ambitieux, ce sera un des protagonistes du règne de Marie Stuart et surtout des années suivantes.

Le clan Campbell a dans l'Ouest une position un peu

* On se rappelle que la légitimité des Hamilton était sujette à discussion (p. 24).

** Voir p. 29.

comparable à celle des Gordon dans le Nord. En 1561, son chef le comte d'Argyll, Archibald V, est un homme de trente et un ans, converti au protestantisme de longue date, un des chefs de la Congrégation, mais il semble décidé à rester en bons termes avec la reine. Comme bien d'autres, il est accusé par Knox de tiédeur religieuse. Tout au long du règne, il jouera plutôt les conciliateurs que les boute-feu.

Moins riche, mais particulièrement remuante et dangereuse, est la famille des Ruthven. Son chef, Lord Patrick Ruthven, est un homme inquiétant, considéré par tous comme sorcier et conversant avec le Démon. Marie disait qu' « il lui faisait peur ». Elle avait raison, comme le prouvera la fatale nuit du 9 mars 1566.

Le clan Erskine, apparenté aux Campbell et ennemi des Gordon, est plus pacifique. Les Erskine sont, traditionnellement, les gardiens, ou tuteurs, des jeunes princes de la famille royale. Au temps de Marie Stuart, le chef de la famille est un homme de quarante ans, Lord Jean Erskine, cousin germain de Jacques Stuart (on se rappelle que celui-ci était fils bâtard de Jacques V et de Marguerite Erskine) et apprécié de tous pour son honnêteté. Marie lui conférera bientôt le titre de comte de Mar. Dans les luttes à venir, il sera fidèle à la reine mais plus encore à son fils, le futur Jacques VI ; en une circonstance décisive, son loyalisme intransigeant contribuera à faire perdre sa couronne à Marie Stuart.

Il faut encore citer, en raison du rôle exceptionnel qu'elle jouera bientôt dans la vie de la reine et du royaume, la famille Hepburn, moins riche, et de beaucoup, que les Hamilton, les Douglas ou les Gordon, mais dont le chef, Jacques comte de Bothwell, compense, par l'audace de son caractère et la prestance de sa personne, le handicap d'une pauvreté à laquelle il saura bientôt comment remédier.

Au-dessous de ces grandes dynasties qui forment, à proprement parler, l'aristocratie féodale de l'Écosse, d'autres familles, moins illustres et moins bien fournies en terres, procurent à la monarchie un personnel gouvernemental et administratif de premier plan. Les deux plus importantes au temps de Marie Stuart sont, à cet égard, les Maitland et les Melville. Précisément parce qu'ils ne sont pas riches, ils cherchent dans les offices de Cour un revenu et des avantages qu'ils ne trouveraient pas ailleurs. Guillaume Maitland, seigneur de Lethington (on l'appelle, dans les textes, indifféremment Maitland ou Lethington), homme cultivé, brillant, sera bientôt l'un des principaux conseillers de Marie, son ambassadeur préféré, son ami même avant d'être appelé le « Caméléon » pour sa fidélité à éclipses. Quant aux Melville, ils fourniront à la reine plusieurs serviteurs, aux premiers rangs desquels ce Jacques Melville, courtisan avisé et voyageur cosmopolite, qui jouera à diverses reprises un rôle diplomatique éminent en attendant d'écrire ses *Mémoires* qui sont l'une des sources les plus vivantes de notre connaissance de Marie Stuart et de son règne.

On ne saurait, enfin, terminer l'esquisse de ce rapide tableau des grandes familles écossaises en 1561 sans situer, à sa place ambiguë, le plus important et le plus ambitieux des personnages de l'échiquier politique : Jacques Stuart, ce « Lord James » que nous avons déjà rencontré à diverses reprises, demi-frère bâtard de Marie, et que sa bâtardise même oblige à se frayer un chemin à la force du caractère. Il n'a pas de fortune personnelle, pas de fiefs, pas de domaines. Son ralliement au protestantisme, au temps de Marie de Guise, avait tout d'une décision opportuniste ; maintenant, il s'installe comme premier conseiller de sa sœur, presque comme vice-roi, mais il attend en retour un titre et des revenus. Marie, très tôt semble-t-il (peut-être dès leur première entrevue en France), lui a promis un comté : celui de Mar, ou celui de Moray. Elle tiendra parole, mais il lui faudra pour cela mener les premiers combats de son règne. Quant à la fidélité ultérieure de Jacques, nous verrons le moment venu ce qu'il en sera.

Dans ce complexe et fluctuant monde politique de l'Écosse dans les années 1550-1560, l'importance de la question religieuse ne peut échapper à aucun observateur. Le triomphe des lords de la Congrégation, en 1560, peut sembler irréversible ; mais, pour beaucoup de nobles calvinistes, l'intérêt personnel a joué au moins autant de rôle que la conviction personnelle. Le clergé catholique était, certes, inférieur à sa vocation, et souvent corrompu (l'archevêque Hamilton, entre autres, était plus célèbre pour le nombre de ses maîtresses et de ses bâtards que pour sa science théologique) ; mais il était surtout riche, trop riche. Le premier effet de la conversion d'un seigneur au protestantisme était la mainmise sur les riches domaines des évêchés et des abbayes ; la fermeté des convictions calvinistes n'allait pas, chez les plus ardents partisans de la nouvelle foi, jusqu'à remettre aux pasteurs les revenus ecclésiastiques. (Même les catholiques ne résisteront pas toujours à la tentation : le comte de Huntly, chef du parti papiste, s'appropriera sans trop de scrupules, sous prétexte de les mettre à l'abri des protestants, les vases et les ornements d'or de la cathédrale d'Aberdeen *.)

Le mouvement calviniste, en fait, ne se distinguerait guère de n'importe quelle ligue ou *bond,* et ne serait qu'un parti politique (comme en France à la même époque), sans la personnalité assez exceptionnelle du prédicateur John Knox, qui fait de lui un des hommes clefs de l'histoire écossaise de son temps. Issu d'une famille modeste, sans fortune, il a été très tôt converti au calvinisme par le propagandiste Wishart, brûlé vif en 1546. Il a été, un temps, prisonnier des Français et condamné à ramer sur les galères d'Henri II, puis a séjourné en Angleterre, s'est enfui à Genève, est enfin rentré en Écosse en 1559, où il est devenu le ferment de la Congrégation.

Le mot qui, sans discussion possible, résume le mieux le caractère de Knox pour des hommes de notre siècle est *fanatisme.* La sincérité de sa foi ne fait aucun doute ; son intolérance non plus. Pour lui, le catholicisme est l'abomination totale, le royaume de Satan, de l'Antéchrist. La messe ne suscite autour d'elle que ruine,

* Assez caractéristique de cette évolution : les titres de « prieur » et d' « abbé », conférés à des laïques, se transforment peu à peu en titres laïques. Jean Hamilton, abbé d'Arbroath (un fils de Châtellerault) devient rapidement « Lord Arbroath ». Son frère Claude, abbé de Paisley, devient « Lord Paisley ». Et ainsi de suite.

désolation et mort. Rien n'est plus étranger à Knox que l'habileté manœuvrière, le compromis, la tiédeur. À un moment ou à un autre, il entrera en conflit avec tous les nobles protestants à cause de leur manque d'enthousiasme ou de leurs hésitations. Mais son éloquence, son audace souvent agressive, remuent les foules ; il est l'homme « qui n'a jamais tremblé devant aucune personne vivante », qui tient tête aux rois et aux princes — aux reines surtout, car il déteste le rôle politique des femmes et s'est irrémédiablement attiré la haine d'Élisabeth en publiant, du temps de la catholique Marie Tudor, un *Premier coup de la trompette céleste contre le monstrueux gouvernement des femmes.*

La totalité du peuple écossais, sans doute, n'est pas convertie au protestantisme en 1561. Le Nord, les Hautes Terres, les îles, notamment, restent attachés à un catholicisme fortement teinté de paganisme. Mais la bourgeoisie des villes, Édimbourg en tête, les intellectuels, la plus grande partie de la noblesse du Sud sont ralliés à la nouvelle religion ; le petit peuple, du moins dans les régions les plus proches du siège du pouvoir royal, est lui aussi sensible à la ferveur de Knox et de ses disciples. Il est clair qu'au moment où Marie Stuart rentre de France, le calvinisme (qu'on appellera bientôt, en Écosse, le presbytérianisme) ne pourrait plus être déraciné qu'au prix d'une guerre civile âpre et d'issue incertaine.

Dans ces conditions, la présence d'une reine catholique à la tête du royaume est un paradoxe. Pas plus qu'un protestant en France (Henri de Navarre en fera l'expérience trente ans plus tard), un souverain papiste n'a de chances d'être accepté sans réticences en Écosse. Marie n'a rien, quant à elle, d'une fanatique ; la personnalité de Knox lui restera toujours incompréhensible, inacceptable. Elle est prête à composer avec lui, mais ce qu'il veut — l'abolition complète du catholicisme —, elle ne saurait l'accorder. On peut certes rêver à ce qu'aurait été l'histoire si elle s'était convertie au protestantisme, comme le bon sens le lui aurait conseillé et comme les plus fidèles de son entourage le souhaitaient ; mais ce sont là des spéculations que doit ignorer l'historien. Rien ne permet de penser (sauf peut-être pendant quelques semaines, après sa fuite en Angleterre ; nous y reviendrons) que Marie ait jamais envisagé de changer de religion. Elle n'a pas cherché à imposer sa foi à ses sujets, mais elle y a toujours été personnellement fidèle, sans troubles de conscience. De là, son irrémédiable malentendu avec son peuple, quelque popularité qu'aient pu lui valoir, dans les premières années de son règne, son charme et sa jeunesse.

Pour gouverner, Marie Stuart ne disposait pas, loin s'en faut, d'institutions élaborées comparables à celles de la monarchie des Valois en France. Le Conseil privé était une structure informelle, dont les membres — en nombre variable — étaient nommés par la reine selon son gré et n'étaient chargés, en tant que tels, d'aucune fonction particulière. Seuls quelques dignitaires, nommés à vie ou même héréditaires, étaient titulaires d'une charge de Cour — chancelier, maréchal de la Cour —, mais cette charge était souvent plus honorifique qu'effective. Les seules fonctions précises étaient celles de secrétaire, ou secrétaire d'État — comparable à ce que nous appellerions un ministre des Affaires étrangères — et de trésorier — ministre des Finances — ; là encore, la reine nommait ou révoquait qui elle voulait. Selon la tradition féodale, cependant, le Conseil privé était considéré comme le plus haut degré dans la dignité, constituait l'entourage immédiat du souverain. En faire partie était l'ambition des plus actifs, la récompense des plus fidèles ; en son sein, les luttes d'influence étaient âpres.

Comme en Angleterre, la monarchie écossaise était censée partager son pouvoir avec un Parlement élu, représentant les « trois états » du royaume : clergé, noblesse, communes. Mais, à l'inverse de l'Angleterre, le Parlement d'Écosse était un organisme plus théorique que réel, dans la mesure où, la plupart du temps, il déléguait ses pouvoirs à un petit groupe de seigneurs nommés les « lords des Articles » chargés de rédiger les résolutions ; le choix des lords des Articles, qui se faisait pour chaque session, était donc, en fait, la partie la plus délicate du fonctionnement du Parlement. Bien entendu, la reine convoquait le Parlement quand elle l'entendait, et le dissolvait de même ; Élisabeth en faisait autant en Angleterre, avec autant de désinvolture. Quant aux « élections », elles favorisaient les grands seigneurs, qui disposaient en pratique des sièges de leurs comtés, et la bourgeoisie des villes ; la petite noblesse était mal représentée, et les sièges ecclésiastiques, depuis le triomphe des protestants, étaient occupés par des prélats qui n'exerçaient plus leurs charges pastorales, et dont certains adhéraient à la nouvelle foi. Il ne serait venu à l'idée de personne de donner voix au chapitre aux paysans et au petit peuple.

Tel était le contexte politique au moment où Marie Stuart, à peine remise des émotions de son voyage et des frustes délices de sa réception à Édimbourg, entrait dans l'arène.

La première décision à prendre était de nommer les membres de son Conseil pour remplacer le Conseil révolutionnaire instauré à la suite du Parlement de 1560. Ce fut chose faite le 6 septembre 1561 ; y figuraient la plupart des grands seigneurs, Châtellerault, Huntly, Argyll, Morton, Atholl, Montrose ; plus quelques noms significatifs : Jacques Stuart (toujours connu sous le nom de prieur de Saint-André), Bothwell, Guillaume Maitland. « Lord Jacques était le favori, et beaucoup de gens pensaient qu'il avait fait le projet de s'emparer de la couronne », commente le catholique Jean Leslie, futur évêque de Ross. La phrase sur l'ambition ultime de Jacques est sans doute prématurée mais il est hors de doute que, dans les premiers mois qui suivent l'installation de Marie Stuart à Holyrood, son demi-frère est le véritable maître de la politique, au grand dépit des catholiques qui avaient pu espérer que le retour de la reine signifierait le triomphe de leur cause.

Sans doute, au cours des huit mois écoulés depuis la mort de son époux français, Marie avait-elle longuement réfléchi aux options qu'elle entendait prendre. Alliance française ? Alliance anglaise ? prédominance catholique ? Protestante ? Ou cette difficile, sans doute impossible, coexistence des deux partis ? Des décisions sur ces différents points découleraient le choix d'un second mari, le rapport des forces en Écosse, le style même du règne, son succès aussi, ou son échec.

Avec énergie, la jeune reine va donc, dès les premières semaines de son installation, s'attaquer de front aux deux problèmes majeurs qu'elle a à résoudre : celui de ses relations avec sa cousine de Londres, et celui du *modus vivendi* avec l'Église protestante d'Écosse — la *Kirk,* comme on l'appelle du mot écossais qui signifie « Église * » —, les deux étant du reste intimement liés.

L'idée d'une reconquête catholique par la force est, de toute évidence, illusoire en 1561. La France, seule puissance sur laquelle Marie pourrait raisonnablement s'appuyer pour une telle entreprise, est hors jeu pour l'instant : les prodromes de la guerre civile n'y sont que trop apparents, et si le parti catholique (celui des Guise) y est encore puissant, il ne gouverne plus, en ces jours où Catherine de Médicis multiplie au contraire les avances vers les protestants. Donc, pas d'aide à attendre de Paris contre les lords de la Congrégation. Pas d'aide non plus de l'Espagne, qui, pour l'instant, ménage soigneusement l'Angleterre.

Au reste, nous avons vu que Marie Stuart, en ces premiers temps de son règne personnel, pense beaucoup plus à se faire reconnaître comme héritière par Élisabeth qu'à bouleverser l'Écosse, et qu'elle se laisse conduire à cette fin par les conseils de son demi-frère, le protestant Jacques. Elle a donc l'intention, bon gré mal gré, de s'entendre avec Knox, puisque c'est lui qui dirige la *Kirk,* en fait sinon en titre. Marie lui fait savoir qu'elle désire le rencontrer — honneur assez rare, tout compte fait, pour un homme de condition modeste qui n'a aucun

* Précisons, pour n'y plus revenir, que l'écossais parlé à Édimbourg et à la Cour est une langue proche de l'anglais, avec des consonnes gutturales et une orthographe rébarbative, mais n'a rien à voir avec le gaélique, langue celtique de la famille du breton et de l'irlandais, que parlent les gens des Hautes Terres. *Kirk* est l'équivalent de l'anglais *Church.* À Londres, l'écossais soulève des railleries, comme un patois rural, mais on le comprend ; le gaélique, lui, est aussi étranger que l'allemand ou le suédois.

pouvoir officiel. L'entrevue nous est connue par le récit qu'en a fait Knox lui-même et où il se donne évidemment le beau rôle, bien qu'il soit permis à un observateur impartial, quatre siècles plus tard, d'être surtout frappé par son intolérance ; mais cette image du prophète de Dieu tenant tête à la reine idolâtre, tout droit inspirée de la Bible, a longtemps alimenté la ferveur presbytérienne (encore aujourd'hui, elle est évoquée par un film projeté aux visiteurs de la maison de Knox à Édimbourg)[3].

La scène eut lieu le 4 septembre, au palais de Holyrood. Marie commença par reprocher à Knox d'inciter ses sujets à la révolte (quelques jours plus tôt, il avait prononcé en chaire sa fameuse diatribe contre la messe « plus dangereuse que dix mille ennemis »). « Madame, répliqua-t-il, si s'opposer à l'idolâtrie et inciter le peuple à adorer Dieu selon Sa parole est un acte de rébellion, alors oui, je suis rebelle. » Il ajouta que les sujets avaient le droit de s'opposer à leurs princes lorsque ceux-ci gouvernaient « contre la loi de Dieu ». Marie saisit aussitôt l'ampleur des prétentions théocratiques ainsi affirmées : « Je vois que désormais mes sujets doivent obéir à vous, et non plus à moi. » (C'était bien, en effet, ce que signifiait la doctrine professée par Knox.) Il se tira d'affaire en répétant que tous devaient obéir « à Dieu seul », mais ne put résister au plaisir d'attaquer la religion de la reine. « Ce n'est pas votre foi qui peut faire de la Grande Prostituée de Rome l'épouse immaculée de Jésus-Christ », tonna-t-il. Marie, peu encline aux discussions théologiques, se borna à répéter : « Votre Église n'est pas la mienne, Mr. Knox. Pour moi, l'Église de Dieu est celle de Rome. » Dialogue de sourds s'il en fut. « S'il n'y a pas en cette femme un esprit orgueilleux, une habileté rusée et un cœur endurci contre Dieu, c'est que je n'y connais rien », déclara le prédicateur en sortant de l'entrevue. Nous ne connaissons pas, malheureusement, son opinion à elle, mais l'ambassadeur anglais Randolph se faisait l'écho des rumeurs de la Cour, quelques jours plus tard, en écrivant que « Mr. Knox a si vivement irrité la reine qu'il l'a fait pleurer, autant par colère que par chagrin. »

Malgré la bonne volonté de Marie Stuart (et aussi, à

ce stade, de son demi-frère Jacques, que Knox trouvait décidément bien tiède pour la sainte cause), l'impasse religieuse était totale. On le vit bien, quelques semaines plus tard, lorsque le conseil municipal d'Édimbourg, entièrement dominé par les calvinistes, prétendit expulser de la ville, en termes injurieux et grossiers, « tous prêtres, moines, frères, nonnes et autres de sectes impies, ainsi que les diseurs et écouteurs de messe, maquereaux, adultères et fornicateurs ». Cette fois, la reine réagit sous l'insulte et suspendit le conseil municipal. Sur le moment, personne n'osa protester.

Tout le monde, d'ailleurs, n'était pas d'accord avec les extrémistes fanatiques, même au sein de la *Kirk*. En décembre 1561, Marie accepta d'affecter au clergé protestant un sixième des revenus de l'ancien clergé catholique (un autre sixième lui revenant, et les deux derniers tiers restant aux seigneurs qui se les étaient appropriés), contre l'abandon des poursuites contre les prêtres de son entourage. Knox vit là une trahison de la loi divine, mais la majorité des lords, Jacques Stuart en tête, furent plutôt satisfaits de cette décrispation.

Parallèlement à ces efforts en direction du parti protestant, Marie Stuart entreprenait de se faire connaître à son royaume. Le mois de septembre 1561 fut employé — le beau temps étant enfin revenu — à une joyeuse chevauchée dans les comtés du centre, avec toute la Cour en grand arroi, comme le roi Valois visitant les châteaux de la Loire ou de l'Ile-de-France. Partout, la prestance de la jeune femme, son affabilité, firent merveille. Les populations l'acclamaient et la bénissaient. Mais la malveillance ne désarmait pas : à Stirling, un incident banal — le feu pris aux rideaux du lit royal par la cause d'une bougie approchée trop près — donna lieu à une phrase jubilatoire de Knox, selon qui cette bougie était prémonitoire du feu du ciel. À Perth, un spectacle sacrilège mettant en scène des prêtres et des moines jeta Marie dans une vive colère. Partout, la messe célébrée par les chapelains de la reine soulevait des protestations et des violences. Le catholique comte de Huntly ayant prétendu pouvoir imposer la messe partout si Marie le désirait, Jacques Stuart le contredit violemment, et une altercation s'ensuivit. Il était de plus en plus évident que le *modus vivendi* adopté pour le retour de la reine était à la merci des fanatiques de l'un et l'autre bord, et aussi des répercussions des événements extérieurs.

En recevant John Knox, en parcourant son pays, Marie Stuart ne perdait pas de vue un seul instant ce qui, à ses yeux, était l'essentiel : ses relations avec Élisabeth.

Jamais, quand elle rentra de France en cette fin d'été 1561, l'influence française n'avait été aussi faible à Édimbourg. Les derniers mois de la régence de Marie de Guise, avec leur triste conclusion militaire et politique, avaient pratiquement abouti à l'élimination du parti francophile : « Il n'y avait alors pas plus de relations entre la France et l'Écosse qu'entre l'Écosse et la Moscovie », écrit crûment l'ambassadeur anglais Randolph[4]. L'effacement diplomatique de la France sur la scène internationale, comme suite à ses troubles intérieurs croissants, ne laissait pratiquement d'autre choix à Marie que de poursuivre la politique d'alliance avec l'Angleterre ; elle y avait, en outre, tout intérêt personnellement, étant donné son désir fervent d'être reconnue par sa cousine comme héritière.

Cette question de l'héritage anglais, qui empoisonnait les relations entre les deux femmes depuis l'avènement d'Élisabeth, et qui devait, finalement, aboutir à la tragédie de Fotheringay, ne peut se comprendre sans faire la part, complexe, d'abord du texte officiel en vigueur — le testament d'Henri VIII —, ensuite de l'opinion publique anglaise exprimée par le Parlement, puis des intérêts personnels des conseillers d'Élisabeth, enfin — comment l'ignorer ? — des sympathies et antipathies personnelles des intéressées. Dans ces difficiles, et en définitive stériles, négociations, la part du non-dit est aussi importante que celle de l'exprimé. De part et d'autre, on sent des réticences, des restrictions mentales, des proclamations de bonne volonté démenties par les faits. La bonne foi, à Londres comme à Édimbourg, est l'élément le moins évident.

À s'en tenir au testament d'Henri VIII, Marie Stuart

était exclue de la succession d'Angleterre ; la branche désignée pour accéder au trône était celle des Grey, issue de la sœur cadette d'Henri VIII. Mais Élisabeth détestait sa cousine Grey et ne manquait pas une occasion de le faire savoir ; elle la tenait d'ailleurs sous clef à la Tour de Londres. Logiquement, elle aurait donc dû reconnaître Marie, quitte à faire annuler le testament de son père (ce qu'un roi avait fait, une reine pouvait le défaire). Mais Marie, premièrement était écossaise et demi-française, deuxièmement était catholique. Surtout, crime jamais pardonné, elle avait osé se proclamer reine d'Angleterre à la mort de Marie Tudor, et elle se refusait obstinément à ratifier le traité de 1560, laissant ainsi planer un doute persistant sur la sincérité de son désir de rapprochement.

En fait, Marie reprochait surtout à ce traité de la condamner à renoncer « à tout jamais » (« *for all times coming* ») au titre de reine d'Angleterre : ce qui, au pied de la lettre, l'excluait définitivement de la succession. Elle était prête, en revanche, disait-elle, à signer sa renonciation « aussi longtemps qu'Élisabeth ou ses descendants directs vivraient ».

Pourquoi, dans ces conditions, ne s'entendrait-on pas sur ces bases ? Parce que Marie, en échange de cette concession, exigeait qu'Élisabeth la reconnaisse comme héritière officielle, ce qu'Élisabeth n'entendait faire à aucun prix. Elle avait trop connu, quand elle était elle-même l'héritière étroitement surveillée de sa sœur aînée, les intrigues qui se nouent autour du « soleil levant », pour envisager de gaieté de cœur de fournir à qui que ce fût ce tremplin privilégié. « Personne n'aime voir son linceul », confia-t-elle un jour à l'ambassadeur de Marie. Tout au plus, du bout des lèvres, consentait-elle à reconnaître que les droits de sa cousine ne lui semblaient « inférieurs à nuls autres », mais il était vain de chercher à lui en faire dire davantage. Elle savait que ses conseillers, Guillaume Cecil en tête, étaient farouchement hostiles à l'idée de voir la catholique écossaise régner à Londres — il y allait de leur tête, ou du moins de leur fortune. Le Parlement anglais, à forte majorité protestante, était tout aussi opposé à Marie. Reconnaître celle-ci comme héritière eût été déchaîner, en Angleterre même, controverses et colères; Élisabeth était trop fine politique pour le risquer, au profit d'une cousine qu'elle n'avait, au fond, aucune raison d'aimer.

Mais il fallait faire bonne figure et se donner au moins les apparences de la bonne volonté. Marie envoya à Londres, dès septembre 1561, le plus habile de ses conseillers, Guillaume Maitland, que connaissait bien Cecil. À travers force assauts d'éloquence, où Élisabeth se montrait sous son meilleur jour — érudite, faussement spontanée, déconcertante de franchise calculée —, ressortait l'évidence : ni l'une ni l'autre des deux reines n'entendait céder sur le point essentiel. Pas de ratification du traité d'Édimbourg sans reconnaissance de Marie comme héritière, pas de reconnaissance « au détriment des droits des autres candidats ». Cependant, à force d'expressions aimables, de protestations d'affection réciproque, une idée se faisait jour : celle d'une rencontre entre les deux femmes, chacune comptant sans doute, l'une sur son intelligence, l'autre sur son charme, pour subjuguer l'autre. Un lieu fut même choisi pour la rencontre : York, à mi-chemin des deux capitales. Une date aussi : l'été 1562. Maitland repartit chargé de cadeaux, porteur d'une bague précieuse pour sa souveraine en témoignage d'amour de sa « chère sœur ». Peut-être, après tout, arriverait-on à une entente cordiale entre les deux royaumes? Il était permis d'y croire, en cette fin d'année 1561. Marie Stuart, après quatre mois de règne effectif, pouvait avoir l'impression d'avoir bien travaillé *.

* Un curieux mémoire daté 1562, apparemment inédit, au sujet de ce projet d'entrevue, figure dans les archives du garde des Sceaux anglais de l'époque, Sir Nicolas Bacon (conservées aux Archives du comté de Hertfordshire). Nicolas Bacon y expose, à l'intention des membres du Conseil privé, toutes les raisons qui, à son avis, rendent « dangereuse » l'entrevue proposée. Le refus de la reine d'Écosse de ratifier le traité d'Édimbourg est au premier rang des arguments invoqués. Marie Stuart est clairement considérée comme un pion français sur l'échiquier politique : à cette date, la crainte d'une

Tout aurait été pour le mieux si, en multipliant ainsi les témoignages de bonne volonté envers les protestants et l'Angleterre, Marie n'avait, par le fait même, inquiété et déçu les catholiques de son royaume. Le clan Gordon, champion de l'ancienne Église, voyait s'évanouir toutes ses espérances. Non seulement le comte de Huntly, son chef, n'était pas devenu le principal conseiller de la reine, mais son ennemi Jacques Stuart ne manquait pas une occasion de lui infliger des avanies. Ce désappointement se transforma peu à peu en opposition ouverte ; les Gordon, d'ailleurs, avaient toujours mal toléré l'autorité royale, et leurs immenses domaines du Nord leur permettaient de jouer volontiers le jeu de la semi-indépendance.

Un conflit armé de Marie Stuart avec la première famille catholique du pays était cependant une éventualité qui aurait dû paraître, *a priori,* absurde. Il fallut, pour en arriver là, la conjonction de trois éléments : la maladresse de Huntly, l'insolence de son fils Jean et l'ambition de Jacques Stuart. La ruine des Gordon, la confiscation éventuelle de leurs biens, ouvriraient de fructueuses perspectives de libéralités royales. Le riche comté de Moray, notamment, détenu par les Gordon à titre précaire depuis sa confiscation en 1549, deviendrait vacant. On a prétendu que Marie Stuart l'avait promis à son demi-frère dès leur première entrevue à Paris au printemps de 1561 ; c'est possible. En tout cas, ce comté sert de toile de fond au conflit de 1562, car dès janvier Marie le conféra secrètement à Jacques, sans (apparemment) en informer Huntly, qui le possédait.

Mais surtout, Jean Gordon, fils cadet de Huntly, se mit en position délicate par son indiscipline remarquée à propos d'une querelle personnelle — une de ces vendet-

---

intervention française en Écosse était donc encore vive dans l'entourage d'Elisabeth. Ceci explique sans doute pourquoi l'entrevue n'eut, finalement, jamais lieu. (Document aimablement signalé par Mr. Walne, archiviste du comté de Hertfordshire ; référence : Gorhambury, M11. XII. B. 2.)

tas dont l'Écosse d'alors était coutumière — avec Lord Ogilvie, maître de la maison de la reine.

Ce Jean Gordon était un jeune homme d'une grande beauté, « la fleur de la jeunesse écossaise » selon Buchanan, mais d'un caractère violent et indiscipliné. Il se disait amoureux de Marie et laissait entendre qu'elle l'aimait en retour — pure vantardise de jeune coq. Dans sa dispute avec Ogilvie, les torts étaient indéniablement de son côté, et son refus d'obéir aux ordres de la souveraine était injustifiable. Plutôt que de répondre à la convocation royale, il s'enfuit vers le nord, narguant la justice. Marie demanda à Huntly de livrer son fils : Huntly refusa. Elle décida alors d'aller le chercher par la force, accompagnée de Jacques Stuart et d'une armée[5].

Curieux spectacle, pour l'Europe, que celui de cette reine catholique menant contre un sujet catholique une expédition punitive à la tête d'une armée protestante ! Selon Georges Buchanan, témoin des événements mais pas très scrupuleux sur la vérité historique, le pape et les Guise auraient été responsables d'un véritable complot, tendant à faire épouser Marie par Jean Gordon et à éliminer Jacques Stuart. Cela paraît bien invraisemblable, et aucune preuve n'en existe dans aucune correspondance contemporaine. La rancœur de Huntly contre Jacques suffit bien à expliquer le drame, et aussi le désir de Jacques d'éliminer une famille rivale. Le comte de Huntly, à cette époque, était un homme de cinquante ans, sanguin, alourdi par la bonne chère. Sans doute, s'il eût été seul, eût-il hésité à entrer en rébellion ouverte ; mais son entourage, ambitieux et violent, le poussait à résister.

Marie et son demi-frère arrivèrent à Aberdeen, capitale des domaines des Gordon, le 27 août 1562. La comtesse de Huntly, habile femme, accueillit la reine avec respect et réussit à persuader son fils de se constituer prisonnier, mais l'insupportable jeune homme s'échappa à nouveau et proclama qu'il allait enlever Marie et l'épouser. C'était désormais un coupable de lèse-majesté qu'il s'agissait de punir. Au passage à Darnaway, dans le comté de Moray, la reine annonça officiellement qu'elle faisait don du comté à Jacques* : belle promotion pour un bâtard qui, deux ans plus tôt, n'avait que le titre de prieur de Saint-André. Mais la promenade militaire révélait des surprises : à Inverness, le capitaine du château, Alexandre Gordon, refusa d'ouvrir les portes avant d'en avoir reçu l'autorisation de son seigneur Huntly — épisode caractéristique de cette société féodale où la fidélité au suzerain passait avant l'obéissance due au roi. Averti, Huntly donna l'ordre d'accueillir la reine ; mais Alexandre Gordon fut pendu haut et court pour rébellion.

Pendant toute cette campagne, Marie était ravie. « Jamais je ne l'ai vue aussi gaie », écrit l'ambassadeur d'Angleterre, qui la suivait sans enthousiasme. « Elle ne regrette qu'une chose : c'est de ne pas être un homme, pour pouvoir passer la nuit dans les champs, monter la garde avec un casque et une épée. » Elle chassait, recevait l'hommage des Highlanders, adoptait leur rude costume. Mais Huntly ne cédait toujours pas ; au contraire, il entrait en contact avec son cousin Châtellerault, tentait de se trouver des amis dans le Sud. Il fallait en finir, faute de quoi le prestige de la monarchie serait menacé.

Le 16 octobre, le comte de Huntly et son fils Jean furent mis hors la loi. Lady Huntly tenta en vain de s'entremettre ; les sorcières, consultées, déclarèrent que, s'il livrait bataille, le comte serait le soir même au Tolbooth (hôtel de ville) d'Aberdeen, sans aucune blessure. L'armée royale rencontra celle du rebelle le 28 octobre, à Corrichie. Il s'en fallut de peu que les montagnards de Huntly ne missent en déroute les troupes de la reine ; selon les témoins favorables à Moray, c'est celui-ci qui, au dernier moment, assura le succès de sa demi-sœur, en utilisant habilement les piques des hommes du Sud contre les *claymores* des hommes du Nord. Huntly, dans le chaud de l'action, tomba, victime d'une crise cardiaque ; son corps, intact,

* Il sera désormais connu dans l'histoire sous le nom de comte de Moray (orthographe actuelle). À l'époque, on écrivait plutôt Murray.

fut emporté à Aberdeen et exposé au Tolbooth selon la prédiction des sorcières (les Écossais raffolaient de ce genre d'histoires : le règne de Marie en foisonne, tout comme celui de son fils Jacques VI).

Jean Gordon, fait prisonnier, fut condamné à mort et exécuté sous les yeux de la reine — laquelle, nous dit-on, défaillit à ce spectacle. Le fils aîné de Huntly, Georges Gordon, qui n'avait pas participé à la révolte, fut néanmoins privé des domaines paternels, et le comté de Huntly fut confisqué. Le triomphe de Jacques Stuart, désormais Moray, était complet. La fonction de chancelier du royaume, dont Huntly était titulaire, fut confiée au comte de Morton, un des chefs de la Congrégation. Le parti catholique était décapité.

On ne peut s'empêcher de s'interroger sur les motivations et sur les buts de Marie Stuart dans toute cette affaire. Qu'elle ait éprouvé peu de sympathie personnelle pour le gros Huntly est évident ; que l'arrogant Jean Gordon l'ait offensée, comme reine et comme femme, ne l'est pas moins. Mais ce n'était pas une raison pour ruiner le parti de ses propres coreligionnaires et pour se placer définitivement dans la dépendance de son demi-frère, dont elle ne pouvait plus ignorer, à cette époque, qu'il jouait à fond le jeu de l'Angleterre et du protestantisme.

À moins qu'elle n'eût, à son tour, adhéré au parti de la Congrégation ? On aurait presque pu le croire, en cette fin d'automne 1562 ; mais rien n'était plus éloigné de ses intentions. L'équivoque continuait, lourde de périls pour l'avenir.

CHAPITRE VI

« Si la reine d'Écosse épouse un mari convenable... »

La déception des catholiques écossais, face à la politique de Marie Stuart au cours de ses premiers mois de règne, était partagée par les catholiques d'Europe. À tout le moins, la perplexité.

En France on avait, il est vrai, d'autres soucis. La guerre civile, qui couvait depuis si longtemps, avait enfin éclaté, avec son cortège de massacres, de pillages, d'incendies et d'atrocités de toute sorte, après l'échauffourée — mal éclaircie, quoi qu'en dissent les deux partis opposés — où périrent, le 1er mars 1562, quelques dizaines de protestants dans la grange de Wassy en Champagne : drame qui, au reste, touchait de près Marie Stuart, puisqu'il impliquait au premier chef son oncle François de Guise et qu'il avait eu lieu dans une ville faisant partie de son douaire. Tout au long de l'été et de l'automne 1562, la guerre fait rage en Normandie et dans le Val de Loire. François de Guise est assassiné le 18 février 1563 près d'Orléans, et ce deuil bouleverse sa nièce qui éprouvait pour lui une profonde affection. Ce n'est qu'au printemps de 1563 que Catherine de Médicis réussira à conclure la paix à Amboise et à ramener dans son royaume un calme précaire, au prix de lourdes concessions faites aux huguenots.

Mais l'Espagne, mais le pape, précisément parce qu'ils voyaient l'hérésie gagner ainsi du terrain en France, n'en étaient que plus inquiets du peu de zèle manifesté par Marie Stuart en Écosse pour la défense du catholicisme.

La ruine des Gordon, provoquée par Marie chevauchant aux côtés de son demi-frère protestant, avait de quoi porter les moins hostiles à s'interroger. Décidé à en avoir le cœur net, Pie IV décida d'envoyer en Écosse, à l'été de 1562, un émissaire de confiance, le P. Nicolas de Gouda, jésuite, accompagné d'un jeune catholique écossais, Edmond Hay[1]. Hélas ! les résultats de la mission du P. de Gouda confirmèrent les pires craintes de Rome. Certes, Marie était « d'une exceptionnelle piété et d'une grande constance dans la foi » ; mais elle était entièrement au pouvoir du parti protestant : « Tout est dirigé et conduit par les hérétiques, à la Cour et dans le pays. Il y a beaucoup de lords et de seigneurs catholiques, mais la violence et la tyrannie des hérétiques sont tels que les catholiques sont écartés de tout et n'osent même paraître à la Cour. » Dans de telles conditions, « que peut faire une jeune femme, seule, sans protecteur ni conseiller, trompée et menacée sans cesse par les hérétiques qui empêchent tous les hommes de foi de pénétrer jusqu'à elle ? ». De fait, le P. de Gouda trouve Marie tremblant d'anxiété, n'osant le recevoir qu'en cachette, pendant que son frère est au prêche. Elle ne peut garantir sa sécurité, le presse de quitter l'Écosse au plus tôt, ce qu'il fait en septembre, non sans mal, déguisé en pêcheur pour échapper aux protestants déchaînés contre lui.

Après un tel témoignage, le pape ne s'étonnera pas de recevoir, en février 1563, une lettre où Marie l'assurera de sa fidélité, mais où elle reconnaîtra qu' « il lui déplaît fortement que le malheur des temps l'ait empêchée, jusqu'à présent, de faire son devoir comme elle le désirerait » et se déclarera incapable d'envoyer des délégués au grand concile œcuménique qui se tient à ce moment à Trente[2].

Pourtant Knox, qui sait bien qu'au fond la reine ne rêve que de pouvoir « redresser ce pauvre peuple égaré hors de la voie droite » (comme elle l'écrit dans sa lettre au pape), ne désarme pas. Trois mois après l'écrasement des Gordon à Corrichie, il continue à vitupérer Marie, endurcie dans l'idolâtrie et décidément rebelle à la vérité (« c'est à croire, commente ironiquement Randolph, qu'il fait partie du Conseil privé de Dieu[3] »). Exploitant leur avantage, les calvinistes multiplient les agressions et les coups d'audace, en s'appuyant sur les lois de 1560 qui ont banni le catholicisme du royaume. Quarante-quatre prêtres sont arrêtés à Pâques 1563 pour avoir osé célébrer la messe, escomptant — les inconscients — que la protection de la reine suffirait à les mettre à l'abri des lois ; parmi eux figure l'archevêque de Saint-André en personne, Jean Hamilton, que Marie aura grand-peine à faire libérer, moyennant une forte amende.

Quelques semaines plus tard se réunit le Parlement de mai 1563, où Marie fait confirmer la condamnation des Gordon et la confiscation de leurs biens (donc, apparemment, des mesures qui auraient dû réjouir les protestants). Mais Knox, irréconciliable, écrit : « Jamais on n'avait vu en Écosse si puant orgueil de femme *. Ses discours artificieux soulevaient l'approbation des flatteurs qui disaient *Vox Dianae*. Oui, ils osaient la comparer à une déesse païenne. » À Saint-Gilles, en pleine session du Parlement — le 5 juin 1563 —, Knox tonne et appelle à la répression. « Je vois que partout on s'écarte du Christ Jésus, et que celui qui s'en écarte le plus est le plus considéré. Certains disent même que notre religion n'est établie ni par la loi ni par le Parlement. Ceux qui parlent ainsi méritent l'échafaud, car notre religion a été établie par Dieu. » Plus hardi encore, il ose critiquer les négociations, alors en cours, pour le mariage de Marie avec un prince catholique ** : « Maintenant j'entends qu'on parle partout du mariage de la reine, que tout le monde, ducs, archiducs, rois, se bouscule pour l'emporter ; mais moi je vous dis que quiconque, en ce pays, accepte qu'un papiste, un infidèle, devienne notre souverain, il bannit le Christ Jésus du royaume et appelle sur le pays la vengeance et la peste[4]. »

Cette fois, c'est est trop. Marie, soutenue par Moray,

* L'opinion de Knox sur les femmes se résume ainsi : « Placer une femme en position de gouverner est contraire à la nature, au commandement de Dieu, à la justice et à l'ordre de la société » *(Premier coup de trompette)*. Il est plaisant de songer que l'Église qu'il a fondée ordonne maintenant des femmes-pasteurs.

** Voir p. 140 et *sq*.

convoque Knox le jour même à Holyrood. Elle est dans une « véhémente colère ». « J'ai recherché vos faveurs par tous les moyens possibles, dit-elle. J'ai supporté tous vos écarts de langage contre moi et contre mes oncles. Je vous ai offert de vous recevoir aussi souvent que vous le voudriez ; et cependant je ne peux venir à bout de vous. Je jure devant Dieu que je me vengerai. » Le prédicateur réplique « patiemment » (c'est lui-même qui le raconte) : « Quand je prêche, Madame, je ne suis pas maître de moi. Je dois obéir à Celui qui m'ordonne de parler, sans égard aux flatteurs. — Mais qu'est-ce que cela a à voir avec mon mariage ? Qui donc êtes-vous dans ce royaume ? — Un sujet qui y est né, Madame. Et bien que je ne sois ni comte, ni lord, ni baron, Dieu cependant a fait de moi, tout insignifiant que je sois à vos yeux, un membre utile de cette communauté. » Sur quoi Marie, outrée, se met à « hurler et à pleurer au point que son valet de chambre peut à peine trouver assez de mouchoirs pour éponger ses larmes » (Knox jubile en évoquant la scène.)

En sortant de la salle d'audience, le prophète traverse l'antichambre pleine de courtisans. L'occasion est belle pour attaquer les dames de la suite royale : « Ô belles dames, comme ce serait plaisant si cette belle vie que vous menez devait durer toujours, et si ensuite vous deviez entrer en Paradis avec ces belles robes ! Mais la vilaine mort viendra, que vous le vouliez ou non, et la vermine s'attaquera à votre chair, si blanche et si tendre, et votre âme n'emportera avec elle ni or, ni bijoux, ni franges. » Tout l'homme est dans le récit de cette étonnante journée.

Mais la pauvre reine n'en était pas quitte avec le prédicateur à la longue barbe (qui, notons-le, allait l'année suivante, âgé de cinquante ans, épouser une mignonne enfant de seize ans : son antiféminisme était sélectif...). Le 15 août 1563, jour de l'Assomption, la chapelle royale de Holyrood est saccagée pendant qu'un prêtre y célèbre la messe en l'absence de Marie. Knox ayant pris la défense des coupables — inculpés de « félonie, invasion et pillage du palais de la reine » —, il est convoqué devant le Conseil privé pour y répondre de l'accusation de trahison : « Confesser une faute là où ma conscience ne me reproche rien, jamais ! » réplique-t-il, fidèle à son caractère. Lorsqu'elle le voit assis, tête nue, à l'extrémité de la salle du Conseil, Marie éclate de rire. « Je ris parce que cet homme m'a fait pleurer, et maintenant je veux le faire pleurer aussi. » Elle se faisait des illusions : intimidés, ou complices, les membres du Conseil, à la majorité des voix, acquittèrent le prophète. « Jamais, remarque justement l'historien protestant Robertson, l'autorité souveraine n'était tombée à ce niveau de dégradation[5]. »

Il ne faut pas croire pourtant que la vie de la Cour d'Écosse se résume aux algarades de Mr. Knox. En 1562-1563, Marie Stuart a vingt ans, vingt et un ans ; elle est encore pleine de vitalité — mis à part les crises de dépression psychosomatiques où la plongeront, de plus en plus, les contrariétés nombreuses qu'elle rencontre. Elle est gaie, sportive, elle aime la chasse, la musique, la danse. Même si les revenus de la couronne écossaise sont maigres (10 000 livres sterling, contre environ 200 000 livres pour la couronne d'Angleterre — heureuse Élisabeth !), les rentes de son douaire de France lui permettent de tenir son rang avec dignité, sinon avec faste[6]. Il est vrai que, en 1562-1563, les malheurs de la guerre civile en Val de Loire amènent une forte diminution de ces rentrées d'argent de France ; mais elles ne cessent jamais tout à fait, grâce à la vigilance du cardinal de Lorraine qui s'en préoccupe fort.

John Knox, nous le savons, reste imperméable au charme de la jeune souveraine, et éprouve un plaisir assez malsain à la faire pleurer. Mais tout le monde n'est pas comme lui. Georges Buchanan, calviniste lui aussi et futur ennemi acharné de Marie, reconnaît qu' « elle était douée d'une grâce insurpassable, d'une jeunesse florissante, de brillantes qualités d'esprit que son éducation de Cour avait cultivées ou du moins revêtues d'un éclat de surface ». (Il ajoute, il est vrai, ce correctif bien knoxien : « Mais loin d'être vertueuse, elle ne montrait que l'illusion de la vertu, car sa bonté naturelle était gâtée par un ardent désir de plaire[7]. »)

Pour les nobles écossais, qui n'étaient pas plus indifférents que d'autres aux plaisirs de la vie civilisée, la danse, les violons, les divertissements de Cour apparaissaient certainement moins démoniaques qu'à Knox, qui y voyait « des jeux de fous et de frénétiques » et des « pièges de corruption ». Marie avait réussi à s'entourer de musiciens, en majorité français et italiens — l'un d'eux fit bientôt parler de lui aux premiers rangs de l'actualité —, et à reconstituer, dans le cadre élégant de Holyrood ou de Falkland, une vie de Cour qui lui rappelait les belles heures d'Amboise ou de Saint-Germain. Toujours, elle appréciera les qualités d'un bon danseur, et plus tard Darnley commencera à s'imposer auprès d'elle par cette qualité.

Elle cultive la poésie (en français, qui reste sa langue habituelle dans l'intimité) ; elle lit aussi, conseillée par le savant Buchanan qu'elle comble de bienfaits et qui bientôt se tournera contre elle : Tite-Live, Horace, Plutarque, Ovide, Cicéron, mais aussi Pétrarque, *Orlando Furioso,* le *Décaméron* de Boccace, et bien sûr les auteurs favoris de sa jeunesse, Ronsard, Du Bellay, Marot. Tout cela peut paraître bien sérieux de nos jours, mais c'étaient alors les lectures de toute personne cultivée, et cela n'empêchait pas de goûter également les romans de la Table ronde ou les chroniques médiévales que la bibliothèque de Holyrood contenait en grand nombre[8]. N'oublions pas le *Livre de la chasse,* qui va de pair avec la passion que Marie Stuart éprouvait pour ce sport, divertissement aristocratique par excellence. Les témoignages abondent de l'ardeur qu'elle y apportait, des longues chevauchées où elle prenait son plaisir à travers les bois et les landes giboyeuses de l'Écosse.

À la Cour de Holyrood, comme dans toutes celles de l'Europe d'alors, les longues soirées d'hiver se passaient à faire de la musique — Marie jouait du luth et du virginal, chantait aussi —, à danser, à organiser des mascarades, tous divertissements diaboliques pour Mr. Knox mais que les courtisans appréciaient fort. On imagine assez aisément ce cercle de jeunes seigneurs élégants, évoluant autour d'une séduisante jeune femme de vingt ans au charme ensorcelant. Le souvenir de la

Cour des Valois lui faisait aimer la galanterie — peut-être le flirt, pourquoi pas ? À la même époque, Élisabeth scandalisait l'Angleterre et l'Europe par la liberté de ses relations avec le beau Robert Dudley. Marie Stuart, elle, gardait plus de dignité, mais ses ennemis n'étaient que trop disposés à prendre pour des imprudences, voire pour des preuves de débauche, l'accueil aimable qu'elle réservait aux madrigaux de ses intimes.

La première victime de ces jeux dangereux devait être, dès le printemps de 1562, le malheureux comte d'Arran, fils du duc de Châtellerault et donc cousin et héritier de la reine. Toute une fraction du parti protestant avait songé, naguère, à lui faire épouser Élisabeth d'Angleterre ; puisque celle-ci, décidément, ne se mariait pas, pourquoi ne pas unir Arran à Marie ? Il était calviniste convaincu, militant même (il avait échappé de justesse à une condamnation pour hérésie en France, au temps d'Henri II) ; assis sur le trône à côté de Marie Stuart, il pourrait assurer à celle-ci le soutien de tout le clan Hamilton et la réconcilier avec la *Kirk*. Il n'en fallait pas plus pour enflammer l'imagination fragile du comte — il avait trente-deux ans en 1562 — et pour lui persuader qu'il était amoureux fou de sa souveraine. Son esprit faible n'allait pas résister au choc.

Les responsabilités exactes dans le petit drame qui devait suivre sont, aujourd'hui, difficiles à démêler ; l'affaire nous est essentiellement connue par Knox, qui y intervint épisodiquement. Apparemment, Arran se fit manœuvrer par le comte de Bothwell, qui à cette époque jouait un rôle personnel assez ondoyant. Bothwell suggéra à Arran d'enlever Marie Stuart pour l'épouser et d'en profiter pour éliminer Jacques Stuart et Lethington. Arran, hésitant — on l'eût été à moins —, se rendit chez Knox pour lui demander conseil. Knox jugea, avec bon sens, que toute l'affaire sentait la provocation et conseilla le silence ; mais Arran, décidément « frappé de frénésie », selon la propre expression de Knox, se précipita à Falkland où se trouvait alors Marie, et confessa tout. Sa raison avait chaviré : il se croyait ensorcelé, prétendait être le mari de la reine. Marie, désireuse de ménager sa famille, le fit mettre aux arrêts chez son père, mais il s'en échappa par la fenêtre en se suspendant aux draps de lit en guise de cordes. Il fallut finalement l'interner, à Saint-André d'abord, au château d'Édimbourg ensuite, d'où il ne devait sortir que quatre ans plus tard, toujours à demi fou[9].

Bothwell, qui était, selon toute vraisemblance, le véritable instigateur de l'affaire, fut traité avec moins d'indulgence : Jacques Stuart, son ennemi de toujours, n'allait pas manquer une si belle occasion de se débarrasser de lui. Il fut emprisonné au château de Saint-André, d'où il s'échappa quelques mois plus tard. John Knox affirme que cette évasion fut réalisée avec la complicité de Marie Stuart; ce n'est pas invraisemblable car, comme il avait fait naufrage en Angleterre, elle intervint pour qu'il fût libéré et obtînt la permission de continuer sa route vers la France. Il devait y rester trois ans en exil, mais son rôle dans la vie de Marie était loin d'être terminé.

Quoi qu'il en soit, l'épisode était révélateur de certains courants troubles qui agitaient la Cour autour de cette jeune femme trop séduisante. Du moins Marie en sortait-elle personnellement intacte. Plus grave devait être, quelques mois plus tard, le scandale de Kinghorn.

Le soir du 15 février 1563, alors que la reine allait se mettre au lit, ses dames d'honneur furent soudain alertées par des cris dans la chambre royale. Accourues aussitôt avec Moray, qui se trouvait à proximité, elles trouvèrent Marie en compagnie d'un jeune poète de la Cour, ce Dauphinois huguenot nommé Pierre de Châtelard qui avait fait partie de son entourage lors du voyage de France en Écosse un an et demi plus tôt. Châtelard, dit Marie au comble de l'indignation, s'était caché sous son lit pour attenter à sa vertu ; la mort immédiate devait punir ce crime. Moray, conscient du caractère ambigu de la scène, calma sa sœur à grand-peine. Châtelard fut arrêté et transféré à Saint-André pour y être jugé.

On apprit alors que la scène de Kinghorn avait eu un précédent, que le jeune homme avait déjà pénétré quelques nuits plus tôt dans la chambre de la reine en son absence, et qu'elle avait décidé de lui pardonner. En outre, il se révéla que sa passion pour elle était connue de tous, qu'elle dansait fréquemment avec lui (« des danses plus propres à un bordel qu'à un lieu honnête », commente aimablement Knox), qu'elle n'ignorait rien de ses sentiments. Il fut condamné à mort et exécuté pour lèse-majesté, en récitant au pied de l'échafaud l'*Ode à la Mort* de Ronsard : « Je te salue, ô bonne et profitable Mort... » Brantôme — qui n'y était pas — ajoute un détail romantique qui a fait couler beaucoup d'encre : « Adieu, la plus belle et la plus cruelle princesse du monde ! » aurait proclamé Châtelard avant de mourir[10].

De là à conclure que le poète aurait été l'amant de la reine, il n'y avait qu'un pas, et les ennemis de Marie s'empressèrent de le franchir. Rien ne permet, en fait, de le penser — aucun bruit en ce sens ne circulait avant le drame — ; il n'est d'ailleurs pas impossible que Châtelard ait été manipulé. Certains (dont Maitland) pensèrent, à l'époque, que l'affaire avait été manigancée par les protestants pour ruiner la réputation de la reine catholique ; on prononça même le nom de Mme de Crussol, une huguenote de l'entourage de Catherine de Médicis[11]. Tout cela est possible. Mais le scandale révélait, à tout le moins, l'imprudence de la jeune femme, trop indulgente pour les galanteries de son entourage et trop oublieuse de la distance qui doit séparer une reine de ses sujets masculins. Elle ne retiendra malheureusement pas la leçon, et elle en paiera chèrement le prix.

Pour l'heure, cependant, d'autres soucis, d'une nature plus politique, occupaient l'esprit de Marie Stuart et l'activité des chancelleries d'Europe : c'étaient, intimement et inextricablement mêlées l'une à l'autre, la question de son remariage et celle de l'héritage d'Angleterre.

Le lien étroit entre les deux questions venait de ce qu'Élisabeth, qui se sentait en position de force vis-à-vis de Marie et en profitait sans vergogne, proclamait que le choix du mari de sa cousine conditionnerait sa reconnaissance comme héritière d'Angleterre — ce qui était, on le sait, le but ultime de toutes les ambitions de Marie, comme ce devait être celui de son fils.

Les négociations matrimoniales de Marie, qui emplissent les correspondances diplomatiques pendant les quatre années suivant son retour en Écosse, se déroulent donc sur un double plan : avec les princes candidats, certes, mais aussi avec Élisabeth, celle-ci se réservant ouvertement le droit d'autoriser ou de refuser le choix de sa cousine.

On se rappelle la phrase de John Knox citée plus haut : « Tout le monde, ducs, archiducs, rois, se bouscule pour obtenir la main de la reine. » Il exagérait à peine. Si l'on faisait le compte de tous les noms qui, à un moment ou à un autre de ces quatre années, furent prononcés comme candidats possibles, on dépasserait certainement la quinzaine. Écossais ou étrangers, catholiques ou protestants, princes souverains ou simples gentilshommes, tout le monde imagine de tenter sa chance un jour ou l'autre — pourquoi pas ?

Il serait vain et fastidieux de suivre dans le détail ces négociations, incroyablement confuses, que nous révèlent les dépêches d'ambassadeurs. Parmi les noms — parfois imprévus — qui y apparaissent de façon plus ou moins fugitive, figurent le roi de France Charles IX (malgré l'hostilité bien connue de Catherine de Médicis), son frère le duc d'Anjou (ex-duc d'Orléans, futur Henri III), le duc de Nemours, le jeune prince de Condé (fils de l'ancien chef protestant français — curieux prétendant pour la nièce des Guise !), le duc de Ferrare, le roi de Danemark, le duc de Norfolk, le comte de Warwick ; du côté écossais, le comte d'Arran, au moins jusqu'à sa folie déclarée. On parlera un peu plus sérieusement du roi de Suède, qui insistera beaucoup et envisagera même de venir faire sa cour en personne. Mais tout cela n'est que pour amuser la galerie. En 1562-1563, deux candidats dominent la scène diplomatique et semblent avoir, l'un ou l'autre, les meilleures chances de l'emporter : l'héritier du royaume d'Espagne, Don Carlos, et son cousin l'archiduc Charles d'Autriche. Deux autres noms émergeront peu à peu, avec des fortunes inégales : Lord Robert Dudley et Lord Henri Darnley.

Les enjeux de la compétition sont nombreux et complexes. Chaque candidat présente des avantages et des inconvénients contrastés — toute question de préférence personnelle et sentimentale mise à part : cet élément de choix n'interviendra pas avant le coup de théâtre de 1565. Un souverain ou un prince héritier étranger apporterait avec lui sa puissance, peut-être sa richesse ; mais, à côté de lui, Marie passerait désormais au second plan, et l'Écosse deviendrait un simple pion sur l'échiquier européen, qu'on manœuvrerait de loin. Ni Marie Stuart ni ses sujets n'éprouvent d'enthousiasme pour cette perspective. Si, en plus, l'étranger en question devait être un catholique, l'Écosse protestante exploserait : John Knox en a d'ores et déjà averti la reine en termes non équivoques.

Une candidature, pourtant, retient l'attention de toute l'Europe, et de Marie en particulier : celle du prince héritier d'Espagne, Don Carlos, dont on a déjà parlé dès les semaines suivant la mort de François II. Au début de 1562, l'ambassadeur d'Espagne à Londres, l'évêque Alvaro de Quadra, un intrigant de première grandeur, relance la négociation ; Marie est intéressée à la fois par la perspective de devenir reine d'Espagne — quel « doublé », après avoir été reine de France ! — et par celle de rétablir le catholicisme en Écosse avec l'or et l'armée espagnole.

Certes, Don Carlos n'est pas un prince charmant : rien de plus éloigné de la réalité que l'image romantique qu'en donnent Schiller et, à travers lui, l'opéra célèbre de Verdi. Né avec une lourde hérédité — folie dans l'ascendance paternelle comme dans l'ascendance maternelle, et fils de cousins germains par surcroît —, c'est un dégénéré typique : à demi bossu, sujet à des crise de rage incontrôlables, adonné à des passe-temps sadiques qui scandalisent son entourage, il fait, pour comble, une chute en avril 1562 et doit être trépané. Mais sur quels inconvénients ne passerait-on pas pour s'asseoir sur le premier trône de l'Europe et pour régner sur la moitié du monde ?

Pour contrer la négociation, Catherine de Médicis et Élisabeth s'agitent. À vrai dire, la bonne entente avec cette dernière prime alors, aux yeux de Marie, toute autre considération. Après la mission à Londres de Guillaume Maitland en septembre 1561 *, et une autre mission du même en mai 1562, le projet de rencontre des deux reines se concrétise peu à peu. La guerre civile en France le fait provisoirement repousser, et Marie en est si contrariée qu'elle garde le lit toute une journée en pleurant ; mais bien vite les pourparlers reprennent, et la fameuse entrevue est fixée au mois de juillet ou d'août 1563, soit à York soit dans un château de la même région ; les détails protocolaires font même l'objet d'un accord minutieux, paraphé par Marie le 24 août 1562. Mais autant en emporte le vent : il est écrit que les deux cousines ne se rencontreront jamais [12].

En fait, malgré les phrases aimables et les échanges de lettres affectueuses, le malentendu persiste, inextricable, entre les deux femmes. Plus que jamais, Marie Stuart entend faire reconnaître officiellement sa qualité d'héritière de la couronne des Tudor ; plus que jamais, Élisabeth est décidée à ne pas désigner son successeur. Lors d'une maladie qui, en octobre 1562, met la reine d'Angleterre aux portes de la mort, son Conseil privé envisage les différents candidats possibles pour lui succéder, et personne, dans ce groupe de protestants, n'ose prononcer le nom de Marie. Aussi celle-ci envoie-t-elle à Londres son fidèle Maitland, en janvier 1563 — c'est sa troisième mission auprès d'Élisabeth — pour poser ouvertement la question : oui ou non, la reine et le Parlement sont-ils prêts à proclamer les droits de la petite-fille de Marguerite Tudor ? C'est bien mal connaître Élisabeth. Elle refuse catégoriquement de se prononcer, s'offusque de ce que le Parlement semble l'enterrer prématurément. Elle est encore en âge de se marier, rappelle-t-elle, et d'avoir des enfants. La discussion sur son héritage est hors de propos ; sur quoi elle met fin à la session parlementaire, et Maitland rentre en Écosse sans avoir rien obtenu [13].

Marie reprend donc ses tractations avec l'Espagne. Philippe II, toujours peu enthousiaste à l'idée de se

* Voir p. 127.

brouiller avec l'Angleterre (il a de graves soucis aux Pays-Bas et veut éviter tout ce qui pourrait pousser Élisabeth à y intervenir), accepte cependant d'envisager le projet d'union de Don Carlos avec Marie Stuart : « Voyant que ce mariage pourrait être le début du redressement des affaires religieuses en Angleterre, j'ai décidé de poursuivre la négociation[14] », écrit-il à l'ambassadeur Quadra le 15 juin 1563.

Parallèlement, le cardinal de Lorraine — qui, à cette époque, n'aime guère l'Espagne, et qui possède certainement sur le malheureux Don Carlos des renseignements inquiétants — a lancé une autre candidature à la main de sa nièce : celle de l'archiduc autrichien Charles de Habsbourg, troisième fils de l'empereur Ferdinand Ier. Prince catholique lui aussi, jeune et bien fait de sa personne (il a vingt-trois ans), mais dépourvu de fortune personnelle, ce qui, pour l'impécunieuse Marie Stuart, est un obstacle de taille. Élisabeth, aussitôt informée, réagit : elle fait savoir à sa cousine que toute union avec un prince espagnol ou autrichien équivaudrait à une déclaration d'hostilité à son égard. John Knox prononce le même interdit.

Cette fois, Marie s'impatiente. Quelles sont au juste les intentions de la reine d'Angleterre ? Elle ne veut ni de Don Carlos, ni de l'archiduc. Que propose-t-elle donc ? Une nouvelle fois, Maitland part pour Londres, avec mission d'en rapporter une réponse claire, à la fois sur la question du mariage et sur celle de la succession.

Élisabeth est prudente. « Si la reine d'Écosse épouse l'archiduc ou un autre membre de la Maison d'Autriche, je ne pourrai m'empêcher d'être son ennemie, dit-elle en substance, mais si elle épouse un mari convenable elle sera ma bonne sœur et amie, et je pourrai la reconnaître comme héritière. » Fort bien, mais qui a-t-elle en tête ? « Le roi de France est hors de question, mais on pourrait admettre le roi de Danemark ou un autre prince protestant, ou même le duc de Ferrare. » Un peu plus tard, Élisabeth précise ses positions : si Marie veut accepter « un noble anglais de grande naissance », la reine d'Angleterre « procédera à l'examen des titres qu'elle peut avoir à son héritage, de telle façon que cet examen se conclue à son avantage » (20 août 1563)[15].

En réalité, le candidat auquel songe la reine d'Angleterre pour sa cousine a de quoi surprendre. Il n'est autre que son propre amant (ou du moins ami de cœur), ce Lord Robert Dudley avec qui elle s'est scandaleusement affichée deux ans plus tôt, donnant lieu alors à des sarcasmes de Marie et, il faut l'avouer, de l'Europe entière. Lord Robert est, dans l'intervalle, devenu veuf dans des circonstances suspectes — sa femme s'est opportunément rompu la colonne vertébrale en tombant d'un escalier — et reste intime d'Élisabeth.

L'idée de le marier avec la reine d'Écosse naît apparemment dans l'esprit d'Élisabeth au début de 1563. Ce serait pour elle une façon de garder la haute main sur le royaume voisin ; en même temps, quelle revanche sur l'ex-reine de France que de lui imposer cette union inégale (Dudley est de petite noblesse et sans autre prestige personnel que son charme physique) ! Le projet est si étonnant qu'on ne peut le dévoiler que petit à petit. On en parle à mots couverts en mars : « La reine [Élisabeth] a dit à Maitland que si sa maîtresse voulait faire un mariage sûr et heureux, elle lui donnerait Lord Robert, que la nature a doté de tant de grâces que si elle-même voulait se marier, elle le préférerait à tous les princes du monde. » A quoi Maitland, embarrassé mais bon courtisan, réplique que « la reine Marie ne voudrait pas priver sa bonne sœur de la joie que lui apporte la compagnie de Lord Robert » (lettre de l'ambassadeur Quadra, 28 mars 1563[16]).

L'offensive se précise à la fin de 1563. Catherine de Médicis en a vent en janvier 1564 et fait savoir qu'elle considérerait ce mariage comme déshonorant pour son ex-bru. Marie, après avoir hésité, répond en termes prudents : « La reine d'Angleterre veut-elle vraiment me voir épouser un de ses sujets ? ne peut-elle me laisser épouser qui je veux et rester mon amie ? » demande-t-elle à l'ambassadeur anglais Randolph le 30 mars[17].

Pendant ce temps, les négociations avec l'archiduc Charles se poursuivent, sans enthousiasme de la part de Marie, car l'Autrichien n'a vraiment que bien peu à apporter dans la corbeille nuptiale. La candidature de Don Carlos, en revanche, s'éloigne. Sa santé est de plus en plus mauvaise, et ses relations avec son père se détériorent rapidement ; les ambassadeurs emploient des formules embarrassées pour parler de lui. En août 1564, Philippe II se décide à écrire à son ambassadeur : « Pour diverses raisons suffisantes, la négociation pour le mariage entre la reine d'Écosse et mon fils Carlos doit être considérée comme terminée[18]. » Grosse déception pour Marie, qui décidément ne sera pas reine d'Espagne : ce ne sera pas la dernière désillusion qu'elle recevra de ce pays *.

De nouveaux noms sont prononcés comme candidats à la main de la souveraine : le comte de Warwick, Don Juan d'Autriche — un frère bâtard de Philippe II —, le duc de Norfolk. On reparle du jeune prince de Condé, de Charles IX. L'archiduc Charles continue à envoyer des ambassadeurs, propose même de venir en Écosse pour se présenter personnellement — ce qui met John Knox dans tous ses états à l'idée de voir ce papiste apporter avec lui les germes de la pestilence romaine.

Et c'est alors — dans le courant de l'année 1564 — qu'apparaît, d'abord en sourdine, puis de façon de plus en plus appuyée, un nouveau nom dans l'écheveau embrouillé des négociations matrimoniales de la reine d'Écosse. Il s'agit du propre cousin de Marie, Henri Stuart Darnley, fils du comte de Lennox et de Lady Lennox, née Marguerite Douglas. À vrai dire, la possibilité d'un mariage de Marie avec Darnley n'était pas à proprement parler une nouveauté. On y avait fait allusion, fugitivement, presque aussitôt après la mort de François II. Les ambitions de Lady Lennox pour son fils étaient de notoriété publique, et la généalogie pouvait pleinement les justifier : Henri était, par son père, l'un des plus proches héritiers de Marie Stuart (son plus proche héritier, même, si l'on admettait que les Hamil-

* Don Carlos mourra mystérieusement quatre ans plus tard, dans la prison où son père l'aura fait enfermer. Le parallélisme tragique des destinées de la reine d'Écosse et du prince d'Espagne a frappé les historiens romantiques.

ton étaient une branche bâtarde *) et, par sa mère, l'un des plus proches héritiers d'Élisabeth d'Angleterre **.

Régulièrement, au cours des années 1562-1563, Lady Lennox avait rappelé à Marie l'existence de son fils. Les correspondances diplomatiques y font allusion en juillet 1562, en juin 1563. Mais la situation un peu particulière des Lennox ne facilitait pas les choses : le père d'Henri, Mathieu Lennox, était exilé d'Écosse depuis 1545 et restait sous le coup d'une condamnation pour haute trahison. Il était devenu sujet anglais, et son fils était né en Angleterre — ce qui, du reste, lui donnait plus de poids, comme héritier éventuel d'Élisabeth, qu'à sa cousine écossaise. Élisabeth se méfiait intensément de cette famille qui, pour comble, était catholique et jouissait d'une grande popularité auprès des catholiques d'Angleterre ***. En 1562, elle avait fait enfermer Mathieu Lennox pendant quelque temps à la Tour de Londres pour lui ôter l'envie d'intriguer ; ce qui n'empêchait pas l'ambassadeur d'Espagne de citer fréquemment son nom et celui de sa femme dans ses correspondances, comme ceux de successeurs possibles en cas de disparition d'Élisabeth.

Henri Darnley, quant à lui, était, en 1564, un grand jeune homme de dix-neuf ans (il avait trois ans de moins que sa cousine Marie), parfaitement élégant et sportif, cultivé, musicien, familier de la Cour d'Angleterre où il était traité en prince de sang royal — bref, à tous égards un prétendant de poids.

Voyant l'échec définitif de la négociation avec Don Carlos (elle était très liée avec l'ambassadeur d'Espagne Quadra et avec son successeur Guzman de Silva, qui la tenaient régulièrement informée de l'évolution des

* Voir p. 24.

** Lady Marguerite Lennox était fille, en secondes noces avec Archibald Douglas, de Marguerite Tudor, sœur d'Henri VIII. Elle était donc cousine germaine d'Élisabeth (tableau généalogique, p. 561).

*** Déjà en 1560, l'ambassadeur espagnol Quadra écrivait que « le désir général en Angleterre était d'avoir pour roi le fils de Lady Marguerite ». C'était sans doute exagéré, mais on comprend la méfiance d'Élisabeth.

choses), Lady Lennox sentit le moment venu de pousser activement son fils sur la scène matrimoniale. Guzman de Silva en parle comme d'un candidat sérieux dès septembre 1564 ; en novembre, l'ambassadeur anglais en Écosse, Thomas Randolph, le considère comme gagnant possible. Son nom est sur toutes les lèvres avant la fin de l'année.

Marie, pourtant, n'avait pas renoncé à tout espoir de renouer la négociation avec l'Espagne. En septembre, elle décida d'envoyer à Londres son nouveau conseiller, Jacques Melville — un élégant et fin diplomate, rompu aux affaires européennes, qu'elle venait de faire revenir du continent où il vivait depuis dix ans —, pour rencontrer Guzman de Silva et, par la même occasion, tenter de savoir quelles étaient les intentions réelles de la reine d'Angleterre.

Du côté de l'Espagne il était trop tard, et Melville le comprit aussitôt ; mais le récit de ses entrevues avec Élisabeth, qu'il écrivit bien des années plus tard, reste un des textes les plus pittoresques et les plus vivants de cette époque. « Lord Robert est mon meilleur ami, et je l'aime comme mon propre frère, lui dit la reine. Ne pouvant me résoudre à me marier moi-même, je désire passionnément que ma bonne sœur l'épouse, et qu'elle partage avec lui ma succession. » Melville prit l'affirmation pour ce qu'elle valait, mais Élisabeth était apparemment sérieuse. Quelques jours plus tard, pour bien montrer en quelle estime elle tenait son cher ami, elle lui conféra le titre de comte de Leicester au cours d'une cérémonie où le faste le disputait au bouffon. « Le comte était à genoux devant Sa Majesté, avec beaucoup de gravité et de dignité, mais elle ne put s'empêcher de lui mettre la main sur le cou pour le chatouiller en souriant, l'ambassadeur de France et moi-même étant à ses côtés. » Ce geste de familiarité envers son ex-favori n'était sans doute pas pour Élisabeth la meilleure façon de convaincre l'envoyé d'Écosse du sérieux de sa proposition. D'ailleurs, elle ne se faisait guère d'illusions, puisque, désignant Henri Darnley qui assistait à la scène, elle ajouta : « Je sais bien que cette grande perche vous plaît davantage. » À quoi Melville, bon diplomate, répondit sans se compromettre : « Je ne pense pas qu'une femme de bon sens puisse s'éprendre d'un garçon qui a plutôt l'air d'une femme que d'un homme » (car, précise-t-il, « Mylord Darnley était imberbe et lisse de visage »).

Le reste du séjour de Melville à la Cour d'Angleterre se passa en coquetteries d'Élisabeth, en questions sur les qualités et les comportements de Marie, en comparaisons sur les talents respectifs des deux reines comme danseuses et comme musiciennes, en appréciations sur leur élégance et leur beauté. Le récit rétrospectif des évolutions du jeune diplomate sur ce terrain ô combien glissant est divertissant au possible. « Je dis à Sa Majesté qu'il n'y avait rien en Angleterre de comparable à elle, ni rien en Écosse de comparable à la reine Marie, mais cette réponse ne l'ayant pas satisfaite, je dus lui dire qu'elle était plus blanche que la reine d'Écosse. » Ayant appris que Marie était « plus grande qu'elle », Élisabeth répliqua vertement : « Alors elle est trop grande, car je suis de la bonne taille. » Personne n'envierait la place de Melville en pareille circonstance[19].

Cependant, toutes ces amabilités ne faisaient pas beaucoup avancer le problème des négociations matrimoniales. Les Lennox sentaient venir leur heure. En juillet 1564, Mathieu Lennox demanda à Élisabeth la permission de se rendre en Écosse pour plaider sa cause et tenter d'obtenir l'annulation de la sentence de 1545 qui l'avait condamné comme traître. Élisabeth donna l'autorisation demandée, la révoqua, l'accorda à nouveau : elle devinait que le retour de Lennox dans son pays d'origine donnerait un poids nouveau à la candidature de son fils, et elle hésitait.

De fait, Lennox fut accueilli par Marie Stuart avec amabilité et même faveur. Dès décembre 1564, le Parlement d'Écosse le rétablissait dans ses titres et dignités ; il était l'astre ascendant aux yeux de tous. Très vite, il demanda que son fils et sa femme viennent le rejoindre. C'était, sur ce complexe échiquier de la politique écossaise, un élément nouveau qui risquait de tout bouleverser — et qui, pour commencer, menaçait la suprématie de Moray et de la Congrégation. Moray n'allait pas tarder à réagir.

Il est difficile, compte tenu de la suite des événements, de savoir exactement ce que pensait alors Élisabeth de l'éventualité d'un mariage Marie-Darnley. Apparemment elle n'y était pas hostile. Après tout, Henri Darnley était sujet anglais, et depuis un an elle ne cessait de dire qu'elle souhaitait que sa cousine épouse un Anglais. Le nouveau comte de Leicester, de son côté, favorisait cette union, qui, pensait-il, pourrait servir d'exemple à Élisabeth pour la décider enfin à l'épouser. Marie avait donc toutes les raisons de penser, en parfaite bonne foi, que la candidature du fils de Lennox avait l'accord de sa souveraine. Le nom de Darnley est même officiellement prononcé comme celui d'un candidat possible lors d'une conférence anglo-écossaise à Berwick en décembre 1564. Mieux : Darnley est autorisé à se rendre à son tour en Écosse, où il arrive au début de février 1565.

Pourtant, lorsque les choses se précisent, lorsque Marie fait enfin savoir officiellement qu'elle n'épousera pas Leicester, Élisabeth fait machine arrière et, soudain, se déclare formellement opposée au mariage de Darnley avec sa cousine. Lady Lennox est arrêtée, bientôt emprisonnée à la Tour de Londres ; Lennox et son fils reçoivent l'ordre de rentrer en Angleterre toutes affaires cessantes, sous peine de haute trahison[20].

Cet étonnant revirement d'Élisabeth resterait un mystère incompréhensible si l'on ne pouvait y deviner l'effet des manœuvres de Moray et de son parti, dont l'ambassadeur anglais Randolph se fait le porte-parole. Moray avait tout à perdre à la montée en faveur des Lennox en Écosse ; non seulement lui, mais tout le parti protestant — n'oublions pas que Lennox et son fils étaient catholiques — et aussi les Hamilton, qui y perdaient leur qualité d'héritiers présomptifs de la couronne. Randolph s'employa à persuader à Élisabeth que l'union de Darnley et de Marie constituerait pour elle un péril mortel : les droits dynastiques des deux branches issues de Marguerite Tudor, cumulés, faisaient d'un couple Stuart-Lennox, catholique, le plus dangereux prétendant à la succession, voire au renversement, de la fille d'Henri VIII.

Malheureusement pour Randolph et pour Moray, un événement imprévu s'était produit : Marie était tombée amoureuse d'Henri Darnley. Leur rencontre eut lieu au château de Wemyss, sur la rive nord du Firth of Forth, le 18 février 1565. (Les deux jeunes gens s'étaient déjà vus en France après la mort de François II, mais ni l'un ni l'autre n'ont confié à qui que ce soit leurs impressions sur ce premier contact). Henri était beau garçon, d'excellentes manières, sportif, élégant. Marie l'accueillit aimablement, l'invita à chasser avec elle. Très vite, il devint son cavalier à la danse, son partenaire au jeu. En avril, il tomba malade de la rougeole (maladie d'adultes en ce temps) ; Marie le soigna avec dévouement, bientôt avec affection, puis avec passion. L'ambassadeur Randolph jugeait son attitude « dépourvue de dignité et de bienséance » ; fin avril, toute l'Europe parlait du comportement inconsidéré de la reine d'Écosse. Les dés étaient jetés.

Consultés aussitôt, le roi d'Espagne et la reine mère Catherine de France donnent leur accord au mariage ; seul le cardinal de Lorraine, déçu, qualifie Darnley de « gentil hutaudeau » — c'est-à-dire d'étourneau. Une demande de dispense canonique est envoyée au pape (les deux jeunes gens sont cousins issus de germains). Mais le Conseil privé d'Angleterre se prononce contre l'union projetée. Élisabeth menace Darnley et son père de les faire condamner pour haute trahison. Les ambassadeurs galopent entre Édimbourg et Londres : dialogue de sourds. Marie s'étonne, non sans raison, de l'opposition d'Élisabeth, alors que celle-ci lui proposait elle-même Darnley quelques mois plus tôt (« J'ai appris que la reine, ma bonne sœur, est mécontente de mon choix ; cela me paraît étrange, étant donné qu'il n'y a pas un an elle m'avait fait savoir que si j'acceptais d'épouser un de ses sujets elle approuverait et autoriserait volontiers mon choix », écrit-elle le 14 juin[21]).

Il est trop tard désormais pour revenir en arrière. Le 15 mai, Darnley est créé comte de Ross. Le bruit court que la reine d'Écosse et lui se sont mariés secrètement, sans attendre la dispense de Rome. Randolph — le bon apôtre — s'indigne de voir Marie sourde à tout conseil : « Le pays est humilié de voir la reine se déshonorer ; elle est méprisée par tout le monde[22]. » Un tel aveuglement ne peut être expliqué que par la sorcellerie : tel est l'avis, entre autres, de l'ambassadeur de France Castelnau de Mauvissière, « soit qu'elle y eût été poussée par des enchantements artificiels ou naturels[23] ». Jamais telle passion n'a bouleversé les plans des diplomates. Élisabeth, qui garde la tête froide, suppute déjà tout ce que la situation écossaise va pouvoir lui apporter de chances de brouiller les cartes.

En effet, la précipitation de Marie commence à lézarder tout l'édifice de la paix civile dans son pays. En s'unissant à l'une des principales familles du pays, elle entre dans le jeu des guerres de clans, et dans quelles conditions ! Les Anglais sont à pied d'œuvre pour souffler sur le feu : Lennox est arrogant et avide, il ne vise à rien de moins qu'à rétablir le catholicisme, la guerre avec l'Angleterre est au bout du chemin. John Knox parle de la ruine prochaine de l'Église du Christ.

Au cœur de la contestation, Moray s'agite frénétiquement. Il affecte de se croire menacé, affirme qu'il a eu la preuve que Lennox et son fils ont voulu le faire assassiner, fait des avances à son ancien adversaire Châtellerault qui, lui aussi, déteste les Lennox en qui il voit, non sans raison, des rivaux dangereux. Une entrevue entre Marie et son demi-frère, le 8 mai, se termine dans les cris et les larmes. L'Assemblée générale de la *Kirk* supplie la reine de renoncer à la messe « blasphématoire et idolâtre ». Des émeutes, spontanées ou non, éclatent à Édimbourg.

Plus grave — coup de tonnerre annonciateur des futures tempêtes : le 4 juillet, Marie est avertie qu'une embuscade a été montée sur la route de Perth à Callender pour se saisir d'elle et de Darnley ; Darnley serait extradé en Angleterre (où, sans doute, Élisabeth le ferait aussitôt juger pour trahison), tandis que Marie serait emprisonnée et Moray proclamé régent — en attendant mieux. La reine, prenant l'avertissement au sérieux, galope à bride abattue et réussit à rejoindre

Édimbourg saine et sauve. Cet attentat n'a jamais été prouvé, et Moray l'a toujours nié ; mais il était révélateur des troubles à venir.

Le 18 juillet, Moray, Argyll et Châtellerault se réunissent à Stirling, écrivent à Élisabeth pour lui exposer le danger que courent les protestants en Écosse et lui demander son aide « pour le maintien de l'Évangile ». Marie les convoque devant le Conseil privé pour s'expliquer ; au lieu d'obéir, ils réunissent des troupes. Le mariage, décidément, n'aura pas lieu sans guerre...

Mais Marie Stuart, si elle est passionnée, est plus encore obstinée. Les obstacles lui fouettent le sang plus qu'ils ne la font hésiter. Elle annonce opportunément que la dispense pontificale est arrivée de Rome *. Le 22 juillet, elle crée Henri Darnley duc d'Albany ; six jours plus tard, elle lui confère le titre de roi et annonce publiquement son mariage avec lui. La cérémonie est célébrée, selon le rite catholique, le 29 juillet à six heures du matin, à la chapelle de Holyrood. Toutefois, détail inquiétant, Henri, bien que catholique, refuse d'assister à la messe et laisse son épouse y prendre part seule.

La journée se termine par un banquet, des danses et réjouissances, et les traditionnelles distributions d'argent au peuple ; mais le mélancolique contraste avec les festivités de Notre-Dame en 1558 ne dut pas échapper à la jeune femme. En 1565, un cliquetis d'armes tenait lieu d'épithalame.

* En fait, elle ne devait être accordée qu'en septembre. Canoniquement, la cérémonie du 29 juillet est donc irrégulière : mauvais départ pour le mariage des champions du catholicisme.

TROISIÈME PARTIE

Ce jeune fou n'a pas longtemps été roi. S'il avait été plus sage, je crois qu'il serait encore en vie. C'est grand heur à la reine d'Écosse d'en être défaite.

Catherine de Médicis,
Lettre au connétable de Montmorency,
27 février 1566.

CHAPITRE VII

« En la fleur de son âge... »

Mis à part les périodiques et irritantes altercations avec John Knox, les années 1563-1564, après l'écrasement du clan Gordon dans le Nord, avaient été, tout compte fait, des années paisibles pour l'Écosse et pour Marie Stuart.

Les protestants, tout en regrettant à grande clameur que la reine demeurât attachée à la superstition et à l'idolâtrie papistes, n'avaient pas eu à souffrir de cette situation ; les lois anticatholiques de 1560 restaient en vigueur, le parti de la Congrégation continuait à dominer la politique du pays avec des hommes tels que Moray et Maitland, les relations avec l'Angleterre étaient dans l'ensemble cordiales.

Les choses étaient même — jusqu'à la décision de Marie Stuart d'épouser son cousin Darnley malgré l'opposition d'Élisabeth — si calmes qu'on reste un peu perplexe quant à la personnalité de Marie à cette époque. Le portrait qu'en tracent les auteurs protestants montre une femme pleine de duplicité, ne rêvant que de rétablir le catholicisme et jouant le rôle d'un pion manipulé par les Guise ; mais rien, dans les faits, ne confirme une telle interprétation. Tout au contraire, nous avons vu que l'envoyé du pape, en 1562, l'avait trouvée entièrement soumise à son demi-frère, privée de toute liberté d'action personnelle et, pour tout dire, otage du parti calviniste.

Personne, du reste, ne contestait alors son autorité,

parce qu'elle ne cherchait nullement à l'affirmer au détriment des lords. Son extrême désir de plaire à sa cousine Élisabeth, en vue de se faire reconnaître par elle comme héritière, garantissait la bonne volonté de l'Angleterre. Seules certaines légèretés ou imprudences de comportement, telles que l'affaire Châtelard, permettaient aux mauvaises langues de risquer quelques insinuations malveillantes, mais dans l'ensemble la réputation de la jeune reine d'Écosse était excellente. « En la fleur de son âge, estimée et adorée de ses sujets et recherchée de tous ses voisins, en sorte qu'il n'y avait grande fortune et alliance qu'elle ne pût espérer [...] pour être douée des plus grandes perfections de beauté que princesse de son temps » : ainsi la décrit le diplomate français Michel Castelnau de Mauvissière, qui la vit en 1564 à l'époque des négociations matrimoniales avec Don Carlos et l'archiduc Charles[1].

Politiquement, Marie n'a eu encore que peu d'occasions de s'affirmer. Ce sont Moray et Maitland qui gouvernent en fait. Pendant les séances du Conseil, la reine coud ou brode. Il est significatif que le recueil de ses lettres, réuni par le prince Labanoff, soit peu abondant jusqu'à son deuxième mariage. Non, certes, qu'elle se désintéresse du gouvernement et moins encore de la diplomatie : après tout, son sort matrimonial est l'un des principaux enjeux des négociations européennes en ce temps. Mais il est bien difficile de discerner, à travers les dépêches d'ambassadeurs, si elle joue un rôle personnel. Le goût même qu'elle manifeste pour les divertissements, la danse, les mascarades, la chasse — bien normal pour une jeune femme de vingt ou vingt-deux ans —, ne la montre pas comme une passionnée de la politique. À l'inverse d'Élisabeth ou de Catherine de Médicis, elle ne prend au jeu complexe des affaires publiques ni un intérêt ni un plaisir évidents.

Derrière son autorité, Moray et Maitland ont peu à peu établi leur pouvoir d'une façon qu'ils croient, selon toute vraisemblance, inébranlable. Moray, fort de l'affection réelle que lui porte sa sœur et de l'ascendant qu'il exerce sur elle, est devenu sans conteste le véritable maître de l'Écosse. Il a épousé en 1562 Agnès Keith, fille du comte Maréchal, grâce à laquelle il est l'allié de plusieurs des principales familles du pays et peut se permettre de tenir tête à Knox, qui se brouille avec lui pour plusieurs années. Le seul qui pourrait lui disputer la suprématie serait le duc de Châtellerault, ancien régent et héritier plus ou moins officiel de Marie, mais c'est un personnage déconsidéré et, qui plus est, alourdi et fatigué, n'aspirant plus qu'au repos à condition qu'on le laisse jouir en paix de ses domaines et de ses dignités. Le fils aîné de Châtellerault, le comte d'Arran, est, nous le savons, un déséquilibré à demi fou, qui ne joue aucun rôle politique.

Guillaume Maitland, quant à lui — Lethington, comme on l'appelle le plus souvent —, n'est pas de la même classe de noblesse que Moray, qui est de sang royal. Il ne saurait viser aussi haut que lui : il ne lui porte donc pas ombrage. Mais, à son propre niveau, il réussit une ascension qui n'est pas moins spectaculaire ; avec le titre de « secrétaire », il est en fait le principal ministre, jouissant de toute la confiance de la reine qui l'appelle « mon Lethington ». Il a su se faire de hautes et puissantes amitiés en Angleterre ; Élisabeth, auprès de laquelle il a été plusieurs fois envoyé en ambassade, l'apprécie et l'estime. Il a lié sa fortune politique à Moray et au parti protestant, bien qu'il ait lui aussi des démêlés avec Knox qui le juge trop tiède. Rien ne permet de penser qu'il puisse être déloyal vis-à-vis de Marie Stuart, surtout depuis qu'il est tombé amoureux d'une de ses dames d'honneur, la belle Marie Fleming — une des « quatre Marie » qui, on s'en souvient, avaient accompagné leur royale compagne en France dans sa jeunesse et qui étaient l'ornement de la Cour.

La désillusion que cause à Marie la trahison de Moray, lorsqu'elle décide d'épouser Henri Darnley, apparaît, dans ces conditions, comme l'une des grandes déchirures de sa vie. Là où elle pensait pouvoir compter sur sa fidélité indéfectible, elle découvre que son intérêt personnel passe avant son affection pour elle. Elle découvre aussi qu'en jouant la carte de la conciliation à l'égard des protestants et de l'amitié avec l'Angleterre, elle s'est en fait laissé duper. Pour la première fois, elle va dès lors passer elle-même au premier rang de l'action politique. C'est une femme orgueilleuse — la suite de sa vie mettra en lumière ce trait de son caractère —, qui ne pardonne pas facilement les offenses à sa dignité et moins encore les manquements à sa confiance.

Or la défection de Moray est évidente. Il voyait dans Darnley et, subsidiairement, dans son père Mathieu Lennox, des rivaux qui allaient lui arracher le pouvoir. Avait-il tort ? Il serait bien téméraire de l'affirmer. Lennox était tout aussi ambitieux et avide que n'importe quel autre noble écossais de son temps ; quant à Darnley, il affirmait bien haut son intention, sinon sa capacité, d'être vraiment le roi du pays, maintenant que sa femme lui en avait conféré le titre, et s'étonnait à haute voix de l'énormité des bienfaits accordés par la reine à son frère. On imagine difficilement que Moray et son parti aient pu continuer à gouverner l'Écosse avec Darnley sur le trône. Son attitude est donc explicable, du strict point de vue de son intérêt personnel ; elle n'en constituait pas moins, pour Marie, une cruelle désillusion. Quant à Maitland, il restait, pour l'instant, fidèle ; l'avenir devait montrer ce qu'il en était en réalité.

En tout cas, la situation appelait, au lendemain du mariage, des mesures énergiques et immédiates. Marie Stuart, toute à l'excitation de son union avec Darnley et à l'irritation suscitée par les obstacles rencontrés, fit preuve d'un esprit de décision exemplaire : pour une fois, la colère était bonne conseillère.

Moray s'était mis dans une mauvaise situation par son attitude ouvertement contraire à la volonté royale. Autour de lui s'étaient groupés quelques lords protestants qui, pour une raison ou une autre, estimaient avoir à redouter la prise du pouvoir par les Lennox : les comtes d'Argyll et de Glencairn, Lord Boyd, Lord Rothes, Lord Ochiltree — beau-père de John Knox —, Guillaume Kirkcaldy de Grange. Après force hésitations, le vieux duc de Châtellerault s'était laissé persuader de se joindre à eux, malgré son ancienne antipathie pour Moray : la perspective de voir les Lennox supplanter les Hamilton comme première famille du pays avait fini par lui faire oublier la fidélité qu'il devait à la reine sa cousine. En revanche, le comte de Morton, chef du clan Douglas, bien que protestant et très lié à la Congrégation, était resté proche de Marie — parce que la mère de Darnley était une Douglas : ainsi se faisaient, en ce temps, les alliances et les coalitions féodales en Écosse. Le comte d'Atholl, de sympathies catholiques et ennemi traditionnel des Campbell d'Argyll, était lui aussi du côté de la reine. Militairement, puisqu'on en arrivait aux armes, les forces étaient à peu près équilibrées.

Pour conforter son parti, Marie prit deux mesures qui devaient se révéler riches de conséquences à venir : elle accorda à Georges Gordon, le fils du malheureux comte de Huntly mort à la bataille de Corrichie *, une amnistie complète et restaura en sa faveur l'ancien titre de son père ; et elle rappela du continent l'exilé Jacques Bothwell.

Le nouveau comte de Huntly avait toute la bravoure traditionnelle de sa race, et apportait à la reine l'appui du puissant clan Gordon et de ses Highlanders. Officiellement il s'était converti au protestantisme, mais en fait il était resté catholique de cœur, ce qui ne pouvait que le rendre sympathique à Marie. Toute sa haine allait à Moray, qu'il rendait à juste titre responsable de la ruine de sa famille et de la mort de son père et de son frère. Excellente recrue, donc, pour le parti de la reine ; il devait lui rester, en effet, fidèle dans toute la suite des événements.

Quant à Bothwell, ce personnage aventureux et batailleur qui vivait exilé aux Pays-Bas depuis l'extravagante et obscure affaire du prétendu complot d'Arran**, c'était lui aussi un ennemi acharné de Moray. Rien ne permet de penser que Marie, à ce stade de sa vie, ait éprouvé pour lui quelque sentiment ; lui, en tout cas, ne brillait pas par le respect qu'il portait à sa souveraine, s'il faut en croire un bruit recueilli malicieusement par l'ambassadeur d'Angleterre qui raconte que Bothwell aurait affirmé que « la reine d'Angleterre et la

* *Voir* p. 130-131.
** *Voir* p. 139.

reine d'Écosse, à elles deux, ne font pas une honnête femme ». (Ce qui, commente prudemment l'ambassadeur, « est peut-être vrai pour l'une, mais abominablement faux pour l'autre » : utile précaution de style pour le cas où la lettre tomberait sous les yeux d'Élisabeth[2].)

Bothwell, rappelé donc par Marie, arma à ses frais deux bateaux à Flessingue et arriva en Écosse le 19 septembre, après avoir échappé aux Anglais qui le guettaient. Ses domaines personnels étaient situés dans les Borders, cette région turbulente et stratégique à la frontière de l'Angleterre : son appoint était donc précieux pour empêcher d'éventuels secours anglais aux rebelles. Du reste, après ses insolences passées, il devait se montrer désormais parfaitement loyal à la reine, et l'occasion allait bientôt lui être donnée de rendre à celle-ci un service éminent qui changerait le cours de l'histoire.

Il n'est nullement certain que Moray, en refusant d'admettre le mariage de Marie Stuart avec Darnley, ait prévu qu'une guerre civile s'ensuivrait ; il est peu probable, en tout cas, qu'il l'ait voulu. En d'autres circonstances analogues, les choses se réglaient par la négociation et des concessions réciproques. Cependant, à toutes fins utiles, Moray entendait bien profiter de la colère (réelle ou feinte) d'Élisabeth contre Marie pour s'assurer son alliance et son soutien : nous avons vu que, dès le 18 juillet — avant même l'annonce officielle du mariage —, il lui écrivait pour demander son appui dans son combat pour la « défense de l'Évangile ». Mais la reine d'Angleterre était trop prudente, trop économe aussi, pour s'engager sans ménager ses arrières. Que Moray s'adressât à elle comme « protectrice spéciale de la religion[3] » n'avait certes rien que de flatteur ; cela ne signifiait pas pour autant qu'elle partirait en croisade contre une cousine qui, tout compte fait, ne cherchait pas à l'agresser.

Marie, quant à elle, savait aussi bien que son demi-frère utiliser l'argument confessionnel, si puissant en ce temps. Puisque Moray se faisait le champion du protestantisme, elle s'adresserait, elle, aux puissances catholiques. Le 24 juillet, quatre jours avant la célébration de son mariage, elle écrit à Philippe II en se présentant comme championne de la vraie foi : « Comme je suis l'une de celles à qui Dieu a bien voulu donner la charge d'un royaume [...], je suis assurée que Votre Majesté m'accordera son aide et assistance pour maintenir la foi [...] comme je puis bien dire qu'il n'y a point de guerre plus dangereuse pour la chrétienté [...] que celle de ces nouveaux évangélistes[4]. »

C'était, sans doute, de bonne guerre. De fait, Philippe II, malgré sa prudence et sa parcimonie bien connues, envoya 20000 couronnes par un agent nommé Yaxley ; par malchance, le bateau qui transportait Yaxley et le trésor fit naufrage au cap Bamborough, en Angleterre, et fut saisi en vertu du « droit d'épave » par le comte de Northumberland, pourtant catholique. L'incident est révélateur de l'échelle réelle des valeurs spirituelles dès lors que les intérêts matériels étaient en jeu.

Mais cet appel aux puissances catholiques était, pour Marie, un engrenage dangereux. Elle le sentit, puisqu'au même moment elle multipliait les déclarations rassurantes pour les protestants de son royaume. Le 12 juillet, répondant à une sorte de mise en demeure que lui avait adressée l'Assemblée générale de la *Kirk,* elle proclamait que « personne ne serait troublé pour pratiquer sa religion selon sa conscience », et acceptait même d'écouter une « disputation » sur les Saintes Écritures — sujet favori de controverse pour les calvinistes. « Aucun de mes sujets n'a jamais été molesté pour cause de religion et de conscience, et je continuerai à faire justice à tous ceux qui se comporteront en bons et loyaux sujets, sans innovations ou altérations d'aucune sorte[5]. » Formule sans doute sincère sous la plume de Marie Stuart, mais bien en deçà de ce que réclamaient les chefs de la *Kirk :* ce qu'ils voulaient n'était pas la liberté de conscience, mais l'élimination du catholicisme. Cela, Marie ne pouvait évidemment pas y consentir. Quoi qu'elle fît, la contradiction inhérente à sa position de reine catholique dans un pays protestant ressortait.

Le mariage de Marie Stuart et d'Henri Darnley avait été, on s'en souvient, célébré le 29 juillet 1565. Dès le

1er août, Marie prenait l'initiative pour couper court aux menées de Moray et de ses complices. Elle les convoquait à comparaître devant le Conseil privé pour le 6 août au plus tard, sous peine de rébellion. Au lieu d'obéir, Moray rejoignait Argyll dans ses domaines de l'Ouest et levait des troupes. Le 7 août, il était proclamé rebelle à son de trompe, et Marie convoquait ses vassaux pour une expédition militaire. L'ambassadeur anglais, qui n'avait cessé d'intriguer avec Moray, avoue que la reine se montrait « plus irritée et plus ferme qu'on ne l'aurait cru[6] ».

Élisabeth, inquiète de la tournure prise par les événements, s'efforce à ce moment de calmer le jeu. Elle envoie en Écosse un ambassadeur extraordinaire, Jean Tamworth, pour tenter de réconcilier Marie avec son demi-frère ; mais comme, toujours furieuse contre Darnley qu'elle considère comme son sujet désobéissant, elle interdit à Tamworth de le reconnaître comme roi, la mission est d'avance vouée à l'échec. Aussi bien Darnley, tout à la joie d'être roi, le prend de haut : « Je me sens très bien où je suis et je n'ai nullement l'intention de changer de pays », déclare-t-il à Randolph qui s'empresse d'en informer Élisabeth. Marie est encore plus hautaine : « Je ne suis pas de si basse naissance et je n'ai pas de si petites alliances à l'étranger, que la reine d'Angleterre puisse les traiter avec légèreté. Mon rang dans la succession à la couronne d'Angleterre n'est ni vain ni imaginaire ; avec la grâce de Dieu, je montrerai au monde que mes actions sont aussi efficaces que celles de mes voisins[7] » (10 août 1565).

Tamworth n'a plus qu'à rentrer à Londres bredouille. Il demande son passeport pour regagner l'Angleterre, mais, quand il le reçoit, il s'aperçoit avec horreur qu'il est signé « Henri, roi ; Marie, reine » ; il ne peut donc l'accepter, puisque sa maîtresse lui a signifié qu'en aucun cas Darnley ne devait être reconnu comme roi. Tamworth tente de franchir la frontière sans passeport ; mal lui en prend, il est arrêté et interné à Dunbar. Outrage intolérable, violation de l'immunité diplomatique, clame Élisabeth ; au contraire, violation des lois écossaises, réplique Marie. La négociation a échoué avant d'avoir commencé.

Le roi de France n'a pas plus de succès. Il a envoyé Castelnau de Mauvissière à Édimbourg pour inciter Marie à la modération et à la prudence : c'est tout juste si Marie le reçoit, tant elle est mécontente de cette intervention. « J'aimerais mieux quitter mon sceptre et ma couronne que de contracter [traiter] avec ceux qui naturellement me sont sujets, de nulle foi envers moi, et outre cela ingrats des grands biens et honneurs que je leur ai faits », déclare-t-elle sèchement à l'ambassadeur[8].

Du reste, les événements lui donnent raison. Son énergie et son esprit de décision ont, pour une fois, anticipé les mouvements de Moray et de ses complices. Accompagnée de son jeune époux, qui parade à ses côtés en armure dorée, elle quitte sa capitale dès le début d'août et parcourt le sud et l'est du pays pour réunir ses troupes. Elle est enchantée, aimant cette vie sportive et ces chevauchées ; John Knox *, qui la déteste et qui a tout à perdre à ses succès, ne peut s'empêcher d'admirer son courage : « [Le 1er septembre] il y eut une épouvantable tempête de vent et de pluie, comme on n'en avait pas vu depuis longtemps, de sorte qu'un petit ruisseau se transforma en grosse rivière ; l'armée n'avançait qu'avec peine, mais alors que presque tous se fatiguaient, la reine se conduisait avec plus de courage que les hommes et chevauchait en tête de ses troupes[9]. »

Militairement, la campagne qui s'ouvre à la fin d'août 1565 et qui durera jusqu'à la mi-octobre est caractérisée surtout par sa mobilité. Les historiens écossais lui ont donné le nom caractéristique de *Chaseabout Raid* ou *Roundabout Raid,* qu'on pourrait traduire par la « course-poursuite ». Son moment culminant se situe du 31 août au 3 septembre, lorsque Moray, Châtellerault, Glencairn, Rothes, Boyd, Ochiltree et Kirkcaldy de Grange entrent à Édimbourg avec une troupe de 1200 cavaliers, tandis qu'Argyll en réunit autant dans

* Ou plutôt l'auteur anonyme qui tient la plume à la place de Knox à partir de juin 1564.

ses domaines de l'Ouest. Mais ils avaient compté sans la fidélité royaliste du gouverneur du château d'Édimbourg, Alexandre Erskine, qui non seulement refusa de leur livrer la citadelle, mais entreprit de les bombarder du haut de ses murailles. John Knox, qui était dans la ville, a évoqué « ce terrible son du canon et des armes, qui perçait mon cœur au point que mon âme voulait se séparer de mon corps[10] » : le prophète n'était pas un homme de guerre.

Les bourgeois d'Édimbourg n'aimaient pas plus les boulets que leur guide spirituel ; du reste, ils n'avaient aucune raison de trahir leur serment de loyauté à Marie Stuart. Moray et ses compagnons évacuèrent la capitale, au moment même où l'armée royale, conduite par la reine, arrivait de Glasgow, sous l'orage mémorable que nous avons vu John Knox évoquer plus haut. À partir de ce moment, la « course-poursuite » est pratiquement gagnée pour Marie, d'autant plus que Bothwell harcèle les rebelles dans le Sud.

Moray se réfugie à Dumfries, non loin de la frontière anglaise, d'où il tente une ultime démarche auprès d'Élisabeth. Celle-ci, voyant s'effondrer le parti protestant et anglophile, décide d'envoyer au comte de Bedford 4 000 livres sterling, à faire parvenir à Moray « de la façon la plus secrète qu'il sera possible » (12 septembre) ; elle tient à bien préciser que son intention n'est pas de soutenir des sujets révoltés contre leur souveraine, mais de s'assurer qu'ils seront « jugés équitablement » : la même argumentation avait déjà servi en 1559-1560 au temps de la guerre de la Congrégation contre Marie de Guise[11]. Mais les 4 000 livres ne suffisent pas ; Marie Stuart continue à marquer des points. Bientôt Randolph — qui n'a cessé, tout au long de la campagne, de prendre outrageusement parti pour les rebelles, en dépit de sa qualité officielle d'ambassadeur auprès de Marie — est forcé d'avouer que tout est perdu et que les lords n'ont plus d'autre ressource que de se réfugier en Angleterre : ce sera chose faite le 8 octobre.

Alors va se jouer une double comédie, où se révèlent à merveille les deux caractères de Marie et d'Élisabeth. Marie d'abord : elle triomphe sans conteste et entend bien pousser son avantage jusqu'au bout. Le 8 octobre, elle écrit à sa cousine une lettre très ferme : « Je ne me puis persuader que, vous étant si proche, vous veuilliez, sans considérer ma cause, la mettre à l'égal de gens que, je m'assure, vous trouverez enfin (à la fin) aussi peu fidèles que j'ai fait[12]. » À son ambassadeur en France, l'archevêque Beaton*, elle a fait savoir, le 1er octobre, que rien au monde ne la ferait négocier avec ses sujets rebelles, « s'étant gouvernés avec moi de la façon qu'ils ont fait » : avis à Charles IX et à Catherine de Médicis, pour le cas où ceux-ci penseraient à intervenir en leur faveur. On peut bien penser que ni Henri Darnley, ni son père Lennox, ni Bothwell, ne poussaient Marie à l'indulgence en ces circonstances.

Élisabeth, elle, se trouvait — malgré ses dénégations et ses protestations d'innocence — en position délicate. Personne n'était dupe de sa prétendue neutralité. Elle avait beau écrire à sa cousine, le 29 octobre, que toute idée d'aider les rebelles d'Écosse était « très éloignée de son cœur, étant trop grande ignominie pour une princesse à souffrir, non moins qu'à faire[13] » : l'ambassadeur français Paul de Foix n'oubliait pas qu'elle lui avait déclaré, un mois plus tôt, « avec beaucoup d'aigreur », qu'elle soutiendrait Moray « par tous les moyens que Dieu lui avait donnés[14] ».

Dans ces conditions, il fallait à tout prix éviter que l'hospitalité accordée à Moray après sa défaite apparût comme une complicité. Élisabeth eut alors l'idée d'une de ces mises en scène où elle excellait, qui ne trompaient personne mais qui permettaient de sauver la face, au moins officiellement. L'ambassadeur d'Espagne, Guzman de Silva, que la reine d'Angleterre choisit pour en être le témoin, en a laissé un récit succulent dont l'humour, tout à fait volontaire, montre qu'il appréciait pleinement le comique de la situation[15].

Élisabeth avait convoqué Moray (sans nul doute après

* Jacques Beaton, neveu du cardinal assassiné en 1546, était archevêque de Glasgow depuis 1552. Resté fidèle au catholicisme, il avait quitté l'Écosse en 1560 et vivait depuis lors à Paris, où Marie Stuart le nomma son ambassadeur lorsqu'elle regagna son royaume en 1561.

lui avoir expliqué le scénario) pour qu'il semblât arriver par hasard au moment où Guzman de Silva et son collègue français étaient en conférence avec elle. « Il entra, modestement vêtu de noir, et, un genou en terre, commença à parler à Sa Majesté en écossais. Elle lui ordonna de parler en français, mais il s'excusa en disant qu'il en avait perdu l'usage ; elle répliqua qu'elle savait qu'il le comprenait très bien et qu'elle lui parlerait en cette langue. Elle s'étonna grandement qu'il eût osé venir en sa présence sans sa permission [!], après s'être révolté contre sa souveraine la reine d'Écosse, qu'elle considérait comme sa sœur [...]. Elle savait bien qu'on l'accusait de donner asile dans son royaume aux sujets rebelles des princes voisins et même d'avoir favorisé la rébellion en Écosse, ce qu'elle n'aurait fait pour rien au monde. Elle savait bien que Dieu, juste juge, la punirait du même mal si elle aidait des sujets révoltés contre leur prince [...]. Elle avait entendu dire que Moray s'était révolté parce que sa souveraine s'était mariée sans l'accord de sa noblesse et parce que le comte de Lennox et son parti menaçaient la religion. S'il en était ainsi, il avait agi avec imprudence et ignorance. »

La comédie était menée avec brio. Moray était de taille à enchaîner sur le même ton. « Mylord Moray répliqua que Dieu lui était témoin qu'il n'avait rien de plus cher au monde que le service de sa souveraine, qui lui avait conféré plus de faveurs et de bénéfices qu'il n'en méritait, et que pour rien au monde il n'eût voulu l'offenser ou lui nuire [...]. La reine [Élisabeth] répondit qu'elle tenait en ses mains une balance, dans un des plateaux de laquelle elle plaçait l'autorité de la reine d'Écosse et ses griefs contre Moray, et dans l'autre les explications de Moray, et qu'elle trouvait que le premier plateau pesait beaucoup plus lourd que le second [...]. Il répliqua en écossais, qu'elle traduisit pour les ambassadeurs, qu'il avait voulu se rendre à la convocation de sa souveraine, mais qu'on l'avait informé sur la route qu'une embuscade était tendue contre lui et qu'il avait en conséquence écrit à la reine pour s'excuser auprès d'elle. Elle lui avait alors ordonné de donner les noms de ses informateurs, ce qu'il avait refusé pour ne pas mettre leur vie en danger. »

Pour conclure, Élisabeth signifia sèchement à Moray « qu'il devait se considérer comme prisonnier, étant donné la gravité de son cas », et il sortit à reculons en manifestant tous les signes du plus profond repentir.

Toute la scène était bien entendu jouée au bénéfice exclusif des deux ambassadeurs, afin qu'ils la fissent connaître à leurs souverains respectifs et, par eux, à Marie Stuart. Moray, dûment chapitré, s'installa à Newcastle avec Kirkcaldy de Grange et d'autres de ses compagnons d'infortune, en attendant que des jours meilleurs leur permissent de revenir en Écosse : ceux-ci devaient se présenter plus tôt, sans doute, qu'ils ne l'espéraient.

Tout au long de cette campagne de la « course-poursuite », Marie Stuart avait fait preuve d'une énergie et d'une volonté implacables, qu'on aurait pu prendre pour les marques du caractère d'une grande souveraine si, en fait, il ne s'était agi plutôt de réaction passionnelle que d'une politique froidement réfléchie.

Une fois vaincus les rebelles et, par conséquent, affaibli — sinon détruit — le parti protestant, l'occasion s'offrait pour Marie, comme jamais encore depuis le début de son règne, de définir ses buts et de dévoiler ses véritables intentions.

Nombreux furent alors ceux qui crurent venue la fin du protestantisme en Écosse, ou du moins de sa suprématie politique. Il est vrai que la conjoncture internationale, en cette fin de 1565, apparaissait éminemment favorable à une reprise en main catholique. En France, Charles IX, conduit par sa mère, accomplissait depuis mars 1564 un grand périple à travers son royaume et la paix régnait, au moins en apparence. À l'occasion du passage de la cour à Bayonne, en juin 1565, Catherine de Médicis avait rencontré sa fille Élisabeth, femme de Philippe II, et ne rêvait que de mariages franco-espagnols : Henri d'Anjou (futur Henri III) épouserait Jeanne, sœur de Philippe, et Marguerite de Valois (future reine Margot) Don Carlos. Tout cela était pure illusion, car jamais Philippe II n'avait eu moins d'intention de se lier aux instables Valois ; mais, pour l'opinion publique européenne, surtout dans les pays protestants, cette entrevue de Bayonne apparaissait comme une alliance offensive des puissances catholiques.

Tout le monde, à l'époque, croyait à un grand dessein de reconquête papiste ; il a fallu l'ouverture des archives diplomatiques européennes, au XIXe siècle, pour montrer qu'il ne s'agissait, en fait, que d'un épouvantail. Élisabeth d'Angleterre, pour sa part, le prenait très au sérieux, et elle était persuadée que Marie Stuart en était l'un des éléments. Randolph le lui donnait comme certain : « Il y a eu récemment une ligue conclue entre le feu pape, l'empereur, le roi d'Espagne, le duc de Savoie et divers princes d'Italie, peut-être aussi la reine mère de France, pour rétablir le papisme dans toute la chrétienté. Ce traité a été envoyé de France par Thornton et la reine d'Écosse y a souscrit. Si je peux m'en procurer une copie, je vous l'enverrai dès que je pourrai[16]. » Même l'ambassadeur de France, Paul de Foix, se fait l'écho de bruits selon lesquels Marie envisagerait d'envahir l'Angleterre pour y restaurer le catholicisme : elle aurait promis à ses familiers « de les mener à Londres » et elle négocierait avec les catholiques d'Irlande pour se faire couronner reine de ce pays[17].

Le pape Pie V, s'il n'était pas — comme les protestants le croyaient — au centre d'une vaste entreprise de reconquête armée, n'en considérait pas moins que la victoire de Marie sur les rebelles était le prélude de la ruine de l'hérésie. Sa lettre du 10 janvier 1566 est caractéristique à la fois de ses désirs et de ses illusions · « Très chère fille, Nous avons appris avec une très grande joie que vous et votre mari avez récemment donné une brillante preuve de votre zèle en restaurant dans votre royaume le vrai culte de Dieu. Nous vous congratulons d'avoir ainsi dissipé les ténèbres qui depuis si longtemps pesaient sur ce pays et d'avoir fait luire à nouveau sur lui la lumière de la vraie foi [...]. Nous vous prions d'achever ce que vous avez commencé et d'arracher entièrement les épines de la perversité hérétique, pour remettre les peuples qui vous sont confiés dans le chemin du salut. Soyez sûre que, pour Notre part, Nous ferons pour vous tout ce que l'amour paternel peut conseiller, et que Nous sommes disposé à satisfaire vos désirs autant que Dieu Nous en donne les moyens[18]. »

Sans aller jusque-là, Marie décida d'envoyer à Rome l'évêque de Dunblane pour assurer le pontife de sa fidélité et de son zèle et — on ne saurait omettre une telle opportunité — lui demander une aide financière. Nous verrons, le moment venu, ce qu'il en adviendra dans un contexte, il est vrai, totalement modifié entre-temps.

Tous ces bruits, toutes ces négociations avec les puissances catholiques, constituaient un jeu dangereux. C'est une règle politique élémentaire qu'il ne faut pas alarmer l'adversaire avant d'être prêt à l'abattre. En laissant dire et écrire qu'elle songeait à opérer la révolution religieuse dans son pays, Marie braquait contre elle tous ceux qui, pour une raison ou pour une autre, craignaient une restauration catholique — ne serait-ce qu'en raison des nombreux domaines ecclésiastiques devenus propriété privée depuis la réforme protestante, et que personne n'avait envie de rendre à l'Église.

Des imprudences, comme toujours en pareil cas, ajoutaient à l'inquiétude. L'entourage catholique de Marie pratiquait avec un peu trop d'ostentation son culte que la loi, pourtant, prohibait ; Knox clamait avec indignation que des sermons papistes étaient prêchés en public, que les comtes de Lennox et d'Atholl assistaient ouvertement à la messe[19].

Dans l'état d'esprit où se trouvait Marie après l'écrasement de ses sujets rebelles, une telle volonté de restaurer le catholicisme, ou tout au moins de le rendre à nouveau légal (ce qui, pour les calvinistes ardents, revenait au même), n'a rien d'invraisemblable. Elle était décidée à convoquer le Parlement pour faire condamner définitivement les seigneurs vaincus et confisquer leurs biens. Elle rabrouait vertement toutes les interventions en leur faveur, même venant de ses propres amis. Philippe II lui-même s'inquiétait de cette volonté de vengeance et invitait son ambassadeur à prêcher la prudence : « Je vous prie de faire savoir à la reine d'Écosse qu'elle doit agir avec modération et éviter d'irriter la reine d'Angleterre [...]. Il ne faut rien faire dont la reine [Élisabeth] puisse prendre ombrage...[20] »

La France n'était pas moins inquiète ; mais Marie n'écoutait plus les conseils. La révolte de Moray et plus encore la victoire qu'elle avait remportée sur lui agissaient sur elle comme une puissante drogue. Même son désir d'être reconnue comme héritière d'Élisabeth passait au second plan ; ses correspondances avec sa cousine d'Angleterre prennent, à partir d'octobre-novembre 1565, un ton inhabituel de sécheresse. Marie se sent forte de son bon droit, en tant que souveraine triomphant de sujets rebelles, et sait que, pour une fois, c'est à Élisabeth de s'expliquer et de se justifier.

Malheureusement pour elle, la défaite du parti protestant en Écosse et la fuite de Moray en Angleterre ne changeaient rien au rapport des forces entre les deux royaumes. Élisabeth, bien qu'ayant subi un indéniable revers diplomatique, n'en restait pas moins incomparablement plus riche et plus puissante que sa cousine du nord. Le fait qu'une partie importante de la noblesse écossaise fût exilée à l'étranger, mais à proximité de la frontière, ne pouvait que favoriser les intrigues. Il aurait fallu, en pareille circonstance, faire preuve de beaucoup d'habileté pour éviter la formation d'un nouveau « front des mécontents » et pour désamorcer les risques d'une réaction calviniste ; au lieu de quoi, Marie agit avec une insigne maladresse et compromit, en quelques mois, les avantages qu'elle avait su conquérir par sa victoire de la « course-poursuite ».

En bonne logique, la fin de la petite guerre civile et la fuite de Moray et de ses partisans auraient dû ouvrir pour l'Écosse une période de calme et de paix. C'était l'occasion ou jamais, pour Marie Stuart, de montrer ses capacités de chef d'État, maintenant qu'elle était débarrassée de la tutelle de son demi-frère et que les pasteurs de la *Kirk* étaient, au moins momentanément, sur la défensive.

Or, par un étonnant paradoxe, c'est précisément alors

que la situation commence à se dégrader pour elle, d'une façon qui apparaîtra bien vite comme irréversible. La cause de cette évolution désolante doit être cherchée, tous les contemporains en sont d'accord, dans la rapide et imprévue détérioration de ses relations avec son mari. Nous entrons ici dans un domaine où tant de psychologues et de romanciers ont tenté de reconstituer l'itinéraire sentimental de Marie que l'historien se trouve embarrassé pour ne pas outrepasser ses compétences. Nous nous efforcerons donc de nous en tenir aussi étroitement que possible aux faits, tels qu'ils nous sont connus par les documents de l'époque.

Premier fait : le mariage de Marie et de Darnley avait été considéré, par tous les témoins, comme un mariage d'amour, au moins de sa part à elle. Non seulement l'ambassadeur d'Angleterre mais celui de France décrivaient, à partir d'avril 1565, la passion affichée par la reine pour son beau cousin ; on estimait même que son comportement faisait bon marché de sa dignité royale et qu'elle se compromettait de façon fâcheuse pour sa réputation.

Deuxième fait : la personnalité de Darnley était, dès le début, apparue à beaucoup comme peu attirante. Le cardinal de Lorraine, qui avait ses sources d'information, le jugeait, nous le savons, comme un « hutaudeau » (étourneau, tête légère). « Beaucoup de gens le considèrent comme un joyeux jeune hòmme, mais ses qualités restent à définir », notait l'ambassadeur Randolph quelques jours après son arrivée en Écosse. Dès mai — donc bien avant le mariage —, Darnley se montrait « si orgueilleux et intolérable qu'il en oublie les devoirs qu'il a envers elle [Marie] ». Début juillet, « les mauvaises manières et l'insolence de Darnley sont telles qu'il a dressé tout le monde contre lui[21] ».

Troisième fait : si Marie a conféré à Darnley le titre de roi en l'épousant, si les proclamations royales pendant la campagne de la « course-poursuite » sont bien signées *Henri, Roi, et Marie, Reine,* le « roi » n'en apparaît pas moins comme très en retrait, et même inexistant, dans les opérations militaires et diplomatiques. Il a tenté en vain de faire attribuer à son père la charge de commandant en chef des troupes royales : c'est Bothwell qui l'a obtenue. Dans aucun des récits des contemporains celui qui devait être, en théorie, le souverain de l'Écosse ne semble jouer un rôle effectif. Aucun témoignage relatif à la passion de Marie pour lui n'est postérieur au mariage.

De tout cela, il n'est pas téméraire de conclure, même si on ne partage pas le délire d'interprétations sexo-psychologiques de certains auteurs, que l'union avec Darnley n'a pas apporté à Marie les joies qu'elle en espérait. La cause en apparaît bien vite : Darnley est un médiocre et un incapable ; un brouillon aussi, qui se laisse manœuvrer par son père et par son entourage, et qui irrite sa femme en exigeant d'elle qu'elle lui accorde non seulement le titre de roi, mais la « couronne matrimoniale », c'est-à-dire le pouvoir effectif — ce dont elle n'a, de toute évidence, nullement l'intention.

Y eut-il aussi incompatibilité sexuelle entre eux, voire répulsion physique après une nuit de noces décevante ? Aucun témoignage direct ne permet de l'affirmer. Laissons donc aux romanciers cette « explication » qui ressortit à la pure imagination, encore qu'elle ne soit pas totalement invraisemblable à la lumière de la suite des événements.

Quoi qu'il en soit, les premiers bruits concernant la mésentente entre les deux époux commencent à circuler dès avant la fin de la « course-poursuite ». Ils sont recueillis, bien entendu, par l'insupportable et intrigant Randolph, qui s'empresse malignement de les répercuter en Angleterre, mais bientôt on les retrouvera aussi sous d'autres plumes. La première lettre où des faits précis sont évoqués est datée du 19 septembre (le mariage a été célébré un mois et demi plus tôt : les événements vont vite). Cette lettre du 19 septembre est un document important dans l'histoire de Marie Stuart ; nous y reviendrons, mais pour la bien comprendre il faut maintenant remonter un peu en arrière et introduire un nouveau personnage, qui jouera bientôt, pour son malheur, un des premiers rôles.

Le ministre Guillaume Maitland, bien que resté fidèle à Marie dans la crise de l'été et de l'automne 1565, était fondamentalement l'homme du parti protestant. Marie ne lui retirait pas à proprement parler sa confiance, mais il ne pouvait être l'artisan de la nouvelle politique procatholique que chacun sentait, plus ou moins confusément, occuper l'esprit de la reine. Il régnait dans l'Écosse, après le mariage royal, une atmosphère générale de revanche et de reprise en main qui laissait peu de place aux gouvernants de l'époque précédente. À règne nouveau, il fallait des hommes nouveaux.

L'un de ceux-ci devait être, logiquement, Jacques Bothwell. Quelles qu'eussent été ses fautes dans le passé, il faisait preuve, depuis son retour des Pays-Bas, d'un loyalisme sans faille, et aussi d'une énergie qui contrastait heureusement avec les humeurs maussades du « roi Henri ». À elle seule, la haine ancienne et implacable de Bothwell envers Moray aurait suffi, à cette époque, pour le rendre sympathique à Marie et pour lui garantir sa confiance.

Mais, d'un tout autre style, un autre homme s'affirme alors : c'est le secrétaire italien de Marie, David Rizzio*.

Étonnante destinée que celle de ce roturier piémontais, arrivé en Écosse en 1561 dans la suite de l'ambassadeur savoyard Morette, et demeuré à Édimbourg à la demande de Marie Stuart, comme musicien dont elle appréciait la voix de basse et le talent de joueur de luth. Comme nous ne savons rien de Rizzio en dehors des témoignages de ses ennemis, il n'est pas étonnant que ses origines et sa carrière soient obscurcies de nombreuses incertitudes. Nous ne connaissons même pas la date de sa naissance ; un rapport anonyme envoyé au grand-duc de Toscane Cosme Ier en 1566 dit qu'il avait vingt-huit ans lors de son arrivée en Écosse, soit trente-deux ans en 1565. Certains affirment qu'il était laid, mais nous n'en savons rien ; le seul « portrait » que nous possédons de lui, et qui nous le montre comme un homme brun aux grands yeux intelligents, à la bouche charnue ombragée d'une barbe légère, n'est qu'une gravure exécutée au XVIIIe siècle d'après un tableau

* On écrivait aussi Riccio. La forme Rizzio à prévalu à l'époque moderne.

aujourd'hui perdu : rien, donc, sur quoi nous puissions asseoir une opinion sûre quant à l'aspect physique de « David » — c'est ainsi qu'on l'appelait de son temps. Jacques Melville, qui le connut bien et qui ne l'aimait pas, reconnaît en tout cas qu'il était « de fort bonne compagnie[22] ».

Quoi qu'il en soit, Rizzio devait effectuer, à partir de 1564, une ascension sociale assez extraordinaire. « Valet de chambre » de la reine (ce titre n'avait alors rien d'infamant, mais se situait quand même assez bas dans la hiérarchie des titres et des fonctions), il entre peu à peu dans la confiance de la souveraine, qui fait de lui en 1564 son secrétaire pour les correspondances en français. Étant donné que le français était la langue préférée de Marie et celle de ses plus proches alliés — elle s'en servait même couramment pour ses relations avec Élisabeth —, ce secrétariat assurait à son titulaire une position hautement confidentielle.

Le nouveau secrétaire, tout en continuant par ailleurs à animer les soirées musicales de la Cour, trouva l'occasion d'affirmer son influence et de donner la mesure de ses talents diplomatiques lorsque Marie commença à s'intéresser à Henri Darnley et à envisager de l'épouser, au printemps de 1565. Le jeune prétendant trouva aussitôt en David un allié et un ami. Les ennemis du Piémontais — essentiellement les hommes de la faction de Moray et de Maitland — affirmaient qu'il était un agent secret du pape, ou des Guise, ou de l'Espagne (la Savoie était alors entièrement sous l'influence espagnole), et que sa montée en puissance était le prélude à cette grande réaction catholique que nous avons évoquée plus haut. En fait, aucun document de l'époque, ni dans les archives du Vatican, ni dans celles de Turin ou de Simancas *, ne donne de consistance à cette opinion ; mais il est certain que Rizzio était catholique, que sa carrière et son avenir dépendaient entièrement de Marie, qu'il avait donc tout à gagner à ce qu'elle épouse une coreligionnaire et s'affranchisse de la tutelle anglo-protestante de Moray.

* Dépôt des archives historiques d'Espagne, près de Valladolid.

Nous ne devons pas oublier que, lorsqu'il était arrivé en Écosse, Darnley était considéré — malgré sa tiédeur religieuse évidente — comme l'espoir du parti catholique, et que c'était là la raison (au moins officielle) invoquée par Moray, Argyll et leurs partisans pour s'opposer à son union avec la reine. Dans les semaines inconfortables qui précédèrent l'annonce officielle du mariage, Darnley devint l'intime de Rizzio, allant même jusqu'à partager, à l'occasion, sa chambre et son lit, comme cela se pratiquait à l'époque entre amis de confiance. Lorsqu'en avril 1565 on commença à parler d'un mariage secret entre la reine et son cousin, on chuchota que la cérémonie s'était déroulée dans la propre chambre de Rizzio à Holyrood[23].

Chose curieuse, la déception évidente de Marie après son mariage avec Darnley n'entraîna pas une baisse de sa confiance envers le secrétaire-musicien qui en avait été l'artisan. Bien au contraire, à partir d'août, l'influence de Rizzio devient de plus en plus évidente, au point que tous les diplomates en poste en Écosse s'en font les échos. Selon Melville, « les nobles n'entraient jamais chez la reine sans y trouver David, ce qui excitait la risée des uns et le courroux des autres. Tous ceux qui avaient quelque procès ou quelque grâce à solliciter s'adressaient à lui les mains pleines, ce qui le rendit fort riche en très peu de temps[24] ».

Tout cela créait une situation qui, dans le contexte de l'Écosse féodale du XVIe siècle, devenait virtuellement explosive. Rizzio lui-même, s'il faut en croire Melville, s'en rendit compte et envisagea de se retirer, ou du moins de se montrer moins souvent en compagnie de la reine, mais celle-ci lui aurait fait savoir « que ses intentions n'étaient pas qu'il changeât de conduite, et qu'elle lui ordonnait de se comporter comme auparavant ». Si c'est vrai, ce serait la preuve d'un étrange aveuglement de la part de cette femme pourtant intelligente.

En effet, ce qui devait arriver arriva : on commença à parler de relations intimes entre Marie et son secrétaire. La lettre du comte de Bedford, gouverneur anglais de Berwick, donc très proche des nouvelles d'Écosse, datée du 19 septembre et à laquelle nous avons déjà fait allusion comme premier écho du désaccord entre la reine et son époux, rapporte quc « la reine Marie se conduit avec le musicien David de telle manière que je ne saurais l'écrire, pour l'honneur d'elle ». Amplifiant sur le même thème, Randolph, le 13 octobre suivant, écrit à Guillaume Cecil que Marie s'est mise à détester Moray « parce qu'il sait sur elle des choses secrètes qu'on ne peut pas écrire par pudeur, et qui sont si fort contre son honneur qu'il s'en indigne en tant que frère[25] ».

Il serait bien présomptueux, quatre siècles après les événements et ne disposant que de ces témoignages partiaux fondés sur des racontars de courtisans hostiles, de prétendre juger si ces accusations d'adultère de la reine étaient fondées. L'historien Thomas Henderson, auteur d'une des plus savantes biographies de Marie Stuart, pensait, après mûr examen de tous les documents, qu'elle avait réellement éprouvé pour Rizzio une passion amoureuse (mais, ajoute-t-il avec honnêteté, « mon opinion ne repose sur aucune preuve formelle[26] »).

Ce qu'en pensait personnellement Darnley n'a pas grande valeur factuelle, car il était, de toute évidence, « manipulé » par les ennemis de l'Italien. Tout au plus peut-on citer le bruit relaté par l'ambassadeur de France à Londres, Paul de Foix, selon lequel « le roi [Darnley], environ une heure après minuit, était allé frapper à la porte de la reine qui était au-dessus de la sienne, et d'autant que, après avoir plusieurs fois heurté, on ne lui répondait point, il aurait appelé souvent (à plusieurs reprises) la reine, la priant d'ouvrir, et enfin la menaçant de rompre la porte, à cause de quoi elle lui aurait enfin ouvert : laquelle ledit roi trouva seule dedans sa chambre, mais, ayant cherché partout, il aurait trouvé dedans son cabinet David en chemise, couvert seulement d'une robe fourrée[27] ». Scène de vaudeville, amusante sans doute pour Catherine de Médicis à qui le récit de Paul de Foix était adressé, mais qui ne résiste pas à l'examen, car il est évident qu'en pareille circonstance Darnley aurait tué Rizzio sur-le-champ, comme c'était la règle alors pour un couple adultère surpris en flagrant délit.

En tout cas, les soupçons sur la conduite de Marie

Stuart avec Rizzio prennent de la consistance vers la fin de l'année 1565. L'annonce de la grossesse de la reine, en novembre, n'apporte guère d'accalmie. De Newcastle où ils sont réfugiés, Moray et ses amis soufflent évidemment sur le feu (bien que Moray, faisant flèche de tout bois, écrive à Rizzio une lettre « pleine de soumission » en lui demandant son appui pour obtenir son pardon et en joignant, précaution utile, un diamant de prix : c'est du moins Melville qui le raconte[28]).

En décembre, la mésentente entre Marie et son époux est devenue un sujet de conversation pour tous les diplomates en poste à Édimbourg. « Jamais je n'ai vu tant de changements dans ce pays qu'à présent », écrit Randolph. « Voici quelque temps, on disait *le roi et la reine,* maintenant on ne dit plus que *le mari de Sa Majesté.* Il était nommé premier dans les actes officiels, maintenant il vient en second. Certaines pièces de monnaie ont été récemment frappées avec leurs deux profils ; on les supprime aujourd'hui et on les remplace par d'autres. On parle de disputes entre eux, mais peut-être ne sont-ce que des querelles d'amoureux[29]. »

Randolph disait vrai. « Le roi passait son temps à chasser et à se divertir de façon désordonnée en compagnie de gens qui ne pensaient qu'à satisfaire ses désirs », jubile le continuateur de John Knox, trop heureux de voir mal tourner ce mariage catholique qu'il détestait[30]. Il fallut — puisqu'en tant que roiconsort il devait signer les documents officiels — fabriquer un cachet de métal imitant la signature de Darnley, cachet qui fut bien entendu confié à l'indispensable Rizzio.

Mais le « roi » ne faisait pas que chasser, malheureusement pour Marie. Autour de la reine et du trop intime secrétaire italien, les filets de la haine et de la vengeance se tissaient dans l'ombre. La tragédie allait bientôt entrer dans la vie de Marie Stuart.

CHAPITRE VIII

« Madonna, Madonna, sauvez ma vie! »

Au début de l'année 1566, les apparences étaient celles du triomphe pour Marie Stuart. Mariée selon sa volonté, les rebelles de juillet réduits à l'exil, les calvinistes placés sur la défensive, Élisabeth embarrassée de ses alliés clandestins qu'elle est contrainte d'héberger tout en les désavouant officiellement, jamais la situation n'avait pu sembler aussi favorable à la reine catholique d'Écosse — mis à part l'échec, qui commence à devenir évident à tous les yeux, de son mariage avec Henri Darnley.

En fait, Marie paraît même saisie de ce que les anciens Grecs appelaient *hybris* — le vertige de la victoire et de l'orgueil. Elle refuse toutes les offres d'accommodement, oublie la distance qui la sépare de la réalisation de ses désirs. Et pendant qu'elle s'abandonne à ses rêves d'ambition, ses ennemis agissent et préparent leur revanche.

Ils sont nombreux et puissants, même si leurs intérêts sont souvent divergents. La plus élémentaire prudence consisterait, pour la reine, à jouer des uns contre les autres, à empêcher par tous les moyens que les diverses composantes de l'opposition s'unissent contre elle ; à éviter, surtout, de mécontenter ses propres partisans et de les pousser vers ses ennemis.

Or toutes ces erreurs, elle les commet avec un étonnant aveuglement. Elle multiplie les déclarations et les démarches ambiguës qui donnent à penser qu'elle vise à la ruine du protestantisme, ce que ne sauraient admettre des hommes tels que Maitland ou Morton, qui pourtant lui ont été jusqu'à présent fidèles. En repoussant toutes les avances que lui fait Moray pour rentrer en grâce, en proclamant devant tous ses interlocuteurs son intention de l'abattre définitivement, elle le pousse aux solutions extrêmes. Mais force est de constater que, de la politique qu'elle affirme vouloir mener, elle n'a nullement les moyens, tandis que ses adversaires bénéficient du soutien, à peine déguisé, de l'Angleterre voisine.

De cette accumulation de maladresses commises par Marie Stuart après le succès de la « course-poursuite » à l'automne de 1565, la faveur éclatante témoignée à David Rizzio est sans doute la plus grave. S'il s'était encore agi d'un lord écossais, on pourrait imaginer qu'elle puisse s'appuyer sur ses parents et alliés ; tandis que Rizzio, étranger et roturier, n'a rigoureusement personne derrière lui. On nous le dépeint, à ce stade, comme avide, arrogant et orgueilleux ; méfions-nous toutefois de ce portrait, car nos sources d'information sont presque exclusivement dues à ses ennemis. Marie Stuart, avec tous ses défauts, n'était ni vulgaire ni aveugle. On concevrait mal qu'elle ait pu accorder sa confiance et ouvrir son intimité à un personnage semblable à la caricature que certains peignent sous le nom de Rizzio. Il semble cependant certain que, connaissant mal l'Écosse et le caractère de ses habitants, il appréciait mal les dangers qui l'entouraient. Son luxe choquait — en une époque et en un pays où une fortune rapidement amassée était interprétée comme le produit d'un vol. Et sans doute laissait-il trop volontiers dire et croire que la reine se gouvernait par ses conseils.

S'il faut en croire une anecdote rapportée par l'archevêque Spottiswoode, lorsque le prêtre et astrologue Damiot — peut-être informé de certaines intrigues ambiantes — conseilla à Rizzio de se méfier du « bâtard », il répliqua avec insouciance qu' « il ferait en sorte qu'il ne remette jamais les pieds en Écosse » : il pensait bien entendu à Moray exilé, oubliant qu'il était plus d'un bâtard dans le pays[1]. Et comme Damiot insistait, évoquant son impopularité et les dangers qui l'entouraient : « *Parole, parole,* aurait-il répondu en italien, les Écossais parlent beaucoup et agissent peu. » On peut toutefois douter de l'authenticité de l'histoire, d'abord parce que toutes ces prophéties racontées après l'événement sont par nature suspectes, mais aussi parce que l'attitude prêtée à Rizzio paraît bien peu compatible avec la prudence (ses ennemis disent : la couardise) dont il avait fait preuve jusqu'alors.

Quoi qu'il en soit, l'élimination de l'Italien paraissait au parti protestant, vers janvier 1566, la condition préalable et indispensable à tout renversement de la tendance politique suivie par la reine depuis sa victoire de l'automne précédent.

Mais, une fois Rizzio écarté d'une façon ou d'une autre, quelle nouvelle équipe installer au pouvoir, et sous quelle couverture légale ? C'est alors que quelqu'un — nous ignorons qui : peut-être Maitland, ou Morton, ou même l'intrigant ambassadeur d'Angleterre, tout acquis aux ennemis de Marie et de Rizzio — eut l'idée de la plus étonnante, de la plus imprévue des alliances : celle d'Henri Darnley.

Celui-ci, on s'en souvient, était arrivé en Écosse, l'année précédente, comme champion du catholicisme. En janvier 1566 encore, le pape le félicite, conjointement avec Marie, de son action en faveur de la vraie foi. Au début de février, pour la fête de la Chandeleur, il assiste en grande pompe à la messe avec sa femme et participe à la procession, cierge en main, au grand scandale des lords protestants qu'il a vainement tenté d'amener à l'imiter (Bothwell, nous dit-on, a été le plus ferme dans son refus)[2]. Mais, en vraie girouette qu'il est, il est prêt à se rapprocher des protestants s'il y trouve, ou croit y trouver, son intérêt ; à plusieurs reprises, il se rend à des prêches calvinistes — même si l'expérience, une certaine fois, tourne mal, John Knox ayant cru devoir saisir l'occasion pour lui assener des textes bibliques hostiles, ce qui l'amène à sortir furieux de l'église en plein sermon.

En fait, une seule chose compte pour Darnley, six mois après son mariage : recevoir la « couronne matrimoniale » et être proclamé roi, non plus roi consort à côté de sa femme, mais roi de plein exercice, en son nom propre. Ce n'est pas seulement une question d'honneurs et de vanité : roi couronné, il aurait la préséance sur Marie, continuerait à régner au cas où elle viendrait à mourir avant lui, serait, en somme, le véritable maître de l'Écosse, Henri Ier, tandis que Marie ne serait plus que l'épouse du roi.

Malheureusement, il est tout à fait incapable de jouer ce rôle. Son allergie au travail, son inconsistance de caractère, son goût du plaisir, son impulsivité le rendent aussi peu apte à régner qu'il est possible. C'est son père, ambitieux et avide, qui le pousse en avant, le persuade qu' « il est honteux de laisser le gouvernement à une femme[3] » ; mais, loin de chercher à combler Marie pour obtenir d'elle la couronne tant désirée, il se montre à son égard de plus en plus arrogant et revendicateur. Un jour, comme elle tente de l'empêcher de trop boire au cours d'une fête, il lui répond publiquement avec tant d'insolence qu'elle sort en larmes[4].

Dans ces conditions, les opposants à la politique de Marie Stuart ont tôt fait de comprendre que l'insignifiant garçon pourra, moyennant promesse de la couronne royale, être amené à devenir leur instrument pour ruiner Rizzio. Le retournement, certes, est assez vertigineux puisque, l'été précédent, c'est pour empêcher son mariage que Moray et ses partisans ont déclenché la révolte ; mais l'époque offre bien d'autres exemples de volte-face aussi spectaculaires — ne serait-ce qu'en France, où Catherine de Médicis passe allégrement de l'alliance espagnole à la cordialité avec les protestants et vice versa.

Nous ne connaissons pas — cela se conçoit — tous les détails de l'intrigue qui se noue alors autour de Darnley pour l'amener dans le jeu de ses anciens ennemis. Le rôle principal dut revenir à Guillaume Maitland, le secrétaire d'État ami de Moray, que la montée en puissance de David Rizzio reléguait peu à peu à un rôle de second plan. Randolph s'en gaussait sans charité dans une lettre du 1er décembre 1565 : « La reine soupçonne

Maitland d'avoir aidé Moray et ses amis et elle ne lui fait plus confiance. Il continue à jouer son rôle auprès d'elle et de David, mais ce n'est que pour la galerie. Il a certes plus de loisirs qu'un homme dans sa situation ne devrait en avoir[5]. »

Mais Maitland, diplomate prudent et habile, n'aurait garde de se compromettre trop ouvertement ; d'ailleurs, Darnley se méfie de lui et ne l'écouterait pas. En revanche, le comte de Morton, cousin de Darnley par sa mère, est bien placé pour lui inspirer confiance, d'autant plus qu'il a pris son parti, contre Moray, au moment des événements de l'été précédent et de la « course-poursuite ». Or Morton, dont l'avenir révélera toute l'ambition, est un des chefs du parti protestant, et a tout à perdre à la perspective du triomphe de Rizzio et de la restauration catholique que chacun sent proche. Il travaille donc, d'accord avec Maitland, à rapprocher son cousin des ennemis de sa femme en lui promettant leur appui pour la fameuse « couronne matrimoniale ».

Il est aidé, dans cette entreprise, par un personnage de moralité douteuse, son cousin bâtard (et oncle de Darnley par la main gauche), Georges Douglas, dit « le postulant * », compagnon de débauche de son neveu. Georges n'a pas de peine à persuader Henri, pour achever de le décider, que Rizzio est l'amant de sa femme et le déshonore. (Nous savons que ce bruit, entretenu par les adversaires de l'Italien, circule jusque dans les correspondances diplomatiques françaises).

Divers autres seigneurs protestants, notamment Argyll, exilé dans ses domaines de l'Ouest, sont mêlés à l'intrigue. Quant à Moray et à ses compagnons d'exil, qui continuent à correspondre en secret avec leurs amis restés en Écosse, ils sont tenus régulièrement informés des négociations qui doivent aboutir, si tout va bien, au résultat le plus paradoxal pour eux : la couronne placée sur la tête de celui que, quelques mois plus tôt, ils ont voulu empêcher d'épouser la reine.

Il n'est pas douteux que l'ambassadeur d'Angleterre Randolph était, lui aussi, parfaitement au courant de

* Il était « évêque postulant » de Moray.

tout ce qui se tramait, et qu'il en rendait compte à son gouvernement ; sa correspondance diplomatique conservée aux Archives nationales d'Angleterre est éloquente à cet égard. À lire le luxe de détails contenus dans ces lettres (qui sont d'ailleurs une de nos principales sources de documentation sur cette période de l'histoire de Marie Stuart), on a même l'impression que Randolph était, non seulement un témoin privilégié, mais aussi un membre actif du complot, malgré ses formules hypocrites du genre « j'ai appris que » ou « on dit que ».

En quoi consistait exactement le projet ? Le 16 février, Randolph écrit à son ami et protecteur Leicester — l'ancien ami de cœur d'Élisabeth : « Le mari de la reine sait maintenant qu'il a un partageant dans son jeu *. Des manœuvres sont en cours entre lui et son père pour lui donner la couronne malgré sa femme. David doit être tué avant dix jours (*sic*) avec le consentement du roi [Darnley]. Des choses encore plus graves sont même venues à mes oreilles, concernant la propre personne de la reine, mais il vaut mieux les garder secrètes que de les écrire[6]. »

Au début de mars, Randolph est encore plus prodigue de détails dans une lettre au ministre Guillaume Cecil : « J'ai appris qu'un grand événement se prépare en Écosse. Lord Darnley (*sic*) a reçu l'aide de certains nobles, grâce à qui il pense pouvoir obtenir ce qu'il ne peut avoir par d'autres moyens et recevoir la dignité de roi, dont il n'a présentement que le vain titre [...]. Par le même moyen, les nobles aujourd'hui exilés seront restaurés [...]. Lord Darnley a eu connaissance assurée de comportements de la reine impossibles à supporter, et tels qu'on n'oserait les croire si la chose n'était sue en toute certitude[7]. »

À cette lettre était joint, pour l'information de Cecil, le texte d'un pacte (*bond*) par lequel, selon la coutume écossaise, les comtes de Morton, Argyll, Moray, Glencairn, Rothes, les Lords Boyd, Ochiltree et d'autres seigneurs promettaient à « haut et puissant prince Henri, roi d'Écosse, époux de notre souveraine dame la

* Formule à peine voilée pour dire : un rival dans le lit conjugal.

reine Marie », de le soutenir « dans toutes ses actions justes et légitimes, l'aider à obtenir la couronne matrimoniale et la succession de notre souveraine au cas où elle mourrait sans enfants, à maintenir la religion établie telle qu'elle était lors du retour de Sa Majesté », etc.

Il n'est pas malaisé d'imaginer ce qui serait advenu de tels engagements si, effectivement, Marie était morte en laissant Darnley face aux nobles. Qu'il ait pu lui-même y ajouter foi donne décidément une piètre idée de son jugement. Mais peut-être, après tout, n'était-il pas plus dupe qu'eux. Dans ce genre d'alliance, chacun cherchait son intérêt immédiat et ne se préoccupait pas outre mesure de l'avenir lointain. Nous en aurons d'autres exemples par la suite.

On remarque que, dans le document recueilli par Randolph, il n'est pas nommément question de Rizzio. Selon un rapport anonyme envoyé par la suite au grand-duc Cosme Ier de Toscane, on envisagea d'abord de tuer l'Italien à l'occasion d'une partie de tennis avec Darnley, puis on se résolut à le mettre à mort dans la chambre même de la reine « pour que le peuple croie que le roi l'avait trouvé en tel acte qu'il n'ait pas pu faire autrement que de le faire mourir[8] ». Selon d'autres sources, il n'aurait été question au départ que d'arrêter Rizzio et de le faire juger par le Parlement. Sans doute les intentions exprimées variaient-elles selon les interlocuteurs et selon les moments ; de toute façon, se débarrasser du favori était le but essentiel de la conjuration.

Il serait presque incroyable, alors que Randolph suivait les détails du complot, que Marie en ait tout ignoré. Certes, elle était à cette date pratiquement séparée de son mari (« elle est lasse de lui, et ils sont en très mauvais termes », écrivait le gouverneur de Berwick le 16 février[9]) ; mais Jacques Melville lui-même, son conseiller de confiance, témoigne qu'il la mit en garde contre ce qui se tramait. « Je lui répétai que Newcastle, qui servait d'asile aux réfugiés, était très voisin de l'Écosse, qu'ils avaient beaucoup d'amis et de parents dans le royaume, que le nombre des mécontents était plus grand qu'on ne le pensait, qu'enfin toutes ces considérations m'alarmaient et me faisaient craindre un soulèvement. J'ajoutai que l'on disait à l'oreille qu'avant que le Parlement finisse, il y aurait du changement dans les affaires. — J'en ai appris aussi quelque chose, répliqua la reine, mais les Écossais sont des hâbleurs[10]. »

Un tel aveuglement peut paraître surprenant ; il est pourtant prouvé par la suite des événements. Visiblement, Marie Stuart ne s'attendait pas au drame qui allait suivre, malgré tous les indices qui auraient dû l'alerter.

Au contraire, elle était toute à ses projets et à ses idées de puissance. On parlait beaucoup, en février, de la mystérieuse visite d'un envoyé français, Clernaut (Melville le nomme Villemont), venu de la part du cardinal de Lorraine resserrer les liens de l'alliance catholique sous les auspices du pape et du roi d'Espagne. Marie se mêlait aussi de la révolte anti-anglaise en Irlande et on la soupçonnait d'apporter son aide à Sean O'Neill, le chef catholique ennemi de la domination d'Élisabeth (celle-ci s'en plaint dans ses lettres officielles). Jeux dangereux alors que la situation intérieure en Écosse était déjà si pleine de périls.

Jacques Bothwell, qui tout en restant fermement protestant faisait de plus en plus figure de principal soutien du parti de la reine, fortifiait de son côté sa position en épousant en grande pompe, le 24 février, la catholique Jeanne Gordon, sœur du comte de Huntly. Véritable mariage dynastique, qui rapprochait, face à l'alliance Lennox-Douglas-Campbell, les clans Hepburn et Gordon ; Marie en fut enchantée et combla le nouveau couple de cadeaux, bien que la cérémonie eût été célébrée selon le rite protestant. (Il est vrai que l'archevêque Hamilton avait, quand même, accordé la dispense rendue nécessaire, du point de vue catholique, par le cousinage des deux époux.)

Dans toutes ces visions dorées de Marie Stuart, son mari ne tenait aucune place. Pourtant, il était toujours officiellement roi à ses côtés. Au début de l'année, il reçut le collier de l'ordre de Saint-Michel (« la coquille », comme on disait alors à cause de la coquille Saint-Jacques qui en était l'emblème), conféré par le roi de France et apportée par un ambassadeur extraordinaire, Jacques de Rambouillet. On aurait pu penser que ce serait l'occasion d'une réconciliation entre les deux époux, mais ce fut au contraire celle d'un nouveau témoignage public de la désaffection de la reine à l'égard de son mari. Comme Rambouillet lui demandait quelles armoiries on devait faire figurer sur l'écu du nouveau chevalier : « Mettez celles qui lui appartiennent », répliqua-t-elle sèchement. On ne pouvait être plus méprisant.

À la mi-février, toute à sa politique de fermeté, Marie Stuart prit une mesure grave, qu'on peut considérer soit comme une précaution trop longtemps retardée, soit comme une mortelle imprudence à l'égard de l'Angleterre : elle se décida à expulser Randolph, dont elle avait finalement appris le rôle scandaleux joué par lui auprès des rebelles à l'automne précédent. La lettre qu'elle écrivit à cette occasion à Élisabeth est d'une rare véhémence. « Il m'a semblé vous devoir faire ce mot par lequel vous serez informée des mauvais déportements de votre ministre ici Randolph [...]. J'ai été sûrement avertie qu'au plus fort des troubles que mes rebelles m'avaient suscités, ledit Randolph les a secourus de la somme de 3 000 écus [...], ce qui a été l'occasion que j'ai incontinent, sans plus garder l'épine en mon pied, appelé devant moi Randolph en la présence de mon Conseil et lui ai fait maintenir le rapport par celui même à qui il a délivré l'argent [...]. Encore que je m'osais promettre de vous, qu'étant envoyé par deçà (en ce pays) pour faire bons offices et s'étant employé au contraire, vous l'estimeriez indigne de jouir des privilèges dus au bon ministre d'un prince ami et allié, je n'ai voulu toutefois user d'autre aigreur en son endroit, sinon de le renvoyer avec mes lettres qui porteront plus amplement son accusation[11]. »

Élisabeth, qui savait parfaitement à quoi s'en tenir, n'en réagit pas moins comme une innocente offensée et protesta au nom de l'immunité diplomatique contre le traitement « étrange et discourtois » infligé à son ambassadeur[12]. La moindre des choses qu'elle pouvait faire était d'expulser à son tour l'ambassadeur d'Écosse : on se trouvait en situation de prébelligérance, au moment précis où Marie aurait eu le plus besoin de la neutralité, sinon de l'alliance, de sa cousine.

Randolph quitta l'Écosse, ne respirant que vengeance, le 28 février. Il n'alla pas loin : aussitôt franchie la frontière, il s'arrêta à Berwick d'où, en accord avec son ami le comte de Bedford, il continua à intriguer avec les lords protestants et à renseigner Cecil. Son expulsion n'avait servi à rien, sinon à donner le beau rôle à Élisabeth.

Les dernières tentatives d'accommodement entre Marie Stuart et les exilés d'octobre échouèrent à cette époque : ni l'ambassadeur de France, ni même Rizzio qui (au témoignage de Melville) intervint en faveur de Moray, n'obtinrent autre chose qu'une fin de non-recevoir. Marie voulait sa vengeance, et complète *.

En fait, elle ne songeait, en ces jours fatals de février 1566, qu'au proche triomphe qu'elle attendait du Parlement, convoqué, après plusieurs ajournements, pour le 7 mars, et par lequel elle entendait faire voter la condamnation définitive des exilés, la confiscation de leurs biens, et sans doute, dans la foulée, l'abolition des lois anticatholiques e 1560 : bref, la toute-puissance pour elle et ses fidèles.

On aurait pu penser, compte tenu du danger potentiel que représentait la réunion à Édimbourg de tous les opposants convoqués pour le Parlement, que la reine et Rizzio auraient eu au moins à cœur de prendre leurs précautions, de s'entourer d'une garde solide, de faire surveiller les éventuels fauteurs de trouble. Mais non : ils vivaient dans l'inconscience, comme si tout eût été calme autour d'eux.

Le Parlement se réunit donc, comme prévu, le jeudi 7 mars 1566, au *Tolbooth* (hôtel de ville) de la capitale. Marie présida la séance d'ouverture avec la pompe accoutumée, revêtue du manteau royal, tandis qu'à ses côtés Bothwell portait le sceptre et son beau-frère

* Seul le vieux Châtellerault obtint son pardon, moyennant un exil de cinq ans en France. Marie garda toujours de l'amitié pour les Hamilton ; il est vrai que sa mésentente croissante avec son mari, ennemi des Hamilton, favorisait le rapprochement.

Huntly la couronne : symbole éclatant de leur faveur et du rôle croissant qu'ils jouaient auprès de la reine. On ne nous dit pas si Rizzio assistait à la cérémonie, mais c'est plus que vraisemblable. On chuchotait que Marie s'apprêtait à enlever le Grand Sceau de l'État au comte de Morton, titulaire de la charge de chancelier, et à le confier à l'Italien. Cela paraît difficile à croire, encore qu'à ce stade Marie n'en ait pas été à une maladresse près ; sans doute y avait-il confusion avec le cachet privé imitant la signature de Darnley, et dont Rizzio était en effet le dépositaire *. En tout cas, la rumeur, à elle seule, montre à quel point de méfiance l'opinion publique était montée contre la souveraine et contre David. Le « roi Henri », pour sa part, boudait l'ouverture du Parlement. Il n'entendait y figurer que coiffé de la couronne matrimoniale, et il savait que celle-ci allait lui être conférée par ses alliés avant la fin de la session.

La journée du 8 mars fut consacrée, selon la coutume, à l'élection des « lords des articles », ces commissaires qui était chargés de mettre en forme les votes émis par l'assemblée ; et dès le 9 mars, les débats commencèrent par la mise en accusation de Moray et des autres rebelles fugitifs, qui furent assignés à comparaître pour le 12 au plus tard, sous peine de trahison et de mise hors la loi. La mèche était allumée sous le baril de poudre...

Marie savourait à l'avance son proche triomphe. Elle ignorait que Moray, en ce même instant, quittait Newcastle non pour se présenter en accusé devant le Parlement, mais pour venir cueillir les fruits du complot auquel il avait donné son adhésion quelques jours plus tôt. Elle considérait décidément son mari comme quantité négligeable et s'apprêtait à passer, au palais de Holyrood, une soirée paisible avant la messe du dimanche matin. Le sort en avait décidé autrement.

L'appartement de Marie Stuart, dans la tour nord-ouest de Holyrood, existe encore, presque tel qu'il était de son temps. Il est situé au deuxième étage, au-dessus de l'appartement de Darnley qui occupait le niveau

* Voir p. 179.

inférieur de la tour. Il se compose d'une grande antichambre, où la reine donnait ses audiences (la « chambre de la Présence », comme on l'appelait), accessible par l'escalier d'honneur ; puis, faisant suite, la chambre à coucher, sur laquelle s'ouvre une petite salle, ou cabinet, aménagée dans l'une des tourelles. Marie aimait, en hiver, se tenir dans cette pièce intime, facile à chauffer et à éclairer. Un escalier tournant pratiqué dans l'épaisseur de la muraille la faisait communiquer avec l'appartement du dessous.

Au soir du 9 mars 1566 — saison où la nuit, à Édimbourg, tombe vers sept heures —, la reine d'Écosse soupait dans le cabinet attenant à sa chambre, en compagnie de quelques intimes : son demi-frère Robert Stuart, sa demi-sœur Jeanne Stuart comtesse d'Argyll (deux bâtards de Jacques V, comme Moray : Marie avait l'esprit de famille), l'écuyer Arthur Erskine, le page Antoine Standen, et bien entendu David Rizzio. Celui-ci, qui logeait à proximité, était en tenue d'intérieur : robe de chambre de damas bordée de fourrure, pourpoint de satin et chausses de velours ponceau.

Les portes de Holyrood étaient closes, la garde veillait. À cause de la session du Parlement, plusieurs lords logeaient au palais : Bothwell, Huntly, Atholl, Fleming, Livingston, d'autres encore. Henri Darnley, sans doute, boudait dans son appartement, à moins qu'il ne courût les tavernes de la ville avec quelques compagnons de débauche selon son habitude. Tout était calme.

Ce qui survint alors nous est connu essentiellement par deux récits d'époque. Le premier est contenu dans une lettre envoyée par Marie Stuart elle-même à son ambassadeur en France, l'archevêque Beaton, quelques jours après les faits : témoignage « à chaud », encore tout frémissant d'émotion. La seconde version est celle d'un des principaux acteurs du drame, Lord Ruthven, rédigée le 30 avril dans l'intention évidente de disculper au maximum son auteur et de charger Darnley. Beaucoup plus tard, dans sa prison anglaise, Marie devait donner à son secrétaire français, Claude Nau, d'abondants détails sur les événements de mars 1566, qu'il reproduisit dans ses *Mémoires ;* malheureusement, le début de son manuscrit a disparu, de sorte que son récit, tel qu'il nous est parvenu, ne commence qu'après la mort de Rizzio. Il est en revanche très détaillé pour la fuite de la reine et pour son retour à Édimbourg[13].

Les trois textes sont concordants pour l'essentiel, mais ils divergent sur de nombreux points secondaires. Faute de moyens de peser la valeur relative de chaque détail, force nous est de combiner plus ou moins les trois versions, tout en reconnaissant qu'il nous manque le point de vue qui serait, sans doute, le plus intéressant à connaître : celui de Darnley. Il est vrai que celui-ci devait avoir, dans les quelques mois qui lui restaient à vivre, bien d'autres soucis que celui d'écrire ses mémoires.

Donc, le 9 mars 1566, entre sept et huit heures du soir, tandis que la reine soupe dans son cabinet avec ses intimes, la porte de l'escalier qui communique avec l'appartement du roi s'ouvre brusquement et Darnley entre dans la pièce. Son arrivée est imprévue, mais Marie lui fait place et la compagnie l'accueille avec le respect dû à son rang. Il embrasse sa femme et s'assoit près d'elle en lui passant le bras autour de la taille. Quelques instants plus tard, la porte de l'escalier s'ouvre à nouveau et, cette fois, c'est une figure beaucoup plus insolite qui paraît : Lord Patrick Ruthven, un beau-frère de Morton, connu comme protestant fanatique et considéré par beaucoup comme sorcier. Sa présence dans la chambre royale, outre qu'elle est contraire au protocole puisqu'il n'a pas été convoqué, est surprenante dans la mesure où on le sait gravement malade et gardant le lit. Avec son visage creusé par la fièvre, il semble d'autant plus sinistre qu'il est revêtu d'une armure et que son expression est sévère. D'autres silhouettes inquiétantes le suivent dans l'ombre de l'escalier. Marie lui demande ce qu'il veut et de quel droit il pénètre ainsi chez elle.

« Je suis venu pour faire sortir ce poltron de David de votre cabinet, où il n'a été que trop longtemps », réplique Ruthven. La reine se tourne alors vers son mari, qui est jusqu'alors resté silencieux, et le prie de s'expliquer, « mais il répondit qu'il n'était au courant de rien » (récit de Marie). Selon la version de Ruthven, un dialogue s'engage alors entre la reine et lui, où il se donne évidemment le beau rôle : « David a gravement offensé Votre Majesté, le roi son époux, la noblesse et le peuple de ce royaume. — Comment cela ? — Je ne saurais, pour l'honneur de Votre Majesté, dire quel est son crime. » Le récit de Marie est plus bref : « J'ordonnai à Lord Ruthven de sortir de ma chambre, sous peine de trahison, promettant de traduire David devant le Parlement pour y être jugé si l'on avait quelque chose à lui reprocher. » Selon toute vraisemblance, la version de Ruthven est, sur ce point, plus fidèle ; on conçoit que Marie n'ait pas tenu à rapporter les accusations d'adultère proférées en présence de son mari, qui ne pipait mot.

Nouvelle divergence entre les deux récits pour ce qui se passe après cet échange verbal. Selon Ruthven, les serviteurs de la reine (mais par où seraient-ils entrés dans la pièce ? Morton et Lindsay bloquaient les issues) se seraient précipités sur lui, et il aurait tiré l'épée pour se défendre ; selon Marie, au contraire, c'est Ruthven qui s'élance sur David et, dans l'étroit cabinet, renverse la table qui bascule avec les bougies (version beaucoup plus vraisemblable). Avec une rare présence d'esprit, Lady Argyll attrape au vol une des bougies et la maintient allumée tout au long de la scène.

David, qui a compris quel sort l'attend, s'est réfugié derrière la reine et crie : « Madonna, Madonna, sauvez ma vie ! » Ruthven la maintient de force, et un coup est même porté au malheureux secrétaire par-dessus son épaule, au risque de la blesser. Un des conjurés, André Kerr de Fawdonside, la tient sous la menace de son pistolet *. Accomplissant la prophétie de l'astrologue, le « bâtard » Georges Douglas porte le premier coup. Traîné dans la chambre à coucher et, de là, dans l'antichambre où l'attendent Morton, Lindsay et leurs serviteurs, l'Italien est sauvagement achevé (cinquante-six coups de poignard et d'épée, écrit Marie) et son corps

* Ruthven, dans son récit, nie formellement que la reine ait été le moins du monde menacée ; nous n'avons aucune raison de le croire sur parole. Kerr de Fawdonside fut, en tout cas, poursuivi par Marie d'une rancune particulièrement vive par la suite.

est jeté dans l'escalier, pour être placé, tout sanglant, sur le coffre où, paraît-il, il avait passé sa première nuit, cinq ans plus tôt, lors de son arrivée en Écosse : beau sujet de moralisation pour Ruthven et pour ses partisans.

On remarque que, pendant ces longues et tragiques minutes, Darnley est resté silencieux. Mais Ruthven — c'est lui-même qui le relate — n'aurait garde de lui laisser ignorer ses responsabilités. « Il assura à Sa Majesté que personne ne lui voulait de mal et que tout était fait par ordre du roi. » Alors enfin, Darnley, interpellé par sa femme, ouvre la bouche (toujours selon la version Ruthven). « Depuis que ce David est entré dans votre familiarité, dit-il, vous ne faites plus cas de moi. Autrefois, vous veniez me voir dans ma chambre avant le dîner et vous vous amusiez avec moi, mais ces derniers temps, quand j'entre chez vous, il y a toujours David en tiers, et après souper vous restez jouer aux cartes avec lui jusqu'à une ou deux heures du matin. Je suis votre mari, vous m'avez juré obéissance en m'épousant. » A quoi Marie réplique : « Désormais je ne serai plus votre femme, je ne coucherai plus jamais avec vous et je n'aurai de repos que lorsque je vous verrai aussi misérable que je le suis en ce moment. » On conçoit que Marie, dans son propre récit, passe sous silence cet échange d'invectives, qui paraît pourtant vraisemblable en la circonstance.

L'irréparable étant accompli pour Rizzio, la reine craint maintenant pour elle-même. « Lord Ruthven, revenant en ma présence [après le massacre de David], déclara que lui et ses complices étaient hautement offensés de ma tyrannie intolérable, que je prenais conseil de David pour rétablir l'ancienne religion et pour poursuivre les lords fugitifs. Pendant tout ce temps je ne pensais pas moins à moi-même qu'aux Lords Huntly, Bothwell, Atholl, Fleming, Livingston, Sir Jacques Balfour et divers autres, contre qui le coup était dirigé autant que contre David. »

Ruthven, que la fièvre et l'excitation terrassent enfin, doit s'asseoir et demande du vin. S'il faut l'en croire, Marie se moque de lui et jure de se venger de lui, tandis qu'il proteste de son respect pour elle et assure « qu'il ne souffrira pas qu'il lui soit fait le moindre mal » ; mais les deux répliques sonnent aussi faux l'une que l'autre dans le contexte.

Beaucoup plus vraisemblablement, la reine doit songer, à ce moment, aux moyens de se sortir d'affaire. La complicité de son mari dans l'attentat ne peut plus lui échapper : le prévôt (maire) et les bourgeois d'Édimbourg, alertés par le remue-ménage au palais, étant accourus pour secourir leur souveraine en cas de besoin, Henri lui-même se met à la fenêtre pour leur dire que tout va bien et leur intimer l'ordre de rentrer chez eux. Pour empêcher Marie de s'approcher de la fenêtre, les conjurés la menacent, si elle bouge, de la « couper en morceaux » (c'est elle-même qui le raconte).

Pendant ce temps, heureusement pour elle, Bothwell et Huntly, ayant entendu les cris et le tumulte dans la chambre royale, ont eu la présence d'esprit de s'enfuir par une fenêtre basse non gardée pour organiser des secours, et de charger Lady Huntly — la mère de Lord Huntly — d'en informer la reine dès qu'elle pourra approcher d'elle.

L'intention des conjurés — dont Morton, à partir de ce moment, apparaît de plus en plus comme le véritable chef — est évidente. Ils vont tenir Marie Stuart prisonnière pour obtenir son pardon officiel, puis constitueront une junte pour gouverner en son nom et la relégueront à Stirling où « elle passera assez son temps à bercer son enfant et lui chanter Babeliou en l'endormant ». Des promesses de couronne matrimoniale faites à Darnley quelques jours plus tôt, il n'est apparemment plus question — si peu que, dès le lendemain du meurtre, le Parlement sera dissous et ses membres renvoyés dans leurs provinces « sous peine de la vie ».

Au soir du 9 mars, tout paraissait donc perdu pour Marie ; au soir du 10, elle a pratiquement retourné la situation en sa faveur. Étonnante journée où, à l'inverse de ses maladresses des mois précédents, elle fait preuve de toutes ses qualités de manœuvrière et où elle se montre la digne élève de son illustre belle-mère Catherine de Médicis.

Les lords l'ont laissée seule pour la nuit, dans sa chambre à coucher étroitement gardée. (À partir de ce moment, nous disposons, outre la lettre de la reine à Beaton et le récit de Ruthven, des *Mémoires* de Nau, très détaillés et reproduisant les souvenirs de Marie elle-même.) Au petit matin, elle est encore résolue à ne pas recevoir son époux, qui a regagné son appartement du dessous et qui tente en vain de se faire ouvrir la porte du petit escalier de communication.

C'est que, pendant la nuit, il a réfléchi, il s'est entretenu avec son père, et il commence à avoir peur pour lui-même. Il s'aperçoit — bien tard — que les assassins de Rizzio n'ont aucune intention de l'associer à leur victoire et qu'au contraire il est devenu leur otage : pour achever de le compromettre, ils se sont fait confier par lui son poignard et ils l'ont laissé dans le corps de David afin que nul n'ignore sa complicité (Marie le saura quelques jours plus tard). Poltron comme il l'est, il se voit déjà la prochaine victime, d'autant plus qu'il sait que Moray, son ennemi, est rentré ou sur le point de rentrer en Écosse.

Marie, à qui le danger a rendu sa lucidité, a fait le même raisonnement. Aussi, lorsqu'en fin de matinée il vient de nouveau frapper à la porte, elle lui ouvre, devinant qu'il est prêt à trahir ses complices et à faire cause commune avec elle. Scène d'une merveilleuse hypocrisie, que Nau raconte imperturbablement comme si les deux acteurs étaient sincères : « Ah, ma Marie ! s'écrie Henri, il faut maintenant que je confesse la faute que j'ai faite envers vous. J'ai été malheureusement abusé et déçu (trompé) par la persuasion de ces méchants traîtres qui m'ont fait fauteur de leur conspiration [...]. Je n'eusse, par mon Dieu, jamais pensé qu'ils fussent venus à telle extrémité [...]. Je vous supplie, ma Marie, d'avoir pitié de notre enfant, de moi, de vous-même, qui sommes tous perdus si vous n'y mettez promptement ordre[14]. » Devant ce repentir si évidemment authentique, Marie répond (c'est elle qui le raconte, à travers le récit de Nau) en reprochant à l'époux traître « les torts dont il s'est rendu coupable envers elle », mais « puisqu'il les a mis tous deux en ce précipice », il faut maintenant « aviser et travailler de les en tirer ». Elle se refuse à pardonner aux criminels (« car mon cœur ne me suffira jamais de promettre chose que je n'aie l'intention de tenir »), mais elle accepte de les recevoir pour ne pas leur laisser soupçonner son entente avec son mari.

Sur ces entrefaites, Moray, qui est arrivé d'Angleterre la nuit précédente tout en se gardant prudemment de participer au drame, est introduit chez sa sœur. Jacques Melville — qui n'y était pas — raconte que Marie se serait jetée dans ses bras en sanglotant : « Ah, mon frère, si vous aviez été ici vous n'auriez pas souffert qu'on me traite si indignement » ; de quoi il fut si touché qu' « il ne put lui refuser ses larmes[15] ». Marie raconte à peu près la même chose, de façon plus sobre, dans sa lettre à Beaton ; Moray n'en était ni à une palinodie ni à un mensonge près.

L'événement déterminant de la journée va être, à la fin de la matinée, l'autorisation accordée par les conspirateurs à la vieille Lady Huntly de rejoindre Marie. Grâce à elle, celle-ci apprend l'évasion de Bothwell et de son beau-frère. Elle conçoit aussitôt un plan d'évasion et charge la vieille dame de remporter un message pour les deux hommes, les invitant à l'attendre au château de Seton avec des chevaux et quelques fidèles. Lady Huntly réussira, en cachant le billet « entre sa chair et sa chemise », à le faire échapper à la fouille et à le faire parvenir à ses destinataires.

Désormais, la reine peut faire bonne figure à ses geôliers. Le lundi, elle les reçoit dans son antichambre (Morton, dit-on, met le genou en terre à l'endroit précis où est tombé le corps du pauvre Rizzio *). Ils jurent, bien entendu, qu'ils n'ont nullement voulu déplaire à Sa Majesté mais qu'ils ont seulement cherché à sauver leurs vies menacées « par le Parlement et par David ». Ils promettent « sur l'honneur de s'employer dorénavant fidèlement s'il lui plaisait leur remettre tout le passé ». Marie (selon le récit de Nau) leur reproche leur ingrati-

* L'endroit est marqué aujourd'hui par une plaque de cuivre dans le plancher.

tude mais accepte « avec le temps, s'ils mettent peine d'effacer le passé par le bon devoir et service qu'ils lui promettent », de tout oublier. Sur quoi, « craignant d'être contrainte de passer outre contre son intention » — entendons : de se laisser entraîner à promettre plus qu'elle ne le souhaite —, elle feint d'être malade « comme si elle eût été proche d'accoucher » et se retire dans sa chambre en appelant la sage-femme[16].

Le récit de Ruthven, on s'en doute, est plus honorable pour les lords : selon lui, ils sont reçus par la reine « de façon gracieuse » et elle leur promet de signer un pardon général, que Darnley s'engage sur son honneur à leur apporter le lendemain : le traître, en l'occurrence, est Darnley, principal responsable du complot et qui abandonne maintenant ceux qui n'ont agi que sur son ordre. Déjà se dessinent les alliances de demain.

Dans la soirée du lundi 11 mars, Marie et son époux attendent que les soldats du corps de garde soient endormis (Henri les a fait boire à bon escient) et s'enfuient par la porte basse des cuisines, que personne, heureusement, n'a songé à faire garder. Ils sont accompagnés de l'écuyer Arthur Erskine, du capitaine des gardes Steward de Traquair, du page Standen et de quelques serviteurs et suivantes; Bothwell et Huntly ont fait préparer des chevaux, qui attendent près de l'église de l'abbaye, au-delà du mur d'enceinte qu'on franchit « au moyen de chaises et de draps ».

Le récit de la fuite est mouvementé à souhait dans les souvenirs de Marie, tels qu'elle les racontera à Nau par la suite. Darnley s'arrêtant, en traversant le cimetière, sur la tombe fraîchement creusée de Rizzio (« J'ai perdu en lui un bon et fidèle serviteur, comme je n'en recouvrerai jamais un tel. On m'a malheureusement abusé »). La reine chevauchant en croupe derrière Erskine, tandis que son mari, terrifié, galope seul en avant. Marie, épuisée, craignant une fausse couche, voulant s'arrêter, et Darnley répliquant furieux : « Venez de par Dieu, venez, si celui-là se perd nous en aurons d'autres. » Enfin l'arrivée à Seton où les attendent Bothwell, Huntly et leurs fidèles. Au matin, le petit cortège arrive en sûreté au château de Dunbar, dont Bothwell est gouverneur. Marie est sauvée.

Tout au long de ces heures tragiques, elle a pu prendre la mesure de la lâcheté et de la veulerie de son mari. Malgré ses supplications, elle s'est refusé à admettre dans leur fuite son père Lennox, « qui avait été trop de fois traître à elle et aux siens[17] »; Darnley s'est donc échappé en abandonnant le vieil homme qui, le lendemain, en l'apprenant, maudira son fils. Le récit de Nau insiste complaisamment sur tout ce qui peut mettre en lumière la vilenie de Darnley : même avec le recul des années, Marie tenait à ce que tous les torts retombent sur lui.

Au matin, à Holyrood, quand on constata l'évasion du couple royal, ce fut bien entendu la consternation. L'indignation aussi contre la trahison de Darnley. Les lords, en fait, s'étaient laissé jouer comme des enfants. Persuadés que Marie était à leur merci, ils avaient relâché leur vigilance, et voilà que maintenant leur otage leur échappait. En quelques heures, la situation s'était renversée en leur défaveur.

Autour de la reine, les fidèles affluaient maintenant. Par une proclamation lancée dès son arrivée à Dunbar, elle avait convoqué la noblesse à la rejoindre dans les six jours, et elle se trouvait en position de force. Lord Semple, envoyé par les lords de Holyrood pour lui rappeler sa promesse de pardon, reste trois jours à la porte du château avant d'être reçu et se fait finalement renvoyer, porteur de menaces et de paroles de vengeance. Le 18 mars, l'archevêque Hamilton et ses neveux rejoignent le cortège royal à Musselburgh près d'Édimbourg. Marie fait son entrée dans la capitale le lendemain, chevauchant en triomphe, aux côtés de son mari, entourée des Lords Bothwell, Huntly, Atholl, Crawford, Maréchal, Sutherland, Caithness, Livingston, Fleming, Seton, Hume, Borthwick et de nombreux autres ralliés du jour ou de la veille.

Moray et Argyll, qui n'avaient pas (du moins Marie le croyait-elle) participé à l'attentat du 9 mars, furent pardonnés, ainsi que Rothes, Glencairn, Boyd, leurs anciens complices dans la révolte de l'année précédente. En revanche, Morton, Georges Douglas, Lindsay, Ruthven, Kerr de Fawdonside, les mains encore rouges du sang de Rizzio, s'enfuirent à leur tour en Angleterre, où ils trouvèrent « le nid tout chaud » de leurs prédécesseurs, selon le mot pittoresque de Melville. Le coup contre Marie Stuart avait manqué, mais Élisabeth avait trouvé de nouveaux otages, et la situation écossaise restait aussi instable que jamais.

CHAPITRE IX

« Un bel enfant, qui deviendra un beau prince... »

Une nouvelle fois, Marie Stuart triomphait. Elle avait regroupé autour d'elle ses fidèles, s'était réconciliée (ou était en voie de réconciliation) avec son frère Moray, lançait des proclamations contre les auteurs de l'attentat où, affirmait-elle, elle avait failli perdre la vie.

Elle était en effet persuadée que toute l'affaire avait été montée contre elle et que le but réel des conjurés était de l'éliminer physiquement pour donner le trône à son mari. Enceinte comme elle l'était (non pas de sept mois, ainsi qu'elle l'écrit dans ses lettres, mais de six mois : la date de la naissance de son fils en fait foi), les émotions, voire les brutalités, de la nuit tragique du 9 mars auraient très bien pu — on dirait même : auraient logiquement dû — entraîner une fausse couche et — dans les conditions sanitaires de l'époque et du lieu — la mort de la mère. Les menaces répétées de la « couper en morceaux » ne laissaient, à ses yeux, aucun doute quant aux intentions meurtrières de Morton et de ses complices.

L'assassinat d'un souverain n'était pas chose impensable. Cela s'était déjà vu et la brutalité des mœurs ne faisait que croître dans le contexte de violence entretenu par le fanatisme religieux de part et d'autre de la Réforme. La version d'un attentat dirigé contre la reine fut aussitôt diffusée par Marie elle-même et par son entourage — la longue lettre du 2 avril à l'archevêque Beaton l'accrédite — et elle ne devait pas cesser de la répéter jusqu'à ses dernières années, comme le montrent les *Mémoires* de Claude Nau. Rien, du reste, ne permet d'affirmer qu'elle n'ait pas été dans le vrai : cette reine obstinément catholique était bien encombrante, et sa disparition aurait sans aucun doute arrangé les affaires de beaucoup.

En revanche, du pauvre Rizzio il est à peine question dans les comptes rendus officiels. Marie relate sa mort sans émotion apparente (elle le nomme seulement, dans sa lettre à Élisabeth du 15 mars, « mon très spécial serviteur »). Quelque temps plus tard, elle le fera exhumer de sa fosse hâtivement creusée au soir du meurtre et transférer dans l'église abbatiale de Holyrood, à côté des tombes royales — au grand scandale des nobles hostiles —, mais il s'agira beaucoup plus d'une manifestation de revanche politique que de chagrin intime. La rapidité avec laquelle Rizzio est oublié est d'ailleurs un des arguments les plus sérieux qu'on peut invoquer contre l'hypothèse d'une liaison amoureuse entre la reine et lui *.

En apparence, la situation au lendemain de la fuite de Morton et Ruthven en Angleterre peut être comparée à celle d'octobre précédent, lorsque Moray était à Newcastle et Argyll exilé dans ses terres. En réalité, les différences sont profondes. Le « parti de la reine » (pour employer, de façon un peu anachronique, une expression qui n'apparaîtra qu'ultérieurement) n'est plus ce qu'il était six mois plus tôt. Avec Rizzio a disparu l'élément le plus ouvertement catholique ; le nouvel « homme fort », Bothwell, n'est certes pas disposé à jouer les fourriers de l'armée jésuite. Huntly, qui s'affirme décidément comme un des fidèles de Marie, devient chancelier du royaume à la place de Morton. Moray est officiellement pardonné pour sa révolte de l'année passée, ainsi que Glencairn et Argyll, et retrouve sa place à la Cour, où il côtoie, bon gré mal gré, ses vieux ennemis Bothwell et Huntly. Seul Maitland,

* Par bravade sans doute, Marie donnera bientôt la succession de Rizzio à son frère Joseph, un adolescent d'honnêteté douteuse qui lui causera des ennuis par la suite. Nouvelle preuve de son impulsivité et de son imprudence.

compromis (en dépit de sa prudence) dans l'attentat du 9 mars, doit se faire oublier pendant quelque temps dans un château ami. Quant à John Knox, qui cette fois a joué la mauvaise carte, il se met sagement à l'abri dans l'Ayrshire, « au grand désespoir des hommes pieux[1] ».

Dès lors, avec cette nouvelle équipe au pouvoir, cinq questions vont dominer en Écosse les mois d'avril à juillet 1566 : la préparation de l'accouchement de Marie, prévu pour le début de juin ; la froideur de plus en plus marquée entre la reine et son mari ; la punition des fauteurs de l'attentat où elle a failli perdre la vie ; les relations avec l'Angleterre, et les suites de la tentative de rapprochement avec le pape, esquissée en janvier précédent à l'époque de la grande faveur de Rizzio. L'entrelacement de ces cinq thèmes fait de ces quelques mois du printemps et de l'été l'une des périodes les plus intéressantes et les plus complexes de la vie de Marie Stuart — en attendant la catastrophe que, déjà, les plus lucides commencent à entrevoir.

Marie ne pouvait guère avoir d'illusions sur le rôle joué par Darnley dans le complot contre David et contre elle-même. En eût-elle conservé que les conjurés exilés se seraient chargés de les lui enlever. À peine parvenus à Berwick, Ruthven et Morton affirment à Cecil qu'ils n'ont agi que sur l'ordre du roi, « comme on peut le voir écrit de sa propre main[2] ». Lennox, outré d'avoir été abandonné par son fils lors de sa fuite à Dunbar, se joint au chœur d'indignation contre lui.

Darnley, lui, n'a pour l'instant pas d'autre préoccupation que de se disculper auprès de son épouse. Pour cela, il trahit fiévreusement tous ceux qui ont été ses complices, espérant ainsi faire oublier sa propre culpabilité. « Il raconte tout ce qu'il sait de l'affaire et donne les noms de ceux qu'il sait ou soupçonne avoir participé à l'entreprise[3]. » Grâce à quoi, six gentilshommes de la suite de Lord Ruthven sont arrêtés et jugés, « bien que n'ayant pas été présents à l'acte lui-même » ; deux d'entre eux seront pendus, les autres pardonnés au pied de l'échafaud selon la coutume assez barbare du temps.

Mais Marie, tout en profitant de la lâcheté de Darnley

pour débrouiller l'écheveau des responsabilités, a désormais en main les preuves irréfutables de sa participation. Elle sait que son poignard a été retrouvé dans le corps du pauvre Italien. Elle a vu sa signature au bas du pacte dont le but était de le faire proclamer roi d'Écosse. « Elle est déterminée à rendre la famille de Lennox aussi pauvre qu'elle l'a jamais été[4] », assure Randolph (depuis Berwick) le 4 avril.

Désormais, la brouille entre le mari et la femme a dépassé les bornes d'une simple mésentente conjugale : c'est bien, de sa part à elle, de mépris, même de haine, qu'il faut parler. Quant à ce que Darnley pensait ou ressentait personnellement, bien habile qui pourrait le dire ; il n'écrit guère, se confie encore moins. Il se sait entouré de la détestation des anciens complices qu'il a trahis ; son père, qui lui a donné de si mauvais conseils, est malade et lui en veut ; même le roi de France donne pour instructions à son ambassadeur d'éviter de le rencontrer hors de la présence de la reine. Assez piteusement, le piètre « roi » écrit à Charles IX, le 6 mai, pour se disculper des opinions défavorables qui courent sur lui : « Monsieur mon bon frère, j'ai reçu par le sieur de Mauvissière les lettres que par lui vous a plu m'écrire, et entendu le crédit d'icelles, qui ne m'a [pas] donné peu de fâcherie, pour apercevoir par icelui combien à tort le bruit m'a rendu coupable d'un fait, lequel j'abhorre tout[5]. » En vain : il est totalement discrédité. Seule une conduite irréprochable pourrait (peut-être) le réconcilier avec sa femme, mais ce serait demander l'impossible à ce garçon impulsif et léger — n'oublions pas qu'il n'a, en ce printemps de 1566, que vingt ans et quelques mois.

La grossesse de Marie, dont le terme approche, pourrait donner au roi l'occasion de se montrer plein d'attentions pour elle. Au contraire, il agit comme si l'événement ne le concernait pas et se tient spectaculairement éloigné de la Cour : les belles promesses faites au matin du 10 mars sont bien oubliées. Maintenant que sa brève alliance avec les lords protestants a pris fin, il réaffirme à nouveau un catholicisme militant — le Jeudi saint, 11 avril, il lave publiquement les pieds des pauvres, ce dont se moque l'Anglais Drury — mais cela ne le remet pas pour autant dans les bonnes grâces de la reine. Celle-ci ne veut plus entendre parler de lui : elle interdit à Moray et à Argyll, s'ils veulent rester en bons termes avec elle, d'avoir rien à faire avec lui alors qu'il leur fait des avances. On commence même à parler, à mots couverts, d'un divorce : Randolph, toujours à l'affût des bruits d'Écosse, écrit à Cecil le 25 avril qu' « on dit que Jacques Thornton * est parti pour Rome pour demander l'annulation du mariage de la reine. Le roi n'est plus accompagné ni servi par aucun noble, mais seulement par ses propres serviteurs et sept ou huit gardes[6] ».

La rumeur du divorce était fausse, mais qu'elle ait circulé est, en soi, révélateur. La situation ne fera que s'envenimer au cours des mois à venir.

La position d'Élisabeth, au cours de tous ces événements du printemps 1566, était assez inconfortable. Elle méprisait évidemment Rizzio et jugeait sévèrement son emprise sur la vie publique écossaise ; mais, en tant que reine, et très imbue de sa prérogative souveraine, elle ne pouvait éprouver que de l'horreur pour l'attentat commis contre sa cousine et les humiliations auxquelles elle avait été soumise au cours de la nuit tragique et des jours suivants.

D'un autre côté, les ennemis de Rizzio, les auteurs du complot, étaient les amis de l'Angleterre et les chefs du parti protestant : cela non plus ne pouvait être oublié. Moray, certes, était désormais rentré en Écosse et avait retrouvé sa place à la Cour, sinon tout à fait son influence d'antan ; mais Morton, Lindsay, Ruthven, autres lords anglophiles, avaient pris sa place en exil, et Marie réclamait avec véhémence leur extradition : on se serait cru revenu aux lendemains de la « course-poursuite », à cette différence près que, cette fois, Élisabeth ne pouvait plus décemment plaider la clémence auprès de sa cousine et se faire l'avocate des exilés. Aussitôt

* Gentilhomme écossais, employé par Marie Stuart pour diverses missions diplomatiques en France. Il était lié aux Guise.

après son arrivée à Dunbar, Marie lui avait écrit une lettre véhémente pour la placer devant ses responsabilités : « Certains de mes sujets ont, par leurs actes, montré quels hommes ils sont, se sont emparés de mon palais, ont tué en ma présence mon très spécial serviteur et ensuite m'ont gardée traîtreusement prisonnière, m'obligeant à m'échapper à minuit jusqu'au lieu où je suis présentement, dans le plus grand danger, craignant pour ma vie, et en pire état que jamais princesse ne fut [...]. Je suis sûre que vous ne voudrez pas aider et soutenir [ces rebelles] contre moi, comme ils s'en vantent [...]. Je vous prie de vous souvenir de votre honneur et de vous rappeler combien nous sommes proches parentes, car Dieu commande à tous les princes de se soutenir les uns les autres dans leurs justes causes. » Cette lettre du 15 mars comporte un post-scriptum qui fait revivre l'atmosphère de ces journées dramatiques : « J'avais pensé vous écrire cette lettre de ma main, mais à la vérité je suis si épuisée et mal en point, ayant chevauché vingt milles en cinq heures de nuit, avec les douleurs et inconvénients de ma grossesse, que je n'ai pu tenir la plume comme je l'aurais souhaité, ce dont, je l'espère, vous m'excuserez[7]. »

Élisabeth sent si bien la force des arguments de Marie qu'elle lui fait savoir que Morton sera expulsé d'Angleterre (ce qui, d'ailleurs, ne se fera pas). Quant à Ruthven, il mourra le 13 juin à Newcastle, après avoir dicté le mémoire justificatif d'où nous avons extrait le récit du meurtre de Rizzio cité au chapitre précédent.

La reine d'Angleterre clame à tous les échos l'indignation que lui inspire l'attentat commis contre sa « chère sœur » d'Écosse. Elle confie à l'ambassadeur espagnol Guzman de Silva qu'à la place de Marie elle aurait tué Darnley de sa propre main pour le punir de l'outrage[8] (parole imprudente, que Silva dut se rappeler l'année suivante sans oser le dire). Darnley est moins que jamais *persona grata* à la cour d'Angleterre. Sa mère, Lady Lennox, reste prisonnière à la Tour de Londres, et toutes les interventions en sa faveur de la France, de l'Espagne et de Marie elle-même se heurtent à une fin de non-recevoir ; l'ambassadeur de Charles IX se verra même refuser la permission d'aller la visiter à la Tour.

Marie, de son côté, est toute cordialité envers sa cousine. Puisque l'enfant qu'elle porte en son sein doit, dans son esprit, être appelé à régner un jour sur les deux royaumes (ce qui sera effectivement le cas), elle écrit à Élisabeth le 4 avril pour lui demander d'en être la marraine (« Excusez-moi si j'écris si mal, car je suis si grosse, étant en mon septième mois bien avant », précise-t-elle en français, de sa main). Élisabeth répond aimablement et accepte, tout en souhaitant à sa cousine « aussi courte peine et aussi heureux heur (chance) que vous-même en pouvez souhaiter[9] ». La bise a fait place au zéphyr.

Des nuages subsistent toutefois dans le ciel anglo-écossais. L'intolérable Randolph, toujours fixé à Berwick, a, dit-on, écrit un pamphlet injurieux contre la reine d'Écosse, intitulé *Le Songe de Randolph,* qui circule sous le manteau. Marie est indignée et exige des sanctions ; Élisabeth prend la peine de répondre en personne qu'elle s'est assurée que le libelle est un faux et que l'ancien ambassadeur n'y est pour rien, « autrement il ne serait pas digne de vivre dans mon royaume[10] ». Il y a aussi une histoire assez obscure de perroquet envoyé de France à Marie pour la distraire pendant ses couches et qui est retenu ou volé par les Anglais à la frontière : plusieurs lettres d'ambassadeurs et de ministres ne seront pas de trop pour éclaircir le sort du malheureux volatile.

D'autre part, Marie — que le danger aurait pourtant dû rendre plus prudente — continue, apparemment, à favoriser en sous-main la révolte de Sean O'Neill en Irlande ; on dit même que O'Neill lui a proposé la couronne d'Irlande et qu'elle n'a pas refusé. Jeux dangereux, et tellement dépourvu d'intérêt pratique pour la reine d'Écosse qu'on se demande pourquoi elle s'y laisse entraîner. Peut-être le comte d'Argyll, qui a des intérêts personnels dans la grande île voisine, lui force-t-il la main, mais ce n'est qu'une hypothèse. À Londres, les ministres hostiles à Marie Stuart font grand bruit autour de toute cette affaire. Mais O'Neill n'est qu'un aventurier brutal et il sera bientôt vaincu, sans qu'heureusement l'Écosse ait eu le temps (ni, sans doute, l'intention) d'intervenir officiellement.

D'ailleurs, de son côté, Élisabeth ne joue pas vis-à-vis de sa cousine un jeu plus franc. Tout en lui prodiguant les amabilités officielles que nous savons, elle laisse monter contre Marie une complexe et assez obscure machination autour d'un agent double nommé Ruxby ou Rokesby, qui se présente à Édimbourg comme un catholique anglais persécuté par le gouvernement de son pays et qui tente d'entraîner la reine d'Écosse dans un complot de restauration papiste, en jouant sur sa qualité d'héritière catholique d'Henri VIII. Marie, par chance, soupçonne le personnage et se refuse à toute prise de position imprudente *. Ruxby, finalement, est démasqué et arrêté, et Élisabeth n'osera pas réclamer sa libération. L'aventure aurait pu mal tourner si l'homme avait été plus habile ou Marie moins méfiante. Elle sera, pour son malheur, plus crédule vingt ans plus tard avec Gilbert Gifford[11].

Malgré ces incidents et ces mauvaises manières réciproques, les relations entre les deux reines ont retrouvé, à l'époque de l'accouchement de Marie, une apparence de cordialité qu'elles n'avaient pas connue depuis longtemps. On reparle même à nouveau d'une entrevue pour 1567. Pas plus que les précédents projets, celui-ci ne se réalisera.

Consciente des dangers qui l'entourent, on pourrait penser que Marie Stuart, au moment où elle se prépare à affronter les périls de son propre accouchement, ait au moins à cœur d'éviter de recommencer les erreurs qui l'ont amenée, au soir du 9 mars, à deux doigts de sa perte. Mais ce serait mal la connaître : toute sa vie, elle ne renoncera à ce qu'elle désire que contrainte et forcée. La menace d'une restauration catholique — dont Rizzio était comme le symbole (involontaire sans doute) —

* Selon Jacques Melville, c'est son frère, Robert Melville, alors ambassadeur à Londres, qui aurait révélé l'intrigue à Marie.

avait précipité les événements de mars, tout autant que celle de la condamnation de Moray et de ses amis. Marie est assez réaliste pour comprendre qu'à peine échappée des mains des comploteurs, elle ne peut, entourée comme elle l'est de Moray, Argyll, Bothwell, tous protestants, reprendre ouvertement sa politique procatholique ; mais elle continue à entretenir avec Rome des relations qui, connues ou soupçonnées, ne peuvent que la rendre à nouveau suspecte à la *Kirk* et à ses partisans.

La mort de Rizzio avait été interprétée, dans le monde catholique, comme un grave échec pour la cause de l'Église. « C'est un grand coup porté à notre religion[12] », écrit, à chaud, l'ambassadeur d'Espagne à Philippe II. Le pape adresse à la reine d'Écosse le témoignage de son affection et de sa sollicitude dans les épreuves qu'elle traverse, tout en la louant de sa « fermeté dans la foi[13] ». Mieux : il décide, à sa demande (mais la lettre de Marie était antérieure au drame), de lui envoyer un nonce chargé de lui apporter, outre un subside « pas aussi grand que Nous l'aurions souhaité, mais conforme à Nos possibilités », la bénédiction apostolique et d'utiles conseils politiques.

Le nonce désigné est un évêque italien, Fernando Laureo de Mondovi, habile diplomate, qui devra s'arrêter d'abord en France pour rencontrer la reine mère et le cardinal de Lorraine de façon à coordonner les efforts et les stratégies. Laureo quitte Rome en juin 1566. En se hâtant un peu, il pourrait arriver à Édimbourg à temps pour assister à la naissance de l'héritier de la couronne ; mais, au contraire, il s'attarde. Peut-être (nous n'en avons pas la preuve) est-ce Marie qui, consciente des difficultés que sa venue en Écosse ne manquera pas de provoquer, lui demande de prolonger son séjour en France ; peut-être Catherine de Médicis cherche-t-elle à empêcher à Édimbourg une politique trop ouvertement manipulée par les Guise et l'Espagne ; peut-être, tout simplement, le nonce lui-même se rend-il compte des risques de sa mission et hésite-t-il à les affronter.

Toujours est-il qu'au moment où la reine d'Écosse entre dans la période de réclusion qui, traditionnellement, précède alors les accouchements, Laureo est toujours à Paris, porteur des lettres pontificales qui, si elles étaient connues à Édimbourg, seraient de nature à provoquer une nouvelle révolution : il n'y est question de rien de moins que de faire exécuter Moray, Argyll, Morton, Maitland et quelques autres, d'abroger les lois anticatholiques de 1560 et de restaurer officiellement le catholicisme. La diplomatie vaticane, tant vantée, fait ici preuve non seulement d'une brutalité bien peu évangélique, mais surtout d'un étonnant irréalisme. Même si Marie le souhaitait — ce qui n'est rien moins que certain —, où trouverait-elle les moyens d'une telle politique ? Le parti « papiste » en Écosse est réduit à presque rien, Darnley n'est qu'un fantoche inconsistant, et Élisabeth ne manquerait pas d'intervenir pour défendre la « religion du Christ », à la demande des pasteurs et des lords protestants, à la première remise en cause des victoires de la Congrégation.

En fait, au cours des mois d'avril et mai 1566, on a un peu l'impression que l'Écosse retient son souffle dans l'attente de l'événement dont l'avenir va, selon toute probabilité, dépendre : la naissance de l'héritier du trône.

Apparemment, la grossesse s'est bien passée, malgré les émotions et les fatigues du 9 mars et des jours suivants. Rien ne permet de penser que la gestation de l'enfant n'ait pas été poursuivie jusqu'à son terme normal ; les dépêches d'ambassadeurs, si nombreuses et toujours riches en informations concernant la santé des princes, ne parlent pas de malaises ou d'indispositions de la reine dans les semaines qui précèdent l'accouchement.

En revanche, la sécurité publique fait l'objet de toutes les préoccupations et de toutes les précautions. Pour se prémunir contre un éventuel coup de force, Marie s'installe, dans le courant de mai, au château d'Édimbourg, forteresse assez lugubre mais solide, dont le gouverneur, Lord Mar, est d'une fidélité à toute épreuve. Darnley vient lui aussi loger au château, ce qui permet à la fois de le surveiller (sa femme a moins que jamais confiance en lui) et d'éviter qu'il aille courir les tavernes et les mauvais lieux comme il en a pris l'habitude. Moray et Argyll s'établissent également dans l'enceinte. Quant au fidèle Bothwell, il demeure à proximité, ainsi que son beau-frère Huntly.

À cette époque, Marie Stuart recherche clairement l'apaisement. Elle fait — à la demande de Bothwell, dit-on, ravi de jouer ce mauvais tour à la fois à Moray et à Darnley — libérer sous caution le pauvre déséquilibré Arran, qui était resté interné depuis l'aventure extravagante de l'enlèvement de la reine en 1562 *. Il ne tardera pas à passer en France où, bien en vain, Catherine de Médicis tentera de l'utiliser comme pion sur son échiquier.

Un bruit circule alors, dont il est difficile de savoir aujourd'hui quelle était exactement la consistance : Marie envisagerait, après ses couches, d'effectuer un long voyage en France, sans son mari, et de laisser la régence à un conseil où voisineraient Moray, Bothwell, Argyll, Huntly[14]. Elle en profiterait, au passage par Londres, pour rencontrer enfin sa chère cousine et pour se faire reconnaître officiellement comme héritière d'Angleterre. Le projet (mis à part ce dernier point, dont nous connaissons l'irréalisme) n'était pas absurde : une longue absence de la reine aurait apaisé les passions et permis au parti protestant de reprendre le pouvoir sans heurts majeurs, en évitant la guerre civile qui, dans la réalité, devait déchirer le pays un an plus tard. Mais, à la réflexion, un obstacle de taille subsistait pour une telle résolution : Darnley. Que faire de lui ? Lui confier la régence ? impensable. L'écarter entièrement du pouvoir ? difficile, en sa qualité de mari de la reine et de père de l'héritier. Déjà la question Darnley se posait ; elle deviendra de plus en plus cruciale au cours des mois à venir. On parle — c'est du moins Randolph qui le rapporte — d'un voyage qu'il ferait en Flandre où commence à gronder la révolte contre le roi d'Espagne[15]. Mais qu'irait-il y faire ? aider les Espagnols contre les protestants ? soutenir, lui catholique, les protestants contre l'Espagne ? Tout cela paraît bien invraisemblable. Sans doute serait-il mieux en France où, du moins, en sa qualité d'Écossais et de chevalier de

* *Voir* p. 138-139.

l'ordre de Saint-Michel, il pourrait jouir d'une position honorable. Mais ce n'est pas cela qu'il veut : il n'a toujours pas renoncé à la fameuse couronne matrimoniale, et il n'entend pas laisser le champ libre à ses ennemis. Son rôle dans l'histoire de l'Écosse est loin d'être terminé.

Pour l'instant, à l'approche de la naissance de l'héritier, il est — au moins en théorie — réconcilié avec Marie. L'ambassadeur français Mauvissière s'est entremis et, provisoirement, les apparences sont sauves. Son innocence dans le meurtre de Rizzio et dans le complot contre l'autorité de la reine a été officiellement reconnue et proclamée à la Croix du Marché d'Édimbourg. Personne, évidemment, n'est dupe, mais l'essentiel est que la légitimité de l'enfant à naître ne puisse être mise en doute...

Un accouchement, au XVIe siècle, est toujours une aventure à haut risque. Marie, selon la coutume, se prépare à toute éventualité en rédigeant son testament. Nous n'en connaissons pas les clauses politiques, mais la liste des legs de bijoux qu'elle entend faire à ses proches a été conservée et elle est révélatrice. La proche famille est favorisée : les Guise, certes, y compris les branches cadettes d'Aumale et d'Elbeuf, mais aussi les bâtards Stuart, ses demi-frères et sœurs, qui forment son entourage intime. Moray, bien entendu, reçoit des joyaux, comme Lady Huntly la mère et Lady Huntly la jeune, deux fidèles. Bothwell n'est pas oublié, ni Atholl, ni Huntly, ni Argyll. Mais, signe de réconciliation officielle, Darnley reçoit vingt-six bijoux, dont la bague qu'il lui a offerte pour leur mariage. Même Mathieu Lennox reçoit un legs, tout comme sa femme — toujours prisonnière à la Tour de Londres[16].

Malgré toutes ces précautions, on frémit à l'idée de ce qui se serait passé si le malheur avait voulu que la reine et son enfant périssent lors de l'accouchement : Moray d'un côté, Darnley et son père de l'autre, les Hamilton dans la coulisse, tous les éléments d'une explosion étaient réunis. Par chance, la forte constitution de Marie, peut-être aussi les précautions qu'elle avait prises, assurèrent une heureuse issue.

La chambre choisie pour l'événement tant attendu existe toujours au château d'Édimbourg. Elle surprend par son exiguïté : 2,75 m sur 2,25 m. On a peine à imaginer comment, autour du lit d'une femme en couches, pouvaient circuler sages-femmes et servantes avec les instruments, bassines et linges nécessaires. L'ameublement n'en avait pas moins été somptueusement préparé : taffetas, velours bleu, toile de Hollande.

Les premières douleurs survinrent le 18 juin. Le travail fut si long et si pénible que, plus tard, Marie devait confesser qu'elle avait alors souhaité « n'avoir jamais été mariée ». Pour soulager la parturiente, on tenta, par une opération de sorcellerie, de transférer les souffrances sur une dame d'honneur, Lady Reres, qui était elle aussi en mal d'enfant et qui devait être la nourrice du bébé royal. Nous ignorons si l'envoûtement fut efficace, mais, le mercredi 19 juin 1566, entre dix et onze heures du matin, naquit le prince d'Écosse, qui devait devenir le roi Jacques VI et, bien des années plus tard, Jacques Ier d'Angleterre.

La reine Élisabeth, future marraine de l'enfant, avait envoyé à Édimbourg comme ambassadeur extraordinaire un gentilhomme de confiance, Sir Henri Killigrew, chargé d'apporter à Marie les vœux de sa souveraine et, par la même occasion, quelques judicieux conseils politiques. C'est par les dépêches diplomatiques de Killigrew que nous avons les premiers témoignages sur le petit Jacques, qu'il vit presque aussitôt après sa naissance : « Un bel enfant, bien proportionné de la tête, des pieds et des mains, et qui promet de devenir un beau prince[17]. » La reine, poursuit l'ambassadeur, est encore faible et tousse, mais elle se remettra vite.

Dans la chambre natale s'était déroulée, s'il faut en croire les *Mémoires* de Lord Herries, une curieuse scène. Marie, présentant l'enfant à Darnley, aurait affirmé sous serment que c'était bien là son fils, « et celui de personne d'autre[18] ». L'allusion aux rumeurs qui faisaient de David Rizzio le père était transparente. Toute à sa rancune contre son mari, Marie aurait même ajouté : « Il est votre fils à tel point que cela m'inquiète pour lui. » Sur le moment, Darnley ne semble avoir manifesté aucun doute sur sa paternité ; au contraire, écrivant quelques jours plus tard au cardinal de Lorraine, grand-oncle du nouveau-né, il jubile : « La reine mon épouse vient d'être délivrée d'un fils, ce qui, je n'en doute pas, vous causera autant de joie qu'à nous-mêmes[19]. » Ce n'est que plus tard que des bruits circuleront sur l'hérédité de Jacques. Nous y avons fait allusion à propos des accusations d'adultère avec Rizzio formulées contre Marie Stuart. Rien, objectivement, n'empêche de considérer l'enfant comme le fils d'Henri Darnley. La ressemblance assez frappante qu'on constate avec Darnley sur les portraits de sa jeunesse plaide en ce sens ; mais il faut quand même faire la part de la volonté probable du peintre d'affirmer la filiation à des fins de loyauté dynastique.

Le même argument plaide également contre une théorie, ou plutôt une légende, qui voudrait que Jacques ait été mort-né ou soit mort au berceau et ait été remplacé par un enfant de la comtesse de Mar. Étant donné le nombre de personnes qui emplissaient la chambre lors de l'accouchement, le soin dont fut entouré l'enfant dès sa naissance, il est absolument invraisemblable qu'une telle substitution, avec tout ce qu'elle suppose de complicités, ait pu être réalisée et maintenue secrète pendant les années qui allaient suivre. Au reste, Lady Antonia Fraser, dans son érudite biographie de Marie Stuart, témoigne que les archives de la famille Erskine de Mar ne renferment aucune trace d'un événement qui, s'il était authentique, aurait pour conséquence de faire de l'actuelle reine d'Angleterre la descendante, non des Stuart, mais des Erskine[20] !

En tout cas, l'opinion publique écossaise ne cherchait pas si loin. La joie fut unanime et intense. C'était la première fois depuis un quart de siècle que la couronne avait un héritier direct de sexe masculin. Avec une souveraine de vingt-quatre ans en bonne santé et un roi plus jeune encore, d'autres enfants pouvaient être espérés — après tout, les querelles conjugales s'apaisent — ; la paix était donc assurée pour longtemps. La foule se précipita, dès l'annonce de la naissance, dans l'église

Saint-Gilles pour remercier Dieu, des feux de joie s'allumèrent partout, les cloches sonnèrent dans tout le pays. Aucune fausse note ne se fit entendre dans l'allégresse générale.

Jacques Melville relate dans ses *Mémoires* que Marie Stuart l'avait chargé d'aller annoncer la nouvelle à Élisabeth, et son récit de cette ambassade est souvent cité. Certains historiens l'ont mis en doute, mais s'il est peut-être un peu embelli, il contient tant de détails et de précisions qu'il est difficile de le considérer comme entièrement fictif.

Des chevaux étaient tenus prêt depuis la veille, et quelques minutes après l'accouchement le diplomate galopait vers l'Angleterre. Quatre jours plus tard, il était introduit au palais de Greenwich où Élisabeth donnait un bal. « Quand j'arrivai, Cecil lui dit à l'oreille que la reine d'Écosse était accouchée d'un prince. Dès ce moment les danses cessèrent, et la fête finit tout d'un coup. La reine se jeta dans un fauteuil, la tête penchée, et dit aux dames qui étaient autour d'elle : “ La reine d'Écosse vient de mettre au monde un fils, pendant que je ne suis qu'une branche stérile[21]. ” »

Le lendemain elle se reprit et fit bon accueil à Melville, l'assurant de sa joie et lui confirmant qu'elle acceptait d'être marraine du prince. Elle l'assura que les responsables de l'assassinat de Rizzio étaient sortis d'Angleterre, « et que si l'on pouvait prouver que quelques-uns de ses sujets osassent leur donner asile contre sa volonté, ils ne tarderaient pas à être punis ». De fait, elle avait écrit en ce sens au comte de Bedford, lord-lieutenant des comtés frontières et gouverneur de Berwick, mais Morton et ses amis s'étaient contentés de se faire discrets dans des châteaux proches de la frontière écossaise.

Toujours selon Melville, celui-ci aurait profité des bonnes dispositions d'Élisabeth pour aborder avec elle la question du droit éventuel du nouveau-né à lui succéder après sa mère. « Elle répondit que la naissance du prince engagerait sans doute les jurisconsultes d'Angleterre à décider cette affaire avec plus de promptitude, et que de son côté elle jugeait que le droit de sa bonne sœur était très fondé et qu'elle souhaitait de bon cœur que les décisions des jurisconsultes fussent conformes à ses sentiments. » Melville prit la formule pour ce qu'elle valait, mais l'essentiel était que les relations officielles entre les deux royaumes fussent, pour l'instant, aussi cordiales que possible.

Une fois remise des fatigues et des douleurs de son accouchement, Marie Stuart éprouvait le besoin de quelque repos. Son mari s'était retiré à Dunfermline et boudait, selon son habitude.

Le lieu qu'elle choisit pour se détendre était le château d'Alloa, belle résidence appartenant au comte de Mar, située en amont du Firth of Forth. Elle fit le voyage par eau, avec quelques dames de ses intimes, Lady Huntly, Lady Argyll. Ce voyage a donné lieu, par la suite — après la chute de Marie et son emprisonnement —, à une interprétation très défavorable sous la plume de Georges Buchanan, porte-parole de ses ennemis les plus acharnés. Selon Buchanan, ceux qui la transportèrent en bateau étaient de « notoires pirates », et pendant son séjour à Alloa elle se conduisit « de façon indigne, non seulement de la majesté d'une reine, mais de la pudeur d'une femme mariée » — ce qui est trop dire, ou trop peu[22]. Sur le moment, aucune dépêche d'ambassadeur ne signale rien d'anormal. Au contraire, Castelnau de Mauvissière, venu apporter les félicitations du roi de France, obtint de Marie qu'elle reçoive Darnley et passe deux nuits avec lui — prélude, espérait-il, à une réconciliation plus durable[23].

À la fin d'août, la reine et le roi vont chasser ensemble dans le Megatland, zone de landes et de broussailles proche de la frontière sud-ouest, accompagnés de Moray, Huntly, Bothwell, Mar et d'autres intimes. Sur les instances de son demi-frère et malgré Bothwell, Marie reçoit alors Maitland, qui était demeuré en disgrâce depuis l'assassinat de Rizzio et qui rongeait son frein. Apparemment la réconciliation est totale, puisque Maitland écrit à son ami anglais Cecil que « la jalousie des ambitieux n'a pu prévaloir contre lui », et Moray confirme que Maitland a « retrouvé son ancienne faveur[24] ». L'équipe gouvernementale est ainsi reconstituée.

Lady Antonia Fraser, dans sa biographie de Marie Stuart, a intitulé *Dépression* le chapitre consacré aux cinq mois qui s'écoulent entre la naissance du prince et son baptême. Selon elle, cette période est caractérisée chez la reine par une perte du sens des responsabilités et par une succession de décisions dangereuses dues à un état déficient proche de l'hystérie, consécutif à l'accouchement. Tout à l'inverse, Buchanan fait de ce dernier semestre 1566 le moment où Marie s'abandonne aux délices de l'adultère avec Bothwell et prépare de sang-froid le meurtre de son époux.

Les témoignages contemporains des événements ne confortent ni l'une ni l'autre de ces interprétations. Nous avons vu qu'à Alloa, malgré ce qu'en dira Buchanan par la suite, le comportement de la reine a été aussi normal que possible, et que même elle s'est prêtée à un rapprochement avec Darnley — rapprochement sans lendemain, il est vrai.

Sur le plan politique, rien, dans les activités de Marie Stuart après la naissance de son fils, ne constitue une rupture avec les mois précédents. Maitland reprend en septembre sa place comme secrétaire d'État. Jacques Melville, qui l'a remplacé quelque temps en fait sinon en titre, reste le diplomate favori, employé dans les missions confidentielles. L'un et l'autre sont protestants. En revanche, un personnage catholique voit croître son influence : il s'agit de Jean Leslie, évêque de Ross, qui dès juin, au témoignage de Drury, « est en grande faveur et entre dans tous les secrets[25] ». Selon Killigrew, qui séjourne à la Cour à l'époque de l'accouchement de la reine, Leslie « mène toutes les affaires de l'État[26] ». L'influence des deux premiers s'exerce pour l'Angleterre, celle de l'évêque de Ross plutôt pour la France, mais aucun renversement de politique étrangère n'est perceptible ; du reste, on ne voit pas sur quoi il pourrait s'appuyer.

Parmi les nobles, celui qui jouit alors du crédit le plus grand n'est pas Moray, réconcilié certes avec Marie, mais dont elle ne peut tout à fait oublier le rôle dans la rébellion de l'été précédent ; c'est Bothwell, lui aussi protestant. Toutes les dépêches diplomatiques parlent du poids politique croissant de Bothwell, et, par voie de conséquence, de son impopularité. « La reine a plus de confiance en lui que dans tous les autres réunis[27] », écrit Killigrew le 24 juin. Il est « l'homme le plus haï d'Écosse[28] », selon Bedford le 8 août. Cependant, il est loin d'être tout-puissant, puisque c'est malgré lui que Marie pardonne à Maitland, qu'il déteste. D'ailleurs, il passe la plus grande partie de son temps dans la région frontière des Borders, dont il est le gouverneur et où il mène la vie dure aux bandits.

Le principal souci de Marie Stuart, en cet automne de 1566, est la sécurité de son fils. En octobre, elle le conduit à Stirling où il est confié à la garde du comte de Mar, dont le loyalisme est connu malgré son appartenance au protestantisme. Avec tout le confort d'un palais Renaissance, construit par Jacques V dans le style des châteaux de la Loire, et meublé somptueusement à l'occasion de la venue du prince, Stirling est une forteresse imprenable, juchée sur une colline abrupte d'où on surveille la plaine et les débouchés des Highlands. L'héritier du trône est là en sûreté.

Toujours pour la même raison, la reine travaille à réconcilier entre eux les lords dont les dissensions sont si dangereuses pour la paix du pays. Réconciliation de Bothwell et de Maitland, obtenue « sur ordre de la reine » en septembre[29]. Réconciliation de Bothwell et Huntly avec Moray et Argyll : en novembre, ce sera chose faite au château de Craigmillar dans des circonstances que nous évoquerons.

Les pasteurs de la *Kirk* eux-mêmes sont assez calmes en cette période. Ils ont adressé à Marie, peu avant ses couches, une supplique lui rappelant les horreurs de la superstition dans laquelle elle reste plongée et l'adjurant de renoncer à la messe « ramassis d'impiétés », mais ils n'ont pas trop insisté[30] ; et Marie a fait bon accueil au pasteur Spottiswoode venu la visiter après la naissance de l'héritier. Le pasteur a même pu prononcer sur l'enfant une bénédiction biblique, et il a reçu en réponse un borborygme qu'il a affecté de prendre pour un

« *Amen* » — promesse de fidélité future à l'Église calviniste[31]. Marie ne manque d'ailleurs pas de souligner auprès d'Élisabeth qu'elle n'a jamais gêné ni persécuté personne pour sa religion et qu'elle emploie autour d'elle des protestants « préférablement à tous les autres[32] » (ce qui n'est qu'à moitié vrai).

En réalité, la grande pensée de la reine d'Écosse reste toujours, comme par le passé, la succession d'Angleterre. Avec d'autant plus d'énergie que, désormais, elle a un héritier, tandis qu'Élisabeth reste obstinément célibataire, ce qui irrite et inquiète fort ses sujets.

Précisément, en octobre 1566, le Parlement d'Angleterre adresse à sa souveraine une pétition véhémente pour lui demander, soit de se marier, soit de se désigner un successeur. Élisabeth est furieuse, tance vertement les députés, mais elle ne peut indéfiniment éluder une réponse. En novembre, un Écossais, Patrick Adamson, publie à Paris un livre où le fils de Marie Stuart est qualifié de « prince d'Écosse, d'Angleterre et d'Irlande » : indignation de la reine d'Angleterre, représentations diplomatiques auprès de la reine d'Écosse, exigence de désaveu immédiat et de suppression du livre[33]. Marie ne s'affole pas et poursuit ses démarches. Le 18 novembre, elle écrit au Conseil privé d'Angleterre pour rappeler ses droits et ceux de son fils. Sans doute, il y a l'obstacle que représente ce testament d'Henri VIII que tout le monde oppose à Marie, mais qu'elle soupçonne d'être un faux ; elle demande qu'on le recherche et qu'on en examine l'authenticité.

Élisabeth, tout acquise à ce moment à une politique d'alliance avec sa cousine, est prête à beaucoup de concessions. Au fond, bien qu'elle refuse de se prononcer officiellement — car elle tient à se réserver une porte de sortie en cas de besoin —, elle n'est pas hostile à l'idée que Marie, ou son fils, lui succède un jour : en acceptant d'être marraine de l'enfant, elle crée un nouveau lien entre les deux trônes et elle est trop fine politique pour ne pas en avoir conscience et en calculer les conséquences. Mais elle n'entend renoncer à aucune des cartes qu'elle a dans son jeu. Le baptême du prince d'Écosse, précisément, sera l'occasion de mettre les choses au point.

Marie Stuart aurait souhaité, sans trop y croire, que sa « chère sœur et cousine » fasse le voyage d'Édimbourg pour tenir son filleul sur les fonts. Élisabeth fit comprendre que c'était hors de question. En revanche, elle enverrait, pour la représenter, le comte de Bedford, un protestant militant, gouverneur de Berwick et spécialiste des affaires d'Écosse, où il avait déjà joué un rôle en 1561. Ce n'était pas pour Marie Stuart, qui connaissait Bedford, l'annonce d'une négociation facile ; mais elle était prête, pour sa part, à beaucoup de concessions.

Catherine de Médicis, de son côté, avec son sens politique affiné, se rendait compte que le parti anglais était en passe de l'emporter définitivement à la Cour d'Édimbourg et d'abord dans l'esprit de Marie Stuart. Elle se décida à envoyer en Écosse un ambassadeur permanent, ce qu'elle n'avait jamais fait jusque-là, preuve que la situation lui paraissait appeler une vigilance accrue : ce fut Philibert du Croc, diplomate avisé et, disait-on, proche des Guise. Il prit son poste en octobre ; ses dépêches, lucides et souvent désabusées, sont une des sources principales qui nous font connaître les événements des mois suivants.

Pendant ce temps, le nonce pontifical Laureo restait à Paris dans la vaine attente du passeport qui lui aurait permis — enfin — d'aller remettre à la catholique Marie le message du Saint-Père. On ne parlait plus de restauration du catholicisme en Écosse : même l'évêque de Ross, haï des pasteurs de la *Kirk*, n'avait rien d'un boute-feu ou d'un croisé. Les meurtriers de Rizzio, finalement, avaient atteint leur but par une voie qu'ils n'avaient pas prévue : le rapprochement anglo-écossais était à l'ordre du jour, et on pouvait penser, en cet automne de 1566, que le règne de Marie Stuart allait enfin entrer dans une période de paix, à l'intérieur comme sur ses frontières.

Sans doute en aurait-il été ainsi si, par malheur, la vie privée de Marie Stuart n'avait connu, à cette époque, un irrémédiable bouleversement. De ce dramc intime, un élément est certain : la rupture avec son mari. Un autre est sujet à discussion : sa liaison avec Bothwell. Les deux doivent donc être envisagés séparément, à la lumière des témoignages, souvent divergents, que nous ont laissés les contemporains.

Que la mésentente du roi et de la reine d'Écosse prenne, après la naissance du prince héritier, un caractère quasi public, les preuves en abondent. Toutes les dépêches d'ambassadeurs en parlent, même à Londres; il est clair que ce devait être le principal sujet de conversation à la Cour d'Écosse. Mais les avis diffèrent dès qu'il s'agit de décider de quel côté étaient les torts. Les partisans de Marie et les anciens complices de Darnley, qu'il avait trahis après l'assassinat de Rizzio, rejettent sur lui toute la responsabilité de l'échec des tentatives de rapprochement. Claude Nau le dépeint « menant une vie fort débauchée et allant courir toutes les nuits, tantôt se baigner dans la mer, tantôt en divers autres lieux égarés [34] ». Il se montre insolent avec tout le monde, menace Moray de mort, se prête avec mauvaise grâce à rencontrer sa femme. Séjournant avec elle à Traquair, en septembre, il veut l'obliger à courre le cerf, ce qu'elle refuse en alléguant qu'elle se croit enceinte * : sur quoi, avec une rare goujaterie : « Eh bien, répond-il tout haut, si celui-là se perd, nous en ferons un autre. Fait-on pas bien travailler une jument alors qu'elle est pleine [35] ? »

En bref, Darnley se montre odieux, et c'est ainsi que le décrit du Croc dans ses lettres adressées à la Cour de France en octobre et novembre : « Le roi est bien aussi mal d'un côté et d'autre [du côté de la reine et du côté des lords]. Il ne peut être autrement de la façon qu'il se gouverne, car il veut être tout et commander partout, à la fin il se met en un chemin pour n'être rien [...]. Je vois deux choses qui le désespèrent, la première est la réconciliation des seigneurs avec la reine, parce qu'il est

* Le bruit d'une nouvelle grossesse est en effet recueilli, à Londres, par l'ambassadeur d'Espagne le 12 octobre [36] — on se rappelle que, lors de la fuite à Dunbar après le meurtre de Rizzio, Darnley avait déjà émis une remarque analogue.

jaloux de ce qu'ils font plus de cas de Sa Majesté que de lui [...], l'autre c'est qu'il s'assure que celui ou celle qui viendrait pour la reine d'Angleterre au baptême du prince ne fera compte de lui et il prend une peur de recevoir une honte[37]. »

Si l'on écoute le parti adverse, on voit au contraire un Darnley amoureux de sa femme, repentant de ses erreurs passées et désireux de revenir dans ses bonnes grâces, mais rejeté sans pitié et humilié à plaisir. Ce point de vue sera abondamment illustré, avec force adjectifs pathétiques, par le propre père de Darnley après la mort de celui-ci. Sous la plume de Lennox, le pauvre jeune roi est « submergé de chagrin » de devoir « se séparer de sa femme contre son gré ». Lorsqu'il vient la voir, elle le reçoit de façon « étrange et indigne », tandis qu'elle « s'abandonne aux plaisirs, oublieuse de sa dignité et de son honneur[38] ».

Il est difficile, contre tant d'autres témoignages, de croire à cette image de Darnley en époux modèle ; mais il est certain que Marie ne faisait rien pour lui épargner humiliations et rebuffades. Jacques Melville, qui vivait alors dans l'entourage immédiat de la souveraine, juge que la rancœur de celle-ci envers son mari était telle que « c'était lui faire mal sa cour que de lui parler d'accommodement [...]. Ce prince était toujours seul, et c'était un crime de l'accompagner. On ne pouvait s'empêcher d'être ému de compassion en voyant ce jeune prince dépourvu d'amis et d'appui. En effet il était d'un très bon naturel, et il ne lui manquait qu'un peu d'expérience et de conduite[39] ».

Sans prendre parti pour Darnley, dont les torts initiaux étaient indéniables, on peut en effet comprendre que ce jeune homme, orgueilleux comme tout noble de son temps et imbu de sa supériorité en tant que mâle, ait ressassé, dans sa solitude, ses griefs contre une épouse qui, estimait-il, ne tenait pas ses promesses vis-à-vis de lui et ne se conduisait pas comme une femme le devait à l'égard de son mari. Nous n'avons aucune preuve qu'il ait cru à un adultère de Marie avec Bothwell ; aucun texte contemporain — même ces dépêches d'ambassadeurs souvent si indiscrètes — n'y fait la moindre allusion. Mais il était ulcéré de se voir obstinément refuser la couronne matrimoniale qu'il considérait comme son dû, et d'être traité en quantité négligeable. La situation devenait dangereuse. Les événements allaient bientôt la rendre inextricable.

CHAPITRE X

« Ne vous préoccupez pas des moyens... »

Le 29 septembre 1566, Marie Stuart reçut, à Holyrood, une lettre très inquiétante de son beau-père le comte de Lennox. Selon celui-ci (qui n'avait pas reparu à la Cour depuis l'assassinat de Rizzio et qui remâchait sa rancœur dans son château de Glasgow), son fils lui aurait déclaré, quelques jours plus tôt, son intention de quitter l'Écosse et de passer sur le continent.

Les conséquences d'une telle escapade n'étaient que trop prévisibles : un scandale à l'échelle européenne et de nouveaux troubles en Écosse même, où un « parti du roi » n'aurait pas manqué de se former, une fois l'intéressant jeune homme sorti du pays. À quelques semaines du baptême du prince et au moment où Marie s'efforçait par tous les moyens de ramener le calme, ce caprice d'enfant gâté était lourd de dangers.

Marie écrivit aussitôt à son époux pour lui demander de revenir à Holyrood, ce qu'il fit de mauvaise grâce. Elle passa la nuit avec lui et tenta, en vain, d'obtenir de lui des explications. Le lendemain, en désespoir de cause, elle l'invita à exposer ses griefs devant le Conseil privé, auquel elle fit participer à titre exceptionnel l'ambassadeur de France tout nouvellement arrivé en Écosse, Philibert du Croc. La scène, assez dramatique, nous est connue par le récit qu'en envoya Du Croc quelques jours plus tard à Catherine de Médicis. « La reine fit une fort belle harangue, et après le pria et le persuada de toute sa puissance [de] déclarer en la présence de tous si c'était occasion qu'elle lui avait donnée, et le pria en l'honneur de Dieu et à jointes mains [de] ne l'épargner point. » On imagine assez aisément combien il devait en coûter à cette femme orgueilleuse et imbue de sa souveraineté de s'humilier ainsi devant son maussade époux. Les membres du Conseil (où Guillaume Maitland, à cette date, venait de reprendre sa place) joignirent leurs prières à celle de Marie, disant qu' « ils se voyaient bien recevoir un mauvais visage de lui et qu'ils ne savaient s'ils étaient cause de son aller (départ), et le prièrent [de] leur dire de quoi ils l'avaient offensé ».

Mais l'insupportable garçon ne voulait, et sans doute ne pouvait, s'expliquer clairement. C'est ce jour-là, peut-être, que sa destinée s'est scellée. En refusant de dire sur quoi portaient ses griefs et ses revendications, tout en laissant planer le doute sur ses intentions, il fermait la porte à toute possibilité d'accommodement : « À la fin il déclara que d'occasion [de mécontentement] il n'en avait point », mais néanmoins « en ce désespoir, il s'en alla et dit adieu à la reine, sans la baiser, l'assurant que Sa Majesté ne le verrait de longtemps ». Comprenne qui pourra[1].

Quelques jours plus tard, Darnley envoya chercher Du Croc. Il était en plein désarroi. « Il ne sait où il en est. Il voudrait que la reine le remandât. Je lui dis que s'il s'en était allé sans occasion comme il avait déclaré, je ne voulais point douter de la bonté de la reine, mais qu'il y avait beaucoup de femmes qui ne l'enverraient pas quérir[2]. » L'ambassadeur connaissait mieux le caractère féminin, et celui de Marie Stuart en particulier, que l'impulsif et léger Darnley. Sans se l'avouer, celui-ci devait comprendre, plus ou moins confusément, qu'il avait lui-même gâché toutes ses chances. En épousant Marie à la hâte — mais elle en était aussi responsable que lui —, il s'était irrémédiablement brouillé avec Élisabeth d'Angleterre. En agressant sottement Moray, il s'en était fait un ennemi irréconciliable. En écoutant les conseils intéressés de Morton et du clan Douglas, il avait fait le jeu du parti protestant, lui qui s'était présenté au départ comme le champion du catholicisme.

En trahissant ses complices après la nuit du 9 mars, il s'était retrouvé sans alliés, haï autant par sa femme que par ceux que sa lâcheté condamnait à l'exil. Enfin, en continuant à revendiquer, contre tout bon sens, la couronne que plus personne ne songeait à le voir coiffer, en boudant la Cour, en multipliant les mauvaises manières à l'égard des nobles, il se rendait décidément odieux à tous. Son désir affirmé de quitter l'Écosse (mais aurait-il été jusqu'à l'acte ? nul ne peut le dire aujourd'hui) montre bien qu'il se sentait en situation d'échec et que, comme beaucoup de faibles, il voyait dans la fuite la seule solution à ses difficultés.

Les choses en étaient parvenues à tel point que les seigneurs du Conseil privé d'Écosse se résolurent à une démarche assez inouïe pour tenter d'obtenir l'intervention du roi de France. Ils écrivirent, le 8 octobre, une lettre collective à Catherine de Médicis, exposant leurs griefs contre Darnley. « Nous passerions volontiers en silence le grand tort qu'il se fait à lui-même, mais puisque lui-même est le premier qui, par ses déportements, le veut manifester au monde, nous ne pouvons moins faire pour notre décharge et devoir envers Sa Majesté que de témoigner à ceux qu'il appartient ce que nous avons vu et ouï. » Darnley se conduisait à l'égard des nobles d'une façon intolérable, exigeant que la reine les fasse sortir de chez elle avant qu'il accepte d'y entrer : « Chose déraisonnable, vu que les rois mêmes, qui ont été de race et naissance souverains de ce pays, n'ont jamais usé de ces façons de faire avec leur noblesse [3]. »

Certains Anglais, voyant la détérioration des relations entre Darnley et le gouvernement écossais, soupçonnaient que le jeune homme avait partie liée avec l'Espagne et que Philippe II se servait de lui comme d'un pion contre Élisabeth : une expédition militaire serait montée par les Espagnols, Darnley en prendrait la tête pour attaquer Scarborough ou les îles Sorlingues ou pour aller joindre ses forces à celles de O'Neill en Irlande, finalement ceindrait la couronne d'Angleterre après avoir éliminé Élisabeth [4]. Tout cela est extravagant et ne mérite pas longue discussion : outre que les archives espagnoles n'en contiennent pas trace, nous avons la preuve que l'ambassadeur Guzman de Silva ne se faisait aucune illusion sur le caractère et sur les capacités du « roi d'Écosse », et que jamais le prudentissime Philippe II n'aurait confié une telle entreprise à un garçon aussi peu sûr que le « puéril » Darnley — l'expression est dans une lettre de Silva[5] du 29 avril 1566.

Marie Stuart, pour sa part, ne croyait certainement pas à de telles balivernes, mais la simple perspective de voir son mari quitter l'Écosse pour aller colporter dans les Cours d'Europe, en France, aux Pays-Bas, auprès de l'Empereur, Dieu sait quels racontars sur elle et sur son entourage, suffisait pour justifier son inquiétude. Raison de plus, en tout cas, pour resserrer les relations avec Élisabeth : plus que jamais, la bonne entente entre les deux reines était indispensable si la paix devait être maintenue et l'avenir du petit prince assuré. La grande affaire politique restait en effet, en cet automne de 1566, la négociation avec l'Angleterre et le proche baptême du prince, avec la venue annoncée du comte de Bedford.

C'est dans ce contexte que se situe la campagne entreprise, au début d'octobre, pour rétablir l'ordre dans la région troublée des *Borders.* Depuis longtemps, les incidents de frontière suscitaient la colère et les remontrances diplomatiques d'Élisabeth. Il était temps d'aller chercher dans leurs repaires les plus turbulents des seigneurs brigands et de les traduire en justice, afin de pouvoir faire état, devant Bedford, du retour au calme dans ce secteur difficile.

En sa qualité de gouverneur des *Borders,* la partie militaire de l'opération incombait au comte de Bothwell. On sait qu'il avait ses défauts, mais le manque d'audace n'était certainement pas du nombre. Il alla s'établir au château de l'Hermitage, propriété de sa famille, à environ dix kilomètres de la frontière anglaise, pour procéder au « nettoyage », comme on dirait aujourd'hui ; la reine, de son côté, s'apprêtait à quitter Édimbourg pour Jedburgh, capitale administrative des *Borders,* où elle allait présider la cour de justice pour le jugement des bandits capturés.

Elle était à peine arrivée à Jedburgh (ou peut-être

même était-elle encore en route pour s'y rendre : les témoignages contemporains divergent sur ce point) quand on apprit, le 8 octobre, que Bothwell avait été tué au cours d'une escarmouche avec un seigneur brigand notoire, Jean Elliot du Parc. Le lendemain, nouveau courrier : Bothwell n'était pas mort, mais gravement blessé, à l'Hermitage. Marie avait tout à perdre à la disparition d'un partisan aussi fidèle et aussi efficace, qui, depuis la mort de Rizzio, s'affirmait aux yeux de tous comme l'un des membres les plus influents de son entourage *. Cependant, elle attendit jusqu'au 15 — une pleine semaine — avant de décider d'aller le visiter sur son lit de blessé [6].

De Jedburgh à l'Hermitage, la distance est d'environ quarante kilomètres, en pays montagneux et mal viabilisé ; la région était d'ailleurs toujours infestée de brigands et de hors-la-loi, et l'Hermitage (aujourd'hui en ruines) n'était qu'une grande bâtisse féodale sans confort, nullement apte à héberger une reine et son escorte. Marie Stuart, nous le savons, aimait les courses à cheval. Dans la nuit du 11 au 12 mars, elle avait couvert les trente-cinq kilomètres qui séparent Holyrood de Dunbar dans des conditions particulièrement inconfortables. Le 15 octobre, au contraire, elle chevauchait en plein jour, accompagnée de Moray et de plusieurs autres seigneurs. Il n'y a donc rien d'extravagant, même si c'était une promenade assez sportive, à ce que les quatre-vingts kilomètres aller et retour aient été parcourus dans la journée, après qu'elle se fut rassurée sur l'état de santé de Bothwell, qui se remettait bien de sa blessure. Les diplomates qui relatent cette chevauchée dans leurs dépêches n'en manifestent pas d'étonnement particulier, et moins encore d'indignation.

Ce n'est que plus tard que Buchanan, qui tient absolument à ce que Marie ait été à cette époque la maîtresse de Bothwell (nous y reviendrons), affirmera qu'elle s'est précipitée à l'Hermitage « comme une

* « La reine perd là un homme en qui elle pouvait se fier, et de ceux-là elle en a peu », écrivit l'ambassadeur espagnol Guzman de Silva quand on croyait Bothwell mort.

folle » aussitôt apprise la blessure de son amant et que, parvenue à destination, elle s'y est conduite avec lui « d'une manière indigne de son rang et de sa réputation[7] ». On jugera si des ébats érotiques étaient vraisemblables entre une femme qui venait de parcourir quarante kilomètres à cheval et un homme blessé qu'on donnait pour mort quelques jours plus tôt ! Quelles qu'aient été les relations entre Marie et Bothwell avant leur rencontre à l'Hermitage (où Marie resta deux heures en tout et pour tout), ce n'est pas ce jour-là qu'on peut faire confiance à la version scandaleuse de Buchanan.

Il fut convenu au cours de cette visite que Bothwell, aussitôt que son état le permettrait, serait amené en litière à Jedburgh, où il pourrait être soigné plus confortablement. Ce transfert eut lieu, effectivement, vers le 20 octobre, et le blessé fut installé dans l'appartement situé au-dessous de celui de la reine dans la maison où elle logeait (elle existe encore, transformée en « musée Marie Stuart »). Mais, à cette date, le sort de Bothwell n'était plus au premier plan de l'actualité : c'était Marie elle-même qui se mourait.

Bien que la chronologie exacte des faits soit assez imprécise, il semble que ce soit aussitôt après le retour de l'Hermitage qu'elle se sentit mal. Elle fut prise de vomissements et tomba bientôt en syncope. Évidemment, on pensa au poison : « Je laisse à Votre Sérénité à deviner par qui et pour quel dessein ce crime est perpétré », écrit au doge l'ambassadeur de Venise[8]. Buchanan, quant à lui, attribuera cette maladie imprévue aux excès amoureux de Marie avec Bothwell. Mais les contemporains étaient plus réalistes : la reine souffrait depuis longtemps « d'une extrême maladie de rate », et la fatigue de la chevauchée du 15 octobre suffisait à expliquer la crise. Le bruit circula même — et l'ambassadeur d'Espagne s'en fit l'écho — que Marie était en proie au « mal de madre » : ce qui, apparemment, voudrait dire qu'elle faisait une fausse couche, mais aucun des témoins directs ne fait allusion à une telle circonstance[9]. Au contraire, le récit assez détaillé envoyé par l'évêque Leslie de Ross à l'archevêque

Beaton, le 26 octobre, décrit la jeune femme comme paralysée, « les yeux, les pieds et le nez si froids que tous ceux qui étaient autour d'elle désespéraient de sa vie [...]. Son médecin Arnault, homme parfait dans son art, lui a frotté pieds et jambes pendant quatre heures avec une telle force qu'aucune créature ne pourrait endurer plus grande peine », après quoi elle a sué abondamment, le neuvième jour après le début de sa maladie[10]. Les *Mémoires* de Nau parlent de bandages étroitement serrés et de vin ingurgité par force. Au cours de ses vomissements, Marie avait rejeté « un morceau tout vert, fort épais et dur » qui intrigua fort les médecins. Finalement, après une ultime rechute, si grave qu'on commença à se préoccuper des vêtements de deuil et des cérémonies funèbres, elle évacua « une grande quantité de sang corrompu » et commença à se rétablir[11]. Les médecins modernes qui ont scruté les symptômes donnés par les archives penchent soit pour une grave colique hépatique, soit pour une crise d'ulcère d'estomac — maladie à forte connotation psychosomatique comme chacun sait. Les événements des mois suivants sembleraient conforter cette dernière interprétation.

Dès qu'elle s'était sentie en danger, Marie Stuart avait réuni autour d'elle les nobles qui l'accompagnaient à Jedburgh, Huntly, Moray, Rothes, Bothwell*, et leur avait fait ce qu'elle pensait être ses exhortations suprêmes. Elle réaffirmait son attachement au catholicisme, mais prenait les lords à témoin qu'elle n'avait « jamais fait pression sur eux pour les empêcher de professer leur religion selon leur conscience ». Elle les suppliait de maintenir la paix et recommandait le jeune prince « au roi de France et à Madame la Reine [Catherine de Médicis] ». Tout le monde, apparemment, était très ému. Du Croc, écrivant à l'archevêque Beaton le jour de la visite de Marie à l'Hermitage, remarquait qu' « il n'avait jamais vu Sa Majesté aussi aimée et honorée qu'aujourd'hui, grâce à sa sage

* Il faut croire que, ce 25 octobre, jour probable de la scène, Bothwell était déjà assez rétabli pour y participer. Peut-être avait-il été monté de l'étage inférieur en civière.

conduite » — ce qui, par parenthèse, suffit à faire justice des racontars ultérieurs de Buchanan, selon lesquels l'Écosse entière, à cette date, aurait été scandalisée par les comportements indécents de la reine avec Bothwell. Mais il est à remarquer que dans son « testament » oral, Marie suppliait les nobles de ne pas donner le pouvoir à Darnley : « Vous savez de quelle bonté j'ai fait preuve envers lui. Je l'ai élevé aux plus hautes dignités, et il n'a montré envers moi que de l'ingratitude. C'est lui qui m'a plongée dans le chagrin qui m'afflige tant et dont je meurs aujourd'hui[12]. » La pénible explication qu'elle avait eue avec lui devant le Conseil privé ne remontait, en effet, qu'à deux semaines à peine.

D'ailleurs, pendant ces journées dramatiques de Jedburgh, Darnley brillait par son absence — une absence remarquée. L'évêque Leslie note, le 26 octobre, que « le roi est pendant tout ce temps à Glasgow et n'est pas venu voir Sa Majesté ». Il avait pourtant été averti de la maladie, au témoignage de Du Croc, qui ajoute : « C'est une faute que je ne puis excuser[13]. » Il vint enfin, bien tard, le 28 octobre, mais ne resta que quelques heures et repartit aussitôt. Selon Buchanan, il était « accouru en hâte » mais sa femme l'avait reçu « avec froideur et mépris », pendant qu'elle cohabitait « ouvertement » avec Bothwell. Brodant sur le même thème, Lennox racontera même, un an plus tard, qu'elle avait traité son mari de façon si « étrange et contre nature » qu'il avait craint pour sa vie. La vérité est certainement plus simple : ni Marie ni son entourage n'avaient aucune raison de faire fête à l'époux trop tardivement venu, et il avait dû comprendre aisément qu'il était de trop.

Quoi qu'il en soit, la « force de la nature », comme écrit Nau, avait fait merveille. Dès les premiers jours de novembre, Marie Stuart et Bothwell étaient sur pied, même si nous ne sommes pas obligés de croire Buchanan sur parole quand il écrit qu'à peine remis, l'un de sa blessure, l'autre de sa maladie, « ils retournèrent à leur passe-temps accoutumé, si ouvertement qu'il leur était indifférent que leur honte fût connue ».

En fait, la convalescence de Marie était si rapide qu'au lieu de rentrer à Édimbourg directement, elle décida

— la chose est assez surprenante — de transformer son voyage de retour en promenade et en visite officielle à Berwick. C'était la première fois (et la seule) qu'elle voyait la ville frontière qui jouait un tel rôle dans ses relations avec l'Angleterre. La géographie a mis Berwick en Écosse, sur la rive nord de la Tweed, mais l'histoire en a fait une enclave anglaise, et c'était le lieu de passage obligé de tous les voyageurs et messagers entre Édimbourg et Londres ; c'était aussi, en temps de troubles, un nid d'intrigues et d'espionnage.

Le gouverneur anglais de Berwick, Sir Jean Forster, fut avisé de façon assez impromptue de l'arrivée de la reine d'Écosse, trop tard pour demander des instructions. Il s'en tira honorablement, tirant le canon en l'honneur de l'illustre visiteuse, lui faisant admirer le panorama de la ville et du port (fort pittoresque à la vérité), mais évitant de la faire pénétrer à l'intérieur des murailles. Marie profita de l'occasion pour réaffirmer son amitié et son affection pour la reine d'Angleterre et pour se féliciter du caractère exemplaire de leurs relations.

Ce bref séjour à Berwick, ou plutôt à ses portes, fut l'occasion d'un petit accident — décidément Marie était dans une période de malchance — que rapporte Jacques Melville. Le cheval de Forster, ayant voulu se rapprocher de la jument de la reine, blessa celle-ci à la jambe, heureusement sans gravité. « Aussitôt Forster se jeta à ses pieds, et lui fit ses excuses avec toute la soumission possible. En effet, en ce temps-là, toute l'Angleterre portait un respect infini à Sa Majesté [14]. »

De Berwick, le cortège royal regagna Dunbar à petites étapes, et de là Édimbourg où l'on parvint aux environs du 20 novembre. Toute la noblesse accompagnait sa souveraine, Moray, Huntly, Argyll, Bothwell, Maitland, avec plus de mille cavaliers. Quant au « roi Henri », selon Melville, « il la suivait partout mais en était toujours reçu froidement ». Buchanan le décrit, au contraire, comme vivant à l'écart, puisqu'à l'étape de Kelso, vers le 10 novembre, Marie aurait reçu une lettre de lui, qui aurait déclenché chez elle une crise de larmes et provoqué la déclaration qu' « à moins d'être débarrassée de lui d'une manière ou d'une autre, elle n'aurait plus jamais une journée heureuse et qu'elle préférerait se tuer[15] ». Malgré la partialité et l'inexactitude connues de Buchanan, cette description de l'attitude de Marie à l'égard de Darnley, à ce moment de sa vie, correspond suffisamment aux autres témoignages pour qu'on puisse considérer l'anecdote comme authentique.

Il est certain que, même si sa solide constitution lui avait permis de reprendre le dessus, la maladie de Jedburgh avait profondément marqué la reine. Plusieurs membres de son entourage nous la montrent, fin novembre-début décembre, dépressive et légèrement hystérique. Sa mésentente avec son mari devient, dès lors, le problème crucial, presque unique, dont dépend son existence. « La reine est à nouveau malade, écrit le sagace Du Croc le 2 décembre. Je crois que la cause principale en est un profond chagrin que rien ne peut lui faire oublier. Elle répète qu'elle voudrait être morte. La blessure qu'elle a reçue [de Darnley] est si grande qu'elle ne pourra jamais la pardonner [...]. J'ai eu une conversation avec le roi, le jour où il est venu la visiter à Jedburgh. Il m'a dit qu'il a toujours l'intention de partir [...]. Pour parler franchement, je ne crois pas, pour beaucoup de raisons, qu'une bonne entente puisse jamais revenir entre eux, à moins que Dieu n'y mette la main. Le roi ne voudra jamais s'humilier comme il le devrait, et d'autre part, dès que la reine voit un noble parler avec lui, elle soupçonne quelque complot entre eux[16]. »

Sur cette intolérance de Marie à l'égard de ceux qui tentaient de rester en bons termes avec Darnley, nous possédons une anecdote assez amusante, trop précise pour être totalement inventée, dont la source est Jacques Melville. Celui-ci, ayant reçu d'un marchand de Berwick un petit épagneul, en avait fait cadeau au roi, « qui avait du goût pour cette sorte de chien ». Sur quoi la reine entra « merveilleusement en fureur contre Melville, l'appelant traître et flatteur, et disant que jamais elle ne pourrait faire confiance à quelqu'un qui faisait des cadeaux à un homme qu'elle n'aimait pas ». La chose est racontée par le comte de Bedford dans une lettre à Cecil, où il ajoute vertueusement qu' « on ne peut, pour l'honneur de la reine, répéter les termes dont elle use pour parler de son mari [17] ».

Décidément, il ne s'agissait plus seulement d'un malentendu conjugal, mais d'une affaire autant politique que sentimentale. Marie était persuadée que Darnley ne cessait d'intriguer et de susciter des troubles. Sans doute n'avait-elle pas tort, bien que l'inconsistance du personnage eût dû la rassurer sur la portée réelle du danger. Il avait tenté en vain, en septembre, d'obtenir le renvoi de Moray et de Maitland, redevenus ses ennemis mortels. Maintenant il se posait à nouveau en champion du catholicisme, écrivait au pape et au roi d'Espagne pour dénoncer la tiédeur de sa femme en matière religieuse — un comble ! Et sa menace sans cesse renouvelée de quitter l'Écosse ne devait pas être prise à la légère : en agitant à nouveau devant lui la promesse de la couronne matrimoniale, un parti d'ambitieux n'aurait aucune peine à refaire de lui, comme dix mois plus tôt, le centre, ou le jouet, d'une conspiration déstabilisatrice.

Cependant, quelles qu'aient été les raisons, très réelles, qu'avait Marie Stuart de se défier de son mari, le moment est venu de nous poser la question, en ces derniers mois de 1566, de ses relations avec Bothwell.

Bien des femmes s'accommodent tant bien que mal d'un mariage médiocre, jusqu'au jour où l'arrivée d'un amant leur fait tout abandonner, parfois de façon dramatique. Le fait que Buchanan et Lennox aient été des témoins partiaux, que leurs récits soient pleins d'inexactitudes et même, à l'occasion, d'absurdités, n'implique pas que tout soit forcément faux dans ce qu'ils écrivent. Psychologiquement, une liaison adultère entre Marie et Bothwell à l'automne de 1566 n'aurait rien d'impossible. Plusieurs historiens modernes y ont cru ; Stefan Zweig a même bâti sur cette hypothèse, considérée par lui comme une certitude, toute sa biographie de la reine d'Écosse, dont la passion amoureuse dévorante devient dès lors, à ses yeux, le moteur de toutes ses actions. Reste à savoir si cette interprétation est compatible avec les faits tels qu'ils nous sont connus par les témoignages autres que ceux des deux principaux accusateurs — entendons Buchanan et Lennox.

Bothwell, on s'en souvient, était rentré en Écosse, après son exil, en septembre 1565. Il s'était aussitôt affirmé comme un des partisans fidèles et inébranlables de la reine. Dans les journées tragiques de mars 1566, il avait été l'artisan de la fuite de Marie et de sa mise en sécurité à Dunbar. Depuis lors, il n'avait plus cessé de figurer dans son entourage, et son poids politique n'avait fait que croître. Sa blessure au service de la souveraine, pendant le triste mois d'octobre, ne pouvait que le rendre encore plus influent auprès d'elle. Mais cela ne signifie pas pour autant qu'il ait été son amant, et personne à coup sûr ne l'a écrit à cette époque : si tel avait été le cas, nous pouvons être certains que ces écrits auraient été brandis par ses adversaires au moment du procès de 1568. Quant à savoir si des bruits circulaient de bouche à oreille, nous n'en avons aucune trace.

Jacques Bothwell n'avait certes rien d'un ascète, ni d'un homme scrupuleux ou délicat dans ses rapports avec les femmes. Il était âgé, à l'époque dont nous parlons, d'environ trente ans, et le seul portrait (d'ailleurs peu sûr) que nous ayons de lui nous montre un visage plein, une bouche sensuelle, des yeux vifs, un menton ferme — indéniablement ce qu'on peut appeler un homme, tout l'inverse de l'adolescent immature qu'était demeuré Darnley. Au cours de son voyage — ou de son exil — au Danemark en 1560, Bothwell avait « épousé » une jeune fille de la noblesse du pays, Anna Thorssend, mais s'était hâté de l'abandonner lorsqu'il était passé en France, puis aux Pays-Bas (la malheureuse Danoise devait tenter pendant plusieurs années, en vain, de faire valoir ses droits d'épouse légitime du comte ; cette affaire pesa lourd, le moment venu, lorsque Bothwell se réfugia à Copenhague après son ultime défaite). L'Anglais Throckmorton, en novembre 1561, le décrit comme « un jeune homme aventureux et audacieux ». Son rôle dans la bizarre tentative d'enlèvement de Marie par Arran * ne le montre pas sous un jour

* Voir p. 138-139.

très édifiant ; nous avons vu, par ailleurs, en quels termes irrévérencieux il parlait de la reine d'Écosse et de sa cousine d'Angleterre, s'il faut en croire le cancanier Randolph *.

Son mariage avec Jeanne Gordon, en février 1566, ne l'empêchait pas de courir le jupon, puisque ce sera là, plus tard, le prétexte invoqué pour rompre cette union. Ce n'était donc pas le genre d'homme dont une femme pût attendre une fidélité à toute épreuve, mais les grands séducteurs de l'histoire se sont rarement imposés par cette qualité ; en revanche, il incarnait l'audace, le courage, la virilité pour tout dire. L'anti-Darnley à tous égards. D'ailleurs, homme de la Renaissance dans toute l'ampleur du terme : aventureux, certes, mais cultivé, parlant parfaitement le français, amateur de poésie et de littérature, à son aise sur un terrain de duel comme à la Cour, dans la poursuite d'une troupe de brigands comme parmi les danseurs et les musiciens de Holyrood.

C'est donc ce personnage entreprenant et peu sujet aux états d'âme que Buchanan et Lennox, en 1568, accuseront d'avoir été l'amant de Marie Stuart du vivant de son mari, et d'avoir scandalisé l'Écosse par l'indécence de son comportement avec elle. Il vaut la peine d'étudier de près la chronologie qu'ils proposent.

Georges Buchanan, à l'époque des faits qu'il relate, était professeur à l'université de Saint-André, actif dans l'administration de l'Église calviniste, plutôt bien vu de la reine. Il dédie à celle-ci en 1565 sa traduction des *Psaumes,* reçoit d'elle une pension de 500 livres, rédige des poèmes pour ses dames d'honneur et pour les festivités de la Cour. Sans être à proprement parler un intime du milieu dirigeant, c'est donc un homme en principe bien informé. Mais il est avant tout un membre de la « clientèle » de Moray, à qui il doit son poste à Saint-André et dont la fortune est liée à la sienne. Le choix que Moray fera de lui en 1568 pour rédiger les accusations contre Marie Stuart montre qu'il n'a rien à refuser à son protecteur, même s'il n'a pas encore élaboré à cette date les théories républicaines et puri-

* Voir p. 161-162.

taines qui feront sa réputation posthume. C'est en tout cas, contre la reine, un témoin extrêmement partial.

Donc, selon le récit de Buchanan[18], Marie serait devenue la maîtresse de Bothwell, pour la première fois, quelques semaines après son accouchement, pendant une session de la cour de l'Échiquier (tribunal jugeant en matière fiscale) à Édimbourg. Elle logeait alors, non au palais de Holyrood, mais dans une maison de la ville proche du lieu des sessions. La maison voisine était occupée par Bothwell, et une porte faisait communiquer les deux jardins. Lady Reres, « femme de la plus grande impudeur » et ancienne maîtresse de Bothwell, aurait tenu le rôle d'entremetteuse et aurait amené le comte par traîtrise dans la chambre de la reine, où il la viola (« selon ce qu'elle raconta elle-même par la suite à beaucoup de gens, notamment au régent Moray et à sa mère », précise Buchanan sans grand souci de la vraisemblance). Jusque-là, pas d'adultère à proprement parler, sinon involontaire. Mais dès le lendemain, « la reine, désirant, je le suppose, répondre à la force par la force et violer Bothwell à son tour », oblige Lady Reres à retourner le chercher en escaladant le mur mitoyen à l'aide d'une échelle de corde. « Mais comme les affaires de cette sorte ne sont jamais à l'abri des événements imprévus, la corde cassa et Dame Reres, personne de grand poids et de massive substance, tomba à grand bruit dans le jardin. Mais elle, en vieux routier intrépide qu'elle était, se releva et pénétra chez Bothwell, qu'elle tira du lit et des bras mêmes de sa femme, à demi endormi et à demi nu, pour l'amener à la reine, ce qui a été rapporté par la plupart de ceux qui étaient avec elle. »

Récit, il faut l'avouer, pittoresque à souhait — le texte écossais est d'une saveur toute particulière —, qui aide à comprendre le succès du pamphlet de Buchanan auprès d'un public tout disposé à considérer la reine catholique comme une femme perdue. L'image de la grosse Lady Reres, que tout le monde devait connaître à Édimbourg, s'affalant au milieu des plates-bandes du jardin, ne pouvait manquer de provoquer un gigantesque éclat de rire...

Mais l'histoire est-elle vraie ? Psychologiquement, elle n'est peut-être pas invraisemblable. Bothwell était audacieux et fort apte à violer une femme. Il a pu juger que le moment était favorable pour une entreprise de ce genre. Marie était excédée par son mari, elle voyait Bothwell quotidiennement pour les affaires de l'État ou pour le divertissement : il ne manque pas d'exemples, dans l'histoire ou dans la fiction, d'adultères ayant commencé ainsi. Ce qui rend néanmoins le récit impossible à croire est la mention des « nombreux témoins » qui auraient été au courant. Comment concevoir, s'il en était vraiment ainsi, qu'aucune correspondance, même d'un des lords exilés en Angleterre, n'en fasse mention, fût-ce à mots couverts ? Et qu'après l'abdication de Marie d'autres « témoins » ne se soient pas manifestés ?

Par la suite, Buchanan décrit Marie Stuart comme littéralement obsédée par sa passion pour Bothwell — nous avons vu à quel point d'invraisemblance il pousse le récit alors que le comte gisait, grièvement blessé, à l'Hermitage, et que la reine venait le visiter accompagnée de toute une escorte.

Quant à Mathieu Lennox, le père de Darnley, sa haine pour Marie éclate dans le document, véritable acte d'accusation, qu'il rédigea contre elle après son emprisonnement en Angleterre. Sans donner de précisions de temps ou de lieu, il écrit que, après la mort de Rizzio (lui-même son amant), « oubliant son honneur et sa réputation, au mépris de ses devoirs envers Dieu et envers son époux, elle devint entièrement asservie à Bothwell par la luxure[19] ».

À nous en tenir aux documents strictement contemporains et dont l'authenticité n'est pas contestée, il n'existe donc aucun argument convaincant en faveur d'une liaison de Marie Stuart avec Jacques Bothwell à la fin de l'année 1566. Tout au plus pourrait-on concevoir — bien que personne, à l'époque, n'y ait fait allusion — une liaison secrète : après tout, Darnley faisait tout ce qu'il fallait pour cela. Mais l'hypothèse d'une passion affichée, scandaleuse, connue de tous, telle que nous la décrivent Buchanan et Lennox, est à écarter résolument, car elle n'aurait pu manquer de laisser des traces écrites dans les correspondances du temps, ce qui n'est pas le cas.

Vers le 20 novembre, le cortège royal, avec la reine convalescente, arriva à Édimbourg après son voyage à Berwick et à Dunbar. Il était temps, désormais, de s'occuper activement du baptême du petit princc : la date en fut fixée au 17 décembre et les invitations furent aussitôt envoyées en Angleterre, en France et en Savoie.

Au lieu de rentrer à Holyrood — résidence qu'elle semble décidément avoir prise en grippe, sans doute à cause du souvenir du meurtre de Rizzio —, Marie Stuart décida de s'installer pour quelque temps avec sa Cour au château de Craigmillar, résidence campagnarde dans la proche banlieue d'Édimbourg (aujourd'hui en piteux état dans un quartier plutôt populaire, mais alors recommandé pour son bon air). Darnley, selon plusieurs témoignages, vint l'y rejoindre pour une nuit mais fut froidement reçu et repartit dès le lendemain.

Avec la reine logeait l'élite de son entourage : Moray, Huntly, Argyll, Bothwell, Maitland. Le lieu était donc propice à une conférence. Les choses en étaient arrivées, entre Marie et Darnley, à un point tel qu'il n'était plus possible d'ignorer que l'avenir du pays était en jeu. Les cinq lords les plus influents auprès d'elle décidèrent d'agir. Mais comment ?

Sur la nature des décisions prises à Craigmillar en ce maussade novembre 1566, nous possédons surtout un témoignage, malheureusement postérieur à l'événement, et donc suspect puisqu'il s'agit d'un plaidoyer *pro domo*. C'est une « protestation » rédigée, à la fin de 1567, pendant la captivité de Marie à Lochleven, par les comtes de Huntly et d'Argyll, pour affirmer leur propre innocence dans le crime qui allait être commis et en rejeter la responsabilité sur Moray et sur Maitland[20]. Selon ce document, Moray et Maitland seraient venus trouver un matin Argyll, Huntly et Bothwell dans leurs chambres à Craigmillar, « alors qu'ils étaient encore au lit », pour leur proposer d'aider la reine à divorcer d'avec le roi « qui l'avait offensée de toutes les façons » ; en même temps, ils supplieraient la reine de rappeler d'exil Morton et les autres seigneurs compromis dans l'assassinat de Rizzio. Argyll aurait exprimé des scrupules, que Maitland aurait balayés en répliquant : « Ne vous préoccupez pas des moyens, nous arriverons bien à nous débarrasser de lui [Darnley]. » Tous ensemble, ils se seraient rendus chez Marie, qui aurait accepté le principe du divorce « à condition que cela ne nuise pas à son fils, sinon elle préférerait affronter tous les tourments et tous les périls ; et que rien ne soit fait qui puisse toucher son honneur et sa conscience, faute de quoi il vaudrait mieux que les choses restent en l'état où elles étaient jusqu'à ce que Dieu y porte remède, de peur qu'en voulant lui rendre service, les lords ne risquent de lui causer ennui et déplaisir ». Bothwell aurait alors rassuré la reine sur les conséquences du divorce pour le petit prince, en citant son propre exemple, puisque lui-même, bien qu'enfant de parents divorcés, avait hérité sans difficulté de son père. (En réalité, les choses n'étaient pas si simples, puisque le seul motif valable, du point de vue canoniquc, pour prononcer la séparation de Marie et d'Henri aurait été leur proche consanguinité et l'absence de dispense pontificale au moment du mariage * ; mais alors leur union ne serait pas valide et leur enfant serait *ipso facto* bâtard. On peut facilement imaginer l'imbroglio politico-religieux auquel pareil procès aurait donné lieu.)

Une fois le divorce prononcé, poursuivaient Moray et Maitland, Darnley pourrait, soit se retirer « dans une partie du royaume et Sa Majesté dans une autre », soit partir pour un autre pays. Marie, pour sa part, pensait qu'il serait préférable qu'elle-même aille faire un séjour en France « jusqu'à ce qu'il [le roi] reprenne ses esprits ». Alors Maitland, abattant son jeu, aurait prononcé les mots définitifs : « Madame, soyez certaine que nous, qui sommes les principaux de votre noblesse et de votre Conseil, trouverons moyen de vous débarrasser de lui (*that Your Majesty shall be quit of him*) sans nuire à votre fils ; et bien que Mylord Moray, ici présent, soit aussi scrupuleux comme protestant que vous comme

* Voir p. 53.

catholique, je suis sûr qu'il regardera à travers ses doigts et nous verra faire sans rien dire (*he will look through his fingers thereto and will behold our doings, saying nothing to the same*). »

Marie, finalement, aurait accepté que les lords « prennent en charge l'affaire, à condition que rien ne soit fait sinon de façon bonne et approuvée par le Parlement ». Témoignage, comme on le voit, capital, dans la mesure où il émane de deux des acteurs de la scène, et où il exonère la reine de toute complicité criminelle. Les véritables auteurs de la décision, selon ce récit, sont Moray et Maitland — le second surtout. Aussi n'est-il pas étonnant qu'en janvier 1569, Moray, devenu régent d'Écosse, ayant pris connaissance du document de Huntly et d'Argyll, en ait formellement nié l'exactitude : « Je déclare à Sa Majesté la reine [Élisabeth], comme j'en répondrai à Dieu tout-puissant, que je n'ai jamais été présent à aucune discussion à Craigmillar tendant à un but illégal ou criminel, ni souscrit à aucun pacte à tel effet. Le seul pacte que j'aie conclu avec les comtes de Huntly, Argyll et Bothwell date d'octobre 1566, en vue de notre réconciliation après les discordes qui étaient entre nous, et cela à la demande et sur l'ordre exprès de la reine. »

Cette allusion à un pacte (*bond*) conclu entre les lords présents à Craigmillar soulève un problème sur lequel on a beaucoup discuté dès le XVIe siècle et jusqu'à nos jours. Georges Buchanan[21] affirme que ce pacte a existé, et qu'il avait pour but « d'écarter du pouvoir, par un moyen quelconque, le tyran orgueilleux » qu'était devenu Darnley. Cependant, le même Buchanan, partisan dévoué de Moray, a grand soin d'exonérer celui-ci de toute responsabilité : selon lui, le pacte n'aurait été signé que de Maitland, Argyll, Bothwell et Jacques Balfour, un ami de Bothwell. Comme Argyll et Huntly font de Moray le principal moteur de la conférence de Craigmillar, le moins qu'on puisse dire est que la contradiction est de taille !

En tout cas, en janvier 1567, l'ambassadeur d'Espagne à Londres aura vent que quelque chose se tramait : « La mésentente entre la reine d'Écosse et son mari est telle qu'on lui a proposé de former un complot contre lui, ce qu'elle a refusé bien qu'elle ne lui montre plus aucune affection. » Il est vrai, remarque le diplomate, « qu'il lui a donné bien des raisons pour cela[22]. »

Le pacte, s'il a vraiment existé, n'existe plus. On comprend qu'après la mort de Darnley, vu la tournure prise par les événements, il soit devenu une véritable bombe à retardement pour tous ses signataires, et que ceux-ci se soient arrangés pour en faire disparaître toutes les copies. Marie Stuart, bien des années plus tard, devait raconter à Claude Nau qu'au moment de la quitter à jamais, après la défaite de Carberry Hill, Bothwell lui déclara « que le comte de Morton, le secrétaire Lethington, Jacques Balfour et quelques autres *, étant lors du contraire parti, étaient coupables de la mort du feu roi, et lui montra leur signature [...] en la ligue pour [...] entre eux, disant qu'elle garderait ce papier[23] » (le manuscrit de Nau est malheureusement endommagé à cet endroit et certains mots sont illisibles, ce qui ne facilite pas l'interprétation du texte). Bien entendu, le document fut enlevé à Marie après sa capture, et on n'en entendra plus parler par la suite : impossible, donc, de savoir en quels termes il était rédigé.

Le seul témoignage affirmant que le pacte visait explicitement le meurtre de Darnley est la déclaration faite en décembre 1573 par Jacques Ormiston, un familier de Bothwell, à la veille de son exécution : « Je confesse que le comte de Bothwell, le vendredi avant le crime, dans sa propre chambre à Holyrood, m'a montré ce pacte maudit, en me disant que je n'avais rien à craindre à y participer, étant donné que tous les nobles l'avaient signé à Craigmillar, où se trouvait la reine[24]. » Mais cette confession est postérieure de six ans aux événements, et elle a été faite sous la régence de Morton, lui-même fortement soupçonné de complicité dans le meurtre. Il est donc permis de ne lui accorder qu'une confiance limitée.

* On remarque que Nau ne cite pas Moray. Oubli ou omission délibérée ?

De tous ces éléments, passablement imprécis et contradictoires, on peut retenir qu'il y eut, à Craigmillar, une conférence en présence de Marie Stuart pour étudier les moyens de résoudre le problème de sa situation matrimoniale. Qu'on envisagea le divorce, mais que la reine y renonça de peur de compromettre la légitimité de son fils. Qu'il fut aussi question d'un voyage à l'étranger, projet qui, malheureusement, ne fut pas retenu. Que les lords s'engagèrent auprès de Marie à ne rien faire de criminel ou d'illégal ; mais qu'en même temps Maitland — qui semble, en effet, avoir joué un rôle essentiel dans toute l'affaire, conformément à son caractère — assura que Moray « regarderait à travers ses doigts sans rien dire » : formule qui n'aurait guère de sens s'il ne s'était agi que de mesures « bonnes et approuvées par le Parlement ».

Peut-être — cette hypothèse a été émise dès l'époque des faits — la solution envisagée était-elle de faire arrêter Darnley et de le juger pour lèse-majesté, en raison de sa participation à l'attentat du 8 mars, où des violences physiques avaient été exercées contre la reine. On a mis en doute qu'un tel procès ait été légalement possible, s'agissant d'un roi ; mais Darnley n'était ni couronné ni sacré, et son titre royal pouvait être considéré comme de courtoisie. En tout cas, ç'aurait été un beau débat juridique, et qui aurait fait date dans les annales.

Qu'il y ait eu, à l'issue de ces discussions de Craigmillar, un document écrit, c'est assez vraisemblable, étant donné la pactomanie des nobles écossais à cette époque ; mais nous pouvons être certains, s'agissant d'hommes aussi circonspects que Moray ou Maitland, que ce document restait dans de prudentes généralités. Il faut tout l'entraînement polémique d'un Buchanan pour s'imaginer que des membres du Conseil privé, les plus hauts responsables politiques du pays, aient pu écrire et signer une promesse de meurtre, dont ils ne pouvaient ignorer qu'elle deviendrait (que l'action réussisse ou échoue) l'arme la plus dangereuse contre ses participants.

En tout cas, rien ne permet de conclure de ces

témoignages ambigus que Marie ait décidé à Craigmillar « de se débarrasser de son époux par le meurtre », comme l'écrit Buchanan[25]. Au contraire, nous la voyons en cette circonstance cruellement déchirée entre son désir d'être enfin mise à l'abri de ses intrigues et de ses scènes humiliantes, et sa volonté de ne rien faire qui puisse nuire à sa réputation ou à son fils. Bothwell, loin d'apparaître comme le chef de la conspiration anti-Darnley, est nettement en retrait derrière Moray et Maitland dans le récit de Huntly et d'Argyll : or, au moment où il rédigeait son témoignage, Huntly avait d'autant moins de raisons de ménager Bothwell que celui-ci avait, dans l'intervalle, divorcé de sa sœur et qu'il était fugitif et hors la loi. Faire de la passion dévorante de Marie pour Bothwell le mobile essentiel du pacte criminel de Craigmillar, comme le prétendra plus tard Lennox, relève de la fabulation pure et simple.

Le séjour à Craigmillar avait permis, tant bien que mal, à Marie de se remettre de ses ennuis de santé et de ses fatigues. Les préparatifs du baptême du petit prince se poursuivaient activement ; les délégations étrangères étaient maintenant attendues d'un jour à l'autre. La Cour se mit en route pour Stirling où résidait l'enfant à la garde du comte de Mar ; la reine y parvint le 12 décembre. Le baptême eut lieu le 17.

Malgré la pauvreté proverbiale du pays, les cérémonies avaient été prévues avec un faste conforme au goût de l'époque pour la pompe monarchique. Une taxe de 12 000 livres avait été accordée par les États, la ville d'Édimbourg avait de son côté consenti un prêt[26]. Pour éviter les troubles, une proclamation royale avait interdit à tous le port des armes à feu. Même la *Kirk* ne semble pas avoir, pour une fois, invoqué les prophètes de l'Ancien Testament pour protester contre les rites impies et idolâtres qui allaient se dérouler — en violation, rappelons-le en passant, des lois de 1560 — puisque Marie avait décidé, sans discussion possible, que le baptême serait catholique. Il y avait décidément, autour du berceau de l'héritier du trône, une sorte d'« état de grâce », que symbolisait en quelque sorte le double parrainage de l'enfant : roi de France et duc de Savoie d'un côté, reine d'Angleterre de l'autre.

Charles IX et sa mère avaient envoyé, pour les représenter, le comte de Brienne, qui arriva porteur pour la reine d'un collier de perles et de rubis et de boucles d'oreilles assorties, mais le cadeau anglais, un grand bassin d'or ciselé pesant de dix à douze kilos, fut généralement admiré et considéré comme plus digne de la circonstance *. Le duc de Savoie, moins riche, s'était contenté d'offrir un éventail d'or avec des plumes ornées de pierreries.

La noblesse écossaise avait fait assaut de dépenses et de somptuosité. Marie avait pris à sa charge les costumes, sans aucun doute superbes, des trois principaux seigneurs : Moray, vêtu de vert, Argyll de rouge, Bothwell de bleu[27]. Buchanan, toujours avide d'en « rajouter » — comme on dirait aujourd'hui —, précise qu'elle avait elle-même travaillé à broder l'habit de Bothwell, « comme si elle était sa femme, ou plutôt sa servante », tandis que les tailleurs s'étaient vu interdire de travailler pour Darnley, de sorte que celui-ci, le moment venu, n'avait rien à se mettre sur le dos sous peine d'humiliation : ce genre de détail, pittoresque sans aucun doute, amusait autant le public édimbourgeois ou londonien d'alors que les échos indiscrets des journaux du dimanche en font de nos contemporains ; il mérite la même confiance.

Plus sérieux était le problème du cérémonial. Bedford, en tant que protestant, refusait de pénétrer dans la chapelle où se déroulaient les rites papistes. Il obtint que la comtesse d'Argyll (pourtant protestante elle aussi) le remplaçât pour cette partie de la cérémonie ; la complaisante dame reçut, en récompense, un rubis de 500 couronnes, ce qui ne l'empêcha pas de se faire admonester ensuite par la *Kirk*.

Pour cette résurrection inespérée de la liturgie catholi-

* Ce bassin était voué aux malheurs. Il faillit être pris par des bandits avant d'atteindre l'Écosse, et plus tard, au moment de la guerre civile qui suivit le mariage de Marie et de Bothwell, il fut envoyé à la fonte. Les témoins en admiraient la beauté non moins que le poids.

que, Marie avait bien fait les choses. L'archevêque de Saint-André officiait, entouré des évêques de Dunblane, Dunkeld et Ross, du prieur de Whithorn et de tout le collège de la chapelle royale en chapes brodées : que de chemin parcouru depuis la messe mouvementée du 24 août 1561* !

L'enfant fut porté de sa chambre à la chapelle par le comte de Brienne ; la reine suivait, vêtue de drap frisé d'argent, étincelante des joyaux de la couronne. Tout au long des couloirs, des courtisans portaient des flambeaux de cire. Dans le sanctuaire, le prince reçut le sacrement selon le rite romain ; cependant, sur ordre de Marie, on omit la coutume — assez dégoûtante — selon laquelle le prêtre devait cracher dans la bouche du bébé : « Je ne veux pas qu'un prêtre vérolé crache sur mon fils », déclara-t-elle[28]. Ce qui prouverait, à tout le moins, que sa foi catholique ne l'aveuglait pas sur la vertu du clergé de son époque...

L'enfant reçut les noms de Charles et Jacques (Charles en l'honneur du roi de France, Jacques en souvenir de ses ancêtres Stuart : mais il devait, plus tard, porter le nom dynastique de Jacques VI), prince et *stewart* d'Écosse, duc de Rothesay, comte de Carrick, baron de Renfrew. L'ambassadeur d'Angleterre devait songer, en attendant à la porte de la chapelle, que l'enfant qu'on baptisait serait sans doute un jour son souverain ; mais nul ne pouvait prévoir après quels drames.

Une fois terminée la cérémonie liturgique, il y eut des danses, un « masque » (ballet-pantomime) sur un livret composé par Georges Buchanan — il n'en était pas encore à écrire la *Détection des crimes de la reine Marie d'Écosse* —, des feux d'artifice, puis un grand banquet. Les choses faillirent mal tourner, à un certain moment, parce que le Français Bastien, un des serviteurs de la reine, avait imaginé de faire défiler « une troupe de satyres, lesquels, non contents de faire faire place, secouèrent leurs queues d'une manière fort grotesque », ce que les Anglais prirent pour une insulte (on disait proverbialement, en France, les « Anglais coués », ou

* Voir p. 106.

Anglais à queue, depuis l'époque de la guerre de Cent Ans). Si Marie n'eût été présente, on en fût venu aux mains, mais finalement le drame fut évité, et les Anglais se contentèrent de « quitter leur place et de se tenir debout derrière la table pour n'être pas témoins de l'injure qu'on leur faisait[29] ». Il n'est pas sûr qu'au cours de l'histoire, bien des conflits internationaux n'aient pas eu des causes aussi futiles.

Bedford, quant à lui, avait tout lieu de se montrer satisfait de sa mission. Il avait été reçu avec tous les honneurs (« les autres ambassadeurs voyaient avec une sorte de jalousie et de dépit que les Anglais étaient traités avec plus de distinction et étaient plus caressés qu'eux », note Melville), et les réponses qu'il rapportait aux propositions politiques d'Élisabeth étaient aussi encourageantes que possible.

Cependant, une ombre, plus menaçante que jamais, demeurait au tableau. Le père de l'enfant, bien que présent à Stirling, n'avait paru ni à la cérémonie du baptême ni aux fêtes qui avaient suivi. Il prétendait que c'était par peur de recevoir un affront de l'envoyé d'Angleterre, mais rien ne permet de penser qu'Élisabeth eût donné de telles instructions : bien au contraire, Bedford, en quittant Marie, la supplia de « mieux traiter le roi, en considération de sa propre gloire et de ses intérêts[30] ». Sans doute craignait-il, comme tous les protestants, que Darnley mît à exécution sa menace d'aller en Espagne ou en Flandre.

Du Croc, quant à lui, avait reçu de Catherine de Médicis des ordres formels. « J'ai dû faire dire au roi que, s'il entrait chez moi par une porte, je serais obligé d'en sortir par l'autre, en raison de ses mauvaises relations avec la reine », écrit-il à l'archevêque Beaton une semaine après le baptême[31]. D'ailleurs, la cérémonie achevée, Marie Stuart était retombée dans sa « mélancolie » : « Elle m'a envoyé chercher hier et je l'ai trouvée étendue sur son lit, pleurant amèrement et se plaignant d'une douleur au côté. »

Décidément, l'année 1566 s'achevait pour Marie dans le désarroi. Rien ne pouvait plus restaurer son mariage avec Darnley, dont l'échec était désormais irrémédiable.

Le divorce paraissait impossible, l'arrestation de Darnley hasardeuse. Peut-être — peut-être — la passion pour Bothwell commençait-elle à colorer de sombre tout l'avenir. « Les choses ne peuvent demeurer comme elles sont sans qu'il en résulte de très mauvaises conséquences », écrit Du Croc le 23 décembre [32].

CHAPITRE XI

« Comme si trente canons avaient tiré... »

Le mois de janvier 1567, le dernier que devait vivre pacifiquement Marie Stuart, est difficile à interpréter, pour nous qui connaissons la suite de l'histoire. La tentation est grande, en effet, de faire porter rétrospectivement sur les événements ce que nous savons avoir été leurs conséquences ; ce serait oublier que rien n'est jamais inévitable et que, pour ceux qui vivaient les choses au jour le jour, l'issue prévisible n'était pas forcément celle que le destin finit par imposer.

Nous entrons alors dans les semaines décisives qui précèdent la mort d'Henri Darnley, et le récit même des faits, à plus forte raison leur interprétation, varie du tout au tout selon qu'on accepte comme authentiques ou qu'on rejette comme faux les documents désignés traditionnellement sous le nom de « lettres de la cassette » : problème délicat entre tous que nous aborderons en son temps, mais qui conditionne dès maintenant toute notre vision.

Si vraiment Marie Stuart, après le baptême de son fils, avait pour principal souci sa passion pour Bothwell et la préparation du meurtre de son mari, comme l'affirmeront ses ennemis et comme le prouveraient les fameuses lettres, tout le reste, en ce mois de janvier, devient d'intérêt secondaire. Mais si elle ignorait tout de ce qui se tramait ; si, comme elle devait le maintenir toujours, elle était prête, au contraire, à un rapprochement avec Darnley, alors il n'y a aucune raison de penser que la politique n'était pas au premier plan de ses préoccupations.

En effet, les correspondances diplomatiques de cette période traduisent une activité parfaitement normale. Le baptême du petit prince n'avait pas été seulement l'occasion de festivités et de réjouissances. Le comte de Bedford, outre le fameux bassin d'or ciselé, avait apporté à Marie les propositions et les conditions de la reine d'Angleterre pour la conclusion de l'alliance que demandait sa cousine avec tant d'insistance[1].

Marie devrait s'expliquer sur les intrigues d'Argyll en Irlande, sur les incidents de frontière, sur l'asile accordé en Écosse à des bandits anglais. Elle devrait ratifier — enfin, après tant d'années ! — le traité d'Édimbourg de 1560, renoncer solennellement à toute prétention au trône d'Angleterre du vivant d'Élisabeth et de ses éventuels héritiers directs (la pauvre Marie Stuart n'en finissait pas de payer l'erreur commise par son beau-père en la proclamant « reine d'Angleterre » à la mort de Marie Tudor). Elle devrait s'engager sans équivoque à maintenir le protestantisme religion d'État dans son pays. Moyennant quoi, Élisabeth accepterait de faire procéder à l'examen du testament d'Henri VIII par des juristes pour décider s'il était réellement signé du roi, et si l'exclusive prononcée par lui contre les descendants écossais de Marguerite Tudor était légale. Une alliance perpétuelle serait conclue entre les deux royaumes, et Élisabeth, sans aller jusqu'à déclarer Marie officiellement son héritière, « ne souffrirait que rien soit fait de nature à nuire au droit que pourrait avoir sa cousine de lui succéder à défaut d'hoirs directs ». D'ailleurs, en gage de bonne foi, elle faisait emprisonner un avocat de Lincoln's Inn qui avait cru devoir mettre publiquement en doute les titres de Marie à la couronne d'Angleterre.

Tout cela était bel et bon. Si Élisabeth était sincère — et rien, en l'occurrence, ne permettait de penser le contraire —, ces propositions pouvaient être l'amorce d'un nouvel équilibre en Grande-Bretagne. À plusieurs reprises depuis son retour en Écosse, Marie Stuart avait fait savoir qu'elle n'entendait nullement contester la légitimité de sa cousine comme reine d'Angleterre : ce point des propositions de Bedford ne devait donc soulever aucune difficulté. Restait la question de la confirmation des lois anticatholiques de 1560. Nous avons surabondamment la preuve que Marie désirait les abroger, et qu'au temps de Rizzio elle avait même commencé à agir en ce sens ; mais le rapport des forces avait changé depuis l'attentat du 9 mars, et si la reconnaissance de la suprématie protestante en Écosse était décidément la condition pour accéder au trône de Londres, tout permet de penser que Marie était prête à avaler cette pilule — en attendant, sans doute, des jours meilleurs.

Marie prit congé du comte de Bedford après le baptême avec force démonstrations d'amitié, lui fit cadeau d'une chaîne d'or ornée de perles, de diamants et de rubis[2], lui remit une lettre pour sa souveraine où elle la remerciait de ses bonnes dispositions à son égard et l'assurait de sa bonne volonté[3].

Elle ne se contentait d'ailleurs pas de paroles : le 24 décembre, elle donna à Élisabeth une preuve concrète de son désir de conciliation en autorisant le retour en Écosse des nobles exilés depuis l'assassinat de Rizzio, au premier rang desquels Morton et Lindsay. Les témoignages du temps affirment que cette décision fut prise sur les conseils et à la demande de Bothwell. S'il en est bien ainsi — et nous n'avons aucune raison d'en douter, puisque Bedford lui-même en est garant —, Bothwell faisait preuve d'un sens politique avisé, car Morton et ses amis ne pouvaient que renforcer le parti des ennemis de Darnley. En tout cas, Élisabeth, qui depuis neuf mois ne cessait de plaider la cause des exilés auprès de sa cousine, avait tout lieu d'être satisfaite de cette mesure d'apaisement.

On peut s'interroger, en revanche, sur une autre décision de Marie à la même époque : celle de restaurer la juridiction consistoriale (c'est-à-dire l'autorité officielle) de l'archevêque de Saint-André. Pensait-elle ainsi pouvoir faire annuler canoniquement son mariage avec Darnley ? Mauvais calcul, car seul le pape avait pouvoir de se prononcer sur la validité des mariages des souverains. De toute façon, cette remise en selle du très catholique archevêque était une grave imprudence au moment où la bonne entente avec la *Kirk* était plus que jamais à l'ordre du jour. La réaction ne tarda pas : l'Assemblée générale presbytérienne adressa au Conseil privé une supplique véhémente pour que « cet ennemi juré de Jésus-Christ, ce cruel meurtrier de nos frères, qui se prétend archevêque », fût mis hors d'état d'« opprimer l'Église tout entière ». Marie comprit qu'elle avait fait fausse route : la mesure fut annulée le 9 janvier, dix-sept jours après avoir été prise[4].

Une autre affaire, assez obscure, occupe aussi Marie pendant ce mois de janvier. Le 6, elle délivre un passeport à un certain Joseph Lutini, « gentilhomme de sa maison », qu'elle envoie en France pour affaires la concernant ; le 17, elle écrit au gouverneur anglais de Berwick pour le prier d'arrêter Lutini « qui a frauduleusement emporté des biens et de l'argent de certains de ses amis ». Le gouverneur, surpris de cette démarche, en réfère aussitôt à son gouvernement : Lutini est bien à Berwick, mais il prétend que la reine d'Écosse « veut l'empêcher de dévoiler quelque chose qu'il sait sur elle et qu'elle ne souhaite pas voir révéler ». Là-dessus, Joseph Rizzio — le frère du pauvre David, que Marie avait engagé comme secrétaire peu après la mort de son frère — écrit à Lutini que c'est lui qui l'a dénoncé auprès de la reine « pour détourner les soupçons », et le supplie de ne pas le contredire, « de peur d'entraîner sa perte ». Nous n'en saurons pas davantage, car Lutini fut finalement libéré, après la mort de Darnley, et passa en France, où l'on n'entendra plus parler de lui. Bizarre épisode, décidément : de quoi Joseph Rizzio s'était-il rendu coupable, au point de compromettre son ami pour se tirer d'affaire ? Que savait Lutini de dangereux pour la reine ? Affaire politique, petite intrigue de palais ou vulgaire crapulerie ? On peut s'interroger, sans espoir de connaître jamais la réponse[5].

Mais la préoccupation majeure, après comme avant le baptême du prince Jacques, restait l'attitude du « roi Henri » et ses projets. Il avait quitté Stirling après la cérémonie, pour se retirer à trente kilomètres de là, à Glasgow, auprès de son intrigant de père. À peine sorti de Stirling — c'est du moins la version de Buchanan —, il s'était senti mal, et son corps s'était couvert de pustules bleuâtres, « de façon si soudaine qu'il fut évident à tous les yeux que c'était là le résultat du poison ». Les correspondances diplomatiques sont moins romanesques : Bedford, qui était encore en Écosse à cette date, écrit tout simplement que Darnley était tombé malade du *small pox* (la variole) ; mais l'anonyme rédacteur du *Diurnal of Occurrents* (« Journal des événements »), toujours à l'affût des bruits circulant à Édimbourg, parle plus méchamment de *pox* (la vérole) *. Quoi qu'il en soit, Darnley gagna Glasgow en piètre état et garda la chambre pendant plusieurs semaines.

Par une malheureuse coïncidence, sa femme était elle-même immobilisée à ce moment, ayant fait une chute de cheval et s'étant blessée au sein à une date que nous ne connaissons pas avec précision. Nous savons, par une lettre de Du Croc (qui s'apprêtait à repartir pour la France), qu'après le baptême elle était toujours en aussi mauvais termes avec son mari, et qu'elle était « pensive et mélancolique, pleurant amèrement et se plaignant de douleurs au côté » (23 décembre 1566). Elle se retira, au début de janvier, pour se reposer quelques jours aux châteaux de Drummond et de Tullybardine. Buchanan, fidèle à son leitmotiv, affirme que Bothwell l'accompagnait et que « leur comportement était si lascif que tout le monde en était scandalisé » ; mais il ment, de façon prouvable, en prétendant que Marie, ayant appris la maladie de Darnley, refusa de lui envoyer son médecin, car Bedford, dans une lettre du 9 janvier, témoigne que c'était au contraire la première chose qu'elle avait faite. Le 20 janvier, remise de sa blessure, elle décida d'aller

* Au XIXe siècle, un médecin anglais examina le crâne dit de Darnley au *Royal College of Surgeons* de Londres, et y reconnut les traces d'une « syphilis virulente ». Outre que ce diagnostic à trois siècles de distance peut paraître bien ambitieux, l'authenticité du crâne en question n'est rien moins que prouvée. À ce propos, on peut remarquer que si Darnley couvait une grave maladie infectieuse, cela pourrait aussi expliquer en partie son absence aux cérémonies du baptême de son fils.

rejoindre son mari à Glasgow, en emmenant avec elle une litière pour le transporter à Édimbourg aussitôt que son état le permettrait. Nous entrons maintenant dans les prodromes de la tragédie.

Que voulait au juste Marie en se rendant à Glasgow ? Pour Buchanan et pour Lennox, la réponse est simple : puisque le poison avait échoué, elle allait chercher le pauvre Darnley afin d'achever l'œuvre de mort commencée. Toute sa compassion pour lui n'était qu'une cynique comédie, et elle n'avait d'autre but que sa perte. Pour Nau, pour Leslie, pour tous ceux qui suivent la version des faits donnée par Marie elle-même, il s'agissait, au contraire, d'une démarche inspirée par l'affection conjugale et par le désir d'un rapprochement durable avec son époux.

Il faut avouer que cette seconde interprétation, pour idyllique qu'elle soit, paraît peu compatible avec les preuves nombreuses de méfiance et de rancune envers Darnley qu'elle avait données au cours des semaines précédentes. En fait, l'explication la plus vraisemblable est contenue dans une lettre que Marie écrivit à son ambassadeur à Paris, Beaton, le jour même de son départ pour Glasgow. Dans cette lettre, elle raconte qu'elle vient d'être informée d'un complot monté par Darnley pour s'emparer du petit prince, le faire couronner roi et régner à sa place. « Mon seul souci, écrit-elle, est de maintenir mon pays en paix et en concorde. Quant au roi mon époux, Dieu connaît mon attitude envers lui. Son comportement et son ingratitude envers moi sont également connus, et mes sujets, je n'en doute pas, les condamnent en leur cœur [...]. Son père et ses partisans ne me veulent aucun bien, et ils me feraient grand mal si leur pouvoir était égal à leur mauvaise volonté, mais Dieu limite leurs forces et les empêche de mettre leurs mauvais desseins à exécution[7]. »

On comprend, dans ces circonstances, que la reine, ayant eu connaissance des menées traîtresses de Darnley et de son père, ait décidé d'aller sur place à Glasgow pour y mettre le holà, et de ramener le dangereux conspirateur à Édimbourg pour le garder sous ses yeux. La preuve que cette interprétation est la bonne est que, malgré l'hiver et le mauvais état des routes, Marie donna l'ordre au comte de Mar de conduire en toute hâte le petit prince de Stirling à Holyrood, sous bonne garde : Stirling était trop près de Glasgow et du foyer d'intrigues qui s'agitait autour du roi.

Malgré les méfiances réciproques, la rencontre des deux époux se passa en apparence le mieux du monde. Hypocrisie de part et d'autre ? Bref moment d'attendrissement au souvenir des jours heureux de leur lune de miel ? Volonté délibérée d'apaisement et désir de reprendre la vie commune sur de meilleures bases ? Peut-être y eut-il un peu de tout cela. Darnley, en tout cas, crut au retour d'affection de sa femme. Il était brutal, mal élevé, léger, vaniteux, mais influençable et, au fond, toujours amoureux d'elle. Il se laissa persuader, malgré son père, et partit avec elle pour Édimbourg le 26 janvier.

Mais elle, pendant ces journées passées à son chevet, était-elle sincère, ou pensait-elle, jour et nuit, à son amant Bothwell, décidée au meurtre pour pouvoir jouir de lui sans partage ? La réponse à cette question serait sans équivoque, si la « lettre de la cassette » datée de Glasgow était authentique ; nous verrons que tel est loin d'être le cas. Nous en discuterons plus loin, au moment où, pour la première fois, ce fatal document apparaîtra au grand jour. Contentons-nous, pour l'instant, d'en citer le texte, qu'on imagine écrit la nuit, à la lueur d'une chandelle, dans le sombre château de Glasgow où Darnley sue sa fièvre en une chambre voisine[8]. Marie écrit à Bothwell, qu'elle a quitté quelques jours plus tôt et loin de qui elle se morfond. « Étant partie du lieu où j'avais laissé mon cœur, il se peut aisément juger quelle était ma contenance, vu ce que peut un corps sans cœur [...]. Le roi appela hier Joachim, et l'interrogea pourquoi je n'allais loger près de lui, et pourquoi j'étais venue, et si c'était pour faire une réconciliation, si vous étiez ici, et si j'avais pris Paris et Gilbert [...]. Il déclara qu'il était si joyeux de me voir qu'il pensait mourir de joie [...]. Il me déclara son mal, ajoutant que j'avais été la cause de sa maladie pour l'ennui qu'il avait que j'eusse l'affection tant éloignée de lui. “ Vous ne voulez recevoir mes promesses ni ma repentance, dit-il. Je confesse que je vous ai grandement offensée. Vous dites qu'après m'avoir pardonné, je retourne en semblables fautes, mais un homme de même âge que je suis et destitué de conseil, ne peut-il faillir deux ou trois fois [...] ? Si je puis obtenir pardon, je promets ci-après de ne plus vous offenser. Je ne vous demande rien davantage, sinon que nous ne faisions qu'une table et un lit, comme ceux qui sont mariés. À cela si vous ne consentez, je ne [me] relèverai jamais de ce lit [...]. Dieu sait quelle peine je porte de ce que j'ai fait de vous un Dieu et que je ne pense à autre chose qu'à vous [...] ! " Je lui ai demandé pourquoi il délibérait de s'en aller en ce navire anglais *, ce qu'il nia avec jurement [...]. Il désirait fort que j'allasse loger en son hôtel, ce que j'ai refusé, lui disant qu'il avait besoin de purgation [...]. Si je n'eusse appris par l'expérience combien il avait le cœur mol comme cire, et le mien être dur comme diamant (lequel nul trait ne pouvait percer, sinon décoché de votre main), peu s'en eût fallu que je n'eusse eu pitié de lui. Toutefois ne craignez point : cette forteresse sera conservée jusques à la mort [...]. Aujourd'hui le sang est sorti du nez et de la bouche à son père : vous donc devinez quel est ce présage. Je ne l'ai point encore vu, car il se tient en sa chambre [...]. Ne vous prend-il pas envie de rire de me voir ainsi bien mentir, au moins de si bien dissimuler en disant vérité ? »

Cette étonnante missive, telle que nous la lisons et telle que nous l'a transmise la publication qui en fut faite en 1572, est vraiment un monument de cynisme. La suite est de pure passion : « J'ai une grande joie en vous écrivant pendant que les autres dorment, puisque de ma part je ne puis dormir ainsi que je voudrais, c'est-à-dire entre les bras de mon très cher ami, duquel je prie Dieu qu'Il veuille bien détourner tout mal et lui donner bon succès [...]. Faites-moi savoir ce que vous avez délibéré de faire touchant ce que vous savez, afin que nous nous entendions l'un l'autre [...]. Maudit soit le tavelé [pustu-

* Allusion à un épisode dont nous ignorons tout par ailleurs. On sait que Darnley menaçait périodiquement de quitter l'Écosse.

leux] qui me donne tant de travaux. Il m'a quasi tuée de son haleine, car elle est plus forte que celle de votre oncle, et néanmoins je n'approche pas près de lui, mais je m'assieds en une chaise à ses pieds, lui étant en la partie du lit plus éloignée [...]. Maintenant je viens à la délibération odieuse. Vous me contraignez tellement de dissimuler que j'en ai horreur, vu que vous me forcez de ne jouer pas seulement le personnage d'une traîtresse. Si l'affection de vous plaire ne me forçait, j'aimerais mieux mourir que de commettre ces choses [...]. Hélas ! je n'ai jamais trompé personne, mais je me soumets en toute chose à votre volonté [...]. »

Un document aussi invraisemblablement compromettant ne serait pas complet s'il y manquait la formule rituelle : « Brûlez cette lettre, car elle est dangereuse. Je ne pense que choses fâcheuses. Si vous êtes à Édimbourg quand vous recevrez cette lettre, faites-le-moi savoir. Pour vous complaire, je n'épargne ni mon honneur, ni ma conscience, ni les dangers, ni même ma grandeur [...]. Ayez souvenance de votre amie, et écrivez-lui souvent. Aimez-moi comme je vous aime. »

Sauf à écrire en toutes lettres qu'elle s'apprête à ramener son mari à Édimbourg pour qu'il y soit mis à mort (et même cette précision y est, en termes à peine voilés : « Faites-moi savoir ce que je dois faire et pensez en vous-même si [vous] pouvez trouver un autre moyen plus couvert, tel qu'un breuvage, car il doit prendre médecine et être baigné. Il ne peut sortir du logis d'ici à plusieurs jours. À ce que j'en puis entendre, il est en grand soupçon, néanmoins il ajoute beaucoup de foi en ma parole »), on ne voit pas qu'il puisse exister de document plus cynique et laissant moins de place au doute.

Si Marie Stuart a réellement écrit cette lettre, elle avait clairement perdu la tête. Toute la première partie est en contradiction avec la seconde. Au début, elle nous montre un Darnley repentant, doux et soumis, tout à fait semblable à celui que dépeindront, par la suite, son père et ses partisans, « pauvre agneau immolé » ; mais pourquoi, écrivant à son amant, Marie insiste-t-elle si longuement sur cette image de l'époux avide de réconciliation ?

Dans la seconde partie de la missive, au contraire, il n'est question que de la passion de celle qui l'écrit pour son destinataire, et de la mise au point du guet-apens où l'odieux mari à l'haleine fétide doit perdre la vie. L'incohérence psychologique est frappante : n'en disons pas plus pour l'instant.

Sur les sentiments de Darnley lui-même en ces journées pathétiques de Glasgow, nous avons le témoignage de Thomas Crawford, serviteur de son père Lennox; mais comme il s'agit d'une déposition faite, à charge contre Marie, au procès de 1568, il faut évidemment le prendre avec toutes les précautions qui s'imposent[9]. Crawford cite, presque mot à mot dans les mêmes termes que la « lettre de la cassette », la conversation de Marie avec son époux et le plaidoyer de celui-ci : « Un homme de mon âge ne peut-il, par manque de conseil, se tromper deux ou trois fois et ensuite se repentir [...] ? Je suis bien puni d'avoir fait de vous ma divinité [...]. Si vous ne me pardonnez pas je ne me relèverai pas de ce lit », etc. La similitude quasi littérale des deux textes, l'un ultra-secret écrit dans la nuit même suivant la conversation, l'autre reconstitué de mémoire plus d'un an et demi après, nous laisse perplexes. Crawford aurait-il eu connaissance, avant de faire sa déposition, de la « lettre de la cassette » ? En ce cas, quel crédit accorder à ses « souvenirs » ?

Toujours selon Crawford, Darnley lui aurait fait part d'échos qui lui étaient parvenus d'un pacte conclu à Craigmillar, le mois précédent, pour l'éliminer, mais « il n'a jamais voulu croire que sa propre femme pût lui vouloir du mal ». Lennox aurait mis alors son fils en garde contre la traîtrise de son épouse, mais le pauvre garçon aurait refusé de se laisser convaincre, ajoutant seulement que « si on voulait le tuer, il vendrait chèrement sa vie, à moins qu'on l'expédie pendant son sommeil ». L'image de la victime innocente est ainsi nettement dessinée devant les juges.

Acceptons-nous l'authenticité de la lettre de Marie à Bothwell et l'exactitude du témoignage de Thomas Crawford, le schéma s'impose d'un complot meurtrier dont la reine est ouvertement complice — mais Crawford était serviteur de Lennox, mis en avant par lui dans le procès contre Marie ; et la lettre est, pour dire le moins, controversée. Au contraire, si nous réduisons la déposition de Crawford aux proportions d'un texte soufflé par les ennemis de Marie, et la « lettre de Glasgow » à celles d'un faux fabriqué pour la perdre, il ne reste, comme éléments sûrs, que la succession chronologique des faits : le 22 ou le 23 janvier 1567, Marie Stuart arrive à Glasgow au chevet de son époux malade ; le 26, elle repart avec lui ; tandis qu'elle chevauche à ses côtés, il voyage à petites étapes dans une litière fermée, le visage couvert d'un masque de taffetas pour protéger ses pustules à vif ; le 1er février, ils arrivent à Édimbourg, où une maison a été préparée pour lui, auprès du mur de la ville, dans le voisinage de l'ancienne église en ruine dite *Kirk o'Field* *.

La suite de l'histoire est bien assez tragique en soi pour qu'il soit inutile de rajouter des détails sinistres, comme celui dont Claude Nau orne son récit d'après les propres souvenirs de Marie : « Durant ce voyage un corbeau les accompagna continuellement de Glasgow jusqu'à Édimbourg, et là demeurait souvent sur le logis du roi, et le jour précédant sa mort il cria fort longuement sur la maison. »

Pourquoi cette maison de Kirk o'Field ?

Normalement, le roi Henri aurait dû loger au palais de Holyrood, mais cette solution était exclue, car le petit prince s'y trouvait et le risque de contagion était trop grand pour qu'on laissât son père approcher de lui. Thomas Nelson, un des serviteurs de Darnley, déposa au procès de 1568 que la reine avait proposé à son époux de le loger à Craigmillar, mais qu'il refusa, et qu' « à sa demande il fut convenu qu'il logerait près de l'église des champs[10] ». Ce témoignage coïncide avec le propre récit de Marie à Claude Nau : « Le roi choisit de loger dans une petite maison hors les murs, sur le rapport de Jacques Balfour et de quelques autres, contre la volonté de Sa Majesté, laquelle le voulait mener à Craigmillar,

* « L'église des champs ».

pour n'infecter monsieur le Prince[11]. » Les deux textes, émanant de sources pourtant bien différentes, sont donc concordants : c'est Darnley lui-même qui décida de s'installer à Kirk o'Field ; ce qui suffit pour réduire à néant l'accusation de Buchanan, selon qui la maison fatale aurait été choisie délibérément et à l'avance par les assassins en raison de son isolement et de la facilité d'y accéder en secret[12].

Le quartier était, en tout cas, calme et renommé pour sa salubrité. La maison faisait partie d'un quadrilatère de caractère semi-rural, avec des jardins et des vergers ; elle appartenait à un certain Robert Balfour, frère de Jacques Balfour, un intime de Bothwell — détail qui, bien entendu, fut abondamment exploité ensuite par les ennemis de ce dernier. Comme elle avait été autrefois la résidence du prévôt de Saint-Gilles, on l'appelait communément la « maison du prévôt ». Tout à côté se trouvait l'hôtel édimbourgeois du duc de Châtellerault. Ce n'était donc en aucune façon un lieu sinistre ou abandonné, mais bien plutôt un quartier résidentiel *.

La description de la maison elle-même et de son entourage immédiat n'est pas aisée, en dépit (ou peut-être à cause) de l'abondance des renseignements contenus dans les documents de l'époque. La précision est la moindre qualité du style du XVIe siècle, et, sur plusieurs points, les textes se contredisent. Toute cette partie d'Édimbourg a été entièrement bouleversée aux XVIIIe et XIXe siècles par le percement de South Bridge Street et la construction de l'Université, de sorte que rien ne subsiste qui puisse donner une idée, même approximative, de la disposition des lieux en 1567.

Les seules choses certaines sont que la maison était à l'intérieur de la muraille de la ville, dans laquelle était percée une petite porte ou poterne permettant de passer à l'extérieur ; qu'elle comprenait un rez-de-chaussée et un premier étage ; qu'une galerie avec escalier faisait

* Thomas Nelson affirma qu'en se faisant amener à Kirk o'Field, Darnley avait cru loger dans la maison de Châtellerault, et non dans celle de Balfour, plus petite. Cela paraît bien invraisemblable, car Châtellerault était connu pour être son ennemi depuis toujours : une contradiction de plus dans cette histoire embrouillée.

communiquer le premier étage avec le jardin ; qu'enfin on pouvait y accéder, grâce à la poterne, en venant de Holyrood, par un chemin rural qui est aujourd'hui Holyrood Road, sans entrer dans la ville. Ce dernier détail rend particulièrement énigmatique l'itinéraire suivi par les assassins, tel qu'il est décrit par les témoignages des complices lors de leur procès, et qui les fait passer par la grand-rue de Canongate, impliquant l'ouverture successive de trois portes gardées militairement, celle de Holyrood, celle de Netherbow et celle de Cowgate : nous verrons quelle interprétation a été proposée de cette particularité apparemment incompréhensible.

La même incertitude règne, malgré le luxe de détails (contradictoires) fournis par les documents, sur l'agencement intérieur et l'ameublement de la maison. Des ordres avaient été donnés pour qu'elle fût prête à recevoir son hôte ; un lit de velours noir à figures avait été dressé dans la grande chambre du premier étage et une baignoire installée à côté, pour permettre au malade de suivre son traitement. Des tapisseries et des meubles complétaient l'agencement, le tout apporté de Holyrood. Pour couvrir la baignoire, on avait sorti de ses gonds la porte du « passage qui menait aux chambres », détail qui fut ensuite interprété comme une volonté de laisser la voie libre aux assassins [13] *.

Henri Darnley s'installa donc à Kirk o'Field avec ses serviteurs personnels le samedi 1er février 1567. Aussitôt, Marie — qui, elle, résidait à Holyrood — prit l'habitude de venir le visiter chaque jour et même, au moins deux fois, de coucher dans la chambre du rez-de-chaussée, où elle avait fait installer un lit de damas jaune et vert avec une couverture de fourrure : les nuits d'hiver sont froides à Édimbourg. Avec la reine venait la foule des courtisans, de sorte que la « maison du

* Marie, voyant l'agencement des choses, demanda que le lit de velours noir fût remplacé par un autre, moins luxueux, de velours violet, en raison des risques de dégâts occasionnés par l'eau des bains. Buchanan, par la suite, voulut y voir la preuve qu'elle était au courant du projet de destruction de la maison.

prévôt » devint, pendant cette première semaine de février, le centre de la vie mondaine de la capitale : ce qui, notons-le en passant, n'est guère compatible avec l'affirmation de Thomas Nelson, selon qui Darnley ne voulait voir personne et faisait même maintenir fermés en permanence les volets des fenêtres.

L'impression générale était que les deux époux étaient réconciliés. S'il faut en croire son père Mathieu Lennox, Darnley lui-même se croyait revenu au temps de sa lune de miel avec Marie [14]. Il y a même toute apparence que, commençant à bien se remettre de sa maladie, il ait à nouveau rêvé de la couronne matrimoniale et se soit, une fois de plus, lancé dans les intrigues et les dénonciations, profitant de son intimité retrouvée avec sa femme pour lui « révéler » un complot monté contre elle par Moray et Lethington [15]. Ceci expliquerait, entre autres, l'altercation violente qu'il eut avec Robert Stuart, l'un des frères bâtards de la reine, en présence de celle-ci, et que Buchanan attribue à une manœuvre délibérée de Marie, « pensant qu'il serait plus aisé d'avoir son mari tué dans une dispute que dans l'explosion de la maison [16] ».

Pour ajouter au pathétique de la situation, Jacques Melville raconte que Darnley avait été averti du danger qui le menaçait, et qu' « à moins qu'il ne s'échappe promptement, cela lui coûterait la vie [17] ». Mais il était ainsi fait qu' « il ne pouvait garder aucun secret, même dans son propre intérêt [18] », de sorte qu'il s'empressa de tout raconter à sa femme, et l'informateur, interrogé par celle-ci, nia tout, bien entendu.

La soirée du dimanche 9 février fut particulièrement gaie et animée à Kirk o'Field. Marie se montra affectueuse et caressante, se félicitant des progrès de la convalescence du malade et envisageant son retour à Holyrood pour la semaine suivante. Elle se disposait même à passer la nuit dans la chambre du bas, comme elle l'avait déjà fait deux fois la semaine précédente, quand on vint lui rappeler qu'elle avait promis d'assister, ce soir-là, à un ballet donné à Holyrood en l'honneur du mariage de son serviteur français Bastien (celui qui avait imaginé, six semaines plus tôt, la mascarade des satyres à queue si offensante pour les Anglais *). Elle prit donc congé de son mari en lui remettant un anneau en signe d'affection et de fidélité. Il est clair que — sincèrement ou traîtreusement —, elle faisait tout pour donner l'impression d'une parfaite entente conjugale ; l'absurdité de l'anecdote racontée par Lennox selon laquelle elle aurait rappelé à haute voix, en quittant Darnley, que c'était « à pareille époque que David Rizzio avait été tué », n'en est que plus évidente [19].

En rentrant à Holyrood, — il était à peu près onze heures du soir —, Marie ramenait avec elle tous ses familiers, Argyll, Huntly, Atholl, Bothwell, qui l'avaient accompagnée à Kirk o'Field. (Seul Moray était absent : il était parti, deux jours plus tôt, pour Saint-André, où sa femme s'apprêtait à accoucher.) Darnley demeura donc seul à Kirk o'Field avec ses valets personnels. À partir de ce moment, nous entrons dans le mystère.

Vers deux heures du matin, le lundi 10 février 1567, les habitants d'Édimbourg furent réveillés par le fracas d'une explosion « comme si trente canons avaient tiré en même temps ».

Les voisins de la « maison du prévôt » se précipitèrent vers le lieu de l'explosion. Ils trouvèrent la maison en ruines, « un tas de pierres et de bois », tandis qu'un homme, juché sur la muraille attenante, appelait au secours. Peu après, on découvrit dans le jardin, de l'autre côté de la poterne, le cadavre de Darnley, en chemise de nuit, ses vêtements posés près de lui « bien pliés et rangés », et celui de son valet Guillaume Taylor. Les corps, apparemment, étaient « intacts, sans blessures ni brûlures, et les vêtements en bon état, sans trace de poudre [20] ». L'homme échappé à l'explosion s'appelait Thomas Nelson. C'était un serviteur des Lennox, et son témoignage, que nous avons déjà cité, devait figurer lourdement dans le procès de Marie Stuart l'année suivante.

Aucune preuve précise n'existe que les habitants du palais de Holyrood aient entendu l'explosion, ce qui

* *Voir* p. 247.

serait pourtant vraisemblable étant donné que la distance est de l'ordre d'un kilomètre. Tout ce que nous savons, c'est qu'un certain Georges Hacket, accouru de Kirk o'Field, se précipita chez le comte de Bothwell, qu'il trouva couché et qu'il informa du drame. Bothwell sauta du lit en criant : « Fi, trahison ! », s'habilla en hâte, alla réveiller les autres nobles logeant au palais, Argyll, Huntly, Atholl, Maitland, Lady Mar, Lady Atholl, et se rendit avec eux chez la reine. Celle-ci dormait (il est vrai qu'elle s'était couchée tard, après le ballet des noces de Bastien). Selon Buchanan — seul témoignage sur cet épisode —, elle aurait accueilli la nouvelle de la mort de son mari avec le plus grand calme, et se serait rendormie paisiblement « jusqu'au lendemain à midi[21] ».

De fait, on n'entendra pas parler d'elle jusqu'au 11, jour où elle prendra la plume pour envoyer à son ambassadeur à Paris, l'archevêque Beaton, un bref récit du drame destiné à Catherine de Médicis et à Charles IX : « C'est un événement si horrible et si étrange que je crois qu'on n'en a jamais connu de semblable dans aucun pays [...]. On ignore par qui cela a été fait, et de quelle façon, mais je ne doute pas que, par la diligence de mon Conseil, tout sera découvert rapidement, et que le crime sera puni avec une rigueur qui servira d'exemple aux âges à venir[22]. »

Le 12 février, une proclamation est diffusée, au nom de la reine et du Conseil, pour promettre une récompense de 2000 livres d'argent et une rente annuelle, ainsi que l'impunité, à toute personne qui « révélera les auteurs et les complices de ce crime affreux et abominable[23] ».

Mais, alors qu'on pourrait s'attendre — vu la gravité politique de la mort violente d'un homme qui, après tout, était l'époux de la reine et portait le titre de roi — à ce que le gouvernement prenne immédiatement des mesures officielles d'une parfaite clarté, tout, au contraire, est étonnamment obscur dans les journées suivant le crime. Cela est si vrai que nous n'avons même aucun procès-verbal digne de foi de l'enterrement de Darnley. Il semble que le corps soit resté toute une journée dans une maison proche du lieu du crime, exposé à la curiosité des passants. S'il y eut une autopsie, ses résultats ne furent pas publiés (pourtant, les comptes royaux prouvent que le cadavre fut embaumé, pour un coût de 42 livres 6 shillings). La cérémonie funèbre fut nocturne, brève et sans solennité — il est vrai que Darnley était catholique, et que les circonstances convenaient mal à la célébration d'une grand-messe.

Quelles que fussent les véritables raisons de cette atonie gouvernementale, elle prêtait aux plus fâcheuses interprétations. Faute d'informations officielles, les racontars allèrent bientôt bon train, et Marie Stuart n'y était pas épargnée. Dès le 22 février, à Londres, l'ambassadeur d'Espagne écrit que « les hérétiques ici proclament la complicité de la reine d'Écosse comme certaine ; même les catholiques sont divisés ; les amis du feu roi la tiennent pour coupable, tandis que ses amis à elle affirment le contraire ». L'ambassadeur de Savoie, rentrant d'Écosse, « ne dit rien pour exonérer la reine des accusations portées contre elle[24] ».

Plus grave pour la suite des événements : la reine Élisabeth recueille ces bruits et leur prête de l'importance. « Madame, écrit-elle à sa cousine le 24 février, mes oreilles ont été tellement étourdies, mon entendement si fâché, et mon cœur tellement effrayé à ouïr l'horrible son de l'abominable meurtre de votre mari, que quasi encore n'ai-je eu l'esprit d'en écrire [...]. Ô Madame ! Je ne ferais pas l'office de fidèle cousine ni d'affectionnée amie si j'étudiais plus à complaire à vos oreilles que de m'employer à conserver votre honneur ; pour tant (c'est pourquoi) je ne vous célerai point ce que la plupart des gens en parlent : c'est que vous regarderez entre vos doigts la revanche de ce fait, et que vous n'avez garde de toucher ceux qui vous ont fait tel plaisir[25]. »

La perfidie est évidente dans cette lettre (dont la conclusion est un joyau d'hypocrisie : « Je ne voudrais qu'une telle pensée résidât en mon cœur pour tout l'or du monde »), mais elle ne pouvait être prise à la légère. L'archevêque Beaton lui-même, à Paris, s'inquiétait de ce qu'il entendait dire autour de lui : « C'est maintenant plus que jamais, Madame, qu'il faut que vous montriez la grande vertu que Dieu vous a donnée [...], car on parle si mal de ce crime cruel et maudit que je suis contraint de vous demander pardon de n'oser vous le répéter, tant ce sont des mots odieux[26]. »

Ainsi se formait, insidieusement, un réseau de rumeurs, bientôt d'accusations ouvertes, qui faisaient de Marie la complice — au moins passive sinon active — du meurtre de son mari. Nous verrons bientôt à quel point son comportement, déconcertant pour dire le moins, devait faire le jeu de ses ennemis.

Mais, avant d'aborder le récit des événements qui, à partir de la mort de Darnley, allaient aboutir à la ruine de sa veuve, il convient de nous arrêter sur le problème qui ne saurait être éludé : que s'était-il passé au juste, dans la nuit du 9 au 10 février 1567, à Kirk o'Field ?

La réponse à cette question est l'une des plus difficiles de l'histoire ; des torrents d'encre, et même de sang, ont coulé à son propos, sans qu'on puisse avoir aucun espoir raisonnable de pouvoir jamais la résoudre de façon sûre.

La raison de cet inextricable imbroglio est que, dès le lendemain du crime, ceux qui en étaient les auteurs eurent le plus grand intérêt à brouiller les pistes et qu'ils étaient en position de le faire. Mais tandis que Bothwell, qui fit presque aussitôt figure de principal suspect, ne devait pas rester au pouvoir assez longtemps pour monter une contre-offensive efficace, ses ennemis, définitivement triomphants à partir du mois de juin suivant, eurent au contraire tout le loisir de recueillir et de publier, voire de fabriquer, les témoignages qui lui étaient le plus hostiles. Tous les récits détaillés du crime que nous possédons accablent donc Bothwell ; ce n'est pas une raison pour leur faire aveuglément confiance[27].

Ces récits se répartissent en deux groupes : d'une part les « confessions » des serviteurs de Bothwell appréhendés et jugés après sa chute ; de l'autre les dépositions des serviteurs de Darnley (ou de son père Lennox, ce qui revient au même) lors du procès de Marie Stuart après sa fuite en Angleterre. Il n'y a rien d'étonnant à ce que les versions proposées par ces différents témoins soient concordantes : elles visaient toutes au même but, à savoir faire porter à Bothwell la responsabilité exclusive du crime, et y associer Marie Stuart.

Il est hors de doute que les serviteurs de Bothwell durent faire, pour trahir ainsi leur maître, l'objet de pressions et même de tortures ; on ne pourrait s'expliquer autrement le luxe de détails accablants, certains même invraisemblables, accumulés par eux contre lui, dans le contexte de cette société féodale dont la fidélité au seigneur était le ciment. Les six principales « confessions » des familiers de Bothwell sont celles de Georges Dalgleish et Guillaume Powrie, ses valets de chambre, de Jean Hay de Tallo dit « le Jeune », son page, de Jean Hepburn de Bolton, son vassal, tous quatre condamnés à mort le 3 janvier 1568 ; du « Français Paris », *alias* Nicolas Hubert, valet de Bothwell placé par celui-ci au service de la reine, condamné à mort en août 1569 ; et de Jacques Ormiston, jeune noble faisant partie de sa maison, interrogé beaucoup plus tard, en 1573.

Avec quelques variantes, ces six récits donnent à peu près la version suivante : le 9 février, Bothwell avait fait transporter à Kirk o'Field des caisses de poudre à canon, préalablement achetée par son ami Jacques Balfour (« au prix où Balfour prétendait l'avoir payée, notera l'Anglais Drury, ce devait être de la poudre parfumée aux essences précieuses[28] »). Dans la soirée, pendant que la reine et ses courtisans devisaient avec Darnley au premier étage, la poudre avait été disposée en tas au rez-de-chaussée, dans la chambre située au-dessous de celle du roi, le tout grâce aux clefs dont Bothwell avait eu soin de se munir pour ouvrir toutes les portes. Une fois rentré à Holyrood avec la reine, Bothwell avait changé de vêtements pour se vêtir de noir « avec un grand manteau sombre à l'allemande », et était revenu à Kirk o'Field avec Paris, Dalgleish, un autre valet nommé Patrick Wilson, Tallo le Jeune, Hepburn de Bolton et deux autres personnes, en passant par la grand-rue de Canongate et en faisant ouvrir les portes au cri de « Amis de Mylord Bothwell ! » Le comte était ensuite rentré au palais pendant que Hepburn allumait la mèche et la maison avait sauté peu après.

Comme on le voit, ce récit fourmille de points

obscurs. Pourquoi Bothwell était-il revenu en pleine nuit à Kirk o'Field, en prenant soin de se faire remarquer tout au long du trajet ? Pourquoi n'était-il pas resté bien tranquillement à Holyrood en attendant l'explosion ? Mieux encore : pourquoi ce cortège de sept personnes s'il ne s'agissait que d'allumer la mèche, la poudre ayant été disposée dans la soirée ?

Par ailleurs, la version donnée par les « confessions » n'explique pas pourquoi les corps de Darnley et de son valet de chambre furent retrouvés, non blessés, dans le jardin de l'autre côté de la muraille. On tenta bien de faire croire qu'ils avaient été projetés par la force de l'explosion, mais personne n'y crut. Deux hypothèses coururent : l'une, que Darnley et le valet avaient été étouffés dans leur chambre (« avec un mouchoir trempé dans du vinaigre », devait préciser Lennox) et transportés ensuite au jardin ; l'autre, qu'ils avaient entendu du bruit au rez-de-chaussée et s'étaient enfuis par la galerie, mais qu'ils avaient été rattrapés et étranglés après avoir franchi la poterne. La seconde explication paraît beaucoup plus vraisemblable que la première. Mais pourquoi, alors, n'avait-on pas ramené les corps dans la maison afin de faire croire qu'ils avaient péri dans l'explosion ? Sans doute parce que la mèche était déjà allumée et que les assassins n'osaient plus revenir sur leurs pas.

Quoi qu'il en soit, la situation créée par cette série de va-et-vient entre Holyrood et Kirk o'Field et par la présence des deux corps à l'extérieur de la muraille était assez semblable à ce que les auteurs de romans policiers appellent le « crime impossible ». Les historiens ont fait assaut d'ingéniosité pour lui trouver une explication satisfaisante. La plus étonnante est sans doute celle du major général Mahon, qui concluait, après étude minutieuse des textes, que toute l'affaire avait été manigancée... par Darnley lui-même et par les jésuites pour se débarrasser de Marie Stuart et que seul un malheureux concours de circonstances avait fait que la machination s'était retournée contre son auteur, Marie et Bothwell, avertis à temps, ayant décidé d'éliminer le traître au moment où, démasqué, il s'enfuyait[29] !

Dans cette hypothèse, Bothwell aurait joué le rôle de bouc émissaire, et c'est à cause de l'improvisation hâtive à laquelle il était contraint qu'il aurait accumulé les maladresses dans ses déplacements entre le palais et le lieu du crime. Comme on voit, cette « explication » ne manque pas d'ingéniosité ; quant à la vraisemblance, c'est une autre question.

Toute cette affaire paraîtrait inextricable, et même absurde, si on ne se rappelait que tous les récits qui décrivent les allées et venues de Bothwell pendant la nuit fatale émanent, soit de ses ennemis, soit de ses serviteurs terrifiés et torturés. Il s'agissait, pour les accusateurs du comte, de l'accabler par l'accumulation de témoignages aussi écrasants que possible. On ne saurait expliquer autrement des déclarations aussi invraisemblables que celle prêtée à Bothwell par Tallo le Jeune (« La mort du roi est résolue, si je ne le tue pas c'est lui qui me détruira », etc.), ou le cynisme dont Marie fait preuve dans le récit de Paris, où elle apparaît comme parfaitement informée des préparatifs du crime et s'en vante presque devant ce valet !

En réalité, si Bothwell était bien l'un des acteurs du drame — nous n'avons pas de raison valable pour en douter —, il était loin d'être le seul. Par exemple, son ami Jacques Balfour joua certainement un rôle beaucoup plus important que les « confessions » des exécutants ne le laissent entendre : seulement, au moment du procès, il avait abandonné Bothwell et Marie et s'était rallié au parti vainqueur, d'où la nécessité de passer sa responsabilité sous silence. De même, un cousin du comte de Mar, Archibald Douglas, fut vu sur les lieux du crime ; mais il ne fut ni arrêté ni jugé, Morton l'ayant pris sous sa protection.

L'idée de faire de Bothwell le coupable numéro un n'était certainement pas née par hasard dans l'esprit des autres conjurés. C'est pourquoi on imagine volontiers que le groupe d'hommes vêtus de sombre, parcourant dans la nuit la grand-rue de Canongate au cri de « Amis de Mylord Bothwell », n'était pas innocent : quel meilleur moyen inventer pour compromettre celui-ci irrémédiablement ? Bothwell était dépourvu de scrupules et très capable de tuer son homme, c'est évident ; mais il n'était pas stupide. Précisément parce qu'il avait pris une part active aux préparatifs, il ne pouvait que se tenir à l'écart au moment du crime proprement dit, de façon à se procurer un alibi comme tout criminel en pareille circonstance. Mais l'état de notre documentation ne nous permettra jamais de formuler plus que des hypothèses sur ce qui se passa réellement à Kirk o'Field dans la nuit du 9 au 10 février 1567.

Tout cela, finalement, ne résoud pas la question la plus importante à nos yeux : Marie Stuart était-elle, oui ou non, complice du crime ?

Elle devait, quant à elle, soutenir jusqu'à sa mort que non seulement elle en ignorait tout, mais qu'elle avait la certitude d'en avoir été la victime désignée. « Je suis certaine que cette maudite entreprise visait ma vie autant que celle du roi, écrit-elle dans sa lettre du 11 février à l'archevêque Beaton, car j'ai logé toute la semaine dernière dans cette même maison, et c'est par pur hasard que je n'y suis pas restée cette nuit-là : ou plutôt, non par chance, mais par la grâce de Dieu[30]. » Telle devait être la version en quelque sorte officielle, diffusée par voie diplomatique à travers l'Europe. Mais elle ne pouvait tenir longtemps devant les preuves, abondamment répandues, du rôle joué par Bothwell dans l'attentat : quel intérêt, en effet, aurait eu le comte à éliminer la souveraine ? Il aurait fallu, pour accréditer l'idée d'un complot visant la vie de Marie, désigner et juger d'autres coupables vraisemblables, le parti de Moray par exemple. Or, soit par manque de preuves, soit par impuissance politique, cela ne fut pas fait, de sorte que les accusateurs de Bothwell eurent pratiquement le champ libre.

Quant à la complicité de Marie elle-même, elle est affirmée par trois sources : les fameuses « lettres de la cassette » d'abord, notamment celle de Glasgow citée plus haut * ; le témoignage du « Français Paris » en 1569 ; enfin les écrits de Buchanan et le mémoire

* *Voir* p. 255-257.

accusateur adressé par Lennox aux juges de Marie en 1568.

Ne revenons pas, pour l'instant, sur les « lettres de la cassette », qui seront discutées dans un prochain chapitre. Nous savons, par ailleurs, quel faible crédit il faut accorder à Buchanan, dont les abondants détails se contredisent souvent et ressortissent en grande partie à la pure imagination. Il en est de même du document rédigé par Lennox, qui dépeint un Darnley angélique et une Marie démoniaque : elle se vante devant Bothwell de « feindre la réconciliation avec son mari pour dissiper tout soupçon qu'il pourrait avoir », elle se déguise en homme pour revenir secrètement assister au meurtre, elle rentre au palais pour « attendre impatiemment l'explosion », le lendemain elle vient « se repaître de la vue du corps du plus beau prince qui fut jamais » : qui veut trop prouver ne prouve rien (il ne semble pas, du reste, que le document Lennox ait eu grand poids auprès des juges).

Reste la «confession » de Paris, ou plutôt de son vrai nom Nicolas Hubert[31]. Si elle est authentique, elle est décisive : le soir du crime, la reine lui a ordonné d'enlever son lit de la chambre du bas, « par quoi j'ai aperçu qu'elle avait connaissance du fait », commente Paris. Quand il veut la mettre en garde, elle répond sèchement : « Ne me parle point de cela, fais-en ce que tu voudras. » Et Bothwell, tandis que s'achèvent les préparatifs, charge Paris d'un message pour Marie : « Dis-lui que je ne dormirai point que je n'achève mon entreprise, quand je devrais traîner la pique toute ma vie pour l'amour d'elle. »

Mais Paris, en écrivant ou dictant cette « confession » en 1569, était prisonnier au château de Saint-André, fief de Moray, maintenu au secret et certainement mis à la torture. Il savait qu'en chargeant Bothwell et la reine il comblerait les désirs des maîtres de l'heure (Marie était alors prisonnière en Angleterre et Bothwell au Danemark, Moray gouvernait l'Écosse). Sans doute lui avait-on promis la vie sauve s'il témoignait dans le sens désiré — mauvais calcul, du reste, car on ne pouvait laisser survivre un personnage aussi compromettant, qui aurait pu se rétracter par la suite : il fut exécuté comme les autres. Marie Stuart, beaucoup plus tard, raconta à Claude Nau qu'en quittant la maison de Kirk o'Field, le soir fatal, elle vit Paris sortant de la chambre du bas, le visage « tout gâté », et s'écria : « Jésus, Paris, comme tu es noirci ! », ce dont « il rougit bien fort[32] ». Il venait de manipuler la poudre à canon : résignons-nous à n'en savoir jamais plus sur le degré de connaissance de celle qui, quelques heures plus tard, devait devenir la veuve la plus controversée de l'histoire.

CHAPITRE XII

« Grâce au bon comportement du comte de Bothwell... »

Darnley vivant, on lui trouvait unanimement tous les défauts ; mort, il devint soudain paré de toutes les vertus et regretté de tous. Même Élisabeth, qui n'avait pas eu de mots assez durs pour son mariage, et qui avait obstinément refusé de lui reconnaître le titre de roi, se fit la championne de sa mémoire. On assista au spectacle paradoxal de l'Église protestante criant vengeance pour la mort de l'homme qui, quelques semaines plus tôt, ne parlait que de rétablir le catholicisme et accusait sa femme de tiédeur auprès du pape. Bientôt se formèrent les alliances les plus imprévues : Lennox, le père de la victime, Morton, son cousin, Moray et Maitland, ses ennemis de toujours. Le seul — il faut lui rendre cette justice — qui ne se crut pas obligé d'affecter la tristesse et l'horreur fut Bothwell. (Et aussi, notons-le en passant, Catherine de Médicis, qui, en apprenant le drame de Kirk o'Field, écrivit au connétable de Montmorency : « Ce jeune fou n'a pas été longtemps roi. S'il eût été plus sage, je crois qu'il serait encore en vie. C'est grand heur (bonheur) pour la reine ma fille d'en être défaite[1]. » Mais Catherine ne savait pas encore toutes les circonstances de la mort de Darnley.)

Marie Stuart, quant à elle, ne pouvait pas afficher avec trop d'ostentation une douleur qui n'aurait trompé personne. Sa mésentente avec Darnley était de notoriété publique et alimentait depuis des mois les correspondances diplomatiques de l'Europe. Du moins, si elle ne voulait pas apparaître comme complice du crime, devait-elle respecter scrupuleusement toutes les formes du cérémonial de deuil et de la procédure judiciaire pour la recherche des coupables. Au lieu de quoi, son comportement, au cours des journées qui suivent la mort de son mari, se révèle incohérent, suspect, prêtant aux pires interprétations. Les historiens qui lui sont favorables hésitent, pour l'expliquer, entre la dépression nerveuse et une manipulation dont elle aurait été victime. À vrai dire, sa maladresse même plaiderait assez en faveur de son innocence dans le crime, car on a peine à imaginer une femme capable d'accepter de sang-froid le meurtre de son époux et faisant preuve ensuite d'autant d'inconséquence.

En effet, qu'elle en fût complice ou non, la mort de Darnley changeait tout le paysage politique de l'Écosse. Depuis son mariage avec la reine, en juillet 1565, c'était autour de lui — pour lui ou contre lui — que s'étaient nouées toutes les combinaisons, agitées toutes les intrigues. La question de la « couronne matrimoniale », puis celle de l'avenir du couple royal, plus récemment la menace de départ du « roi Henri » pour l'étranger, avaient dominé la scène diplomatique. Maintenant qu'il avait disparu, une tout autre problématique se dessinait.

Fondamentalement le parti protestant restait dominant, avec Moray comme figure de proue. Le parti catholique, représenté surtout par l'évêque de Ross et par l'archevêque Hamilton, était moins que jamais au sommet de la vague. Mais nous savons combien ces appellations confessionnelles recouvraient de rivalités de personnes, de luttes de clans, d'instabilité profonde. Et surtout, l'Écosse étant ce qu'elle était, le véritable enjeu redevenait de savoir qui épouserait la reine — comme au début de 1565, mais avec d'autres protagonistes et dans un contexte entièrement différent.

Dans le parti protestant, trois personnages de premier plan, tous trois anciens membres de la Congrégation, se partagent la vedette politique. Le premier, évidemment, est Moray. Nous avons vu qu'il était présent à Craigmillar lorsque avait été évoquée, sinon résolue, l'élimination de Darnley. Rien, cependant, ne permet d'affirmer qu'il ait, dans l'affaire de Kirk o'Field, fait davantage que « regarder à travers ses doigts », comme disait méchamment Maitland. Le jour du crime, il était à Saint-André, dans sa demeure familiale où sa femme venait d'accoucher d'un enfant mort, grâce à quoi il apparaissait comme innocent aux yeux de l'opinion publique.

Le deuxième « homme fort » du parti calviniste, en ce début de 1567, est Jacques Douglas, comte de Morton. Personnalité complexe, qui s'affirme dès lors comme un des éléments essentiels du jeu politique. Sa parenté avec Darnley (on se rappelle que la mère de celui-ci, Lady Lennox, était née Douglas) l'avait, au début, rapproché du jeune roi, malgré leur différence de religion, et à ce titre il avait été l'un des auteurs principaux du complot contre Rizzio. Exilé, il n'était rentré d'Angleterre qu'à la prière instante d'Élisabeth (et de Bothwell), quelques semaines avant l'explosion de Kirk o'Field. Il est donc certain qu'il n'avait pu prendre part à la conférence de Craigmillar ; mais il reconnut lui-même avant de mourir, quatorze ans plus tard, qu'il avait été informé, par Bothwell, du projet d'assassinat du roi, et qu' « il n'avait rien dit, de peur de mettre sa vie en danger[2] ». Il avait depuis longtemps jugé la nullité politique de son jeune cousin et n'allait pas risquer de se compromettre pour le sauver d'un sort qu'il jugeait, avec raison, inévitable. Marie, du reste, ne l'aimait pas et se méfiait de lui (déjà en 1565 elle envisageait, disait-on, de lui enlever son titre de chancelier d'Écosse) ; la suite des événements devait montrer qu'elle avait raison.

Le troisième personnage important du parti protestant est, bien entendu, l'indispensable et fluctuant Guillaume Maitland, le secrétaire d'État au courant de tous les secrets, le « caméléon », comme le surnommera plus tard Buchanan. Maitland est encore, au moment de la mort de Darnley, bien loin d'avoir épuisé la série de ses trahisons et de ses revirements ; mais son rôle est, comme toujours, ambigu. Il est revenu en faveur après son exil de 1566, et il a joué un rôle actif dans la conférence de Craigmillar. Il a donc été au moins complice, sans doute même acteur, du complot de Kirk o'Field. Il a d'ailleurs toutes les raisons d'être proche de la reine : il a épousé, à la fin de 1566, la compagne et amie d'enfance de celle-ci, la belle Marie Fleming, dont il était amoureux depuis longtemps. Nous le verrons bientôt accompagner Marie Stuart dans sa retraite à Seton. Ce sera l'un des protagonistes du jeu politique des semaines et des mois à venir.

En revanche, du côté catholique, aucune personnalité ne s'impose au premier plan. L'archevêque Hamilton est un homme décrié, sans rôle politique malgré son avidité. L'évêque de Ross est cultivé, érudit même, mais de caractère faible et souvent maladroit. Le vieux duc de Châtellerault, dont on ne sait plus très bien la religion, à force de revirements et d'hésitations, est exilé en France depuis l'affaire de la « course-poursuite » *.

On pourrait penser, connaissant le caractère du personnage, que Mathieu Lennox, le père de Darnley, va profiter de cette vacuité du côté catholique pour s'imposer comme le chef de ce parti. Mais, pour l'heure, il ne songe qu'à la vengeance après le meurtre de son fils, et son rôle politique, incohérent comme lui-même, ne commencera vraiment que trois ans plus tard, quand Marie Stuart aura depuis longtemps quitté l'Écosse ; tout le monde, et lui le premier, aura alors oublié qu'il est catholique.

En définitive, l'homme qui s'impose aux yeux de tous comme la puissance de demain, aussitôt après la mort de Darnley, n'appartient à proprement parler à aucun parti, à aucune faction. C'est un homme seul, décidé à tout dominer et à tout abattre pour y parvenir. C'est celui que l'opinion publique désigne comme l'auteur principal du crime de Kirk o'Field, que les ambassadeurs étrangers considéreront bientôt comme le véritable détenteur du pouvoir. C'est Jacques Bothwell.

Au plan international, la mort du roi d'Écosse soulevait un certain nombre de problèmes, dans un contexte difficile.

Du côté anglais, on n'était sans doute pas mécontent

* Voir p. 189.

(sans, évidemment, le dire) de voir disparaître ce personnage falot, agité, imprévisible, qui voici peu de temps encore menaçait d'appeler les Espagnols ou de se réfugier en France. C'était en outre, pour Élisabeth, une occasion inespérée de se donner le beau rôle en rappelant sa cousine au respect des bienséances (on se rappelle sa lettre du 24 février, citée plus haut *), et en réclamant, fort hypocritement, le châtiment des meurtriers d'un homme qui — elle s'en souvenait opportunément — était son cousin. La mère du défunt, Lady Lennox, qui croupissait en prison depuis le mariage de son fils, et que tous les diplomates d'Europe s'étaient en vain efforcés de faire libérer, vit s'ouvrir les portes de la Tour de Londres et reçut les condoléances affectueuses de la souveraine. Des jours orageux s'annonçaient pour l'Écosse : ce ne pouvait être qu'au bénéfice d'Élisabeth.

À moins que, sautant sur l'occasion, la France de Catherine de Médicis et de Charles IX n'en profitât pour rétablir à Édimbourg son influence traditionnelle, singulièrement affaiblie depuis l'époque de Marie de Guise ? Mais sur ce point, la reine d'Angleterre pouvait se rassurer : la Florentine avait d'autres soucis que d'aller se frotter au chardon écossais. La paix civile, péniblement rétablie en France après la première guerre de religion, était à la merci du moindre incident : les hostilités allaient du reste reprendre à l'automne 1567. Dans les semaines qui suivirent la mort de Darnley — dont nous savons le peu d'estime que Catherine de Médicis lui portait —, la politique française concernant l'Écosse fut celle du « *wait and see* ». Ce n'est que plus tard, lorsque la situation de Marie Stuart devint désespérée, que la diplomatie de Charles IX devait s'émouvoir.

Marie elle-même ne semblait pas se préoccuper beaucoup des réactions de son ex-belle-mère. Après la lettre rédigée « à chaud » le lendemain du meurtre, et que nous avons citée au chapitre précédent **, elle envoya à son ambassadeur à Paris, une semaine plus tard, une assez étonnante missive où elle évoquait en quelques

* Voir p. 265.
** Voir p. 264.

mots, comme un fait divers banal, « le soudain malheur arrivé au roi mon mari », pour passer aussitôt aux choses sérieuses, à savoir les 40 000 livres dues sur les revenus de son douaire, et la capitainerie de la garde écossaise du Louvre qu'elle désirait voir attribuer à son fils le prince héritier. En fin de lettre, et comme pour réparer un oubli, elle ajoutait que « tout bien considéré, l'horrible et traîtreux crime perpétré contre la personne du roi pourrait bien apparaître comme ayant été dirigé contre moi », et qu'elle faisait faire « toutes recherches pour punir le crime, ce qui est mon principal souci pour l'instant[3] ».

Il en aurait fallu davantage pour que les Cours européennes et l'opinion publique écossaise prennent au sérieux sa volonté de retrouver les auteurs du meurtre. Certes, une proclamation à cet effet avait été diffusée le 12 février *, mais aucune arrestation n'avait été opérée, alors que des noms étaient sur toutes les lèvres. Le 17, une affiche manuscrite anonyme fut placardée sur la porte de l'hôtel de ville d'Édimbourg, dénonçant expressément Bothwell comme meurtrier ainsi que Jacques Balfour et plusieurs de ses intimes, dont le Français Bastien et l'Italien Joseph Rizzio, serviteurs de la reine (d'ailleurs sortis d'Écosse à cette date)[4]. Une voix fut entendue, la nuit, dans les rues de la ville, appelant la vengeance sur Bothwell. Celui-ci, fou de rage, jurait de « se laver les mains dans le sang » des auteurs de ces calomnies.

Mais Marie ne voyait rien, n'entendait rien. Deux jours après le meurtre de son époux, elle avait quitté Holyrood pour le château d'Édimbourg où elle se sentait, ou se disait, plus en sécurité. Là, elle était entrée en réclusion, toutes fenêtres closes, comme l'exigeait le protocole ; six jours plus tard, sur ordre de ses médecins, elle partait pour Seton, la belle résidence entourée de jardins qu'elle affectionnait, à une dizaine de kilomètres de la capitale. La chose, en soi, ne serait pas damnable, si les bruits les plus fâcheux n'avaient couru sur son emploi du temps dans ce lieu de repos. Même si nous ne

* Voir p. 264.

sommes pas obligés de croire sur parole Buchanan, selon qui elle avait logé Bothwell dans l'appartement au-dessus du sien, « de sorte que lorsqu'une grande vague de chagrin la submergeait, elle pouvait l'appeler pour la consoler au milieu de la nuit[5] », il n'en reste pas moins l'anecdote d'un match de tir à l'arc que Marie et Bothwell auraient gagné contre Huntly et Lord Seton, passe-temps décidément peu convenable pour une reine seize jours après son veuvage[6].

Marie Stuart n'était pas isolée à Seton. Les grands seigneurs s'y succédaient, Argyll, Moray, Morton, Huntly, Maitland, l'archevêque Hamilton. Bothwell n'y résidait pas en permanence, puisqu'en même temps il était fort actif à Édimbourg. Le 6 ou 7 mars, l'ambassadeur anglais Killigrew, envoyé par Élisabeth pour apporter ses condoléances, fut reçu par Marie à Seton dans une chambre obscure ; il distingua à peine son visage dans la pénombre, mais elle lui parut « fort affligée et dolente[7] ». En même temps, elle entretenait des correspondances diverses, notamment avec son beau-père Lennox comme nous allons le voir. Les phrases méchantes de Buchanan sur son manque de décorum dans le deuil ne sont donc pas à écarter entièrement, même si elles sont à coup sûr exagérées.

Ce n'est que vers le 20 mars, donc après plus d'un mois, que la reine se décida à rentrer à Holyrood. Son séjour à Seton ne l'avait pas guérie de sa mélancolie : les 29 et 30 mars, elle était toujours « malade et abattue[8] », et passait de longues heures en prières dans sa chapelle. Mais la situation politique, pendant sa trop longue absence, s'était irrémédiablement détériorée. Le rôle de Moray, sans doute important, est difficile à apprécier, car il excellait à couvrir ses traces : d'ailleurs, prudent et sentant le vent tourner, il sollicitait dès la mi-mars l'autorisation de quitter l'Écosse pour un voyage sur le continent, et traversait la frontière vers le 10 avril (il avait l'art d'être absent au moment des grands événements : en 1566 pour l'assassinat de Rizzio, un an plus tard pour celui de Darnley ; son départ ne présageait rien de bon).

En revanche, Mathieu Lennox, le père du roi assassiné, jusqu'alors peu actif sur la scène politique, se met alors brusquement en avant — sans doute manipulé en sous-main par Moray, et plus sûrement encore par Maitland, ce maître ès intrigues. Resté à Glasgow après le drame du 10 février *, il écrit à sa bru, dès le 15, pour réclamer vengeance. Marie répond, de Seton, qu'elle va convoquer le Parlement, et signe : « Votre bonne fille. » Mais ce n'est pas là ce que veut Lennox : il exige l'arrestation immédiate et le jugement de ceux qu'accusent les affiches placardées à Édimbourg, et s'étonne des lenteurs de l'enquête.

Cette fois, Marie réagit vivement (lettre du 1er mars, toujours de Seton) : « Comme vous, je souhaite que justice puisse être faite sans délai [...] mais, quant à faire arrêter tous les gens nommés sur les affiches, il y en a tant, et si différents et contradictoires, que je ne saurais lesquels poursuivre. » Si Lennox a des noms précis à indiquer, qu'il le fasse, et ils seront jugés selon les lois du royaume[9].

De fait, le Parlement fut convoqué pour la mi-avril. Mais, le 24 mars, Lennox, décidément piqué au jeu, gagna Marie de vitesse et dénonça formellement le grand amiral Bothwell comme auteur du meurtre de son fils. Il n'était plus possible de reculer : le procès Lennox contre Bothwell fut fixé au 12 avril devant l'assemblée de la noblesse — Bothwell devant, selon la coutume, être jugé par ses pairs. On aurait pu croire que les choses allaient mal tourner pour l'accusé : mais c'eût été sous-estimer son audace, autant que la maladresse et l'impéritie de Lennox. Tandis que celui-ci restait inactif à Glasgow, Bothwell réunissait ses partisans et ses vassaux, multipliait les mesures d'intimidation. Pis : la reine faisait preuve d'une évidente partialité en sa faveur — l'ambassadeur espagnol à Londres s'en montre scandalisé dans une lettre du 24 mars[10]. La capitainerie du château d'Édimbourg — poste de première importance pour la maîtrise de la ville — fut enlevée au comte de

* On avait cru un moment, à l'étranger, qu'il avait été assassiné avec son fils. Il affecta de craindre pour sa vie, peut-être non sans raison.

Mar, trop proche de Moray, et confiée à Jacques Balfour, l'un des principaux complices supposés du meurtre. On commençait même, comme en témoignent des bruits recueillis à Berwick le 29 mars, à parler d'un possible mariage entre Marie et le grand amiral [11].

Dans ces conditions, le procès risquait d'être mouvementé. Lennox, comprenant enfin dans quel guêpier il s'était fourré, prit soudain peur et fit machine arrière. Il fit appel à Élisabeth pour qu'elle obtînt le report du jugement ; la reine d'Angleterre, trop heureuse de ce prétexte pour intervenir dans les affaires intérieures de l'Écosse, envoya aussitôt un messager à sa cousine. Trop tard : Marie refusa de le recevoir. Tentant une ultime démarche, Lennox informa sa bru, le 11 avril, qu'il était malade et incapable de gagner Édimbourg [12]. Mais Bothwell, désormais sûr de sa victoire, tint bon : le procès aurait lieu à la date prévue, avec ou sans Lennox.

Ce qui se passa le 12 avril eut tout d'une parodie de justice. Les rues d'Édimbourg étaient occupées dès l'aube par 4000 fantassins et 200 arquebusiers de Bothwell, les entrées de l'hôtel de ville (où siégeait le tribunal) filtrées. Le comte d'Argyll, lord haut justicier du royaume, présidait les débats, assisté de Lord Lindsay, de Jacques Macgill et Henri Balnaves, deux juristes dévoués à Bothwell, et du commandeur de Dunfermline. Morton seul avait obtenu l'autorisation de ne pas siéger, en raison de sa parenté avec la victime dont il s'agissait de juger les assassins ; le comte de Cassillis s'était vu refuser la même abstention.

Si les habitants de la capitale avaient pu douter de la partialité de la reine en faveur de l'accusé, ils auraient perdu toute illusion en la voyant, de la fenêtre du palais de Holyrood, faire des signes d'amitié à Bothwell tandis qu'il chevauchait vers l'hôtel de ville, entouré de ses fidèles (et monté, selon certains témoignages, sur le cheval de Darnley lui-même) [13].

Au tribunal, l'accusateur Lennox, spectaculairement absent, était représenté par son vassal, Robert Cunningham, qui protesta contre le trop court délai accordé à son maître pour préparer son dossier et contre l'interdiction qui lui avait été faite d'amener avec lui « ses amis et serviteurs pour son honneur et sa sûreté [14] ».

Au reste, l'acte d'accusation était d'une extrême discrétion ; pis : il comportait une erreur matérielle (voulue ou fortuite, nous l'ignorons) en datant le crime du 9 février, alors que l'explosion fatale avait eu lieu le 10 à deux heures du matin. Il n'en fallut pas plus pour qu'à l'issue d'un débat réduit à sa plus simple expression, le comte de Bothwell et ses coaccusés fussent déclarés innocents et lavés de toute imputation criminelle. Dans l'euphorie du triomphe, l'ex-accusé provoqua en duel toute personne qui oserait attaquer le jugement du tribunal : personne ne se présenta pour relever le gant, et le grand amiral rentra à Holyrood dans l'allégresse. Nul doute que l'accueil qui lui fut réservé par la reine fût conforme aux témoignages de sympathie qu'il en avait reçus le matin même.

Après cette journée peu glorieuse du 12 avril 1567, les événements se précipitent en Écosse, et la vie de Marie Stuart prend un virage fatal. On a l'impression de la chute d'une avalanche, de plus en plus rapide à mesure que la pente s'accentue.

Pendant les deux mois qui s'étaient écoulés depuis la mort d'Henri Darnley, les cartes du jeu politique écossais s'étaient redistribuées autour de l'atout maître que détenait Jacques Bothwell. Celui-ci avait dû, cependant, renoncer à s'assurer la garde du petit prince héritier, définitivement confié au comte de Mar en échange de la capitainerie du château d'Édimbourg, et ramené par lui à Stirling à la fin de février ou au début de mars. Des bruits couraient que la reine envisageait d'envoyer son fils en Angleterre pour y être élevé à la Cour d'Élisabeth, mais à ce stade on ne voit guère quel intérêt aurait pu présenter pour elle une telle décision [15].

Avec la France, les relations restaient correctes, sans plus. Catherine de Médicis, informée des progrès de Bothwell à la Cour d'Écosse, prenait ses distances avec ce qui allait se produire ; son principal souci était de ne pas compromettre l'influence française dans une aventure politique pour le moins incertaine.

Au milieu de tous ces troubles, la mission du nonce apostolique Laureo, demandée par Marie un an plus tôt, passait décidément à l'arrière-plan. Le nonce était toujours à Paris, attendant depuis six mois que les circonstances lui permettent de poursuivre son voyage vers le pays de John Knox. Lorsqu'il apprit la mort de Darnley, il comprit que la situation était sans espoir. Se confiant à l'ambassadeur de Venise, il lui avoua qu'il avait reçu de la reine d'Écosse un message « le priant de rester en France jusqu'à ce que les troubles de son pays fussent apaisés[16] ». Attendre encore eût été dépourvu de sens : le prélat décida de regagner l'Italie à la fin d'avril. C'était la fin du rêve de restauration catholique à Édimbourg — si tant est que celui-ci eût jamais réellement existé.

De façon assez caractéristique, à la veille même de son enlèvement par Bothwell, Marie devait encore tenter de raccrocher la négociation, écrivant au nonce pour l'assurer de la « dévotion que j'ai de mourir en la foi catholique[17] ». À cette date, Laureo avait quitté Paris. On peut surtout retenir, de cette lettre du 22 avril, la preuve du manque de réalisme politique de la pauvre reine. Visiblement, elle n'avait plus conscience de la situation et prenait ses désirs pour des réalités.

Les pasteurs de l'Église calviniste, quant à eux, sentaient bien que le vent avait tourné en leur faveur, et ils entendaient en profiter. Le 16 avril, à la veille de l'ouverture du Parlement, ils adressèrent à la souveraine une pétition rédigée en termes très fermes, réclamant la stricte application des lois anticatholiques de 1560, la suppression définitive des pouvoirs consistoriaux des évêques, l'attribution des biens d'Église aux pasteurs et — bien entendu — la punition des assassins du feu roi[18]. Marie ne pouvait, vu les circonstances, que faire bon accueil à cette démarche ; de fait, le parti protestant devait apparaître bientôt comme libéré de toute inquiétude : résultat paradoxal, pour la reine catholique, de la disparition de son mari.

Le Parlement, comme prévu, s'ouvrit le 17 avril. La séance inaugurale était toujours l'occasion d'une procession dans les rues d'Édimbourg, et la tradition fut respectée en cette circonstance. On commenta fort le fait que Bothwell portait le sceptre royal, bien qu'en tant que grand amiral d'Écosse il n'y eût là rien d'extraordinaire et qu'il l'eût déjà fait à l'ouverture du Parlement de mars 1566. Marie chevauchait, vêtue de noir, au milieu de sa noblesse. Tous les grands personnages du royaume étaient présents, sauf Moray, qui venait de quitter l'Écosse pour le continent, Lennox, réfugié en Angleterre, et Châtellerault, exilé en France.

Officiellement, l'ordre du jour du Parlement était de routine. Le comte de Mar se vit confirmer la garde du château de Stirling et du prince Jacques, les lois anticatholiques de 1560 furent validées, le comte de Huntly fut définitivement rétabli dans ses possessions et dignités. Mais chacun savait que les vrais problèmes n'étaient pas là : l'enjeu était le pouvoir, et celui-ci était entre les mains de Jacques Bothwell.

On le vit bien lorsque le Parlement fut invité à voter d'urgence une loi punissant de mort « toute personne qui rédigera, posera ou négligera de détruire toute affiche ou placard diffamant Sa Majesté la reine ». À peine la loi promulguée, elle fut appliquée avec rigueur : l'homme qui, la nuit, dénonçait Bothwell comme assassin du roi fut arrêté et mis au « *foul pit* », le cachot immonde où croupissaient les criminels atroces. Le bruit courut qu'un serviteur de Jacques Balfour, trop bavard sur les circonstances de la nuit tragique de Kirk o'Field, avait été mis secrètement à mort[19]. Décidément, le grand amiral triomphait ; ceux qui, comme Morton, étaient « en grand déplaisir », n'osaient se manifester. Personne, depuis l'époque de la suprématie de Moray au début du règne, n'avait joui d'un tel pouvoir en Écosse. Mais, à l'inverse de Moray, Bothwell pouvait viser encore plus haut : Marie étant veuve, il pourrait l'épouser et partager le trône avec elle. Et le bruit en courait au moins depuis la fin de mars.

En soi, un tel mariage n'était pas nécessairement absurde ou scandaleux — si l'on néglige le fait que Bothwell était déjà marié. Il avait, sans aucun doute, l'ambition nécessaire pour accéder aux plus hautes destinées. En avait-il les capacités ? Il nous est difficile de le savoir, étant donné que le sort ne devait pas lui laisser le temps de faire ses preuves comme chef de gouvernement. Sa réputation était certes déplorable auprès du parti anglophile et protestant, qui l'accusait pratiquement d'être un brigand ; mais cela ne constitue pas une preuve. Comme vassal, Marie Stuart n'avait qu'à se louer de lui ; elle pouvait légitimement penser qu'en la conjoncture, ses qualités d'énergie et d'audace étaient ce dont le gouvernement royal avait le plus besoin.

Mais les circonstances de la mort du roi Darnley changeaient tout. Bothwell n'était pas un noble parmi d'autres, plus loyal peut-être et plus capable que la plupart : il était, à tort ou à raison, le principal suspect du meurtre ; et dès lors, il devait être le dernier que Marie pût songer à épouser. Un tel mariage, en temps de paix, aurait été à tout le moins difficile — on se rappelle les critiques auxquelles avait donné lieu le choix de Darnley, qui pourtant avait du sang royal dans les veines : que dire, dès lors, d'un simple sujet, si noble que fût la race des Hepburn ? Dans le contexte du printemps 1567, il était tout simplement suicidaire.

Bothwell, toutefois, n'était pas homme à se laisser arrêter par des considérations d'opportunité ou de bienséance. Il voulait ce mariage et il était décidé à y parvenir. Le blanc-seing qu'il se fit donner, à cet effet, par l'ensemble des nobles écossais constitue l'événement sans doute le plus surprenant de toute cette intrigue colorée, et, il faut l'avouer, le plus mystérieux. Par quel mélange d'audace, de flatterie, de persuasion, d'intimidation, réussit-il à obtenir l'accord de ceux-là même qui auraient dû s'opposer le plus violemment à ses projets ? Nous en sommes réduits sur ce point aux conjectures, puisque — on le conçoit — ceux qui furent les acteurs de la scène se gardèrent bien, par la suite, de s'en vanter ou de s'expliquer à son sujet.

Quoi qu'il en soit, les faits sont là : le soir de la clôture du Parlement, 19 avril 1567, Bothwell réunit les principaux seigneurs du royaume à dîner à la taverne édimbourgeoise d'Ainslie et leur fit signer un pacte (*bond*) par lequel ils s'engageaient à favoriser sa cause « au cas où Sa Majesté la reine, aujourd'hui privée de mari, viendrait à se sentir inclinée à se marier de nouveau et serait disposée à s'abaisser jusqu'à épouser un de ses sujets, né en Écosse, en raison des services fidèles et affectionnés qu'il lui a toujours rendus et de ses bonnes qualités et comportements[20] ».

Le texte de cet étrange document, comme tout ce qui touche à l'histoire de Marie Stuart en 1567, est entouré d'une certaine obscurité. Il nous est connu par plusieurs copies d'époque, mais elles ne concordent pas entre elles dans tous leurs détails, et surtout par la liste des signataires. La copie réalisée, sans doute après la chute de Marie, à l'intention du ministre anglais Cecil, et qui se trouve à la *British Library* de Londres[21], cite Argyll, Huntly, Cassillis, Morton, Rothes, Glencairn, Maitland et divers autres, mais aussi Moray, ce qui est impossible puisqu'à cette date Moray était hors d'Écosse.

Une autre copie, aujourd'hui disparue et conservée jadis à Paris au Collège des Écossais, portait des signatures plus vraisemblables : l'archevêque Hamilton (dont nous verrons bientôt le rôle dans cette affaire) ; l'évêque de Ross ; l'évêque des Orcades, cousin de Bothwell ; l'évêque de Dunblane, fidèle conseiller diplomatique de la reine, et les comtes dont nous avons cité les noms plus haut, à l'exception de Moray. Ce dernier détail plaide en faveur de l'exactitude de cette copie parisienne, qui était en outre attestée (au dire de l'historien du XVIIIe siècle qui en a publié le texte, Robert Keith) par le propre secrétaire du Conseil privé.

Les ennemis de Bothwell — et ils sont nombreux — ont eu recours à toute sorte d'habiletés dialectiques pour expliquer et justifier la présence de noms tels qu'Argyll, Morton et Cassillis au bas d'un document qui donnait pratiquement le trône à leur rival. Plus étonnante encore la signature de Huntly, si l'on songe que celui-ci était le beau-frère de Bothwell, et que le mariage envisagé ne pouvait donc avoir lieu qu'au prix du divorce de sa sœur.

L'argument le plus souvent invoqué est celui de la crainte : « Les lords, se méfiant les uns des autres, n'osèrent refuser ce que leur demandait le comte de Bothwell[22]. » La taverne d'Ainslie aurait été entourée de deux cents hommes d'armes, décourageant toute velléité de résistance (seul Lord Eglinton aurait réussi à s'échapper et évité ainsi d'avoir à apposer une signature déshonorante)[23]. On reste cependant sceptique devant cette explication : comment admettre que tous ses seigneurs, qui, ensemble, représentaient la majorité de la noblesse écossaise, aient pu se laisser piéger d'une façon aussi naïve, alors que le caractère de Bothwell leur était bien connu ? Pourquoi auraient-ils accepté cette invitation à dîner, qui pouvait si aisément se transformer en traquenard ?

On est donc tenté, devant l'invraisemblance de toute cette situation, de donner raison à Marie Stuart elle-même, qui, par la suite, affirma que le « pacte d'Ainslie » (tel est le nom sous lequel ce document est connu dans l'histoire) était le fruit d'une conspiration de ses ennemis, dont le but était de la contraindre à épouser Bothwell et, par là, de la perdre. Tout cela peut paraître bien machiavélique et bien ingénieux de la part de ces hommes plus brutaux qu'habiles. Mais en cette époque et en ce pays, on peut s'attendre à toutes les trahisons, et le tortueux Maitland, qui, de tous, avait sans doute le plus à perdre au triomphe de Bothwell, était fort capable pour sa part d'imaginer un plan aussi diabolique.

Ce qui nous importe, parvenus à ce point, est de savoir si Marie Stuart était au courant du dîner d'Ainslie et des projets matrimoniaux de Bothwell. Au procès de 1568, on produisit une copie du pacte portant le post-scriptum suivant : « Sa Majesté la reine, ayant vu et examiné le *bond* ci-dessus, promet en foi de princesse que ni elle, ni ses successeurs, ne l'imputeront à crime ou offense à ses souscripteurs [...] et que jamais elle ne considérera leur signature comme une tache sur leur honneur ou un manquement à leur devoir envers elle[24]. » Comme elle ne fut pas appelée à donner son avis sur ce document, nous ignorons quels commentaires il aurait suscités de sa part ; mais, selon toute vraisemblance, il s'agissait d'une sorte de « certificat d'honorabilité » accordé par la reine après coup, au moment de son mariage avec Bothwell, donc sans valeur de preuve concernant le pacte lui-même.

Dans la version des faits qu'elle devait donner après son mariage, Marie affirme formellement que le pacte fut signé à son insu et qu'elle en entendit parler pour la première fois après son enlèvement. Elle ne devait jamais varier sur ce point jusqu'à sa mort. Mieux : elle prétend que, la première fois que Bothwell osa lui parler de ses ambitions, elle lui fit une réponse « du tout (entièrement) contraire à ses désirs[25] ».

Elle pouvait pourtant difficilement ignorer que, depuis plusieurs semaines déjà, l'idée de ce mariage était ouvertement agitée. À Paris, même le nonce du pape en avait entendu parler : « Je crains que la reine ne prenne quelque étrange décision, en se mariant avec le comte de Bothwell, obéissant à l'aiguillon qui pousse trop souvent les femmes jeunes et libres[26]. » Jacques Melville, s'il faut en croire ses *Mémoires,* aurait personnellement mis en garde sa souveraine contre ces rumeurs, en lui montrant une lettre d'Angleterre à ce sujet, au risque de sa propre sécurité. « Où aviez-vous l'esprit en montrant cette lettre à la reine ? lui demanda Maitland en apprenant la chose. Ne savez-vous pas que dès que Bothwell en sera informé, il vous fera assassiner ? » Ce qui, effectivement, manqua de peu d'arriver et faillit coûter la vie à Melville — c'est du moins celui-ci qui le raconte[27].

Dans une lettre, datée du 20 avril — donc le lendemain du dîner d'Ainslie —, Kirkcaldy de Grange, un valeureux capitaine, ennemi acharné de Bothwell, écrit que « la reine dit qu'il lui est égal de perdre la France, l'Angleterre et l'Écosse, et qu'elle ira au bout du monde en simple jupon blanc plutôt que de se laisser séparer de Bothwell[28] ». L'idée d'une liaison passionnée entre Marie et le grand amiral était donc bien répandue, qu'elle fût fondée ou non.

Les choses étant ainsi préparées par le pacte du 19 avril, Jacques Bothwell pouvait désormais passer à la deuxième phase de son plan : enlever la reine de façon à rendre le mariage inévitable. Là encore, la question se pose : était-elle, ou non, complice de l'entreprise ? Elle, bien entendu, le nia toujours ; l'opinion publique, au contraire, le crut unanimement.

L'événement, qui se produisit le 24 avril, nous est surtout connu par le récit de Jacques Melville, témoin oculaire ; d'après ce qu'il vit et entendit ce jour-là, il conclut que Marie était bien au courant de ce qui lui arrivait. Elle venait de Stirling (où elle était allée rendre visite à son fils) et rentrait à Édimbourg, lorsqu'au passage d'une rivière, aux environs de Linlithgow, son escorte fut arrêtée par une troupe de cavaliers menés par Bothwell : « Le comte de Huntly, le secrétaire Lethington [Maitland] et moi fûmes arrêtés par les gens du comte de Bothwell*. On nous conduisit prisonniers à Dunbar, tandis que les autres eurent la liberté de se retirer. Le capitaine Blacater, qui m'avait pris, me dit que tout cela se faisait du consentement de la reine[29]. » Ce témoignage pèse d'autant plus lourd que son auteur devait être, par la suite, l'un des fidèles de Marie pendant sa captivité.

À Dunbar, Bothwell s'arrangea pour que tout le monde sût qu'il avait fait de la reine sa maîtresse. Pure comédie s'il était son amant depuis plusieurs mois comme le disaient ses ennemis, mais il fallait, de toute façon, que le mariage fût ou semblât forcé. Elle-même devait raconter par la suite qu' « il usa d'elle autrement qu'elle ne l'eût souhaité[30] ». Ce ne fut pas la croyance la plus répandue : même les diplomates les mieux disposés à l'égard de Marie se font l'écho, dans leurs lettres, de l'opinion contraire. « On pense que tout cela a été arrangé de telle façon qu'elle puisse avoir l'air d'être forcée à épouser le comte », écrit Guzman de Silva[31]. Catherine de Médicis faisait la même interprétation. Une des « lettres de la cassette » (la septième), adressée par Marie à Bothwell, prouverait d'ailleurs absolument sa complicité dans son enlèvement, si elle est authentique, mais nous verrons que ces lettres sont, en fait dépourvues de valeur comme source d'information.

Ce qui conforte, en tout cas, l'hypothèse d'une connivence entre Marie et son ravisseur est la rapidité

* Maitland, à tout le moins, était au courant de ce qui allait se passer : il avait eu, la veille, une longue conversation avec un envoyé de Bothwell.

avec laquelle elle s'empressa de décourager toute tentative de ses loyaux sujets pour la libérer, ainsi que la spontanéité du pardon qu'elle accorda à Bothwell. À Édimbourg, à la nouvelle de l'enlèvement — crime de lèse-majesté s'il en fut jamais —, le prévôt (maire) avait fait fermer les portes de la ville, sonner l'alerte, armer la milice bourgeoise. Mais, « comme l'affaire, à ce qu'on disait, avait été arrangée avec le consentement de Sa Majesté[32] », des ordres furent donnés aussitôt pour interdire tout mouvement de troupe. Le 3 mai, soit neuf jours après le rapt, Marie rentra dans sa capitale, son cheval tenu en bride par le grand amiral, « comme une captive ». Les soldats avaient été soigneusement désarmés, pour bien montrer qu'aucune violence n'était faite à la souveraine. La foule ne s'y trompait pas et gardait un silence hostile, tandis que les canons de la forteresse, dont le gouverneur était désormais Jacques Balfour, tonnaient comme pour une entrée solennelle.

À partir de là, les événements se précipitent. Le 2 mai — la veille du retour à Édimbourg —, le divorce de Bothwell et de sa femme était prononcé par le consistoire calviniste, à la demande de l'épouse, pour cause d'adultère du mari avec une certaine Bessie Crawford : curieuse façon, il faut l'avouer, de rendre au comte sa liberté conjugale, que de le proclamer infidèle à la face du monde. S'il faut en croire l'évêque Leslie, la pauvre Lady Bothwell n'aurait pas eu grande liberté d'action : on lui aurait donné le choix entre le divorce et une coupe de poison[33] *.

Plus délicate à obtenir était l'annulation canonique du mariage par les autorités catholiques (Lady Bothwell, sœur du comte de Huntly, appartenait, on s'en souvient, à l'Église romaine). Marie Stuart fit le nécessaire en rendant opportunément à l'archevêque Hamilton sa juridiction ecclésiastique, ce qui lui permit de réunir sa cour consistoriale qui, le 7 mai, déclara nulle l'union contractée l'année précédente. Cette fois le prétexte invoqué était encore plus étonnant, car il ne s'agissait de

* Déjà en mars, l'ambassadeur de Venise à Paris avait entendu parler d'un projet d'empoisonnement de la comtesse de Bothwell.

rien de moins que du degré de parenté prohibé existant entre les deux époux... alors que dispense de consanguinité avait été, précisément, accordée par l'archevêque lui-même un an plus tôt *.

Apparemment, Huntly avait prêté les mains au divorce de sa sœur, ce qui n'est pas le moins étonnant de cette obscure intrigue. Sans doute jugeait-il prudent de rester dans les bonnes grâces de celui qui allait devenir le nouveau roi d'Écosse, plutôt que de l'agresser en refusant son accord et en mettant les jours de la comtesse en danger.

Pourtant, la perspective — désormais inéluctable — du mariage de Bothwell et de la reine commençait à susciter des oppositions, inefficaces à court terme mais lourdes de dangers pour l'avenir. Dès le début de mai, Robert Melville écrit à Guillaume Cecil qu'une réunion a eu lieu à Stirling, sous les auspices du comte de Mar, pour « libérer » la reine de la captivité où la tient le grand amiral. Kirkcaldy de Grange, dans une lettre d'une extraordinaire véhémence datée du 8 mai, supplie la reine d'Angleterre d'intervenir pour empêcher le mariage, qui serait « la ruine de tous les honnêtes gens du royaume ». Les écoliers de Stirling jouent une pièce improvisée représentant le meurtre de Darnley et la pendaison de Bothwell (avec tant de réalisme que le garçon qui tenait le rôle du meurtrier faillit perdre la vie pour de bon, étant resté pendu trop longtemps)[34].

À l'étranger aussi, de grandes manœuvres diplomatiques s'esquissaient. Élisabeth envoyait en Écosse Lord Grey pour mettre Marie en garde contre toute démarche précipitée. Catherine de Médicis dépêchait d'urgence Philibert du Croc : « Si la reine épouse le comte de Bothwell, elle ne devra compter ni sur l'amitié ni sur la faveur du roi de France[35]. » Décidément les bonnes fées nuptiales n'étaient pas au rendez-vous.

Il était, de toute façon, trop tard. Le 12 mai, Marie

* Toute cette affaire du divorce de Bothwell a fait couler beaucoup d'encre de la part des apologistes catholiques de Marie Stuart. Il est évident que cette manipulation éhontée des règles canoniques n'a rien d'exemplaire pour une reine qui devait être, plus tard, la championne du catholicisme militant.

Stuart déclarait devant la noblesse réunie que « bien que Sa Majesté ait été choquée au moment de son enlèvement, cependant, grâce au bon comportement du comte de Bothwell envers elle, et en considération des bons services qu'il lui a rendus dans le passé et de ceux qu'il lui rendra à l'avenir, Sa Majesté se déclare satisfaite de lui et lui pardonne, ainsi qu'à ses complices[36] » (c'est probablement à ce moment-là qu'elle apposa au « pacte d'Ainslie » le post-scriptum d'approbation que nous avons cité plus haut *). Le même jour, Bothwell recevait le titre de duc des Orcades et seigneur des Shetlands — il sera désormais, dans les documents officiels, « Mylord le Duc » — et la reine annonçait officiellement son proche mariage avec lui.

À peine la cérémonie proclamée, une main anonyme afficha à la porte de l'hôtel de ville d'Édimbourg un vers latin d'Ovide, peu aimable pour l'épousée : *Mense malas Maio nubere vulgus ait* (on dit que les femmes de mauvaise vie se marient en mai)[37].

Le scandale public était tel que le pasteur Craig, chargé de proclamer les bans à l'église Saint-Gilles, refusa de le faire. Il fallut pour l'y obliger que Marie lui en donnât l'ordre formel, en lui garantissant par écrit qu' « elle n'avait été ni enlevée de force ni maintenue contre son gré en captivité »; c'est du moins ce que Craig lui-même raconta un an plus tard, pour sa défense, devant l'Assemblée générale presbytérienne. On peut à bon droit rester sceptique, car précisément la reine affirmait dans le document officiel du 12 mai que le rapt l'avait « choquée » (*commoved*). Encore le pasteur assortit-il la proclamation rituelle d'un commentaire fort désobligeant, qui lui valut d'être semoncé devant le Conseil privé et menacé par Bothwell.

Le 14 mai fut signé le contrat de mariage. Le texte nous en est connu par une copie française du XVIIe siècle, mais parmi les « lettres de la cassette » figure un autre contrat, ou promesse de mariage, daté du 5 avril (à Seton) et rédigé, selon les accusateurs de Marie, de la propre main de Huntly[38] : « Considérant les inconvé-

* Voir p. 287.

nients qui peuvent ensuivre, en la nécessité où le royaume est, si Sa Majesté ne s'associait à un mari, Sa Hautesse a délibéré de se marier, et, sachant quelle incommodité peut advenir au royaume si ainsi est qu'elle s'alliât à un prince étranger, elle a délibéré de prendre l'un de ses sujets. Or, entre iceux, Sa Majesté n'en a point trouvé d'autre plus doué de toutes bonnes qualités que le très noble son cousin Jacques, comte de Bothwell, du service duquel Sa Majesté a toujours trouvé par ci-devant bonne épreuve et infaillible expérience [...]. Pour tant (c'est pourquoi), en la présence de Dieu éternel, elle prend ledit Jacques comte de Bothwell à époux et légitime mari, et promet Sa Hautesse que, incontinent le procès de divorce entre ledit Jacques comte de Bothwell et dame Jeanne Gordon, sa prétendue épouse, sera fini par l'ordre de justice, Sa Majesté soudain épousera et prendra ledit Jacques comte de Bothwell pour mari [...]. Fait à Seton le 5e jour d'avril 1567, présents Georges, comte de Huntly, et Thomas Hepburn, curé de Hauldanthor. »

Comme pour tous les documents de la cassette, l'authenticité de celui-ci est fortement sujette à caution ; si elle était avérée, ce serait une preuve de plus que l'union était de longue date programmée et acceptée par Marie, puisque cette promesse de mariage serait antérieure de près de trois semaines à l'enlèvement et au « viol » *.

Quoi qu'il en soit, les noces furent célébrées le 15 mai 1567 au matin, en petit comité et modeste appareil, dans la grande salle du palais de Holyrood. Cette fois, il n'était plus question de rite catholique : Bothwell était protestant et n'entendait pas ajouter à son contentieux avec la noblesse écossaise le moindre soupçon de complaisance pour le papisme. Le célébrant fut un cousin du marié, Adam Bothwell, évêque (calviniste) des Orcades, celui-là même qui l'avait uni l'année

* La cassette contenait encore une autre promesse de mariage, non datée, mais de toute façon postérieure à la mort de Darnley : « Puisque Dieu a pris mon feu mari Henri Stuart, dit Darnley, et que je suis libre. » Il est difficile de dire si elle est antérieure ou postérieure à celle du 5 avril.

précédente à Jeanne Gordon ; tous ces ecclésiastiques avaient la mémoire courte et la conscience souple.

Philibert du Croc, qui était arrivé en Écosse depuis quelques jours, refusa d'assister à la cérémonie[39]. Aucun représentant anglais n'était non plus présent. Contrairement à l'étiquette des Cours, il n'y eut ni réjouissances ni cavalcade publique ; l'épousée, vêtue de deuil, frappait tous les assistants par sa tristesse. Peut-être commençait-elle à mesurer la profondeur de l'abîme qui s'ouvrait devant elle. Un mois tout juste la séparait de sa chute.

CHAPITRE XIII

« À mort la putain, la sorcière... »

Plus encore que le mariage avec Henri Darnley, celui avec Jacques Bothwell devait porter pour Marie Stuart des fruits amers. Dès avant la cérémonie, le 13 mai 1567, Guillaume Drury, à Berwick, recueille le bruit que Bothwell se montre exigeant et brutal, que Marie est jalouse de Lady Bothwell restée en trop bons termes avec son ex-mari. Le 20, c'est bien pis : la reine a « plus changé de visage qu'aucune femme en si peu de temps[1] ». On pourrait ne voir là que des racontars sans importance (la même lettre du 20 mai fait état d'une stupide accusation selon laquelle Marie aurait tenté d'empoisonner son fils avec une pomme — une pomme à un bébé de onze mois !), mais le témoignage, direct celui-là, de l'ambassadeur français du Croc est formel : le 15 mai, jour même du mariage, il trouve la reine en larmes. « Je m'aperçus d'une étrange façon entre elle et son mari, ce qu'elle me voulut excuser, disant que si je la voyais triste, c'était pour ce qu'elle ne voulait se réjouir, comme elle dit ne le faire jamais, ne désirant que la mort. Hier, étant renfermés tous deux dedans un cabinet avec le comte de Bothwell, elle cria tout haut qu'on lui baillât un couteau pour se tuer [...]. Je l'ai consolée et confortée du mieux que j'ai pu ces trois fois que je l'ai vue[2]. »

La même anecdote est rapportée par Jacques Melville, qui entendit la reine « demander un poignard pour se tuer, menaçant qu'autrement elle se jetterait par les fenêtres[3] ». L'évêque Leslie de Ross, fidèle conseiller de Marie, raconta plus tard qu' «au retour de cette cérémonie hérétique (son mariage selon le rite calviniste), elle ne pouvait s'empêcher de pleurer. Elle me fit appeler et me manifesta un grand repentir, promettant que jamais plus elle ne ferait rien de contraire aux rites de notre Sainte Église ni ne souffrirait que telle chose se fît en sa présence, dût-elle mettre pour cela sa vie en péril[4] ».

Nous n'avons pas de raison particulière de douter de ce témoignage de l'évêque de Ross : Marie était indéniablement catholique, et une union célébrée à la calviniste ne pouvait que lui poser de douloureux problèmes de conscience. Cependant, il faut prendre garde qu'avec cette « confession » assortie de regrets s'introduit dans le récit une tendance moralisatrice qui, par la suite, devait faire de grands ravages parmi les historiens et qui rend difficile, même de nos jours, une analyse objective des faits.

Pour l'évêque catholique, les troubles qui agitaient la reine étaient dus à des scrupules d'ordre religieux ; il ne faudra guère de temps pour que les ennemis de Marie les attribuent au remords d'avoir participé au meurtre de Darnley. Les érudits à tendance puritaine du XIXe siècle feront grand usage de cette rhétorique, bien dans le goût de l'époque : la souveraine adultère (catholique qui plus est, donc perverse), expiant dans la douleur et le désespoir son péché et son crime. Dans une autre perspective, mais partant des mêmes prémisses, Stefan Zweig, avec son talent de grand écrivain, dépeint de façon pathétique les affres de Marie Stuart après son mariage avec son amant : « Ce qui rend cette passion à la fois grandiose et effrayante, c'est que la reine sait depuis le début que son amour est criminel et absolument sans issue. Dès après la première étreinte le réveil a dû être effroyable, lorsque les deux amants, tels Tristan et Iseult au sortir de l'ivresse où les a plongés le philtre d'amour, se rappellent soudain qu'ils ne vivent pas seuls dans l'infini de leur sentiment [...]. Cet amour criminel ne peut donner que des fruits empoisonnés, et Marie Stuart sait que désormais il n'y a plus de repos ni de salut pour elle[5]. »

En vérité, on croirait que Zweig a vécu dans l'intimité de la reine d'Écosse et qu'elle lui a confié les secrets de son âme ; inutile de dire que tout cela est pure imagination. Certes, la tristesse de Marie après son troisième mariage est attestée, comme l'était d'ailleurs son état mélancolique depuis l'automne précédent, par de nombreux témoignages. Mais ne peut-elle être susceptible d'aucune autre interprétation que celle des remords d'une criminelle ou d'une amante déçue ?

Après tout, elle avait pu légitimement penser, au début, que son mariage avec Bothwell constituerait une solution politique acceptable pour l'Écosse. Le pacte d'Ainslie, que son bénéficiaire lui avait montré lorsqu'il la tenait captive à Dunbar (c'est elle-même qui l'affirme[6] *), prouvait qu'au moins une partie importante de la noblesse du royaume était prête à accepter cette solution : mieux, la souhaitait. Elle avait, personnellement, de l'estime pour Bothwell et faisait confiance à ses capacités — nous nous plaçons toujours ici dans l'hypothèse où elle n'aurait pas été sa maîtresse — ; la part croissante qu'il prenait au gouvernement depuis le début de l'année, et même depuis sa blessure de l'automne précédent à l'Hermitage, en est la preuve.

Cependant elle n'a guère pu ignorer que, dès le début de mai, les comtes d'Argyll, Mar, Montrose, Morton et d'autres s'étaient réunis à Stirling pour « délivrer la reine, ne la considérant pas comme libre tant qu'elle serait en compagnie de Bothwell[7] », et pour empêcher celui-ci de s'emparer de la personne du prince. Cette opposition était d'autant plus prévisible que déjà un an plus tôt, en juillet 1566, Bothwell était considéré comme « l'homme le plus haï d'Écosse » **. Nous avons vu que les mises en garde contre l'union de la reine et de l'assassin présumé de son mari n'avaient pas manqué, venant tant d'Écosse que de France et d'Angleterre.

Même en mettant de côté les problèmes politiques, Marie Stuart ne pouvait pas être insensible à l'abaisse-

* Sans revenir ici sur la question de savoir si Marie connaissait le pacte d'Ainslie avant son enlèvement, et s'il avait été conclu avec son aveu (voir p. 287).

** Voir p. 218.

ment que représentait pour elle ce mariage. Elle si fière, si orgueilleuse de sa race et de son rang, si imbue de sa dignité de reine douairière de France et d'héritière présomptive d'Angleterre, se voyait l'épouse d'un simple seigneur, son sujet qui plus est : mésalliance dont l'Europe d'alors n'offrait pas d'exemple, et ressentie comme telle par toutes les Cours (il est d'ailleurs caractéristique qu'à aucun moment il ne fut question de donner à Bothwell le titre de roi ; Marie ne l'appela jamais que « le duc mon époux »).

Pourquoi, dans ces circonstances, s'est-elle prêtée à ce mariage ? — on en revient toujours, bon gré mal gré, à cette question lancinante. L'explication adoptée, avec des nuances, par la plupart des historiens favorables à la reine d'Écosse est celle d'un complot dont elle aurait été victime. « Ses conseillers, profitant de la détresse et de la désolation où elle était plongée après l'étrange et horrible meurtre de son mari, la persuadèrent par leurs arguments artificieux, ou plutôt la contraignirent et la forcèrent à prendre un époux comme réconfort, comme soutien et comme défenseur » : ainsi s'exprime, en 1568, dans un document rédigé pour la défense de la reine prisonnière, le fidèle évêque de Ross[8]. Marie elle-même, beaucoup plus tard, racontant ses souvenirs à son secrétaire Claude Nau, sera encore plus explicite : « Cette pauvre princesse, mal exercitée à de telles traverses, et circonvenue par les persuasions, requêtes et poursuites des uns et des autres, tant en général que par requêtes signées de leur main, présentées en plein Conseil et en particulier... [9] » (La phrase est ici interrompue dans le manuscrit de Nau, mais on devine aisément la fin.) Toujours selon Marie, sous la plume de Nau, elle aurait refusé « purement et simplement » le mariage qu'on voulait lui imposer, « leur remettant devant les yeux les bruits qui couraient de la mort du feu roi son mari », mais les lords se seraient portés garants de l'innocence de Bothwell et, le jour même du mariage, auraient « démontré l'avoir fort agréable [10] ».

Dans cette version des faits, un point reste mystérieux : étant donné l'hostilité ancienne et profonde qui existait entre Bothwell et les lords, quels pouvaient être leurs mobiles en poussant Marie à l'épouser ? L'explication donnée par celle-ci à Nau vaut la peine qu'on s'y arrête : ils se servaient de Bothwell « pour la ruine de leur vraie et légitime souveraine, et leur intention tendait à lui persuader le mariage du comte », afin de l'accuser ensuite d'avoir épousé le meurtrier de son mari et de la déshonorer[11].

Si telle est bien la réalité, force est de reconnaître que le plan des lords réussit au-delà de leurs espérances. La pauvre Marie Stuart apparaîtrait alors comme la victime d'une machination proprement machiavélique, où les moindres détails auraient été calculés pour lui donner toutes les apparences de la culpabilité, alors que sa méfiance et même ses réticences auraient été endormies par une véritable campagne d'intoxication, comme on dirait aujourd'hui. Mais est-ce vraisemblable ?

Tout d'abord, il faudrait supposer que Marie fût vraiment, tout au long de ces fatales semaines, dans un état de prostration confinant à l'imbécillité. Quel que fût le soin avec lequel Moray et Maitland veillaient à l'isoler du monde, elle recevait les ambassadeurs, elle lisait les dépêches diplomatiques, elle parlait avec ses serviteurs ; elle ne pouvait donc ignorer l'état de l'opinion, écossaise autant qu'internationale. L'évêque Leslie nous dit qu'après le meurtre de son mari elle fut de plus en plus soumise à l'influence de Bothwell et qu'à la fin celui-ci la tenait à sa merci : soit. Mais ceux qui, bientôt, allaient lever l'étendard de la révolte contre ce même Bothwell, comment supposer qu'ils aient pu, sciemment et délibérément, travailler à hisser leur ennemi sur le trône ? Après tout, rien ne prouvait qu'une fois devenu l'époux de la reine, celui-ci ne triompherait pas d'eux et ne les écraserait pas, comme naguère Darnley, aux côtés de sa jeune femme, avait écrasé et dispersé ses opposants lors de la mémorable « course-poursuite » de 1565 — et Bothwell était un homme d'une autre trempe que le piètre « roi Henri » !

Enfin, si vraiment Marie Stuart redoutait ce mariage avec le grand amiral, si même, comme l'écrit Claude Nau, elle s'y refusait « purement et simplement », les occasions ne lui manquèrent pas de se libérer de son emprise. Après l'enlèvement et les violences qu'il lui avait fait subir, il lui était facile d'appeler sa noblesse et ses sujets à la venger ; au lieu de quoi, elle faisait savoir sans équivoque qu'elle était « satisfaite » de son ravisseur et elle interdisait toute poursuite contre lui.

Nous restons donc devant deux hypothèses, dont aucune ne s'impose absolument dans l'état de nos connaissances. L'une est celle d'une totale irresponsabilité de Marie, d'une aboulie maladive proche de la dépression nerveuse, qui ferait d'elle, en ces mois de mars, avril et mai 1567, une sorte de marionnette passivement manipulée par son entourage, forcée malgré elle à un mariage qui lui répugne. L'autre — celle de Buchanan et de Stefan Zweig — est celle d'une passion dévorante entraînant au contraire la malheureuse vers Bothwell et faisant d'elle la complice délibérée d'un crime pour l'épouser. Ni l'une ni l'autre de ces deux explications n'est exempte de difficultés ; mais aucune ne peut être, à ce stade, formellement écartée. Nous verrons si la suite des événements permettra d'y voir plus clair.

Il est de tradition de dépeindre le nouveau duc des Orcades, aussitôt uni à la reine, comme affichant envers elle des manières brutales et un manque total d'égards. Il existe pourtant des témoignages qui affirment le contraire. « Le duc manifeste le plus grand respect pour son épouse, il se tient tête nue devant elle », écrit Guillaume Drury le 27 mai. Une fête nautique est donnée à la Cour le 25 mai, Bothwell court la bague devant la reine, le couple royal fait « grand étalage de joie[12] ». Admettons volontiers que ces réjouissances officielles aient été plus protocolaires que spontanées — l'évolution de la situation politique ne prêtait guère à l'optimisme —, mais enfin elles prouvent que, quelques jours après le mariage, la vie de Cour continuait à Holyrood, et que Marie Stuart n'était ni recluse ni prête à renoncer au trône.

Guillaume Maitland, dont tout le rôle en cette période apparaît des plus suspects, soufflait alternativement le chaud et le froid. Selon Drury, il était en bons termes avec Marie, mais « redoutait » Bothwell — ce qui n'a rien d'invraisemblable[13]. Quelque temps plus tard, se confiant à Du Croc, Maitland lui rapportait que le duc « tenait la reine plus pour sa concubine que pour sa femme » et qu'elle n'avait « liberté de regarder une seule personne ni que personne la regardât ».

Bothwell — continuons à lui donner ce nom, malgré son titre officiel de duc des Orcades qu'il eut si brièvement l'occasion de porter — entreprenait de réorganiser le gouvernement en tenant compte des nouvelles lignes de force. Le Conseil privé était remanié, Huntly devenant chancelier (ce qui prouve à tout le moins qu'il ne tenait pas rigueur à son ex-beau-frère de son divorce), l'archevêque Hamilton et l'évêque de Ross côtoyant Morton, Cassillis, Rothes, Fleming, Boyd, Maitland, et d'autres fidèles ou présumés tels.

Marie, pour sa part, gardait le souci de défendre sa réputation et de faire accepter sa nouvelle condition matrimoniale par les Cours d'Europe, en premier lieu celles de France et d'Angleterre. Les instructions qu'elle donne par écrit aux ambassadeurs envoyés par elle à Paris et à Londres (l'évêque de Dunblane dans le premier cas, Robert Melville dans le second) constituent les témoignages les plus authentiques que nous possédions sur son état d'esprit en ces premiers jours de juin 1567, ou tout au moins sur son attitude officielle. Elle y énumère les raisons qu'elle avait eues de considérer Bothwell comme son fidèle et dévoué sujet, les services qu'il lui avait rendus depuis son retour en Écosse, enfin et surtout les preuves de l'accord de la noblesse pour ce mariage. « Lorsqu'il commença à me découvrir ses intentions, trouvant ma volonté contraire à ses désirs [...] il résolut de poursuivre sa bonne fortune et [...] en l'espace de quatre jours, trouvant l'occasion de ma visite au prince, mon cher fils, à mon retour il m'arrêta avec une forte troupe et m'emmena en toute hâte au château de Dunbar. » Passage délicat dans le récit : comment expliquer le pardon accordé à un crime de lèse-majesté aussi caractérisé ? « Bien que ses actes fussent rudes, ses paroles étaient douces. Il promit qu'il m'honorerait et me servirait, me demandant pardon de sa hardiesse dont l'amour seul était la cause [...]. À la fin il me montra l'écrit par lequel la noblesse de mon royaume lui avait promis son appui [...] et moi, voyant que j'étais en sa puissance, que je n'avais aucun espoir d'être délivrée, que tous mes nobles étaient d'accord avec lui, je lui accordai la faveur de l'épouser [...]. Et maintenant, il doit être reconnu comme mon mari ; je l'aimerai et honorerai comme tel, indissolublement lié à moi[14]. »

Il va de soi que ce document a été rédigé sous les yeux de Bothwell, sans doute sous sa dictée. La suite des événements ne permet toutefois pas d'affirmer, ni même de soupçonner, qu'il n'ait pas correspondu au sentiment réel de Marie Stuart. Nous verrons que, quelques semaines plus tard, au moment où elle devra se séparer de lui, elle lui manifestera en effet l'attachement et la fidélité qu'expriment les messages adressés à Catherine de Médicis et à Élisabeth. Quelles qu'aient été les raisons réelles du mariage célébré le 15 mai, Marie le considérait bien comme valable et légitime.

Malheureusement pour elle, l'opposition à Bothwell, qui avait commencé à se manifester dès avant la cérémonie, prenait rapidement les proportions des prodromes d'une guerre.

Un prétexte tout trouvé, pour les ennemis du duc, était la protection du prince héritier. Ils affichaient la certitude qu'après s'être emparé de la reine, le nouveau maître allait maintenant se saisir de son fils et le faire disparaître, tel Richard III, quatre-vingts ans plus tôt, éliminant ses neveux à la Tour de Londres pour usurper leur couronne : « Personne ne doutait que le duc, pour avancer sa cause, ne cherchât à mettre la main sur cet innocent enfant, pour l'empêcher de vouloir un jour venger la mort de son père[15]. »

En réalité, nous n'avons — et n'aurons jamais — aucune preuve que Bothwell ait nourri des desseins aussi noirs sur le bébé royal gardé par le comte de Mar à Stirling. Qu'il ait souhaité avoir en sa puissance l'héritier du royaume, c'est l'évidence même : le fait que celui-ci fût aux mains de ses ennemis constituait pour lui un danger permanent, comme l'avenir devait le montrer. Mais cela ne signifie pas pour autant qu'il ait eu des intentions meurtrières à son égard : au contraire, si quelque malheur survenait à Marie Stuart, son époux veuf pourrait très légitimement prétendre à la tutelle de son fils et à la régence, tandis qu'en l'absence d'héritier direct il perdait tout droit à se maintenir près du trône. Quant à Marie elle-même, elle avait toutes les raisons, comme reine et comme mère, de désirer que le petit Jacques fût auprès d'elle, et non dans un château dont l'accès lui était sévèrement limité par ceux qui en avaient la garde.

Quoi qu'il en soit, la majorité de l'opinion publique d'Édimbourg, dûment travaillée par les lords et par les pasteurs, croyait fermement la sécurité de l'enfant royal menacée et jugeait avec horreur l'union de la reine avec celui qu'on considérait comme le meurtrier de son mari. Les ambassadeurs et agents étrangers envoyaient à leurs gouvernements des dépêches de plus en plus alarmantes. L'évêque de Dunblane ne rencontrait en France qu'un succès des plus mitigés : Catherine de Médicis et Charles IX lui firent savoir qu'à leur avis « ce mariage avait été le résultat de la volonté de la reine », et que celle-ci s'était « mal conduite, ce qui risquait de la brouiller avec ses sujets [16] ». L'ambassadeur ordinaire d'Écosse à Paris, l'archevêque Beaton, était lui-même consterné de ce qui se passait dans son pays, et Philibert du Croc, à Édimbourg, se faisait dans ses correspondances l'écho des lords hostiles à Bothwell. Les plus indulgents, à Paris, jugeaient que Marie avait été « induite et contrainte par force d'enchantement et d'ensorcellement, comme il [Bothwell] en sait le métier, n'ayant fait plus grande profession, quand il était aux écoles, que de lire et étudier en la nécromancie et magie défendue [17] ».

Bothwell avait pourtant pris le soin d'écrire au roi de France une lettre respectueuse, le 27 mai, où il exprimait « l'affection et bonne envie que j'ai et aurai toute ma vie de vous faire humbles services et à votre couronne [18] ». Mais Moray, qui se trouvait maintenant à Paris, jouissait d'une écoute beaucoup plus favorable quand il répandait sur le nouveau maître de l'Écosse les bruits les plus fâcheux [19].

Du côté de sa cousine Élisabeth, Marie Stuart ne

pouvait pas trouver davantage d'appui. La reine d'Angleterre jugeait scandaleux le mariage du 15 mai ; d'ailleurs les lords de Stirling appartenaient tous au parti anglophile, tandis que Bothwell en était depuis toujours la bête noire. Il avait beau écrire à Cecil et à Élisabeth elle-même pour affirmer son intention de maintenir les bonnes relations entre les deux royaumes et pour se défendre des « mauvais bruits » répandus contre lui, les sympathies de l'Angleterre ne pouvaient aller qu'à ses adversaires, d'autant plus que ceux-ci, de leur côté, multipliaient auprès des Anglais les protestations d'amitié et de dévouement.

Marie et son époux abordaient donc dans les plus déplorables conditions la lutte qui s'annonçait. Pourtant, Bothwell était bien loin de songer à céder ou à abandonner la partie. Lorsqu'il comprit que l'affrontement était inévitable, il agit avec promptitude et décision. Dès le 1er juin, tandis que les lords étaient réunis à Stirling, il faisait lire et afficher à Édimbourg une proclamation royale rédigée en termes énergiques : « Comme l'envie est ennemie de la vertu, et que des esprits séditieux et inquiets cherchent à susciter des troubles, la clémence de Sa Majesté est méconnue et ne rencontre qu'ingratitude et rébellion, au point que le peuple commence à dire qu'Elle néglige la sécurité de son très cher fils le Prince, qu'elle envisage de violer les lois et de renoncer aux anciennes coutumes du royaume, qu'elle n'a plus le souci du bien public[20] » : tous bruits calomnieux auxquels la souveraine apporte un démenti formel, en renouvelant son engagement de respecter toutes les lois et de se consacrer à l'éducation du prince.

En même temps, les vassaux de la couronne étaient convoqués pour le 12 juin à l'abbaye de Melrose, à proximité de la frontière anglaise, pour une expédition contre les brigands qui continuaient plus que jamais à infester les *Borders* *. Il est hors de doute qu'en prenant cette décision, Bothwell avait en vue tout autre chose que le but officiel assigné à l'expédition. Une fois

* Les correspondances des agents anglais sont, en effet, remplies de plaintes contre l'insécurité des *Borders* à cette époque.

réunies, les troupes pourraient aisément être amenées devant Stirling et, avec un peu de chance, le groupe des lords opposants serait dispersé avant d'avoir eu le temps de se fortifier.

Malheureusement pour le couple royal, les lords gagnèrent l'opération de vitesse. Avertis qu'un coup de main allait être tenté sur Holyrood pour se saisir d'eux, Marie et son époux se réfugièrent en toute hâte, le 6 juin, au château de Borthwick, à vingt kilomètres au sud-est d'Édimbourg, sur la route des *Borders* *. Mais un commando les y rejoignit bientôt, et Bothwell n'eut que le temps de s'échapper — la chronique raconte que, dans la nuit, il était « à moins d'une portée de flèche » de ses poursuivants et qu'il les entendait distinctement proférer contre lui et contre la reine des injures grossières. Le lendemain, Marie sortit à son tour de Borthwick, déguisée en homme, et gagna d'une traite l'imprenable forteresse de Dunbar où son époux l'avait précédée : là, ils étaient en sécurité [21].

Toute cette histoire mouvementée de l'évasion de Borthwick suffirait, s'il en était besoin, pour prouver qu'à ce stade Marie Stuart liait décidément sa cause à celle de Bothwell. Rien ne lui était plus facile, une fois celui-ci parti pour Dunbar, que de rejoindre les lords à Stirling et de se proclamer libérée de son oppresseur, si tel était son sentiment. Cela constitue un argument de poids en faveur de la thèse d'une union délibérément voulue par elle.

Les lords de Stirling ne furent pas longs à saisir l'occasion qui leur était offerte par le départ de la souveraine et de son mari. Le 11 juin, ils se présentaient devant les murailles d'Édimbourg; les portes étaient forcées malgré une honorable résistance des partisans de Marie et la ville était occupée, à l'exception du château tenu — pour peu de temps — par Jacques Balfour.

Le lendemain, 12 juin 1567, les lords se posaient ouvertement en contre-pouvoir et faisaient afficher une proclamation déclarant Bothwell ennemi public et appe-

* Le château de Borthwick existe encore, transformé en hôtel, dans un site agreste et boisé qui évoque assez le bocage normand.

lant tous les habitants de la capitale à délivrer la reine de sa « captivité » : « Le comte de Bothwell (on remarque qu'il n'est pas question de lui donner son titre de duc) ayant porté sur Sa Majesté des mains violentes et ayant osé la tenir prisonnière [...], ayant commis sur la personne du roi Henri un meurtre abominable et projetant maintenant de se saisir de la personne sacrée du prince [...], tous les sujets de Sa Majesté sont requis de se réunir pour la délivrer et pour punir ledit Bothwell de ses crimes[22]. »

Peut-être, si Bothwell avait eu la patience de rester avec Marie à Dunbar pendant que leurs fidèles s'assemblaient pour les secourir, l'histoire aurait-elle pris un autre cours. Les lords rebelles ne représentaient pas, loin s'en faut, la totalité de la noblesse écossaise. Les forces de Huntly, de Fleming, des Hamilton, n'étaient pas négligeables ; des hommes comme Maitland, Kirkcaldy de Grange, Jacques Melville, étaient suffisamment ondoyants (la suite devait le démontrer) pour pouvoir être gagnés ou regagnés au parti royal. Élisabeth répugnait à s'engager contre sa cousine.

Mais Bothwell, avec son impétuosité naturelle, crut pouvoir forcer le destin. À la hâte, il avait réuni à Dunbar deux cents arquebusiers et quarante chevaux et se jugeait assez fort pour écraser ses adversaires. Selon les confidences de Marie à Claude Nau, le gouverneur du château d'Édimbourg, Jacques Balfour — qu'elle avait alors toutes les raisons de considérer comme un fidèle, puisque c'était un allié de longue date de Bothwell —, lui avait fait passer un message pour l'inciter à se diriger vers la capitale, l'assurant que dès que l'armée royale serait en vue il ferait tirer les canons de la forteresse sur les rebelles[23].

Le 13 juin, Marie et Bothwell étaient à Haddington, où les rejoignaient de nouvelles recrues avec six cents chevaux. Le 14, à Seton — un lieu plein de souvenirs agréables pour eux, mais les temps avaient bien changé depuis les séjours qu'ils y avaient faits naguère ! —, ils disposaient de plus de quatre mille hommes au total. Les Hamilton et Huntly travaillaient, dans leurs propres domaines, à réunir d'autres renforts. Mais il n'était plus temps : les lords sortaient d'Édimbourg et marchaient à la rencontre de la souveraine.

Au matin du 15 juin 1567, les deux armées se trouvèrent face à face à Carberry Hill, « une petite montagne et passage à défendre » située à côté de la ville de Musselburgh, à environ huit kilomètres de la capitale *. Très vite, le soleil monta dans le ciel et la chaleur devint accablante. Les hommes de Bothwell commencèrent à souffrir de la soif, la rivière au bas de la colline ayant malencontreusement été abandonnée aux rebelles ; ce détail devait peser lourd dans la suite des événements.

Le déroulement de la journée nous est connu par un récit très vivant rédigé par un capitaine français anonyme, témoin oculaire dans le camp royal, et par un long compte-rendu justificatif envoyé par du Croc à Charles IX le surlendemain[24]. L'ambassadeur de France devait en effet jouer, tout au long de ces heures dramatiques, un rôle de premier plan et passablement ambigu. Nous savons l'antipathie qu'il éprouvait pour Jacques Bothwell et la répugnance avec laquelle il avait vu son mariage avec Marie Stuart. Son hostilité envers les Anglais ne l'avait jamais empêché de recueillir avec complaisance les bruits défavorables à la reine. À Carberry Hill, il est assez significatif que ce soient les lords rebelles qui l'aient choisi pour porter leurs propositions à Marie, et non l'inverse. Son témoignage n'est donc pas vraiment impartial, et la sorte de neutralité qu'il affecte, dans son récit, entre les deux partis en présence, peut à bon droit être jugée assez surprenante de la part de l'ambassadeur du Roi Très-Chrétien ; le fait qu'il suivît les instructions de Catherine de Médicis montre bien que la Florentine n'était pas décidée à choisir entre son ex-bru et ses ennemis.

L'armée royale était hétéroclite et peu motivée. Elle se composait en majeure partie d'hommes des Borders, vassaux personnels de Bothwell, plus habitués aux coups de main sur la frontière qu'à des opérations militaires

* Aujourd'hui englobée dans la banlieue d'Édimbourg, du côté est.

régulières. Elle était en outre mal ravitaillée et mal encadrée, malgré l'étendard au lion rouge d'Écosse qu'elle arborait. Les lords, de leur côté, avaient fait confectionner une bannière montrant le cadavre de Darnley, nu sous un arbre, avec l'enfant Jacques à genoux et les mots *Venge ma cause, ô mon Dieu.* C'était proclamer très haut leur position de justiciers, qui rencontrait beaucoup d'écho dans l'opinion publique.

Bothwell aurait voulu attaquer sans délai, avant que l'armée ennemie eût le temps de se mettre en ordre au pied de la colline. C'était une tactique raisonnable, qui n'aurait sans doute pas été dépourvue de chance de succès ; mais l'arrivée de Du Croc, venu en négociateur, arrêta l'ordre prêt à être donné.

Selon l'ambassadeur, les lords l'avaient chargé, avant d'engager le combat, d'aller dire à la souveraine que si elle « se voulait tirer à part de ce malheureux qui la tenait », ils seraient prêts à la servir à genoux « comme très humbles et obéissants sujets ». Marie, en l'entendant, le prit de très haut. Les lords « allaient contre tout ce qu'ils avaient signé, et eux-mêmes l'avaient mariée à celui qu'ils avaient justifié du fait (le meurtre de Darnley) dont aujourd'hui ils le voulaient accuser ». Elle s'étonnait — non sans raison — qu'ils eussent attendu, pour le poursuivre, qu'il fût « en la compagnie de Sa Majesté, par où il apparaissait qu'à elle seule on se voulait attaquer pour lui ôter sa couronne ». Cependant, si les lords étaient disposés à implorer son pardon, elle consentirait à oublier leur rébellion et à leur « ouvrir les bras ». On ne saurait rêver impasse plus totale.

Bothwell, intervenant alors, jura qu'il était innocent de tous les crimes et méfaits dont on l'accusait. Un amusant dialogue de comédie s'engagea avec Du Croc. « Il [Bothwell] me demanda tout haut, afin que son armée l'entendît, si c'était à lui qu'ils en voulaient ? Je lui répondis tout haut que je venais de parler à eux et qu'ils m'avaient assuré d'être très humbles serviteurs et sujets de la reine (et, tout bas, je lui dis qu'ils étaient ses ennemis mortels). Il demanda, parlant tout haut, qu'est-ce qu'il leur avait fait ? qu'il n'avait jamais pensé de faire déplaisir à un seul, mais au contraire plaire à tous. »

Tout cela ne menait pas loin et ne faisait guère progresser l'action. Plus sérieuse était l'offre, aussitôt formulée par Bothwell, de rencontrer en combat singulier tout seigneur qui voudrait se mesurer à lui. Du Croc, malgré son hostilité avérée, reconnaît que le mari de la reine agit en cette circonstance « en grand capitaine, et qui conduisait son armée gaillardement et sagement ».

L'idée du duel judiciaire n'était sans doute plus très courante en ces années 1560, mais elle n'était pas entièrement sortie des mœurs : qu'on se rappelle le fameux combat de Jarnac et de La Châtaigneraie à Saint-Germain-en-Laye, devant le roi Henri II, en 1547. Bothwell l'affectionnait puisque, quelques semaines plus tôt, il avait déjà provoqué tout noble assez audacieux pour lui imputer le meurtre du roi *. Mais, à Carberry Hill, le combat n'eut pas lieu, soit que Marie s'y opposât, soit que — s'il fallait en croire Jacques Melville, son ennemi avéré —, « le cœur manqua audit comte [Bothwell] et l'on connut alors que son bras n'était pas si vaillant que sa langue ». Les témoignages varient assez notablement sur tout cet épisode, y compris sur les noms des champions qui se proposèrent à relever le gant jeté par Bothwell : le seigneur de Tullybardine, Kirkcaldy de Grange, l'un et l'autre récusés comme étant de trop petite noblesse pour combattre le duc des Orcades ; le comte de Lindsay, voire Morton lui-même, mais alors c'est la reine qui intervint pour interdire le duel, sans qu'on sût exactement pourquoi.

Alors que tout le monde manifestait à haute voix le désir d'en découdre, les choses traînaient inexplicablement en longueur. La reine désirait parler à Maitland, mais on lui répondit qu'il ne se trouvait pas dans les rangs adverses. Finalement Kirkcaldy de Grange traversa les lignes pour assurer à la souveraine que les lords étaient prêts à l'accueillir avec honneur et en toute sécurité, pourvu qu'elle vînt à eux seule, sans Bothwell. Jacques Melville — mais il est le seul à rapporter cet épisode — raconte que, lorsque Kirkcaldy pénétra dans

* Voir p. 282.

le camp royal, Bothwell voulait le tuer, et que Marie n'obtint sa vie sauve qu'à force « de cris et de prières ».

Pendant ces interminables palabres, la situation militaire s'était insensiblement détériorée pour le parti de la reine. Le soleil tapait dur et les troupes de Bothwell, peu habituées à la discipline, s'étaient débandées « pour aller boire et se rafraîchir par les villages ». Au moment où Kirkcaldy arrivait avec les propositions de ses amis, il ne restait plus autour de la souveraine et de son époux que cinq à six cents hommes, fourbus et excédés. Marie elle-même était à bout de nerfs. Elle demanda à Kirkcaldy quelles garanties aurait Bothwell si elle acceptait de rejoindre les lords ; Kirkcaldy promit que le duc pourrait se retirer librement, et qu'il y veillerait en personne. Elle céda.

Bothwell ne fut pas facile à persuader, mais il se rendait compte que, militairement, la partie était perdue pour ce jour-là. Il pria la reine de lui confirmer, devant tous les témoins, sa fidélité, ce qu'elle fit solennellement. Bothwell irait à Dunbar pour y attendre la réunion du Parlement qu'elle s'engageait à convoquer à bref délai, et qui jugerait impartialement les accusations portées contre lui. (Dans ses souvenirs dictés à Claude Nau, elle raconte que si le Parlement devait le déclarer innocent « rien ne la pourrait empêcher de lui rendre le devoir de vraie et légitime femme », mais que s'il était reconnu coupable « elle regretterait toute sa vie d'avoir apprêté par leur mariage de quoi damner sa réputation[25] ». Il est permis de rester sceptique sur cette confidence *a posteriori*.)

La séparation des deux époux eut lieu en fin d'après-midi. Moment pathétique s'il en fut dans la vie de l'un comme de l'autre. Le capitaine français, témoin de la scène, dit qu'ils « s'entrebaisèrent souventefois au départir » et qu'elle le regarda s'éloigner « avec grande angoisse et douleur de son côté ». Marie rapporta plus tard à Claude Nau que c'est alors que Bothwell lui remit le pacte signé à Craigmillar par Morton, Maitland, Balfour et divers autres, pour l'assassinat de Darnley * :

* Voir p. 242.

on peut se demander comment il l'avait en sa possession, et plus encore pourquoi il l'aurait caché jusqu'alors à sa femme.

La reine, sans doute, dans la fatigue et l'épuisement de cette interminable journée torride, pensait que Bothwell, une fois rentré à Dunbar, ne tarderait pas à reformer son armée et à venir la délivrer. Lui-même en avait bien l'intention. Soit par négligence, ou manque de décision, ou flottement dans le commandement des rebelles, il réussit en effet à s'enfuir sans être poursuivi, entouré d'un petit groupe de fidèles, et à rejoindre l'imprenable forteresse du bord de mer qui était depuis longtemps son refuge et sa base d'action. Cette mollesse des lords pour s'emparer de leur ennemi ne devait pas manquer de susciter des commentaires et d'être invoquée comme preuve de leur duplicité : « Qu'ils nous disent, ces seigneurs, pourquoi, ayant le comte de Bothwell en leur pouvoir, ils l'ont laissé échapper ? » écrira, l'année suivante, l'évêque de Ross dans sa *Défense de la reine Marie.* « Pourquoi Grange, venant de leur part, prit Bothwell par la main et le pria de s'éloigner, en l'assurant que personne ne le poursuivrait, comme il advint ? [...] On vit bien alors que ce qu'ils recherchaient, c'était un autre oiseau, et celui-là ils l'avaient en cage [26]. »

Étonnante journée, à tout prendre, que cette tragicomédie de Carberry Hill. Ce qui s'était annoncé comme un affrontement sanglant se terminait en arrangement amiable ; fin peu glorieuse pour un règne qui avait eu ses heures de triomphe — car c'est bien de ce 15 juin 1567 qu'il faut dater la fin de Marie Stuart comme reine d'Écosse, le bref épisode de mai 1568 n'étant qu'un éclair fugitif et sans lendemain.

Personne, à Carberry Hill, ne s'était montré sous son meilleur jour. Ni Philibert du Croc, qui jouait un bien curieux rôle pour un ambassadeur ; ni Maitland, plus fuyant et « caméléon » que jamais ; ni Kirkcaldy de Grange, embarrassé de son personnage et porteur de promesses dont il devait bien connaître l'inanité ; ni Bothwell, qui manqua singulièrement d'audace et de décision ; ni enfin Marie elle-même, dont on est surpris de voir combien facilement elle se laissa prendre au piège de ses adversaires. Du Croc est pourtant formel : l'équilibre des forces était, militairement, plutôt en faveur de la reine et de son mari. L'erreur commise en acceptant de négocier, sous le soleil accablant, et en démobilisant ainsi l'énergie des troupes, était de celles qui ne se rattrapent pas. Marie Stuart n'allait pas tarder à s'en apercevoir.

Si la reine avait cru aux promesses de Kirkcaldy de Grange (la bonne foi personnelle de ce dernier n'étant d'ailleurs pas en cause, comme la suite devait le démontrer), elle fut bientôt détrompée.

Aussitôt Bothwell parti pour Dunbar, elle monta à cheval et suivit Kirkcaldy dans le camp des lords. Elle y fut accueillie, selon tous les témoignages — dont le sien propre —, avec le respect dû à son rang, et même avec « acclamations ». Cependant, des fausses notes se faisaient déjà entendre : quelques soldats, « de la plus basse classe » précise-t-on, la couvrirent de huées.

Dûment encadrée et surveillée, elle fut, après s'être un peu rafraîchie, emmenée à Édimbourg. Il était sept heures du soir et le soleil commençait à perdre de son mordant. Après une heure de chevauchée, elle s'attendait à retrouver ses appartements de Holyrood, mais c'est dans la maison du prévôt de Craigmillar qu'elle fut conduite malgré ses protestations ; pour la troisième fois de sa vie, elle n'était plus libre de ses mouvements.

La soirée et la nuit qui suivirent devaient compter parmi les heures les plus amères de l'existence de Marie Stuart. Finies désormais les manifestations de déférence ; elle était prisonnière et traitée comme telle. On lui avait donné pour geôliers deux hommes de mauvaise réputation, connus pour leur brutalité, Drumlanrig et Cessford ; les soudards chargés de la garder à vue poussèrent même l'insolence jusqu'à rester toute la nuit dans sa chambre, de sorte qu'elle dut s'allonger sur le lit sans pouvoir se déshabiller, après cette interminable journée passée en plein soleil dans la poussière du camp et de la chevauchée.

Aucun des lords n'était venu lui parler, s'expliquer

avec elle. En vain réclamait-elle de voir Morton ou Maitland. Sur le tard, à bout de nerfs, elle se mit à la fenêtre, tout échevelée et en sueur comme elle était — elle portait, depuis le matin, une cotte rouge qui ne lui arrivait qu'à mi-jambe : costume fort pratique, sans doute, pour une bataille, mais peu convenable à la majesté d'une reine — et interpella la foule. On lui répondit par des cris hostiles et des injures. Devant la maison, on avait dressé la bannière représentant Darnley assassiné. Alors, enfin, comprenant la profondeur de l'abîme où elle était tombée, elle pleura.

Le lendemain, voyant passer Maitland, elle le héla « fort lamentablement », mais il passa son chemin « sans faire aucune démonstration de voir ou d'ouïr Sa Majesté ». Les gardes fermèrent la fenêtre et lui interdirent de s'en approcher, « de peur de recevoir une arquebusade ». Toute la journée se passa ainsi, sans message des lords. Sur le soir seulement, Maitland arriva. Marie l'accueillit avec la fureur qu'on peut imaginer. Elle ne demandait pas mieux que de faire poursuivre les assassins de son mari, dit-elle, mais alors Maitland, Morton et Balfour seraient plus en danger que tous autres, « vu qu'ils étaient consentants et coupables dudit meurtre, comme elle l'avait su du comte de Bothwell sur son partement d'avec elle » (telles sont les paroles qu'elle se prête à elle-même dans ses confidences à Claude Nau) : sur quoi Maitland, « se voyant découvert », repartit plus décidé que jamais à ruiner sa bienfaitrice.

La scène est dramatique, mais peut-être pas très vraisemblable en la circonstance. La reine était en l'entière puissance des lords et elle le savait ; ce n'était certes pas le moment de les provoquer, bien qu'avec une femme du caractère de Marie Stuart cette réaction passionnelle n'ait pas été impossible.

De toute façon, la situation ne pouvait s'éterniser. Le soir du 16 juin, la captive fut ramenée au palais de Holyrood où elle put, pour la première fois depuis la triste journée de Carberry Hill, se restaurer et changer de vêtements. Philibert du Croc, qui suivit tous ces événements de près, écrit à Catherine de Médicis que, tout au long de ses transferts, « elle ne parla jamais que de les faire tous pendre et crucifier », et qu'elle « ne demandait [rien] sinon qu'ils les missent tous deux [elle et Bothwell] dans un navire pour les envoyer là où la fortune les conduirait[27] ». D'autres témoignages parlent d'une lettre qu'elle aurait tenté de faire parvenir à son époux, d'un serment qu'elle aurait fait de ne pas manger de viande avant d'être réunie avec lui. Tout cela est bien possible ; mais il faut bien voir qu'en donnant à croire au monde que la reine liait son sort à celui de Bothwell, les lords se justifiaient eux-mêmes de la garder captive. L'argumentation est claire : nous ne demanderions pas mieux que de rendre à Sa Majesté son autorité, mais c'est elle qui, par son refus d'abandonner le meurtrier de son mari, nous empêche de la remettre en liberté, « car tout serait à recommencer », comme l'écrit assez crûment Du Croc.

Une fois de plus, deux versions s'opposent donc, entre lesquelles il nous faut choisir. Les lords étaient-ils, de toute façon, déterminés à abattre Marie Stuart et à lui « ôter sa couronne », comme elle le dit plus tard à Claude Nau ? ou bien est-ce son attitude intransigeante qui les poussa, malgré eux, aux solutions extrêmes ? La suite des événements donnerait plutôt du poids à la première de ces deux interprétations : car lorsque, deux ans plus tard, Marie se déclara prête à divorcer de Bothwell pour retrouver son trône, ce sont ces mêmes lords qui s'y opposèrent et firent échouer le projet *. Mais le caractère orgueilleux et passionné de la reine, dont sa vie offre tant d'exemples, rend très vraisemblables les expressions de colère et le désir de vengeance rapportés par Du Croc. Après tout, Bothwell était encore en liberté, et la partie n'était pas forcément jouée.

Tel était aussi le sentiment des lords. La mise en sûreté de leur captive constituait pour eux une priorité absolue. Pour l'éloigner d'Édimbourg, ils avaient un bon prétexte : les manifestations d'hostilité de la foule dont elle était l'objet. Plus que de tenir prisonnière leur

* Voir p. 393-394.

souveraine, il s'agissait donc — au moins vis-à-vis de l'opinion internationale — de la mettre à l'abri des outrages et des éventuels attentats ; et, accessoirement, d'empêcher le criminel Bothwell de s'emparer à nouveau d'elle.

Elle quitta Holyrood, pour n'y plus jamais revenir, le 17 juin à la nuit tombée. On lui fit croire qu'on l'emmenait à Stirling auprès de son fils. À Leith, quand elle s'embarqua pour la traversée du Firth of Forth, la foule hurlait : « À mort la putain, la sorcière, brûlez-la, noyez-la[28]. » Une nouvelle fois, elle pleura. Sur l'autre rive, des chevaux l'attendaient avec son escorte. Quelqu'un lui glissa à l'oreille que les Hamilton s'apprêtaient à la libérer. Elle tenta de ralentir la marche, mais ses gardiens cravachaient sa monture pour la hâter. Bien vite, elle comprit qu'on ne se dirigeait pas vers l'ouest, direction de Stirling, mais vers le nord. Quelques heures plus tard, elle se trouvait au bord du lac de Lochleven, où des barques étaient préparées. Puis les portes du château, dans l'île du lac, se refermèrent sur elle.

Elle avait vingt-cinq ans et demi. Il lui restait vingt ans à vivre, dont quatorze jours de liberté.

CHAPITRE XIV

« Comme un homme se jette à la mer... »

Le château de Lochleven était, à tous égards, un lieu bien choisi pour assurer à la reine vaincue les conditions les plus rigoureuses de détention et pour réduire au minimum ses chances d'évasion. Il était situé dans une petite île, à environ huit cents mètres du rivage du lac * ; d'architecture rébarbative, il avait l'aspect d'une haute bâtisse austère, avec une cour intérieure et une grosse tour carrée presque sans ouvertures. On était, là, bien loin des aménités de la Renaissance et de la vie de Cour.

Mais surtout, la personnalité de son propriétaire était révélatrice des intentions des lords victorieux. Le *laird* (seigneur) de Lochleven, en effet, n'était autre que Guillaume Douglas, demi-frère de Moray par sa mère et cousin, comme lui, du comte de Morton, c'est-à-dire du plus intransigeant des adversaires de Marie. La mère de Moray et du seigneur de Lochleven, Marguerite Herskine — la « vieille dame » comme on l'appelait —, vivait au château avec son fils, sa bru et le reste de la maisonnée. Ancienne maîtresse du roi Jacques V, père de Marie Stuart (avant le mariage de celui-ci avec Marie de Guise), elle laissait volontiers entendre qu'elle avait été en réalité sa femme et que Moray, l'enfant issu de

* Le niveau des eaux du lac ayant baissé au XIXe siècle, l'île est aujourd'hui devenue plus grande, et la largeur du bras d'eau qui la sépare du rivage a sensiblement diminué. Le site était beaucoup plus sauvage au temps de Marie Stuart.

cette union, était l'héritier légitime du trône*. Personne ne prenait au sérieux cette prétention qu'elle-même ne formulait qu'à mots voilés, mais on pouvait aisément penser qu'elle ne nourrissait pour la reine, fille de sa « rivale » Marie de Guise, que des sentiments d'une chaleur toute relative. Ajoutons que le seigneur de Lochleven appartenait au parti protestant le plus intransigeant et que, dès le début des troubles, il s'était rallié aux lords révoltés contre Marie et Bothwell.

Pour achever d'enlever à la captive ses dernières illusions, on lui donna comme gardiens deux des seigneurs connus comme les plus brutaux et les plus grossiers de cette noblesse où de tels personnages n'étaient pas rares : Guillaume Ruthven — le fils du Ruthven qui avait joué le rôle que nous savons dans le meurtre de David Rizzio** — et Patrick Lindsay — celui-là même qui avait voulu relever le gant de Bothwell lors de la fatale journée de Carberry Hill, et dont Marie disait qu'elle « aurait la tête à cause de ceci[1] ».

À son arrivée dans l'île, la reine fut enfermée dans une chambre basse, à peine meublée, et se vit refuser tout contact, non seulement avec l'extérieur, mais avec les habitants de la maison eux-mêmes. Elle fut saisie d'une crise de désespoir ; selon ce qu'elle raconta plus tard à Claude Nau, elle resta quinze jours à pleurer, sans manger ni boire, et sa vie fut en péril[2]. Même en faisant la part de l'évidente exagération, l'image de cette jeune femme abandonnée de tous, séparée brutalement de son mari, dénuée du nécessaire, tenue au secret, et enceinte (selon son propre témoignage), est pathétique.

Cette grossesse de Marie Stuart en juin-juillet 1567 est en effet avérée, même si nous n'avons de certitude ni sur sa durée exacte ni sur son issue. Marie elle-même dit à Nau qu'elle était enceinte « d'environ sept semaines » au moment de son arrivée à Lochleven[3], ce qui ferait remonter l'époque de la conception à la fin d'avril, c'est-à-dire à son enlèvement par Bothwell : ce serait précisément pour que l'enfant à naître soit « légitime » qu'elle

* Voir p. 94.
** Voir p. 192 et *sq*.

aurait épousé le père, « ne voulant pas être la mère d'un bâtard ». Il y a quand même une difficulté à ce calendrier : si l'enfant a été conçu pendant que Marie était prisonnière de Bothwell à Dunbar (24 avril-6 mai), elle n'était enceinte, au moment du mariage (15 mai), que de trois semaines au plus : délai bien court pour qu'elle ait pu savoir son état avec certitude. Une grossesse remontant au début d'avril, ou à mars, serait beaucoup plus vraisemblable ; mais alors l'argument du viol accompli à Dunbar tomberait *.

Une autre indication, donnée par Marie à Robert Melville lors d'un entretien avec lui le 17 juillet, ferait remonter l'origine de la grossesse au début de juin. Soit : mais que devient l'argument du mariage forcé, accepté pour éviter la bâtardise de l'enfant à naître, si la conception est postérieure au mariage ?

Quant à l'accouchement, nous en possédons deux versions, totalement contradictoires. Selon les confidences de Marie à Nau, elle aurait fait une fausse couche — de deux jumeaux, précise-t-elle — peu avant le 24 juillet. Au contraire, selon une « tradition » recueillie au XVIIIe siècle en France par l'abbé Le Laboureur, aumônier du roi, la grossesse aurait été jusqu'à son terme, en février 1568, et la fille née à cette date aurait été secrètement emmenée en France, où elle serait morte, bien des années plus tard, sous Louis XIII, religieuse à Notre-Dame-de-Soissons[4]. Cependant, l'invraisemblance d'une naissance passée inaperçue de tous les espions et de tous les diplomates et révélée seulement après deux siècles est telle qu'on peut sans hésiter écarter cette romanesque histoire de la « nonne de Soissons », quelque champ qu'elle ouvre à l'imagination et au rêve. Admettons donc, jusqu'à preuve du contraire, que le fruit des relations de Marie et de Bothwell naquit sous forme d'un ou de deux fœtus, dans la

* En revanche, le bruit recueilli à Londres par l'ambassadeur d'Espagne, selon lequel Marie aurait été enceinte de cinq mois, est absurde, car alors l'enfant aurait été conçu du vivant de Darnley et il n'y aurait eu aucune raison de cacher la grossesse.

prison de Lochleven, à la fin de juillet : triste épilogue d'une union vouée, dès le départ, au malheur et à la tragédie.

Les premiers jours qui suivirent la rencontre de Carberry Hill et la capture de la malheureuse reine furent mis à profit par les lords vainqueurs avec une promptitude et une absence de scrupules qui font honneur à leur habileté, sinon à leur honnêteté.

Le parti de Marie et de Bothwell était en effet désorganisé, mais non détruit. Si les Hamilton, comme toujours, jouaient un peu sur les deux tableaux, d'autres étaient moins ondoyants ; Huntly et Argyll, notamment, continuaient à réunir leurs troupes dans le Nord et dans l'Ouest. Bothwell lui-même, que les lords avaient laissé fuir de Carberry Hill, s'était à nouveau fortifié à Dunbar avec ses fidèles gars des Borders. Les réactions de l'Angleterre et de la France à la captivité de Marie Stuart n'étaient rien moins que sûres. Il importait donc d'agir vite et de frapper fort : d'où, sans doute, la décision de maintenir la prisonnière au secret pendant les premiers jours, afin d'éviter tout risque de contact entre elle et ses partisans restés en liberté.

Une des premières mesures prises par les lords (qui, dès le 21 juin, se constituaient en « Conseil secret » et s'auto-investissaient du pouvoir royal, en violation de toute légalité), fut de faire rechercher les serviteurs de Bothwell qui se cachaient ici et là. Il s'agissait, en les arrêtant, de saisir tous les documents compromettants que le mari de la reine aurait négligé d'emporter avec lui *, et par la même occasion de donner satisfaction à l'opinion publique en faisant condamner, à défaut de Bothwell lui-même, ses complices transformés en boucs émissaires. Ainsi furent successivement pris Guillaume

* Selon un renseignement recueilli par Drury à la fin d'octobre, Maitland brûla à cette époque « le document contenant le nom des meurtriers du roi avec leurs signatures ». S'agit-il du « pacte de Craigmillar », que Marie dit avoir reçu des mains de Bothwell au soir de la journée de Carberry Hill (ci-dessus, p. 242) ? Nous l'ignorons. Elle-même n'y fait plus allusion dans la suite de ses confidences à Nau.

Powrie, Jean Hay de Tallo, Jean Hepburn de Bolton, Georges Dalgleish — tous noms que nous avons rencontrés lors du récit du meurtre de Darnley.

On devait apprendre plus tard que Georges Dalgleish aurait, au moment de son arrestation, et sous menace de torture, révélé l'existence d'une cassette que lui avait confiée son maître, et qu'il avait cachée sous son lit. La cassette, aussitôt saisie — c'était le 20 juin, à huit heures du soir —, fut apportée le lendemain au comte de Morton, le principal chef de la junte des lords vainqueurs, qui la fit ouvrir en présence des comtes d'Atholl, Mar, Glencairn, des Lords Hume, Semple, Sanquhar, de Maitland et de divers autres témoins ; après quoi elle fut confiée à la garde de Morton, qui la conserva « sans altération, changement, addition ni soustraction[5] ».

Ainsi fait son entrée dans l'histoire, sous cette forme discrète, la cassette qui devait coûter à Marie son trône, sinon son honneur, et qui depuis quatre siècles n'a pas cessé d'exciter les passions de ses partisans et de ses adversaires, puisqu'elle est censée avoir contenu les fameuses « lettres » sur lesquelles se fonde toute l'argumentation en faveur de sa culpabilité dans le meurtre de son mari.

Nous reviendrons sur le contenu, réel ou supposé, de la cassette, lorsque enfin, un an et demi plus tard, il en sera fait état officiellement. Notons seulement que si aucun document rigoureusement contemporain (et surtout pas, chose curieuse, le procès-verbal de l'interrogatoire de Dalgleish, le 26 juin) n'y fait allusion, l'ambassadeur anglais Throckmorton écrit dès le 22 juillet que « les lords affirment posséder contre la reine des preuves irréfutables fondées sur des pièces écrites de sa propre main » ; et que l'ambassadeur d'Espagne à Londres, le 2 août, apprend que Moray se vante d'avoir connaissance d'une lettre autographe de Marie à Bothwell où le meurtre de Darnley est préparé à l'avance[6]. L'existence de documents compromettants était donc au moins chuchotée un mois après l'arrestation de Dalgleish ; et pas tout à fait deux mois plus tard, nous verrons que la cassette et son contenu seront cités devant les lords du Conseil. Il n'est donc pas possible de considérer toute l'affaire comme inventée de toutes pièces pour les besoins du Parlement de décembre 1567 ou du procès d'octobre 1568, comme certains partisans inconditionnels de Marie Stuart voudraient le faire admettre : si manipulation il y eut, elle était commencée dès les premières semaines, voire les premiers jours qui suivirent la capture de la reine à Carberry Hill.

En même temps que l'arrestation des « coupables » du meurtre du roi Henri, les lords vainqueurs ne négligeaient pas d'autres mesures, moins spectaculaires mais plus rémunératrices. Grâce à la trahison d'un serviteur italien de Marie, ses bijoux, son argenterie et ses effets personnels étaient « confisqués », ou plutôt volés. Tout au long de l'année 1568 et même au-delà, on parlera à travers l'Europe de ces fabuleux joyaux, surtout des perles d'une beauté exceptionnelle que chaque souverain s'efforcera d'acheter — y compris Élisabeth elle-même et Catherine de Médicis — sans manifester la moindre velléité de les rendre à leur légitime propriétaire. Huit ans plus tard, en 1575, Morton, devenu régent d'Écosse, fera rendre au Trésor royal ceux qu'il arrivera à récupérer, non sans mal. Toute cette affaire est assez sordide et donne la mesure des protestations d'honnêteté de tous ces personnages si prompts à invoquer Dieu et l'Évangile et à se proclamer champions de la justice.

Le fanatisme religieux n'était d'ailleurs pas absent de ces manifestations d'hostilité à Marie Stuart : le 20 juin, le comte de Glencairn prit sur lui de démolir à coups de marteau les ornements de la chapelle privée de la reine à Holyrood (non sans récupérer, bien entendu, les vases sacrés et chandeliers d'or, ce qui lui valut une sévère algarade de la part des autres lords).

Mais l'essentiel n'était pas là. Qu'allait-on faire de Marie Stuart ? comment allait se fixer le destin de l'Écosse ? quelles seraient les réactions des puissances étrangères, et tout d'abord de l'Angleterre et de la France ? Telles étaient les questions qui se posaient de toute urgence aux vainqueurs de Carberry Hill.

Bothwell, le principal intéressé, tentait encore d'inverser le cours du destin. Mais à Dunbar, il était trop éloigné des régions de l'ouest et du nord où se trouvait le gros des partisans de Marie ; en outre, il n'était pas du tout certain que les lords qui défendaient la cause de la reine fussent prêts à se battre pour lui. Ni les Hamilton ni Argyll ne songeaient à se compromettre pour l'homme qu'ils rendaient responsable des malheurs de la souveraine. Les lords vainqueurs avaient, le 26 juin, mis sa tête à prix. Dès lors, le simple fait de lui prêter secours devenait, sinon un crime, du moins une entreprise périlleuse.

Dans le mémoire qu'il écrivit plus tard, en sa prison danoise, Bothwell affirme que Marie Stuart, de Lochleven, avait réussi à lui faire passer un message de fidélité[7]. Rien n'est moins sûr, car nous savons au contraire qu'elle était alors gardée au plus étroit secret. Apprenant que les lords s'apprêtaient à envoyer une armée pour assiéger Dunbar, Bothwell s'enfuit par mer et se réfugia dans le Nord, chez son parent l'évêque de Moray (qui devait plus tard être jugé pour avoir donné asile à ce hors-la-loi), puis, l'étau se resserrant, passa aux îles Orcades, dont il était toujours, théoriquement, le duc, et y mena une vie de pirate et d'écumeur des mers.

Pendant ce temps, les Hamilton (dont l'archevêque de Saint-André était le chef de fait, le vieux duc de Châtellerault étant toujours en France), Argyll, Huntly, Boyd, Fleming, Seton, d'autres encore, se réunissaient au château de Hamilton, puis à Dumbarton, pour envisager les moyens de libérer la reine prisonnière[8]. Un pacte était conclu à cet effet le 29 juin, des messages envoyés en France et en Angleterre. Mais il manquait au parti de Marie une tête politique ; les intérêts personnels des uns et des autres étaient trop divergents, et en outre les zones géographiques contrôlées par eux étaient trop dispersées pour qu'un véritable front pût être constitué en faveur de la reine. Alors que les lords d'Édimbourg agissaient avec la vigueur et la rapidité que nous venons d'évoquer, leurs adversaires perdaient un temps précieux en discussions, hésitations, démarches diverses. En septembre encore, on parlera de négociations entre eux et le parti vainqueur, et l'ambassadeur anglais pourra écrire cyniquement à sa souveraine qu'à son avis les Hamilton seraient prêts à abandonner « dans les deux jours » la cause de Marie Stuart s'ils étaient sûrs que celle-ci ne reviendrait pas au pouvoir[9].

Ce n'était donc pas de ce côté que les lords du Conseil secret avaient à craindre une action de revanche efficace ; plus préoccupante pour eux était l'attitude de la France et de l'Angleterre.

À peine informée des événements du 15 juin et de l'emprisonnement de sa cousine, Élisabeth réagit sans équivoque : elle ne pouvait admettre qu'une personne royale, sa proche parente qui plus est, fût molestée par ses sujets. Nous savons quelle importance elle attachait au droit sacré des rois ; l'idée d'une révolte dans son propre pays était sa hantise. Il était donc logique que, dès le 30 juin, elle envoyât en Écosse Nicolas Throckmorton, avec des instructions très fermes : il devait faire libérer Marie Stuart comme préalable à toute discussion avec les lords. Cela ne signifiait pas qu'Élisabeth approuvât la politique menée par la reine d'Écosse depuis la mort de son mari, et moins encore son remariage avec Bothwell. Bien au contraire, elle lui envoyait, le 23 juin, une lettre d'une extrême sévérité (qu'il est d'ailleurs peu probable que Marie ait vue, puisqu'elle était au secret à Lochleven) : « Madame, on dit à juste titre que la prospérité crée l'amitié et que l'adversité la fortifie ; aussi prends-je l'occasion de vous manifester la mienne en vous réconfortant, mais je dois aussi vous déclarer que mon chagrin a été grand, de vous voir épouser cet homme que l'opinion publique accuse du meurtre de votre mari [...]. Aucun choix ne pouvait être plus dommageable pour votre honneur[10]. » Mais, sur le fait de la contrainte physique exercée contre une reine couronnée, Élisabeth était intransigeante. « Ceux qui la maintiennent en prison, contre tout droit, sont ses sujets, et, comme tels, soumis par Dieu à son autorité[11]. »

En revanche, une fois Marie libérée, Élisabeth était prête à user de son influence pour que le parti des lords gardât le pouvoir. Elle proposait que le petit prince fût emmené en Angleterre, « où il serait élevé par sa grand-mère (la comtesse de Lennox), ce dont beaucoup de bien résulterait pour des affaires de grande importance pour les deux royaumes [12] » — façon à peine détournée de laisser entendre qu'elle pourrait reconnaître l'enfant pour son héritier, prélude à la future union des deux pays. Quant à Marie, on l'inciterait à renoncer définitivement à Bothwell et à punir exemplairement les meurtriers de Darnley (« affaire à laquelle je suis personnellement intéressée », ajoutait Élisabeth avec un humour inconscient, « étant donné que la victime de ce crime abominable était mon sujet et mon proche parent » ; c'était oublier bien vite la façon dont elle l'avait traité quand il était en vie).

Le projet n'était pas forcément irréaliste. Marie Stuart aurait été, en fait, mise en tutelle par l'Angleterre et les lords protestants, et c'eût été le triomphe de la politique écossaise menée par la reine Tudor depuis le début de son règne. Mais les lords d'Édimbourg n'entendaient pas se contenter de gouverner sous le contrôle de la puissance voisine ; ils tenaient deux otages dont ils ne voulaient se séparer à aucun prix, Marie et son fils, et savaient que, tant qu'ils les auraient en leur pouvoir, personne ne pourrait rien contre eux à moins d'une improbable action militaire.

La réponse des lords au message d'Élisabeth fut donc sans équivoque : ils étaient les très respectueux amis de la reine d'Angleterre, mais ils ne pouvaient autoriser Throckmorton, ni personne d'autre, à rencontrer la prisonnière. Du reste, ajoutaient-ils, une telle entrevue eût été inutile, car Marie Stuart se proclamait toujours fidèle à Bothwell et ne voulait pas entendre parler de l'abandonner [13]. Cette dernière information était-elle exacte, ou s'agissait-il seulement d'un bruit inventé par les lords pour justifier leur refus de libérer la captive ? Il nous est impossible de le savoir. Tout au plus pouvons-nous rappeler qu'à cette date, Marie était encore enceinte de Bothwell, et qu'elle pouvait donc se juger liée à lui par le souci d'assurer à l'enfant à naître un père légitime. Après la fausse couche de juillet, cet argument n'existerait plus.

Pendant tout le mois de juillet 1567, Throckmorton,

aiguillonné par les lettres impératives de sa souveraine, tenta en vain d'obtenir l'autorisation d'aller à Lochleven. Il trompait ses loisirs en envoyant à Londres de longs messages presque quotidiens, dont la collection, conservée aux Archives nationales d'Angleterre, constitue notre meilleure source d'information sur cette étonnante période, bien qu'il faille y faire la part, comme on dirait aujourd'hui, de l' « intoxication » à côté des éléments de première main [14].

Du reste, si Élisabeth, pour des raisons dynastiques, tenait ferme sur le principe de la libération de sa cousine, son ministre Cecil, plus réaliste, jugeait que Marie en prison était moins encombrante qu'en liberté. Dans ses lettres à Throckmorton, il l'incitait à se montrer conciliant avec les lords. Ceux-ci n'ignoraient pas cette dualité dans la position anglaise et en profitaient sans scrupules.

Quant à la France, son attitude était à peine ambiguë. Charles IX, qui avait toujours éprouvé pour son ancienne belle-sœur une très grande affection, sinon même un sentiment plus tendre *, aurait été tout disposé à agir pour la faire libérer, mais sa mère Catherine de Médicis, qui exerçait en son nom la réalité du pouvoir, était beaucoup moins enthousiaste. Comme elle le déclarait crûment en juillet, « elle avait assez d'autres fers au feu », plus importants à ses yeux que le sort de la reine d'Écosse [15]. La guerre civile, une deuxième fois, était sur le point d'éclater en France, entre catholiques et protestants ; le chef huguenot Condé quittait la cour le 11 juillet, l'amiral de Coligny préparait un coup de force contre le gouvernement royal. Dans ces conditions, il n'était guère question d'envoyer des troupes en Écosse pour libérer Marie Stuart ; d'ailleurs Catherine jugeait plus important de rester en bons termes avec les lords qui exerçaient le pouvoir à Édimbourg que de se brouiller avec eux pour améliorer le sort de son ex-bru qu'elle n'aimait pas.

Il fallait cependant faire quelque chose, ne fût-ce que pour la forme. Deux ambassadeurs extraordinaires

* Voir p. 90.

furent successivement dépêchés en Écosse, Nicolas de Villeroy, puis le sieur de Lignerolles, avec des instructions nettement plus conciliantes que celles données à Throckmorton par Élisabeth. Certes, Charles IX « n'aurait pas plaisir que la reine d'Écosse eût mal, lui touchant comme elle fait de parentèle et d'alliance », mais il entendait que son ambassadeur ne fît rien « qui serait à la perte et ruine dudit royaume et au dommage du service du roi[16] ». L'essentiel était d'éviter que l'Angleterre ne profitât de la situation pour mettre la main sur l'Écosse. Le fait même que Lignerolles fût huguenot montrait bien qu'en l'envoyant en mission on n'entendait nullement œuvrer au rétablissement du régime déchu.

Chacun comprit à demi-mot, et les lords tous les premiers. Le bruit courut bien que le vicomte de Martigues (un vétéran des affaires d'Écosse au temps de Marie de Guise) armait une flotille avec huit cents arquebusiers pour aller délivrer la captive[17], mais Catherine de Médicis faisait le meilleur visage au très protestant comte de Moray, qui s'apprêtait à regagner son pays pour y cueillir les fruits de l'action de ses amis. Elle lui offrit le collier de l'ordre de Saint-Michel et une grosse somme d'argent s'il consentait à se faire, une fois rentré en Écosse, l'agent de la politique française. Moray déclina poliment : en l'état des choses, l'appui de l'Angleterre était certes plus important pour lui que celui d'une France déliquescente et impuissante.

Bien entendu, Villeroy et Lignerolles se virent refuser, tout comme Throckmorton, la permission de rencontrer Marie Stuart dans sa prison. Les lords étaient pleins de déférence pour Charles IX et pour sa mère, mais ils ne sauraient leur donner, pas plus qu'à Élisabeth, un droit de regard sur la politique intérieure de l'Écosse. Villeroy, puis Lignerolles, rentrèrent en France fort pessimistes quant au sort de la reine déchue *.

* Il est intéressant de constater qu'en juillet 1567, l'ambassadeur d'Espagne à Londres considérait que le plus important, pour son

Pendant que ces grandes manœuvres diplomatiques (ou ces simulacres, pour employer une expression plus appropriée) se déroulaient entre Londres, Paris et Édimbourg, Marie Stuart était toujours au secret à Lochleven. Les lords, rassurés sur l'éventualité d'une intervention armée française ou anglaise, pouvaient désormais songer à l'avenir.

Certains d'entre eux — Maitland notamment, et Kirkcaldy de Grange — penchaient pour une solution « à l'anglaise » : libérer Marie et la rétablir sur le trône en la maintenant sous tutelle, peut-être en lui faisant épouser l'un des leurs après avoir fait annuler son mariage avec Bothwell (plusieurs noms de maris possibles furent alors prononcés). Mais les autres lords, les plus intransigeants, menés par Morton, voulaient aller plus loin. Ils ne faisaient pas confiance à Marie, qui, pensaient-ils, ne chercherait, une fois restaurée, qu'à se venger : il faut reconnaître que l'hypothèse était assez vraisemblable. Le vieux John Knox, retrouvant son ancienne haine pour la souveraine papiste, prêchait contre elle en la comparant aux bibliques plaies d'Égypte, avec tant de violence que Throckmorton dut prier les lords de l'inviter à « ne pas se mêler de ces choses, qui n'étaient pas de sa compétence[18] ».

L'idée mise en avant par Morton était la suivante ; forcer Marie à abdiquer, proclamer roi le petit prince (dont Mar, un des fidèles du parti, assurait toujours la garde à Stirling), et installer comme régent en son nom Moray, qui, s'étant trouvé en France au moment des événements de juin, pourrait se donner l'apparence de la sérénité, sinon de la neutralité.

Une des raisons qui poussaient les lords à aller vite était l'approche du vingt-cinquième anniversaire de la reine. À cette date, selon la coutume du royaume d'Écosse, elle pourrait révoquer toutes les concessions

---

pays, était « d'empêcher les Français de profiter des événements d'Écosse pour y reprendre pied ou pour s'assurer de la personne du prince ou de la reine ». La France catholique, à cette date, restait donc l'ennemie principale de l'Espagne, plutôt que l'Angleterre protestante.

de biens de la couronne consenties pendant et depuis sa minorité ; si bien que tous les seigneurs, Moray en première ligne, bénéficiaires de terres et de titres octroyés depuis un quart de siècle, risquaient de se les voir enlever. Marie elle-même reconnut que cette circonstance pesa lourd sur son sort à Lochleven[19].

Nous ne connaissons pas, malheureusement, les correspondances échangées, en ces mois de juin et juillet 1567, entre Moray et les lords d'Édimbourg. Y eut-il, de part et d'autre, des engagements précis, des gages donnés, un partage des dépouilles envisagé ? C'est probable, mais nous ne le savons pas avec certitude. Marie Stuart, pour sa part, devait toujours croire, par la suite, que Moray avait été le maître d'œuvre conscient de tous ses malheurs, depuis la mort de Marie de Guise et même avant. Pour elle, Moray avait toujours visé à s'emparer de la couronne, et toutes ses actions, à partir du retour de sa sœur en Écosse en août 1561, n'avaient eu d'autre sens que de préparer cette usurpation. Selon cette interprétation, la révolte des lords en mai-juin 1567 aurait donc été « téléguidée » depuis la France par le bâtard, et sa prise de pouvoir en aurait été la finalité réelle. Rien, dans les documents, ne confirme absolument ce rôle central attribué à Moray dans les événements de l'été 1567 ; rien, non plus, ne le contredit. Le futur régent était trop prudent, trop fuyant aussi, pour laisser des traces écrites de ses manœuvres, si manœuvres il y eut. Mais force est de reconnaître que son attitude, une fois obtenu le pouvoir suprême, prête quelque force à l'hypothèse d'une volonté délibérément et de longue date tendue vers ce but.

Quoi qu'il en soit, il était essentiel, pour que l'opération réussît, que l'abdication de Marie semblât spontanée, et qu'elle eût lieu pendant que Moray était encore en France. Il fallait qu'il eût l'air de se laisser forcer la main, qu'il se fît prier pour accepter. Tout fut donc mis en œuvre pour obtenir la signature de la prisonnière au bas du document qui devait la déposséder dans les formes légales.

Après les quinze premiers jours de sa captivité, où elle avait touché le fond du désespoir, sa santé s'était peu à peu rétablie. Le seigneur de Lochleven était un adversaire politique et religieux intransigeant, mais ce n'était pas un mauvais homme. Sa mère, la « vieille dame », après son hostilité du début, finit par se montrer plus humaine et même presque maternelle. Surtout, dans la famille Douglas se trouvait un personnage, Georges, le jeune frère du *laird,* qui tomba rapidement sous le charme de la prisonnière et lui devint tout dévoué. Un autre jeune parent, Guillaume Douglas, qui faisait un peu dans la maisonnée figure de serviteur ou de page, devait aussi, le moment venu, se révéler chaud partisan de Marie et jouer un rôle de premier plan dans son évasion.

Tout cela ne signifie en aucune façon que la captivité de la reine fût allégée. Les contacts extérieurs lui restaient toujours interdits, et la surveillance était si étroite que deux adolescentes, la fille et la nièce du *laird,* couchaient avec elle dans la chambre d'étage où on l'avait transférée ; mais l'ère des privations matérielles et des contraintes physiques semblait révolue. Des femmes de chambre et un chirurgien avaient été mis à son service. Elle était désormais traitée avec le décorum convenant à sa dignité, le *laird* jouant le rôle d'un écuyer tranchant. Des vêtements, des objets de toilette étaient apportés à Lochleven. Marie sortait dans le jardin, dûment entourée. Elle pouvait même écrire quelques lettres anodines, sous contrôle. Mais de ce qu'elle pensait, de ses espoirs, de ses craintes, nous ne connaissons que ce qu'elle a elle-même confié, bien des années plus tard, à Claude Nau. Les lords faisaient bonne garde pour ne laisser filtrer à l'extérieur que les informations qui leur convenaient sur son état et sur son attitude. En particulier, les bruits recueillis par Throckmorton ou par Lignerolles sur son attachement pour Bothwell et son refus de s'en laisser séparer sont d'origine soigneusement orientée. Aucun regard ne perçait les murailles du château de l'île.

Mais ces jours relativement calmes étaient comptés. Les lords du Conseil secret avaient pris leur décision, préparé leur stratégie. Il fallait désormais agir, et agir vite.

Le 26 juillet, Lindsay, Ruthven et Robert Melville accostèrent dans l'île, porteurs de trois documents qu'ils invitèrent Marie à signer sans délai. Comme elle refusait, Lindsay la menaça brutalement de « lui couper la gorge ». Elle était (selon son propre témoignage) affaiblie « tant par l'ennui extrême qu'elle portait que par un grand flux de sang » — elle venait de perdre les deux jumeaux de Bothwell dont nous avons parlé plus haut. Throckmorton lui avait fait parvenir peu auparavant, par Robert Melville, en grand secret, un billet pour l'assurer qu'une abdication arrachée dans ces conditions serait nulle en droit, et que la reine d'Angleterre, pour sa part, n'en tiendrait aucun compte. Mieux : Robert Melville lui avait remis, de la part du comte d'Atholl, une turquoise dont elle lui avait fait naguère cadeau, et de celle de Maitland un bijou d'or « sur lequel était émaillée la fable d'Ésope du lion enfermé en un filet et la souris qui le rongeait, avec ces mots en italien à l'entour : *A chi basta l'animo non mancano le forze* * ». Dans ces conditions, elle pouvait penser qu'une signature ne l'engagerait pas de façon irrémédiable, et que ses amis s'employaient à la faire libérer. Elle signa. Plus tard, son porte-parole l'évêque Leslie résumera la situation de façon assez frappante et certainement véridique : « Elle signa comme un homme jette à la mer ses trésors au cœur d'une tempête, pour sauver sa vie[20]. » Jamais, dans toute la suite de son existence, elle ne devait considérer les documents de Lochleven autrement que comme des chiffons de papier sans valeur.

Le premier des trois documents était un acte d'abdication de Marie en faveur du prince Jacques, invoquant comme argument la « fatigue, non seulement de corps mais d'esprit et de sens » ressentie par la souveraine, et son incapacité à soutenir « de si grandes et intolérables peines ». C'est donc avec « joie et bonheur » qu'elle remettait la couronne à son « très cher fils, prince naturel de ce royaume », et cela « librement et de son propre mouvement[21] ».

Le second document chargeait un conseil de lords de

* À qui possède le courage ne manque pas la force.

veiller sur le jeune roi pendant ses « tendres années » : c'étaient le duc de Châtellerault, le comte de Lennox, les comtes d'Argyll, Atholl, Morton, Glencairn et Mar. (On remarque que cette liste mêle habilement des noms de lords ayant figuré parmi les rebelles de mai 1567 et de fidèles de Marie : bon moyen pour rallier ces derniers, notamment Châtellerault, toujours anxieux de faire reconnaître son droit d'héritier du trône en second.)

Quant au troisième document, il confiait la régence à Moray, en termes plus solennels encore : « Considérant le lien étroit du sang entre nous, l'affection et l'amour naturels qu'il Nous a toujours montrés, la notoriété de son honnêteté, de son habileté et de sa capacité à exercer la charge du gouvernement [...], Nous constituons Notre très cher frère Jacques, comte de Moray, régent du royaume au nom de Notre dit très cher fils pendant sa minorité jusqu'à l'âge de dix-sept ans accomplis [...] de façon qu'il puisse assumer tous les privilèges, honneurs et autorité appartenant à la dignité royale. »

Ainsi, au soir du 26 juillet, le règne de Marie Stuart avait officiellement pris fin. Dès le lendemain, le Conseil secret entérinait les trois documents, en attendant de les faire approuver par le Parlement annoncé pour la fin de l'année. Et, le 29 juillet, en toute hâte, l'enfant Jacques était sacré à Stirling par l'évêque des Orcades (ce même prélat qui avait, deux mois plus tôt, uni Marie à Bothwell : assez mémorable exemple de caméléonisme religieux, qui indigna John Knox). Ce dernier prononça un sermon, la menotte du bébé fut amenée en contact avec la couronne faute de pouvoir la poser sur sa tête, Morton et Hume prononcèrent le serment royal au nom du nouveau souverain. Le soir, à Lochleven, le *laird* fit tirer le canon et allumer un feu de joie. La prisonnière demanda ce que c'était et s'entendit répondre avec dérision « *Deposuit potentes de sede* * ». Elle pleura « fort amèrement », et maudit le *laird* et sa famille : ce qui le rendit « tout pensif », non sans raison puisqu'il mourut « avant un an [22] ». (Marie se souvenait encore avec satisfaction de cette preuve de justice immanente

* « Il a déposé les puissants de leur trône » : verset du *Magnificat*.

en confiant ses souvenirs à Nau dix ou quinze ans plus tard).

On aurait pu penser qu'une fois réglée la question de l'abdication, le sort de la reine déchue allait s'améliorer. Tout au contraire, elle se vit incarcérée plus sévèrement que jamais, dans la grosse tour carrée qui constituait en quelque sorte le donjon du château, et étroitement surveillée. Morton, Mar, Atholl et Glencairn, régents provisoires en attendant l'arrivée de Moray (qu'on avait envoyé chercher en France, mais qui prenait son temps, s'arrêtant à Londres pour rencontrer Élisabeth et s'assurer de sa bonne volonté), entendaient ne courir aucun risque. Le peuple, travaillé par les pasteurs, avait dansé dans les rues à l'annonce de l'avènement de Jacques VI, mais le parti favorable à Marie considérait au contraire, avec juste raison, la cérémonie de Stirling comme une véritable déclaration de guerre.

Jamais peut-être Marie Stuart ne fut plus en danger qu'à cette époque. Throckmorton, à qui on refusait toujours avec fermeté la permission de la rencontrer, était persuadé que les lords au pouvoir s'apprêtaient à l'éliminer. Elle tomba gravement malade ; elle devint toute jaune et son corps se couvrit de boutons. Elle se crut empoisonnée, et le bruit en courut jusqu'à Paris[23]. Bien entendu nous n'avons aucun moyen de savoir si ces soupçons étaient justifiés. Tout au plus pouvons-nous constater qu'en effet la mort de la captive, à cette date, aurait bien arrangé les affaire des lords ; mais rien ne permet de porter contre le seigneur de Lochleven et sa famille une accusation aussi grave.

C'est également à cette période que se situe un épisode raconté par Marie à Nau, et qui, s'il est exact, ouvrirait d'assez curieuses perspectives sur l'ambiance qui régnait à Lochleven. Guillaume Ruthven, le plus brutal de ses gardiens, serait venu une nuit la trouver dans la chambre de la tour et aurait tenté d'obtenir ses faveurs, lui promettant en échange de l'aider à s'échapper. Heureusement elle avait fait cacher ses femmes de chambre derrière la tapisserie pour lui servir de témoins (avait-elle donc été avertie de la chose à l'avance ?) et révéla l'infamie à la « vieille dame », qui fit révoquer le lord indigne. D'autres sources, plus discrètes, se bornent à dire que Ruthven fut relevé de ses fonctions comme suspect de s'être laissé séduire par la prisonnière[24].

Throckmorton avait refusé d'assister au couronnement de Jacques — sachant bien que sa souveraine considérerait cette cérémonie comme illégale —, mais il faisait des prodiges de diplomatie pour éviter de faire état auprès des lords des lettres furibondes qu'il recevait d'Élisabeth, lui ordonnant de protester contre « l'intolérable manière dont ils traitaient leur reine » et les menaçant de « tirer vengeance de cet outrage d'une manière qui servirait d'exemple à la postérité[25] ». Il savait bien qu'en affichant d'une manière trop brutale l'hostilité de l'Angleterre à la nouvelle politique, il mettrait en danger la vie de Marie Stuart. Plus tard, Maitland devait lui dire qu'à son avis il avait sauvé la tête de la reine captive, et il ne devait pas manquer de s'en prévaloir auprès d'Élisabeth. De toute façon, la cause de Marie semblait politiquement perdue.

La principale inconnue était de savoir ce que ferait Moray une fois rentré en Écosse. Il s'était offert le luxe de se faire prier pour quitter la France. Catherine de Médicis pensait, ou affectait de penser, qu'il n'accepterait le pouvoir qu'au nom de sa demi-sœur et lui rendrait sa couronne dès que le sort de Bothwell serait réglé. Sans doute, au cours du séjour qu'il fit à Londres sur le chemin d'Édimbourg, dut-il faire à Élisabeth des promesses du même ordre, puisqu'elle tenait tant à ce que Marie fût rétablie sur son trône en vertu du droit sacré des rois. Quant à la captive, elle attendait avec impatience ce frère qui lui devait tant et qui n'allait pas manquer de mettre fin à ses malheurs.

La réalité devait être toute différente. Accueilli à la frontière de Berwick par une escorte de quatre cents gentilshommes — comme un souverain, déjà —, Moray était à Édimbourg le 11 et le 12 août. Les lords du Conseil secret, aussitôt, lui offrirent officiellement la régence au nom du jeune roi, conformément à l'acte signé par Marie Stuart le 25 juillet. Le sens de sa réponse est évident d'après la visite qu'il fit à la reine captive le

15 août, et dont nous possédons trois récits : l'un émanant de Marie elle-même (dans ses souvenirs racontés à Claude Nau), l'autre de l'ambassadeur Throckmorton (qui n'y assistait pas, mais qui était bien placé pour recueillir des informations de première main), le troisième de Jacques Melville dans ses *Mémoires*.

Les trois versions sont, pour une fois, à peu près concordantes. Loin de se montrer affectueux et respectueux, voire contrit, comme Marie s'y attendait, Moray arriva entouré d'une pompe quasi royale, affectant de se faire appeler « Votre Grâce » — titre réservé aux souverains ou à leurs héritiers — et arborant l'expression la plus sévère. Il chevauchait la propre haquenée de la reine, ce qui irrita fort celle-ci, car elle comprit d'emblée qu'il n'avait pas l'intention de lui rendre ses biens : « Sa Majesté pria que ladite haquenée lui pût rompre le col, et de fait elle le jeta en une eau où il pensa se noyer[26]. » Mauvais début pour une entente fraternelle.

Au dîner, Moray s'abstint délibérément de présenter la serviette à sa demi-sœur, marquant bien par là qu'il n'était plus son inférieur. Après quoi il l'entraîna au jardin et lui fit un sermon dans les règles, lui reprochant son inconduite avec Bothwell, lui répétant les bruits qui couraient sur sa complicité dans le meurtre de Darnley, enfin l'assurant qu'il n'acceptait la régence que dans son intérêt à elle, « vu que son naturel était totalement éloigné de telles grandeurs et ambitions, ainsi qu'elle savait ». Bref, selon les propres termes de Claude Nau, il parla « en vrai hypocrite [...], admonestant Sa Majesté de prendre cependant patience, et se consoler en ce que le roi de France dedans peu de temps serait en pire état qu'elle n'était, ce qu'il confessa avoir su de Coligny l'Amiral * [27] ».

On pourrait penser que ces détails, écrits longtemps après l'événement, reflètent les années de rancœur accumulées par Marie Stuart au moment de ses confidences à Nau plutôt que la réalité des faits de 1567 ; mais

* Allusion au projet d'enlèvement de Charles IX par Coligny au château de Monceaux, près de Meaux, au début de septembre 1567.

la lettre de Throckmorton du 20 août dit en substance la même chose : « Le comte lui a plutôt parlé en père sévère qu'en conseiller. Elle a pleuré amèrement, reconnaissant ses fautes dans le gouvernement, niant ou invoquant des excuses sur d'autres points. Il l'a quittée persuadée qu'il était son seul refuge, et le lendemain elle l'a fait revenir. Il s'est alors montré consolant, l'assurant qu'il protégerait sa vie et, autant qu'il le pourrait, son honneur, mais que, pour sa liberté, il valait mieux qu'elle ne la demande pas pour le moment [...]. Sur quoi elle l'embrassa et le supplia d'accepter la régence, pour sauver le prince et le royaume [...] ce qu'à la fin il accepta, malgré lui et avec force protestations[28]. »

Il faut avouer que sous la plume de l'ambassadeur anglais, le rôle de Moray apparaît encore plus odieux, car plus hypocrite, que dans les souvenirs de la reine déchue. Quant à Jacques Melville, il se contente d'écrire que le comte « accabla sa sœur d'injures et de reproches et lui causa la plus vive douleur qu'elle eût peut-être ressentie[29] ».

Le terrain étant ainsi déblayé, et Moray s'étant laissé faire une douce violence, il fut officiellement proclamé régent d'Écosse par le Conseil secret le 22 août. Il prêta serment de « défendre l'Église de Dieu et la vraie religion », de respecter les lois du royaume, de veiller à la sécurité du roi Jacques et de punir les coupables du meurtre du roi Henri. Les pasteurs manifestèrent leur approbation en termes bibliques et le peuple d'Édimbourg acclama le régent. Le règne du roi Moray commençait.

Toute sa vie, Marie Stuart devait considérer son demi-frère comme l'archétype de l'ingratitude et de la trahison. Elle ne manquait pas d'arguments pour asseoir cette opinion. Quand elle était rentrée de France après son premier veuvage, en août 1561, le futur comte de Moray n'était encore que « le prieur de Saint-André », un bâtard sans position établie si ce n'est un titre ecclésiastique ambigu, comme tant d'autres bâtards royaux qui finissaient leur vie dans les ordres ou dans des positions subalternes. Il avait su, très vite, s'imposer comme le principal conseiller de la jeune reine, qui l'appelait publiquement son « frère », contribuant elle-même imprudemment à atténuer, sinon à abolir, cette bâtardise qui l'empêchait d'aspirer au trône. C'était sous son influence qu'elle avait mené la mémorable expédition contre les Gordon dans les Highlands, se privant ainsi du soutien de la principale famille catholique du pays au moment où elle rêvait de rendre aux catholiques le droit légal de pratiquer leur religion.

Par la grâce de Marie Stuart, le prieur de Saint-André était devenu comte de Moray, une sorte de vice-roi sans le titre. Il avait en vain tenté de s'opposer au mariage avec Darnley et avait commis peut-être sa seule erreur politique en prenant les armes contre sa sœur et son beau-frère : chassé à l'issue de la « course-poursuite » de l'automne 1565, il avait payé d'un exil de plusieurs mois cette faute tactique. Puis il était rentré, pardonné, et avait retrouvé peu à peu ses titres, ses richesses, ses honneurs. Personne n'avait oublié qu'il devait tout à Marie. Et maintenant, parvenu au but de ses ambitions, il la traitait de haut, la dépouillait de ses biens et, sous couvert de régence, mettait virtuellement la main sur sa couronne.

On comprend, à la lumière de ce rappel de la carrière du « roi Moray », que les partisans de Marie Stuart — ceux que nous pourrions appeler les « légitimistes », par analogie avec le terme utilisé plus tard dans des circonstances analogues — l'aient considéré comme l'archi-traître contre qui ils devaient diriger tous leurs efforts. Mais en politique, la morale est une chose et le succès en est une autre. Ingrat ou pas, Moray avait les qualités d'un homme d'État, le manque de scrupules en premier lieu. Doté du pouvoir dans les formes légales (puisque la reine avait abdiqué par écrit), il allait en user avec décision et audace. Quelques semaines encore, et la situation serait irréversible en sa faveur.

CHAPITRE XV

« Fuyant sans savoir où... »

Une première victoire, obtenue par le nouveau régent dès les premiers jours de sa prise de pouvoir, fut la reddition du château d'Édimbourg, tenu jusque-là, au nom de la reine, par Jacques Balfour, cet ami de Bothwell qui avait joué un rôle, connu de tous, dans le meurtre de Darnley*. Balfour, depuis l'emprisonnement de Marie et la fuite de Bothwell, gardait la forteresse sans se compromettre avec les uns ni avec les autres, attendant de voir comment les événements tourneraient. Avec l'arrivée de Moray et son accession à la régence, la situation se stabilisait ; Balfour le comprit et négocia. Il offrit de remettre le château entre les mains du régent, contre promesse d'impunité pour son rôle dans la mort du roi Henri, et contre l'attribution d'une grosse somme d'argent et d'un domaine ecclésiastique aux revenus substantiels. Moray accepta, et le château d'Édimbourg, cet élément clef du pouvoir militaire, changea de mains.

Cette tractation était scandaleuse et fut ressentie comme telle par l'opinion. L'immunité accordée à un des assassins notoires de Darnley, alors qu'on faisait grand bruit autour du procès et de l'exécution des complices, donna lieu à des satires violentes. Marie Stuart, dans sa prison, maudit le félon. Quelque temps plus tard, comme il avait eu l'audace d'accompagner

* *Cf.*, p. 267 et suivantes.

Moray à Lochleven pour une visite à l'ex-souveraine... mais mieux vaut citer le texte de Claude Nau, dans sa verdeur originelle : « Le temps étant fort calme auparavant, une bourrasque de vent s'éleva, qui fit ouvrir avec grand bruit toutes les fenêtres de la chambre, de sorte que Sa Majesté dit tout haut qu'il fallait bien que ce soudain accident fût pour quelque architraître, dont ledit Balfour rougit bien fort[1]. »

Moray, cependant, sans « rougir bien fort », faisait procéder au jugement des serviteurs de Bothwell (qui attendaient dans leurs prisons depuis leur capture en juin et juillet). Ils devaient être exécutés en janvier, avec le raffinement de brutalité qu'appelait l'horrible meurtre d'un roi : pendus, éviscérés et écartelés, leurs membres envoyés dans différentes villes du royaume pour y être suspendus aux murailles. (On a même conservé la macabre comptabilité de ces transports : 4 livres et 2 shillings à John Brown et à un garçon d'Édimbourg pour avoir porté à Glasgow, Hamilton, Dumbarton, Ayr et Wigtown la tête et les jambes de Hay de Tallo et Hepburn de Bolton ; 55 shillings à trois garçons d'Édimbourg pour avoir porté les bras et les jambes de Powrie à Perth, Dundee, Inverness et Aberdeen ; et ainsi de suite. Peu de documents sont plus évocateurs des mœurs de l'époque[2].)

Bothwell lui-même, qui se jugeait à peu près invulnérable dans son fief des îles Orcades, n'allait pas tarder à sentir à son tour les effets de la prise du pouvoir par Moray. Le régent envoya contre lui une flotte commandée par Tullybardine et Kirkcaldy de Grange, qui échouèrent à s'emparer de lui mais le contraignirent à mettre à la voile pour leur échapper, et la tempête le déporta vers la côte de Norvège, où il accosta vers le 10 septembre. Son rôle dans l'histoire de l'Écosse, comme dans la vie de Marie Stuart, était terminé *.

* Ce livre est l'histoire de Marie Stuart et non de Bothwell. Il vaut cependant la peine d'évoquer brièvement le destin de ce dernier : arrêté, à son arrivée à Bergen, pour absence de lettres de marque, puis poursuivi par les parents de la demoiselle danoise qu'il avait épousée et abandonnée dans sa jeunesse (voir p. 235), il finit en prison au Danemark, dix ans plus tard, devenu fou. Le manque

Les partisans de la reine étaient désemparés. Tout au long de septembre et d'octobre, les dépêches diplomatiques font état de tractations entre les Hamilton, Argyll, Herries et le régent. Throckmorton eut une dernière entrevue, le 23 août, avec ce dernier et Maitland, avant de regagner Londres. Maitland fit savoir que « la reine [Marie] est actuellement dans l'état d'une personne en proie à la fièvre et qui refuse tout ce qui pourrait lui faire du bien, tout en réclamant ce qui ne peut que lui faire du mal [...]. Si nous la remettions en liberté dans son humeur actuelle, elle serait résolue à rejoindre Bothwell, au péril de la vie de son fils et de la sûreté du royaume... » Il était donc inutile d'insister. L'ambassadeur quitta l'Écosse sans avoir rien obtenu. Élisabeth fut furieuse.

En lui remettant les instruments du pouvoir, les lords du Conseil secret avaient confié également à Moray un dépôt confidentiel, mais lourd d'avenir. Un acte du Conseil, daté du 16 septembre 1567, le présente ainsi : « Ce même jour, le noble et puissant prince Jacques, comte de Moray, régent du royaume, reconnaît avoir reçu de Jacques, comte de Morton, chancelier d'Écosse, une boîte d'argent travaillée en or, avec des lettres, contrats ou obligations de mariage, sonnets ou billets d'amour, et autres lettres, envoyés et échangés entre la reine, mère de notre Souverain Sire le roi, et Jacques, alors comte de Bothwell ; laquelle boîte, et tout ce qui s'y trouve contenu, a été prise et trouvée chez Georges Dalgleish, serviteur dudit comte de Bothwell, le 20 juin de l'an de Notre-Seigneur 1567. Et ledit seigneur régent [...] déclare ledit comte de Morton déchargé et exonéré de ladite cassette et de toutes les lettres, contrats, sonnets et autres écrits qui y sont contenus [...], témoignant qu'il a honnêtement et fidèlement conservé ladite cassette [etc.] sans altération, augmentation ou diminution d'aucune sorte[3]. »

---

d'intérêt manifesté pour lui par Marie, à partir d'août ou septembre 1567, est un argument souvent invoqué à l'appui de la thèse du mariage forcé sans amour. Elle parlait de lui à Nau, dans sa prison anglaise, avec une parfaite indifférence.

Première allusion officielle datée et à la cassette et à son contenu. Pour l'instant, il ne s'agissait encore que d'un arrangement interne entre lords, mais, en prenant ainsi date, Moray se réservait la possibilité d'utiliser les documents remis par Morton en fonction des besoins de sa politique. L'occasion n'allait pas tarder à s'en présenter.

En effet, pour achever de donner à son pouvoir une base d'apparence aussi légale que possible, Moray tenait à faire approuver par un Parlement tout ce qui s'était passé depuis le début de la révolte des lords. L'assemblée fut convoquée pour le 15 décembre.

Il est intéressant de comparer la liste des participants à ce Parlement de décembre 1567 à celle du Parlement d'avril de la même année. Les Hamilton sont spectaculairement absents en décembre ; mais, chose curieuse, d'autres partisans de Marie ont répondu à la convocation : Huntly, Argyll, Herries, à côté d'adversaires déclarés tels qu'Atholl, Morton, Glencairn, Mar, Ruthven, Lindsay. On a la surprise de voir siéger parmi les représentants du clergé le prieur de Pittenween, qui n'est autre que le très peu religieux Jacques Balfour (le prieuré de Pittenween était le domaine qu'il avait reçu en paiement de sa trahison), et aussi, côte à côte, l'évêque de Moray qui avait donné asile à Bothwell et l'évêque des Orcades qui l'avait uni à Marie Stuart. Au total, la réunion d'une telle assemblée au nom de Jacques VI, avec tout le cérémonial rituel des Parlements, était un succès pour Moray.

Les lois votées par ce Parlement (contre la tenue duquel Marie Stuart, dans sa prison, protesta en vain) furent, comme on pouvait s'y attendre, la consécration du triomphe des lords à Carberry Hill. L'abdication de Marie était entérinée définitivement, et la régence confirmée à Moray, « très cher cousin de notre Souverain Sire le roi » (heureux euphémisme pour désigner un oncle bâtard). Toutes les lois anticatholiques de 1560 étaient renouvelées, et surtout une loi spéciale déclarait que tout ce que les lords avaient fait depuis le 10 février 1567 était légal et conforme à leur devoir de fidèles sujets.

Une difficulté juridique subsistait cependant : si on pouvait admettre que, depuis son abdication du 25 juillet, Marie Stuart n'était effectivement plus que la sujette de son fils, comment justifier la rébellion contre elle au mois de mai, alors qu'elle était encore, sans conteste, reine régnante ? C'est alors que Moray utilisa le contenu de la cassette qu'il avait reçue en septembre : le Parlement déclara que la révolte contre Marie était légitime et son emprisonnement mérité, « car il est prouvé par diverses lettres écrites de sa main et envoyées par elle au comte de Bothwell, principal auteur de l'horrible meurtre du roi [...], tant avant l'exécution dudit meurtre que depuis, et également par son déshonorant et scandaleux prétendu mariage avec lui, soudainement célébré aussitôt après, qu'elle était informée et complice dudit meurtre du roi son légitime époux [...] et que par conséquent elle mérite tout ce qui a été fait contre elle depuis lors et tout ce qui sera décidé à son égard à l'avenir par la noblesse[6] ».

Si le style n'est pas d'une limpidité exemplaire, le vote est clair. Les membres du Parlement ont vu des documents prouvant la complicité de Marie dans le meurtre de Darnley ; il ne fait aucun doute que ce sont ceux que Moray avait reçus des mains de Morton en septembre, et qui se trouvaient dans la cassette. Celle-ci provenait-elle effectivement de Bothwell ? avait-elle été réellement remise à Morton par Dalgleish ? était-elle, ainsi que son contenu, dans le même état que lorsque Morton, puis Moray, l'avaient reçue ? Ce sont là des questions auxquelles il serait vain, à ce stade, de prétendre apporter une réponse. Mais le fait demeure qu'en décembre 1567, six mois après la capture de Marie Stuart à Carberry Hill, des documents constituant une lourde charge à son encontre étaient exhibés devant le Parlement. La machine infernale était en marche.

L'année 1567 avait été, pour Marie Stuart, celle de tous les dangers et de tous les malheurs ; 1568 devait, par contraste, lui apporter la joie la plus violente de son existence, et aussitôt après la plus cruelle des désillusions.

Rien n'est plus étonnant, en effet, que le renversement de la situation écossaise entre le Parlement de décembre 1567, qui avait en apparence conforté le pouvoir du régent Moray, et les événements de mai suivant. C'est que le Parlement, s'il avait donné au nouveau régime une façade de légalité, ne réglait au fond aucun des problèmes : sort à réserver à la reine déchue, persistance de l'agitation des légitimistes hostiles au nouvel ordre des choses, relations avec l'Angleterre. Pour comble, l'hiver 1567-1568 se révélait particulièrement rude et la famine régnait : « Il y avait à peine de quoi alimenter les marchés et nourrir les indigents », note le témoin anonyme auteur de l'*History of James the Sext.* Tout cela ne créait pas, pour Moray et son entourage, des conditions favorables à l'établissement d'un régime stable et durable.

Élisabeth, pour sa part, ne se résignait pas à l'insuccès de ses démarches en faveur de sa cousine. Elle n'avait pas caché son mécontentement contre Marie, voire son indignation, au moment du meurtre de Darnley et du mariage de Bothwell, mais elle ne pouvait admettre que des sujets s'érigent en juges de leur souveraine légitime. On a souvent pensé, à l'époque, qu'elle jouait double jeu, encourageant en sous-main ce qu'elle condamnait officiellement (« la Cour d'Angleterre soufflait le feu de tous côtés, offrant son secours aux deux partis », écrira Jacques Melville dans ses *Mémoires*[5]). Mais sa correspondance, aujourd'hui connue et publiée, ne donne aucune consistance à cette hypothèse ; bien au contraire, elle ne cesse de presser ses ambassadeurs et ses agents d'agir en liaison avec les nobles écossais qui travaillent à la libération de la reine captive. Throckmorton écrit le 13 août 1567 à l'archevêque Hamilton : « La reine ma souveraine m'a donné ordre de traiter avec les lords réunis à Édimbourg pour faire libérer votre reine et la faire rétablir dans sa dignité, mais je n'ai pu obtenir aucune satisfaction de leur part [...]. Aussi Sa Majesté m'a chargé de vous faire savoir qu'elle désire concourir avec vous-même et vos amis à faire rétablir votre reine en liberté et en dignité, par force ou autrement[6]. »

Il semble hors de doute que Moray, lors de son

passage par Londres à son retour de France, ait promis à Élisabeth qu'il travaillerait, une fois établi au pouvoir, à libérer Marie ; l'embarras visible qu'il éprouve, dans ses conversations avec Throckmorton, pour justifier la continuation de la captivité de celle-ci, en est la preuve. Rien ne permet donc d'accuser la reine d'Angleterre de duplicité à cette époque. Que Guillaume Cecil ait pu, en coulisse, se montrer moins intransigeant que sa souveraine, est bien possible ; mais ce n'est pas lui qui prenait les décisions en dernier ressort.

Au fond, Élisabeth avait toujours considéré l'Écosse comme un pays vassal, et les lords écossais comme ses sujets. C'était une tradition chez les rois d'Angleterre, dont Henri VIII avait donné des preuves éclatantes, avec l'insuccès que nous savons. Le refus de Moray de libérer Marie Stuart apparaissait ainsi comme un refus d'obéissance, presque comme un défi à l'autorité de la couronne d'Angleterre. Mais Élisabeth n'avait pas de goût pour les expéditions militaires (ne serait-ce que pour des raisons d'économie, et l'on sait combien peu elle était portée à la dépense) ; du reste, Throckmorton ne cessait de répéter qu'une intervention armée de l'Angleterre en faveur de Marie Stuart mettrait les jours de celle-ci en danger. Restaient les mesures économiques : en septembre, Élisabeth interdit à ses sujets de commercer avec l'Écosse, et écrit à son ambassadeur à Paris, Henri Norris, pour inciter le gouvernement français à imiter son exemple : « Que par accord entre le roi [Charles IX] et nous-même, il soit décidé que les sujets d'Écosse ne puissent plus commercer avec nos deux royaumes, jusqu'à ce qu'ils reconnaissent la reine notre bonne sœur comme leur souveraine et renoncent à considérer son fils comme roi[7]. » Nous ignorons malheureusement si ce blocus — peut-être le premier exemple connu d'une telle mesure dans l'histoire européenne — fut effectivement appliqué, et quels furent ses effets. Il est probable qu'il resta à l'état de velléité ; Charles IX, en tout cas, ne réserva aucune suite à la proposition anglaise : il avait, en septembre 1567, bien d'autres soucis.

Moray, quant à lui, éprouvait de plus en plus de

difficultés à asseoir son pouvoir de façon solide. Les ralliements sur lesquels il avait compté ne se faisaient pas ou restaient instables. Pis : à l'intérieur même de son parti, l'indiscipline se manifestait. Les lords écossais avaient toujours mal supporté l'autorité royale ; il eût été étonnant qu'ils fissent preuve de soumission à l'égard d'un régent qu'ils avaient eux-mêmes investi. Le cœur de l'opposition restait les Hamilton. Au Parlement de décembre, le vieux duc de Châtellerault avait envoyé, de France, une lettre pour protester contre le fait que, lors du couronnement de Jacques VI, on eût omis de mentionner que lui, Châtellerault, venait en premier dans l'ordre de succession à la couronne. Le Parlement repoussa la protestation, ce qui donna lieu de penser que Moray visait à se faire proclamer lui-même héritier du trône. Tout cela ne pouvait que durcir l'hostilité des Hamilton et de leur parti.

Le clan Hamilton, à cette date, se composait essentiellement, outre le duc de Châtellerault — figure décorative mais éloigné de la scène écossaise —, de son demi-frère l'archevêque, et de ses deux fils les abbés (laïques) de Paisley et d'Arbroath*. Leurs principaux alliés étaient les comtes de Huntly, d'Argyll et de Rothes, les lords Herries, Fleming, Seton, l'évêque de Ross ; Fleming tenait la forteresse de Dumbarton, qui commandait l'ouest du pays (Dunbar, en revanche, était tombé aux mains du régent en octobre). Tout cela formait un parti puissant, sinon très organisé. En septembre-octobre, l'archevêque avait esquissé un geste de rapprochement avec Moray, mais celui-ci avait refusé toute tractation tant qu'on ne lui reconnaîtrait pas le titre de régent au nom de Jacques VI : ce que les Hamilton ne pouvaient évidemment accorder, puisque c'était cela même qui était l'objet du débat.

L'autoritarisme de Moray était de plus en plus mal ressenti à l'intérieur même de l'équipe au pouvoir. Maitland notamment, Jacques et Robert Melville, Kirkcaldy de Grange (qui avait été nommé gouverneur du

* Le fils aîné, Arran, était toujours fou et vivait interné dans sa propre famille.

château d'Édimbourg en remplacement de Jacques Balfour), étaient partisans de sortir Marie Stuart de sa prison et de la rétablir sur le trône, maintenant que Bothwell avait disparu et que son retour n'était plus à craindre. Ils affirmaient n'avoir pris les armes que par hostilité envers Bothwell et pour assurer la sécurité du petit prince Jacques. Un nombre croissant de lords — peut-être sous l'influence de l'Angleterre — penchait dans le même sens. Une nouvelle ambassade, confiée à Villiers de Beaumont (un catholique, cette fois, et lié aux Guise) marquait en avril 1568 la reprise de l'intérêt de la France pour la reine captive, la guerre civile déclenchée en septembre étant provisoirement terminée grâce aux concessions de Catherine de Médicis. Le sort de Marie Stuart apparaissait donc moins que jamais scellé.

Pendant ce temps, à Lochleven, la prisonnière s'habituait peu à peu à sa vie recluse. En apparence, peu de choses changeaient autour d'elle. Les deux adolescentes qui partageaient sa chambre lui vouaient de plus en plus cette passion que peuvent éprouver les très jeunes filles pour un ou une adulte paré à leurs yeux de tous les prestiges : « *hero worship* », comme disent les Anglais, d'un terme qui s'applique parfaitement aux relations entre Marie Stuart et les jeunes Douglas.

La vieille Lady Douglas, elle aussi, se montrait maintenant presque affectueuse pour sa pensionnaire forcée. Y avait-il, dans son attitude, un calcul matrimonial ? C'est possible, et cela se murmurait à Édimbourg. Le frère cadet du maître de maison, Georges Douglas, était en effet un parti présentable pour la jeune reine (en décembre 1567, Marie venait tout juste d'avoir vingt-cinq ans ; Georges, lui, en avait vingt ou vingt-deux). Depuis que Bothwell avait disparu sans espoir de retour, combinaisons et ambitions fleurissaient à nouveau autour de sa femme ; l'annulation du mariage de mai 1567 semblait devoir n'être qu'une formalité qui ne tracassait personne. Les Hamilton, disait-on, songeaient à faire épouser à la reine l'un des leurs, Jean d'Arbroath ; Moray lui-même aurait envisagé de la marier avec un de ses cousins[8].

Nous ignorons si Marie était au courant de ces intrigues, et ce qu'elle pouvait en penser. Il est significatif qu'à partir de septembre 1567, on ne parle plus de son attachement pour Bothwell et de son refus de se laisser séparer de lui. Peut-être cette évolution est-elle liée à la fin de sa crainte d'être mère d'un bâtard : nous en sommes réduits sur ce point aux conjectures, et les interprétations sexo-psychologiques de Stefan Zweig ressortissent au domaine du roman, non de l'histoire.

Ce qui est certain, en revanche, est que Georges Douglas était, lui, ouvertement amoureux de la belle prisonnière, et qu'on en jasait. On en jasait même tant que Moray s'en émut (Georges était, rappelons-le, son demi-frère) et eut avec lui une scène violente. Le *laird* de Lochleven, qui ne badinait pas avec son devoir de geôlier, finit par chasser son frère du château et lui interdit de revenir dans l'île. La vieille dame s'interposa en vain, pleura comme toutes les mères en pareil cas ; Georges menaça de partir pour la France, de s'exiler puisque le foyer familial le rejetait. Sa mère avait un faible pour lui, le fils cadet ; elle se mit à correspondre avec lui en cachette de l'aîné. Le jeune homme en profita pour travailler à l'évasion de Marie, en se mettant en relations avec les Hamilton — ce rapprochement d'un Douglas avec les Hamilton ne manque pas d'imprévu, étant donné l'hostilité qui depuis toujours opposait l'une à l'autre les deux Maisons : en l'occurrence, Georges trahissait, par amour ou par ambition (peut-être les deux), la politique de sa famille.

Marie alternait entre une apparente bonne humeur et ses troubles de santé habituels. En février, elle fut malade de façon assez sérieuse pour que Moray vînt la visiter, faisant preuve à cette occasion (c'est du moins ce qu'elle raconta plus tard à Nau) « d'un tel mépris et dédain que les choses s'en aigrirent toujours davantage », et qu'elle décida dès lors « de ne le rechercher jamais pour quelconque occasion que ce fût, mais plutôt de consumer sa vie en perpétuelle prison que d'en sortir par son moyen[9] ».

Lady Moray était aussi une visiteuse occasionnelle, qui apportait des objets de toilette, des babioles pour passer le temps. Marie pouvait faire venir des vêtements. Dans une lettre du 3 septembre, elle demande qu'on lui envoie « une demi-aune de satin incarnat et une demi-aune de satin bleu [...] avec du fil d'or et d'argent pour coudre, un corsage et une jupe de satin blanc, un autre incarnat, un autre de satin noir et la jupe de même, mais pas de jupe avec le corsage rouge ; aussi une robe de taffetas, comme je l'ai demandé à Lady Lethington * [10] ». Elle était de temps à autre autorisée à sortir, voire à monter en barque sur le lac en compagnie du *laird :* un jour, au retour d'une de ces promenades, un des gardes, en voulant plaisanter, tira d'une arquebuse qu'il croyait chargée à blanc et blessa deux de ses camarades [11].

Elle était toujours étroitement surveillée, mais elle réussissait quand même de temps à autre à faire passer des lettres à l'extérieur, non sans danger pour elle et pour ses courriers bénévoles. « Si l'on sait que j'ai écrit, il coûtera la vie à beaucoup et mettra la mienne en hasard », note-t-elle dans une lettre du 31 mars à Catherine de Médicis. En l'occurrence, son messager était Jean Beaton, frère de l'archevêque-ambassadeur, qui servait d'agent de liaison avec les Hamilton grâce à ses relations avec Georges Douglas.

Le complot pour la faire évader prenait en effet consistance. À l'intérieur du château, son principal complice était Guillaume Douglas, cet adolescent parent du *laird,* qui s'était pris, à son tour, d'une admiration éperdue pour la souveraine malheureuse. Il y eut même, en mars, une première tentative que relate Drury dans une lettre à Cecil et que, chose curieuse, Marie a oublié de raconter à Nau en évoquant ses souvenirs. Elle avait échangé ses vêtements avec ceux d'une blanchisseuse venue livrer le linge au château et avait pris place, portant la corbeille, dans la barque qui devait l'amener à terre ; mais le batelier, ayant voulu la lutiner, vit ses mains blanches, comprit, et la ramena dans l'île. On peut concevoir qu'après cet épisode elle fut plus sévèrement gardée que jamais.

* L'ancienne Marie Fleming.

En avril, une circonstance fortuite vint fournir une opportunité dont les conjurés surent profiter. La femme du *laird,* enceinte, entra en période d'enfantement, ce qui, selon les habitudes de l'époque, entraîna un bouleversement complet des habitudes de la maison. Un plan ingénieux fut mis au point entre les Hamilton et Georges Douglas, à l'extérieur, et le jeune Guillaume à l'intérieur.

Marie était au courant. Elle feignait cependant, par prudence, de tout ignorer. Le 1er mai — quatre jours avant la date fixée —, elle écrit à Élisabeth, toujours en secret, une lettre au ton assez désespéré : « Madame ma bonne sœur, la longueur du temps de mon ennuyeuse prison, et les torts reçus de ceux à qui j'ai fait tant de biens, ne m'est si ennuyeuse que de ne pouvoir déclarer la vérité de mon infortune et des injures qui m'ont été faites. Par quoi, ayant trouvé moyen d'un bon serviteur céans pour vous faire ce mot, j'ai mandé à ce porteur toute ma conception, vous suppliant le croire comme moi-même [12]. »

En réalité, pendant qu'elle écrivait cette lettre, et le même jour une autre de même style à Catherine de Médicis, ses amis mettaient en place le scénario de sa libération. On avait d'abord envisagé de la faire entrer dans un coffre et de la transporter ainsi, mais cela parut, après examen, impraticable. On songea également à la faire sauter du haut d'un mur pour sortir du château, moyennant quoi elle se blessa « à une des jointures des pieds » en faisant un essai, et il fallut y renoncer.

Finalement, le 5 mai au soir, après souper, elle monta à sa chambre, revêtit secrètement la cotte rouge d'une de ses suivantes, se couvrit d'un grand manteau, puis se retira dans sa chapelle sous prétexte de dire ses prières (« comme à la vérité elle les dit très dévotement, se recommandant à Dieu qui montra bien lors avoir soin et pitié d'elle », précise avec componction Claude Nau). Pendant ce temps, le *laird* et sa famille soupaient à leur tour ; et Guillaume Douglas, qui servait à table, en profita pour dérober « subtilement » la clef de la grande porte et ouvrit celle-ci. Marie, aussitôt avertie, descendit en hâte et se cacha dans le bateau qui l'attendait, tandis que Guillaume jetait les clefs dans la bouche d'un canon. Il avait pris la précaution de rendre inutilisables tous les autres bateaux en les attachant avec des chevilles.

La traversée se passa sans incident (si ce n'est qu'une lavandière du château, qui prenait le frais par cette belle soirée de printemps, reconnut la reine au moment de l'embarquement ; mais Guillaume Douglas réussit à la persuader de ne rien dire). Sur l'autre rive, Georges Douglas et Jean Beaton attendaient avec des chevaux. Deux miles plus loin, Lord Seton et le seigneur de Roccarton rejoignirent la petite troupe. Le Firth of Forth traversé à Queensferry, la fugitive arrivait à minuit au château de Niddry, « où elle fut fort honorablement reçue et festoyée et équipée d'habits et autres choses propres à son sexe et qualité ». Le lendemain, elle était à Hamilton au milieu de ses fidèles [13].

À Lochleven, les deux adolescentes qui partageaient la chambre de la reine, inquiètes de ne pas la voir ressortir de la chapelle, s'aperçurent les premières de son départ et donnèrent l'alarme. Le *laird,* désespéré, « entra en telle rage qu'il tira sa dague pour se transpercer, dont il fut empêché par les assistants » ; puis il envoya avertir Moray, qui se trouvait alors à Glasgow, où il présidait une session judiciaire.

L'histoire allait changer de cours : du moins était-il permis de le penser.

Le château de Hamilton, qui n'existe plus, était situé à douze kilomètres au sud-est de Glasgow. Le hasard plaçait donc en deux lieux très proches la reine et le régent ; ce voisinage ne pouvait durer longtemps sans danger pour l'un ou pour l'autre.

Que serait devenue Marie Stuart si elle n'avait pas réussi à s'échapper ? Toutes les hypothèses sont permises à cet égard. Les observateurs bien renseignés parlaient avec insistance d'un procès que le régent voulait intenter à sa demi-sœur ; l'allusion faite aux lettres de la cassette, lors du Parlement de décembre 1567, aux lettres de la cassette était comme une amorce pour une telle procédure. Les pasteurs, Knox tout le premier, poussaient en ce sens. Quelle aurait été alors l'issue du procès ? Peut-être une condamnation à mort, bien qu'une telle décision paraisse assez peu vraisemblable compte tenu de ses implications internationales. Plutôt la prison à vie, ou encore l'exil hors d'Écosse. Marie elle-même, quand elle était à Lochleven, avait évoqué l'idée de se retirer en France, sous la protection de ses cousins Guise. Mais l'issue la plus probable aurait été un assassinat discret dans la prison, que chacun aurait feint de prendre pour une mort naturelle, et la page aurait été tournée dans l'indifférence — voire la satisfaction — générale.

À Hamilton, Marie se proclamait et se sentait libre, après la réclusion de Lochleven ; en fait, elle avait plutôt changé de gardiens, dans la mesure où elle pouvait se considérer comme l'otage du puissant clan dont les démêlés avec la couronne avaient donné tant de souci à ses prédécesseurs et à elle-même. Prendre ses distances avec les Hamilton était indispensable si elle voulait recouvrer son autonomie d'action. Mais, en attendant de pouvoir rentrer à Édimbourg — ce qui ne pourrait se faire qu'avec une forte armée —, l'essentiel était de se mettre à l'abri en un lieu suffisamment fortifié pour tenir tête aux troupes de Moray et pour attendre l'arrivée des renforts.

Peut-être, si la reine avait été mieux conseillée, ou moins impulsive, ou tout simplement plus habile, aurait-elle pu, sans affrontement militaire, renverser la situation à son profit. Il lui aurait suffi de proclamer très haut son désir d'apaisement, d'annoncer l'amnistie pour ses sujets rebelles. Nombreux étaient ceux, dans le parti de Moray, qui ne demandaient qu'à revenir à elle. Mais elle était trop passionnée pour cela, trop pénétrée du sentiment de l'injustice commise à son égard ; trop imbue, aussi, de son autorité de droit divin, selon la formation qu'elle avait reçue à la Cour des Valois. Elle rédigea, dès le lendemain de son arrivée à Hamilton, une proclamation catastrophique, où l'on sent sa propre main tant elle respire la colère. Tous les rebelles y sont stigmatisés en termes amers : « Jacques, soi-disant comte de Moray, ancien moine, vil bâtard, dont j'ai fait un lord et un comte », « le méchant traître Guillaume Maitland, ancien page, que ma chère mère et moi avons nourri et élevé à la dignité de Secrétaire et comblé de richesses et de bénéfices », etc. Tous les actes signés par la reine en prison étaient annulés comme arrachés par des « traîtres sans foi ». Moray était privé de tous titres et dignités, Châtellerault (« mon très cher père adoptif ») proclamé héritier du trône au cas où le prince Jacques décéderait avant sa mère et investi à l'avance de la régence si la reine venait à mourir[14]. Il ne manquait qu'une allusion à Bothwell pour que ce document fût une somme de toutes les maladresses imaginables ; mais justement le nom du duc des Orcades n'y est pas cité : Marie avait-elle, comme on dit, « tourné la page » sur cette période de sa vie ? Ou, plus simplement, avait-elle jugé que le moment n'était pas encore venu pour réclamer le retour du prisonnier du Danemark ? une opinion vaut l'autre sur ce point.

La nouvelle de l'évasion de Lochleven fit, en Écosse, l'impression d'un coup de tonnerre. Le 10 mai, Drury, à Berwick, ne sait quelle attitude prendre[15], dans l'attente de savoir la réaction de sa souveraine : faut-il se ranger du côté du régent, ou de la reine ? Les événements devaient aller si vite qu'en fait Élisabeth n'aurait jamais à opérer ce choix : le sort des armes déciderait pour elle.

Les partisans de Marie affluaient à Hamilton. Le 8 mai, s'y trouvent réunis les comtes d'Argyll, Huntly, Eglinton, Crawford, Cassillis, Rothes, Montrose, Sutherland, Errol, l'archevêque Hamilton, les évêques de Dunkeld, Ross, Galloway, Aberdeen, Brechin, Moray, Orcades, les lords Fleming, Livingston, Seton, Boyd, Herries, Ross, Maxwell, Glamis, Elphinston, et quantité d'autres nobles, qui, au nombre de cent quarante, signent un pacte pour s'engager à rétablir dans sa pleine autorité la souveraine légitime et à écraser les « rebelles et traîtres » qui ont usurpé le pouvoir. C'était, apparemment, le renversement complet de la situation : le parti de la reine reprenait l'offensive et regroupait la majorité de la noblesse. On semblait bien loin du Parlement de décembre.

Moray, de son côté, voyait son entourage ébranlé et

inquiet. À Glasgow, il était séparé d'Édimbourg où se trouvait le gros de ses forces. Il manquait d'argent (« ses soldats réclament à haute voix et déclarent que s'ils ne sont pas payés ils ne savent pas ce qu'ils feront », écrit Drury[16]). La plupart des nobles qui l'accompagnaient lui conseillaient de se replier sur Stirling, vers le nord, où il pourrait se fortifier, tandis que Glasgow se prêtait mal à une défense militaire. Il refusa, « ne voulant pas donner l'impression de fuir ». En cette circonstance, il jouait sa tête et le savait. Sa fermeté frappa les contemporains, mais sans doute n'avait-il pas le choix. Marie, après sa malencontreuse proclamation du 7 mai (dont il n'est d'ailleurs pas certain qu'elle ait été effectivement diffusée), lui avait fait une offre de pardon, mais il refusa de recevoir le messager. Pour lui, il n'y avait plus de demi-mesure : c'était vaincre ou périr.

Dans le camp de Marie Stuart, au contraire, l'incertitude régnait. Les Hamilton auraient voulu qu'elle restât sous leur coupe ; les autres cherchaient plutôt à lui faire prendre le plus rapidement possible ses distances avec cette encombrante protection. Elle-même redoutait qu'on l'obligeât à épouser Jean d'Arbroath, qu'elle n'aimait pas. Le comte d'Argyll la pressait de se déplacer vers l'ouest, à la fois pour s'éloigner de Glasgow et du régent et pour se mettre à l'abri dans l'inexpugnable forteresse de Dumbarton, tenue par le fidèle Lord Fleming. Cet avis prévalut.

Quoi qu'en aient dit certains par la suite, ce départ vers Dumbarton n'était pas une erreur stratégique ; loin de là. Le château de Hamilton, si proche de Glasgow, était trop exposé à un coup de main, trop difficile à défendre. À Dumbarton, Marie pourrait attendre les secours qu'Argyll et Huntly iraient réunir dans le Nord et l'Ouest, tandis que Herries et Maxwell tiendraient le Sud. En outre, par la mer d'Irlande, des secours pourraient arriver de France si Catherine de Médicis se décidait à en envoyer.

Pour aller de Hamilton à Dumbarton, puisqu'il était impossible de passer par Glasgow et de suivre ensuite la rive droite de la Clyde, force était d'emprunter la route qui, par le sud, sur la rive gauche, traverse une région de collines et de chemins creux*.

L'armée de Marie était nombreuse, mais quelque peu hétéroclite, composée de contingents levés par les différents lords de son parti. Les estimations des contemporains évaluent à 6 000 hommes les troupes de la reine et à 4 000 hommes celles de Moray, avec sept pièces d'artillerie pour la première et six pour le second. La plus grande différence était dans le commandement : Kirkcaldy de Grange, homme de guerre expérimenté, menait la cavalerie du régent, tandis que Marie avait dû confier la sienne au comte d'Argyll, chef du plus gros contingent mais dont la fidélité était sujette à caution (il avait été, dans le passé, un des chefs de la Congrégation contre Marie de Guise, et son ralliement au parti légitimiste était de fraîche date).

La rapidité de marche était indispensable pour l'effet de surprise que visaient les conseillers de la reine. En partant de Hamilton tôt le matin du 13 mai, on pouvait espérer être à Dumbarton, ou face à Dumbarton, le soir du même jour : la route était de trente-cinq à quarante kilomètres, et passait suffisamment au sud de Glasgow pour échapper aux regards de Moray.

Malheureusement pour Marie, le régent fut averti dans la nuit (par un traître, dit-on) du mouvement prévu, et il envoya sa cavalerie pour couper la route à l'armée royale. Lorsque l'avant-garde d'Argyll déboucha du chemin creux où elle s'était crue à l'abri, les soldats de Kirkcaldy, dissimulés « dans les jardins et les cabanes » du village de Langside, sortirent de leurs cachettes et attaquèrent par surprise. Le combat fut si opiniâtre, selon les *Mémoires* de Jacques Melville (qui était présent), « que les soldats, après avoir déchargé leurs mousquets, s'en servirent comme de massues pour assommer leurs ennemis[17] ».

Dès qu'elle avait été informée de l'engagement, la reine s'était placée à l'écart sur une colline, entourée de quelques troupes fidèles, tandis qu'Argyll faisait avancer

* Aujourd'hui englobée dans l'agglomération de Glasgow. Au XVIe siècle, Glasgow avait environ 5 000 habitants ; en 1978, 1 500 000.

sa cavalerie ; mais, par malchance ou trahison, on ne sait, il fut presque aussitôt victime d'un malaise — une crise d'épilepsie, disent certains —, de sorte que l'armée royale se trouva sans chef au moment le plus critique. Moray saisit sa chance ; les troupes de Marie commencèrent à se débander, tandis que leurs adversaires restaient en bon ordre autour de leurs chefs. Toute la bataille n'avait pas duré plus d'une heure. Bientôt la reine n'eut plus d'autre option que de fuir.

Rejoindre Dumbarton était désormais hors de question. Deux échappées restaient possibles : vers le nord, domaine de Huntly — mais il faudrait forcer le verrou de Stirling —, ou vers le sud, domaine de Herries et de son fils Maxwell. Ces deux derniers firent prévaloir leur point de vue.

Le parti légitimiste était décimé par la bataille : trois cents morts, et davantage encore de prisonniers, parmi lesquels Seton, Ross, plusieurs membres de la famille Hamilton. Il n'était plus temps de tenir conseil à tête reposée : chaque minute comptait. Marie s'affola. Elle était obsédée par la crainte de retomber entre les mains de son demi-frère. Elle éperonna son cheval et s'enfuit vers Dumfries, suivie de quelques fidèles, Herries, Maxwell, Fleming, Jean Beaton, Georges Douglas, Claude Hamilton.

De cette chevauchée éperdue, elle devait garder un souvenir effrayé. L'évoquant dans une lettre à son oncle le cardinal de Lorraine, quelques semaines plus tard, elle se décrit « fuyant sans savoir où, quatre-vingt-douze milles à travers champs sans m'arrêter ou descendre, et puis coucher sur la dure, et boire du lait aigre, et manger de la farine d'avoine sans pain, trois nuits comme les chats-huants [18] ».

En réalité, elle exagère quelque peu, car la deuxième nuit elle coucha au château de Terregles, chez Lord Maxwell, où elle tint conseil. Ses fidèles l'incitaient à demeurer là, pour reconstituer une armée, ou à s'embarquer pour la France, où elle serait accueillie en reine douairière et pourrait préparer son retour. Elle-même voulait passer la frontière pour demander l'aide de sa cousine Élisabeth. Démarche dangereuse entre toutes, l'avertit Herries : jadis, Henri IV d'Angleterre avait capturé en mer Jacques Ier d'Écosse et l'avait retenu captif pendant vingt ans. Élisabeth elle-même s'était toujours montrée bien peu amicale pour sa cousine et avait avec elle un ancien contentieux jamais réglé. Mais Marie n'écoutait plus les conseils ; sa volonté était arrêtée. Elle reconnut, plus tard, qu'elle était seule responsable de cette fatale décision.

Pour la dernière étape du voyage, elle se dissimula sous des vêtements d'emprunt et se fit couper les cheveux. Elle gagna, par des petits chemins isolés, l'abbaye de Dundrennan, où elle coucha, puis, le 16 mai, la côte du golfe de Solway. Sur l'autre rive, c'était l'Angleterre.

Elle avait fait envoyer au gouverneur de Carlisle, le chef-lieu du comté frontière du côté anglais, un message pour lui demander l'autorisation de débarquer dans son pays, et à Élisabeth une lettre pleine de confiance : « Ma très chère sœur, sans vous faire le récit de tous mes malheurs, puisqu'ils doivent vous être connus, je vous dirai que ceux d'entre tous mes sujets à qui j'avais fait le plus de bien [...] m'ont enfin entièrement chassée de mon royaume et réduite en tel état qu'après Dieu je n'ai plus d'autre espérance qu'en vous [19]. »

Elle n'attendit même pas les réponses. Dans l'après-midi, elle embarqua sur un modeste bateau de pêcheur, avec son petit groupe de fidèles. Et à sept heures du soir, elle toucha le sol de l'Angleterre.

QUATRIÈME PARTIE

Nous nous engageons par serment devant Dieu à mettre à mort toute personne, de quelque rang qu'elle soit, en faveur de qui serait entrepris un attentat contre la personne sacrée de Sa Majesté la Reine...

Pacte d'Association pour la défense
de la reine Élisabeth, 1584

CHAPITRE XVI

« Pour recouvrer mon honneur... »

Cette Angleterre où Marie Stuart abordait à la fin de l'après-midi du dimanche 16 mai 1568, elle allait y passer les dix-neuf années et trois mois qui lui restaient à vivre, ballottée d'une résidence surveillée à l'autre, ou tout simplement de prison en prison, jusqu'à l'échafaud de Fotheringay.

Mais ce serait une lourde erreur de croire que ces longues, interminables saisons de captivité devaient être, pour elle, vides d'événements. Bien au contraire : jamais elle ne vécut autant d'intrigues, autant de correspondances clandestines ou officielles, d'espoirs, de déceptions, de colères, que dans sa captivité anglaise. Jamais elle ne fut plus présente dans la politique européenne, plus importante dans les combinaisons diplomatiques. C'est alors que se dessinera l'image qu'elle laissera à la postérité ; que se fixeront les traits du mythe qui, longtemps, dissimulera son véritable visage — si tant est que celui-ci puisse, après quatre siècles, nous apparaître encore.

En posant le pied sur la grève du petit port de Workington, dans le comté de Cumberland, Marie Stuart trébucha et tomba. Ses compagnons affectèrent d'y voir un heureux présage : c'était pour mieux prendre possession de son futur royaume qu'elle en avait ainsi embrassé le sol. Telle était la force des illusions.

Elle était persuadée, certaine, que sa « chère sœur »

Élisabeth allait l'accueillir à bras ouverts, accourir à sa rencontre (elles en parlaient depuis si longtemps, de cette entrevue !), mettre ses forces à sa disposition pour reconquérir son trône et punir ses sujets félons. Les messages que Throckmorton lui avait fait passer dans sa prison de Lochleven le prouvaient : Élisabeth détestait l'outrage infligé à la majesté royale par la rébellion des lords. Elle avait fait savoir aux Hamilton et à leurs amis qu'elle était prête à les aider. Tout était donc clair comme le jour.

Pourtant, si Marie avait pu lire la lettre que sa cousine lui avait envoyée le 15 mai, elle aurait eu de quoi modérer sa confiance. Dans cette lettre, Élisabeth se félicitait certes de la savoir en liberté, mais elle se posait plus en moralisatrice grondeuse qu'en amie secourable. « Ayant appris l'heureuse nouvelle de votre évasion, mon affection pour vous et mon sens de la dignité royale m'engagent à vous écrire aussitôt [...]. Dans le passé, vous vous êtes peu souciée de votre état et de votre honneur. Je vous le dirais en face si je vous voyais en personne. Si vous aviez montré autant d'intérêt pour votre réputation que pour ce misérable vaurien *(that miserable villain),* le monde entier aurait compati à vos malheurs, ce qui, pour dire la vérité, n'a pas été le cas de beaucoup [...]. Je vous dis là ce que je me dirais à moi-même si j'étais dans la même situation que vous[1]. »

On ne peut guère considérer cette lettre comme débordante de joie et de souhaits de bienvenue. Malheureusement pour Marie, elle ne la reçut jamais, car lorsque son porteur arriva en Écosse elle avait déjà quitté le pays ; sinon, elle aurait eu une idée plus exacte du genre d'accueil qui lui était réservé.

Le gouverneur de Carlisle, Lord Scrope, était, par hasard, à Londres au moment du débarquement de la reine d'Écosse dans son comté. C'est donc son lieutenant, Richard Lowther, qui dut assumer ses responsabilités, sans instructions du gouvernement, et pour cause. Il prit le parti le plus sage : accueillir la fugitive avec honneur, et envoyer d'urgence un messager à Londres pour solliciter des ordres. Sa position était d'autant plus inconfortable qu'il était lui-même catholique et que sa sympathie pour Marie Stuart était connue.

Elle se souvint plus tard avec amusement que, pour la première nuit qu'elle aurait à passer en Angleterre, le fidèle Lord Herries, qui l'accompagnait, eut l'idée de l'amener au château d'un seigneur des environs qu'il connaissait (le Cumberland était voisin de l'Écosse, et les domaines de Herries se situaient précisément de l'autre côté de la frontière), et de la faire passer pour une jeune héritière écossaise venue épouser le maître de maison ; mais elle fut reconnue par un serviteur français et dut renoncer à cet étonnant incognito.

De ce château, sans doute, elle écrivit à Élisabeth — sa lettre est datée du 17 — pour lui raconter les détails de son équipée et lui demander de la rencontrer : « Je vous supplie le plus tôt que vous pourrez m'envoyer quérir, car je suis en piteux état, non pour reine mais pour gentillefemme, car je n'ai chose au monde que ma personne, comme je me suis sauvée[2]. » Elle n'en était pas encore à la fiction d'une entrée volontaire et délibérée en Angleterre, comme elle le soutiendra par la suite : il s'agit bien d'une fugitive cherchant refuge, et de rien d'autre.

Bientôt Lowther arriva avec une escorte et conduisit la reine à Carlisle, où elle fut reçue avec respect et logée au château, résidence du gouverneur. Comme elle était démunie de tout, elle se fit faire en hâte une robe de drap noir (« à crédit », précise-t-elle dans ses souvenirs racontés à Claude Nau) ; mais déjà la nouvelle de son arrivée s'était répandue dans la région, et les nobles catholiques affluaient vers elle.

Le nord de l'Angleterre était l'un des bastions de l'ancienne religion dans le royaume d'Élisabeth. C'est là qu'avait éclaté la révolte dite « Pèlerinage de Grâce » qui, au temps de Henri VIII, avait marqué le refus d'accepter le triomphe du protestantisme. Marie Stuart y avait, de longue date, des amis et des partisans actifs. L'un d'eux, le comte de Northumberland (dont le père, précisément, avait été l'un des meneurs du Pèlerinage de Grâce, ce qui lui avait coûté la tête), fut parmi les premiers à accourir à Carlisle, avec une forte escorte. Il voulait, disait-il, emmener la reine pour la traiter selon son rang. Entendait-il, en réalité, la garder prisonnière pour son propre compte, à cause de son amitié pour la comtesse de Lennox, comme Marie le pensa[3] ? Ou, plus vraisemblablement, se servir d'elle pour susciter une agitation catholique et déstabiliser Élisabeth ? Quoi qu'il en soit, Lowther refusa de laisser partir sa « visiteuse », malgré les menaces du comte qui se retira furieux. On devait entendre à nouveau parler de lui.

En attendant la réponse d'Élisabeth à sa lettre, Marie Stuart était plus confiante que jamais. La présence de tous ces seigneurs catholiques auprès d'elle la confirmait dans l'idée que son arrivée en Angleterre était souhaitée et désirée par beaucoup. Longtemps encore, en dépit de tous les démentis infligés par les faits, elle se persuada que la religion romaine restait majoritaire dans les cœurs des Anglais, et que seule une clique d' « hérétiques » imposait sa loi contre la volonté populaire. Même dix-huit ans plus tard, cette funeste illusion ne l'aura pas quittée : elle lui coûtera la vie.

La petite Cour qui se formait autour d'elle à Carlisle n'allait pas sans inquiéter le prudent Lowther. Toute cette agitation ne lui disait rien de bon. À Greenwich, autour d'Élisabeth, la perplexité n'était pas moindre. Le premier mouvement de la souveraine avait été de répondre favorablement à la demande de rencontre formulée par sa cousine ; l'ambassadeur de France, Bochetel de La Forest, s'en amusait en vieux courtisan sceptique : « Il y a bien à craindre, si seulement elles sont huit jours ensemble, que pour la différence qu'il y a entre elles de beauté et de bonne grâce, toute leur amitié ne se convertisse en extrême envie et jalousie[4]. » Mais Guillaume Cecil eut tôt fait de freiner cette impulsion — « comme si, au gouvernement des grands États et principautés, les particulières affections devaient avoir quelque lieu ! » commente cyniquement La Forest.

Un mémorandum, rédigé par ou pour Cecil, résume de façon pittoresque toute l'incertitude de la situation envisagée du point de vue anglais[5]. Si Marie est autorisée à passer en France, ce sera la reprise de la guerre de Cent Ans, « en un moment où le royaume de

France possède une artillerie très supérieure à celle de l'Angleterre, et une force trois fois plus grande ». Si elle reste en Angleterre, elle suscitera des troubles parmi ses partisans « pour cause de la religion ou autre ». Si on la laisse regagner l'Écosse sans conditions, ce sera le triomphe de la faction des Hamilton, les amis de l'Angleterre seront exterminés et la vie du petit prince sera en danger. Cecil proposait donc de procéder à un examen sérieux des arguments respectifs de Moray et de sa souveraine (en vertu du droit de l'Angleterre à juger des affaires d'Écosse « comme il appert d'une multitude de précédents et d'exemples dans le passé ») et de se déterminer d'après les résultats de cet examen.

Personne mieux qu'Élisabeth ne savait contrôler ses impulsions et tempérer la générosité par le calcul. Les arguments de Cecil n'eurent aucune peine à la convaincre qu'il était, comme on dit, urgent d'attendre avant de rencontrer sa cousine. Puisque Moray et ses amis affirmaient détenir des preuves de la complicité de Marie dans le meurtre de Darnley, pourquoi ne pas leur donner l'occasion de s'expliquer, ne pas provoquer un débat discret mais contradictoire ? L'idée séduisit d'autant plus Élisabeth qu'elle lui donnait un prétexte pour ne rien décider, chose qu'elle aimait entre toutes, et pour se poser en arbitre du sort de l'Écosse.

Elle envoya donc à Carlisle le gouverneur Lord Scrope et Sir Francis Knollys, un sien cousin du côté Boleyn, pour expliquer à la reine d'Écosse que sa « bonne sœur » ne pourrait la rencontrer que lorsqu'elle se serait assurée « par des raisons sûres » qu'elle était innocente du crime dont on l'accusait ; et, qu'en attendant, elle serait gardée en Angleterre avec tout le respect dû à sa dignité et à l'abri de ses ennemis. Marie, comme on pouvait s'y attendre, explosa d'indignation. Elle était entrée en Angleterre de son plein gré, dit-elle (sa mémoire était courte), et ne pouvait admettre que ses mouvements ne fussent pas libres. Elle écrivit à Élisabeth une lettre furieuse, qu'elle lui fit porter par Herries : « J'ai trouvé un peu dur que, si franchement je me suis mise en votre pays [...], je n'ai obtenu permission de vous aller lamenter ma cause, étant demeurée quasi prisonnière en votre château. » Si sa cousine ne voulait pas la recevoir, elle entendait « chercher les autres princes et amis ses alliés pour [la] secourir[6] ». Et, de fait, elle chargeait Herries d'un autre message à porter en France pour demander l'aide de Charles IX et des Guise.

Appeler les Français à intervenir ! C'était là tout ce que pouvait redouter Élisabeth. Elle refusa à Herries un passeport pour traverser la Manche. D'ailleurs, de Carlisle, Scrope et Knollys envoyaient des messages alarmants : « La reine [Marie] ne songe qu'à la vengeance, elle aimerait mieux voir ses partisans morts que se soumettre au comte de Moray. Si elle était libre, elle irait en Turquie plutôt que de faire la paix[7]. » Cette situation ne pouvait s'éterniser ; il fallait mettre en place, au plus vite, la procédure d'enquête proposée par Cecil.

À cet effet, un envoyé confidentiel fut dépêché auprès de Marie et de Moray. C'était Henri Middlemore, gentilhomme de la Chambre, diplomate avisé et peu suspect d'un excès de sympathie pour la reine d'Écosse. Il était porteur d'une lettre autographe d'Élisabeth à sa cousine : « Ô Madame ! il n'est pas de créature au monde qui désire davantage entendre votre justification que moi, personne qui soit plus disposé à prêter une oreille favorable à toute réponse de nature à laver votre honneur. Mais je ne puis sacrifier ma propre réputation à votre cause. Pour dire le vrai, on m'accuse déjà d'être plus portée à vous défendre qu'à voir les choses dont vos sujets vous accusent [...]. Sur ma foi de princesse, je vous promets que ni vos sujets, ni aucun de mes propres conseillers, ne pourront me faire exiger de vous la moindre chose qui puisse vous nuire ou toucher à votre honneur[8]. »

Ainsi, Marie se retrouvait, sinon en position d'accusée, du moins appelée à se « justifier » aux yeux de la reine d'Angleterre. Immense désillusion pour elle : elle comprenait, enfin, qu'elle n'était pas accueillie en parente bienvenue, mais en suspecte. Son orgueil se cabra. « Ôtez, Madame, de votre esprit, écrit-elle le 13 juin à Élisabeth, que je sois venue ici pour la sauveté de ma vie [...] mais pour recouvrer mon honneur et châtier mes faux (menteurs) accusateurs [...]. Par quoi je vous supplie, aidez-moi, ou soyez neutre, et me permettez [de] chercher mon mieux ailleurs [9]. »

Le portrait, d'ailleurs plutôt admiratif, que trace Knollys de la reine captive à cette époque est révélateur de son état d'esprit : « Elle parle beaucoup et se montre plaisante et familière. Elle montre un grand désir de se venger de ses ennemis, au point de braver tous les périls pour vaincre. Elle aime le courage et la vaillance et ne peut souffrir la couardise, même chez ses amis [10]. » Devant Middlemore, elle « pleure avec grande passion » à l'idée que la reine d'Angleterre puisse mettre en balance sa parole et celle du « traître et bâtard » Moray. Tous ces témoignages montrent que Marie était alors sortie de son état dépressif de l'année précédente et qu'elle se trouvait en pleine phase d'excitation ; ils expliquent aussi pourquoi il pouvait moins que jamais être question, pour Élisabeth, de lui rendre sa liberté de mouvement. Une nouvelle fois, l'impulsivité de la reine Stuart, son incapacité à contrôler ses sentiments, lui coûtaient cher.

Pendant ce temps, Moray agissait, avec la complicité à peine dissimulée de Cecil. Une série d'expéditions militaires disloquaient le parti légitimiste ; ceux qui avaient aidé Marie après son évasion de Lochleven payaient durement leur erreur de calcul (s'il faut en croire les souvenirs recueillis par Claude Nau, même les paysans qui avaient hébergé ou nourri la reine fugitive après la défaite de Langside furent punis par l'incendie de leurs maisons) [11]. Mais les « marianistes », comme on commençait à les appeler, étaient loin d'être anéantis, et même, chose nouvelle, un sentiment de pitié et d'intérêt pour la reine déchue commençait à se manifester. Moray aurait bientôt à compter avec lui.

En Europe, la machinerie diplomatique se mettait en marche, mais lentement. Il ne faut pas oublier que les délais de transmission des courriers, surtout quand ils impliquaient la traversée de la Manche ou de la mer du Nord, étaient tels que, souvent, lorsque les lettres parvenaient à leurs destinataires, leurs réponses perdaient toute pertinence en raison de l'évolution des événements. Il faut aussi faire la part des fausses nouvelles, des racontars, des bruits incontrôlés : un homme aussi bien renseigné que l'ambassadeur de Venise à Paris croyait, le 6 juin, qu'on préparait à Londres un palais pour accueillir la reine d'Écosse, et, le 24 juin, que celle-ci approchait de la capitale anglaise[12] !

À la nouvelle de la fuite de Marie hors de son pays, Catherine de Médicis avait dépêché à Londres et à Carlisle un ambassadeur extraordinaire, Hector de Montmorin. Celui-ci vit Marie et remporta en France des lettres pour Charles IX, Henri d'Anjou et le cardinal de Lorraine *, où la reine exilée décrivait le traitement « indigne » qu'elle avait reçu en Angleterre, les vêtements misérables que lui avait fait parvenir l'avare Élisabeth, et où elle affirmait qu'elle n'avait confiance qu'en ses amis et parents français pour la sauver. Mais, à Paris plus encore qu'à Londres, on pratiquait l'attentisme. Avant de se décider à une intervention, quelle qu'elle fût, Catherine voulait savoir ce que ferait la reine d'Angleterre. Marie n'avait rien à espérer de ce côté dans l'immédiat.

Quant à l'Espagne, elle s'intéressait peu au sort de l'Écossaise. Philippe II était persuadé de sa culpabilité dans la mort de son mari ; son mariage avec Bothwell avait achevé de la déconsidérer à ses yeux. Ce n'est que plus tard, en grande partie pour contrer la diplomatie française, que le gouvernement de Madrid commencera à se manifester en faveur de la reine catholique ; encore faudra-t-il beaucoup d'efforts à celle-ci pour persuader le roi Philippe de sa sincérité et de son bon droit.

Ce répit diplomatique, Élisabeth le savait, ne durerait pas toujours. Elle ne pourrait pas garder Marie indéfiniment en résidence surveillée sans justifier cette décision d'une manière ou d'une autre. Mais comment procéder pour la confrontation envisagée ? Il ne pouvait être question d'une audience publique, moins encore d'un

* C'est dans cette lettre, datée du 21 juin 1568, que se trouve le récit de la fuite de Langside à Workington que nous avons cité plus haut (p. 354).

procès. D'ailleurs, qui aurait été l'accusé ? la reine d'Écosse, pour complicité de meurtre ? ou son demi-frère, pour rébellion et trahison ? Cecil conçut, après une séance mouvementée du Conseil privé, une formule ambiguë, bien propre à plaire à Élisabeth : les deux parties écossaises feraient comparaître leurs représentants devant trois « commissaires » nommés par la reine d'Angleterre, et celle-ci se ferait une opinion d'après les témoignages produits.

Pour cela, il importait, avant tout, d'éloigner Marie de la frontière d'Écosse, où elle était trop proche de ses partisans. Il fut décidé de la transférer plus au sud, au château de Bolton, dans le Yorkshire, propriété de Lord Scrope (celui-ci commençait à être excédé de son hôtesse malgré elle, qu'il trouvait « impatiente et intolérable [13] »).

Lorsqu'elle apprit la chose, la captive tempêta. On lui expliqua à grand-peine qu'il s'agissait de la rapprocher de Londres, de faciliter une éventuelle visite de sa cousine. Le 13 juillet, elle quitta Carlisle avec une escorte armée, non sans « menaces et démonstrations tragiques », pour rejoindre, en trois étapes, sa nouvelle résidence. C'était un château austère, à peine meublé, mais qui, aux yeux d'Élisabeth, avait l'avantage d'être très isolé, donc facile à défendre. Marie devait y rester sept mois, sous la garde de Knollys et de sa femme.

Après ce transfert forcé, Élisabeth, sans doute pour calmer les récriminations de sa cousine, feignit d'envisager une conciliation pacifique. Herries fut chargé de proposer à sa maîtresse de renoncer solennellement au trône d'Angleterre du vivant de la reine et de ses éventuels descendants directs, d'accepter pour l'Écosse le *Livre de prière en commun* de l'Église anglicane et d'abandonner l'alliance française ; moyennant quoi, Élisabeth la rétablirait sur son trône et s'engagerait à la réconcilier avec ses sujets.

C'était là pur théâtre, bien entendu. Marie ne s'y laissa pas tromper un instant, mais, plus habile que de coutume, elle affecta à son tour de jouer le jeu. Elle était prête à toutes les concessions, poussant même le réalisme jusqu'à écouter, à Bolton, les sermons du pasteur anglican local, en laissant entendre qu'elle ne serait pas hostile à une instruction théologique dans la nouvelle foi. C'était aller un peu loin : bientôt, on murmurerait en Europe que la reine d'Écosse s'apprêtait à se convertir au protestantisme, et elle aurait fort à faire pour rétablir sa bonne foi auprès de ses amis catholiques. Quant à Moray, il ironisait sur le zèle religieux tout neuf de sa demi-sœur. Tout cela ne menait à rien.

Tout en amusant Élisabeth avec cette négociation en trompe l'œil, Marie, puisqu'elle était décidément prisonnière, envisageait tous les moyens pour se libérer, et commençait à nouer, à travers l'Europe, le réseau d'intrigues qui, un jour, la conduirait à sa perte. Elle avait appris, toute jeune, à l'école de la diplomatie des Valois, que le mensonge est permis aux princes, que ceux-ci n'ont pas à tenir leurs promesses et qu'ils peuvent impunément multiplier les engagements contradictoires. Ce qu'elle ne comprit jamais, malheureusement pour elle, c'est que pour gagner ce genre de partie multiple, il y faut habileté, discrétion, sang-froid, maîtrise de soi, lucidité sans faille, toutes qualités qui lui étaient étrangères, elle qui était toute passion et toute impatience.

Il est presque pathétique de la voir, le 7 août, écrire à Élisabeth, qu'elle l'accepte pour arbitre, le 12 juillet à Châtellerault pour le nommer lieutenant général en Écosse, le 9 septembre à un évêque écossais pour l'informer d'un projet de débarquement français, le 24 septembre à la reine d'Espagne * pour lui dire que « la reine de ce pays-ci [Élisabeth] n'est pas fort aimée » et qu'elle-même, Marie, y a « gagné une bonne partie des cœurs des gens de bien depuis [sa] venue » ; et en même temps, le 12 septembre, à Élisabeth pour l'assurer qu'elle met « tout son espoir » en elle et qu'elle ne songe nullement à chercher du secours ailleurs[14]. Pitoyables contradictions, qui ne pouvaient manquer d'être révélées un jour ou l'autre, mais dont elle ne réussira jamais à se guérir.

Pendant ce temps, il est vrai, Moray ne se sentait pas

* Son amie d'enfance, Élisabeth de Valois.

beaucoup plus sûr de lui. Il connaissait par expérience le peu de confiance qu'on pouvait placer dans les promesses d'Élisabeth * ; celle-ci affectait toujours la plus grande sévérité à son égard, comme coupable de rébellion contre sa souveraine légitime. Il était prêt, certes, à venir s'expliquer devant la reine d'Angleterre ou ses commissaires ; mais il se demandait avec anxiété quelle attitude il devrait adopter vis-à-vis de Marie Stuart : allait-il l'accuser formellement et publiquement de complicité de meurtre, en produisant les lettres de la cassette ? Ou, au contraire, se contenter de justifier la révolte de l'année précédente au nom de la sécurité du petit prince ? Cecil, discrètement consulté, fit une réponse évasive[15].

À toutes fins utiles, Moray jugea prudent de lancer, comme nous dirions aujourd'hui, une campagne d'opinion contre la reine fugitive. Il fut aidé en cela par Mathieu Lennox, toujours en Angleterre, qui fit préparer par Georges Buchanan (dont c'est ici l'entrée en scène dans la vie de Marie Stuart) une sorte de mémoire d'accusation en latin, résumant tous les arguments en faveur de la culpabilité de son ex-bru dans la mort de Darnley. Ce mémoire, bientôt traduit en anglais sous le nom de *Book of Articles (Livre des articles),* commença à circuler dès le mois de juin **. En même temps, Moray laissait diffuser, sous le manteau, des « copies » des documents de la cassette, ou plutôt des traductions — puisque les « originaux » étaient en français.

Rien de tout cela n'était officiel ; mais l'effet général était désastreux pour Marie, qui faisait preuve d'une étonnante indifférence à l'égard de cette offensive. Pour elle, Moray n'était qu'un rebelle et un ingrat, et elle ne concevait pas que la reine d'Angleterre pût attacher de l'importance à ses dires. Déplorable malentendu, qui devait durer longtemps. À aucun moment, jusqu'à la fin

* Qu'on se rappelle son accueil en Angleterre après la « course-poursuite » de 1565 : p. 167-169.

** Il en existe plusieurs versions, plus ou moins développées. L'histoire de ce texte est particulièrement complexe, mais l'essentiel de l'argumentation est le même dans toutes les versions. Voir R. H. Mahon, *The indictment of Mary Queen of Scots*.

de la conférence d'York, Marie Stuart ne sembla prendre au sérieux le danger que représentaient pour elle les documents de la cassette et le *Livre des articles;* cela facilita sans aucun doute le travail de ses ennemis. On peut voir, dans cette insouciance de Marie, une preuve de légèreté, ou une preuve d'innocence, ou tout simplement une conséquence de sa formation française selon laquelle la personne d'un roi ou d'une reine est par nature au-dessus de toute accusation. La troisième explication paraît, compte tenu du contexte, la plus vraisemblable.

Moray, lui, avait une claire vision de ses avantages. Pour asseoir sa situation en Écosse, il convoqua, le 18 août, un Parlement — le second depuis son arrivée au pouvoir, le premier depuis la fuite de Marie en Angleterre — qui prononça formellement la condamnation et la déchéance des lords restés fidèles à la reine exilée. Celle-ci protesta, évidemment, et déclara cette assemblée nulle et illégale ; mais cela ne changeait rien aux réalités.

Élisabeth, maintenant, était au pied du mur. Tous les prétextes possibles pour garder Marie en Angleterre contre son gré étaient épuisés : il était temps de réunir la commission devant laquelle seraient appelés à s'expliquer les représentants des deux parties. Le lieu fut fixé à York et la date au début d'octobre.

Restait à obtenir l'accord de la reine d'Écosse pour une procédure qui, malgré toutes les précautions de forme, ne pouvait pas ne pas apparaître comme un jugement. Élisabeth y mit toute son habileté. Elle fit savoir à sa cousine que, si la commission la lavait de toute complicité dans le meurtre de son mari, elle serait aussitôt rétablie sur son trône ; et que, si un doute subsistait (« ce que Sa Majesté ne peut croire »), la reine d'Angleterre s'emploierait à négocier une solution préservant l'honneur de tous[16]. En même temps, Cecil rassurait son bon ami Moray : si sa sœur était reconnue coupable, il ne serait pas question de lui rendre sa couronne[17]. Le double jeu n'était pas le privilège de Marie dans cette tortueuse affaire.

Ainsi circonvenue, Marie finit par consentir à envoyer

une délégation à York, non sans dénoncer hautement l'injustice qui consistait à permettre à Moray de venir présenter lui-même sa défense, tandis qu'elle, la reine d'Écosse, ne pourrait quitter Bolton. Il était bien entendu, précisait-elle, qu'il ne s'agissait pas pour elle de se soumettre à un jugement quelconque : reine couronnée, elle n'était responsable de ses actions que devant Dieu. C'était à sa « bonne sœur », et à elle seule, qu'elle acceptait d'exposer ses griefs, pour obtenir justice. C'était quand même mettre le doigt dans un dangereux engrenage : qu'arriverait-il, si la « bonne sœur » d'Angleterre ne se laissait pas convaincre, ou, pis, donnait raison aux « rebelles » ? Tant qu'elle refusait purement et simplement de se soumettre à toute espèce d'interrogatoire ou de débat contradictoire, Marie Stuart demeurait sur un terrain juridique inexpugnable ; aucun souverain d'Europe ne pourrait éviter de prendre sa défense, au nom de la solidarité monarchique ; tandis qu'en envoyant des représentants pour illustrer sa cause devant des arbitres, elle renonçait d'elle-même, à la face du monde, à son privilège de droit divin. Ce fut là une de ses plus graves fautes politiques — non la dernière. Elle n'était décidément pas une adversaire à la taille d'Élisabeth.

D'Écosse, l'évêque de Ross, le fidèle Jean Leslie, dont Marie avait fait choix pour être son principal orateur, arriva avec des nouvelles alarmantes. Malgré la trêve officiellement proclamée de part et d'autre, le régent continuait à piller et ravager les terres des partisans de sa demi-sœur. Et surtout, l'évêque tenait de bonne source que Moray s'apprêtait à apporter à York la fameuse cassette avec son contenu. Il savait que des copies de ces documents circulaient, et il était horrifié de l'effet qu'ils pourraient produire. Marie ne s'en inquiétait pas : c'étaient des faux, disait-elle, et elle le prouverait aisément. Funeste illusion.

La conférence s'ouvrit à York le 5 octobre 1568. Il serait vain d'en relater ici tout le déroulement, émaillé d'incidents de séance et de querelles de procédure, d'autant plus que les différents récits que nous en possédons sont confus et contradictoires. Il est cependant intéressant d'en dégager les grandes lignes, dans la mesure où elle devait peser lourdement sur la destinée ultérieure de Marie Stuart.

Élisabeth avait désigné comme « commissaires » le duc de Norfolk, président, le comte de Sussex et Sir Ralph Sadler. De ces trois personnages, celui qui allait jouer le plus grand rôle était Norfolk. Aristocrate fastueux, premier pair d'Angleterre, chef de l'illustre famille Howard, il était connu pour ses sympathies catholiques et pour son esprit d'indépendance. Le choix d'un tel seigneur pour présider la commission montrait, à tout le moins, qu'il n'existait pas, de la part de la reine d'Angleterre, de volonté systématiquement hostile à Marie Stuart : Norfolk ne pouvait en aucune façon prêter au soupçon d'être l'homme de Cecil.

Moray était venu d'Écosse accompagné de Morton, Lindsay, Maitland, Georges Buchanan, du *laird* de Lochleven et de divers autres membres de son parti. On pouvait aisément prévoir quelle serait leur argumentation.

La représentation de Marie était assurée par l'évêque de Ross, Herries, Boyd, Fleming, Livingston et quelques autres. Les instructions qu'elle leur avait données étaient fermes et précises : Moray et ses complices étaient des rebelles, coupables de trahison envers leur souveraine légitime ; elle avait tout ignoré du meurtre de Darnley ; elle n'avait épousé Bothwell que poussée par « la plus grande partie de la noblesse » ; quant aux écrits qu'on prétendait invoquer contre elle, c'étaient des « faux et des inventions, car il ne manque pas en Écosse de personnes, hommes et femmes, qui savent contrefaire mon écriture[18] ».

De fait, Moray apparut au commencement des débats plutôt en position d'accusé que d'accusateur. Norfolk le prit de haut avec lui et lui demanda de prêter serment à Élisabeth au nom de la suzeraineté de l'Angleterre sur l'Écosse, ce qu'il refusa avec indignation. Mais tout cela était en trompe-l'œil : en coulisse, Maitland, ce maître ès intrigues, nouait ses fils. Il montrait, en grand secret, aux commissaires anglais les fameuses lettres de la cassette *, pour sonder leur réaction. En même temps, il entretenait le duc de Norfolk (récemment veuf) d'une idée qui, disait-il, était venue à plusieurs seigneurs écossais : faire prononcer le divorce de Marie avec Bothwell, et la lui faire épouser, à lui Norfolk, pour la rétablir sur le trône d'Édimbourg à ses côtés.

Ce projet de mariage Marie-Norfolk, dont on parlait ainsi pour la première fois, allait occuper la reine captive et ses conseillers pendant près de quatre ans, jusqu'à l'issue tragique que nous évoquerons en son temps. Pour l'instant, à York, en cet automne de 1568, il apparaissait surtout comme un élément nouveau de complexité dans les débats de la conférence. Moray, dit Maitland au duc, était partisan de ce mariage. Quelles pouvaient donc être ses motivations ? Nous en sommes réduits sur ce point aux conjectures. Peut-être se disait-il que si Élisabeth était décidée à restaurer sa cousine, autant valait que ce fût en compagnie d'un homme comme Norfolk, qui lui devrait son trône. À moins que, dès le début, Moray ne jouât double jeu et ne fît semblant de souhaiter le mariage Norfolk que pour mieux compromettre sa demi-sœur : c'est l'interprétation que donna celle-ci par la suite, et peut-être bien avait-elle raison.

Marie, informée du projet par Leslie de Ross (lui-même mis au courant par le remuant Maitland), fut d'abord réticente. Non parce que le duc était loin d'être un Adonis (il avait trente-deux ans à l'époque, avec un grand visage osseux d'aspect passablement chevalin), mais parce que toute l'intrigue lui paraissait, à juste titre, bizarrement conçue. Peu à peu, toutefois, la perspective de remonter sur le trône grâce à Norfolk lui sourit. Elle devait toujours affirmer qu'elle avait cru, au départ, qu'Élisabeth connaissait le projet et l'approuvait ; pourtant, elle se gardait bien d'y faire allusion dans ses lettres. Arrière-pensées et faux-semblants dominaient toute l'intrigue, de part et d'autre : plus le temps passerait et plus l'écheveau deviendrait inextricable.

* Ou des copies ? Cela ne ressort pas clairement de la lettre des commissaires anglais du 11 juin, qui nous fait connaître l'épisode. Voir plus loin.

Il serait intéressant de savoir ce que le noble duc, promis ainsi à la dignité de roi consort d'Écosse, pensait des lettres de la cassette et de la responsabilité de sa presque fiancée dans la mort de son deuxième mari. En tant que président de la commission, il avait reçu, le 10 octobre, avec ses deux collègues, Maitland et Buchanan venus leur montrer les fameux documents « en secret et en privé ». Il avait donc vu le contrat par lequel Marie s'engageait, avant même son enlèvement par Bothwell, à épouser celui-ci * ; la lettre par laquelle elle donnait son accord à l'enlèvement ** ; pis : la « longue et horrible lettre contenant des choses viles et abominables » (la lettre de Glasgow, où le meurtre de Darnley est clairement envisagé ***) ; et les poèmes d'amour de Marie à Bothwell, « écrits de sa propre main ». De la lettre envoyée par Norfolk et ses deux collègues à Élisabeth, le 11 octobre, pour lui demander des instructions, il est difficile de déduire s'ils ont cru, personnellement, à l'authenticité des documents. Ils prennent grand soin de relater les accusations portées par Maitland et Buchanan, sans les prendre à leur compte mais sans exprimer non plus leur scepticisme. On sent qu'ils tiennent à laisser à Élisabeth liberté entière de tirer ses propres conclusions, de définir sa stratégie. Sans doute, l'impression d'ensemble est assez défavorable à la reine d'Écosse : l'énumération minutieuse des documents, l'accumulation des détails relatifs à l'adultère avec Bothwell et au meurtre de Darnley, l'évocation insistante de cet « amour désordonné que tout homme honnête ne peut que détester et abominer », donnent une image plutôt sombre. Mais toutes ces accusations sont accompagnées de la formule répétitive « selon ce qu'ils affirment », de sorte qu'on peut, en la soulignant partout où elle apparaît, donner à l'ensemble de la lettre une teinte beaucoup plus neutre que celle qu'on lui attribue généralement [19].

Il est donc très exagéré de dire (comme les historiens

* Voir p. 292-293.
** Voir p. 382.
*** Voir p. 255-257, 381-382

puritains du XIXe siècle, Froude en tête) que Norfolk croyait à la culpabilité de Marie Stuart : disons, plus simplement, qu'il n'exprimait pas son opinion. Mais le fait qu'il ait envisagé d'épouser Marie ne signifie pas non plus formellement qu'il fût persuadé de son innocence : la politique, au XVIe siècle pas plus qu'aujourd'hui, ne faisait ménage obligé avec la morale. Il était peu probable, quoi qu'il arrivât, après tous ces drames, que la reine d'Écosse fût tentée à l'avenir de se débarrasser par le meurtre d'un quatrième mari, surtout du plus noble des lords d'Angleterre. Norfolk pouvait se sentir rassuré de ce côté. Peut-être était-ce là tout ce qui lui importait : après tout, le trône d'Écosse (et la perspective de celui d'Angleterre à la mort d'Élisabeth) valaient bien quelques accommodements avec la justice.

Quoi qu'il en soit, Élisabeth, lorsqu'elle reçut la lettre de ses commissaires, comprit aussitôt quelle chance elle lui offrait. La solution à l'épineux problème qui se posait à elle depuis l'arrivée de sa cousine à Carlisle apparaissait presque miraculeusement. Puisqu'il était aussi dangereux de condamner officiellement Marie Stuart que de l'absoudre, laisser planer éternellement un doute sur sa culpabilité constituait une échappatoire cynique, mais redoutablement efficace. À partir de ce moment, la décision d'Élisabeth fut prise : compromettre Marie aux yeux de l'Europe de façon suffisamment grave pour justifier l'attitude des lords groupés autour de Moray, et en même temps éviter de la déclarer ouvertement coupable, de façon à réserver l'avenir.

À ce subtil jeu d'équilibre, la reine Tudor excellait. Toute sa vie, elle se plaira à s'entourer de conseillers aux opinions et aux tempéraments opposés et à doser leurs influences respectives. Dans l'affaire de sa « bonne sœur » d'Écosse, elle saura résister, pendant presque vingt ans, à la fois à ceux qui la pousseront aux décisions extrêmes et à ceux qui voudront la voir rétablir Marie. Ce n'est pas forcément hypocrisie de sa part : peut-être (maints indices incitent à le penser) était-elle, au fond d'elle-même, incertaine quant à la culpabilité de sa cousine. Elle était, de nature, indécise. Si elle avait lu Montaigne, elle aurait pu dire comme lui, ou à peu près,

« le doute est un mol oreiller pour une tête bien faite ». En l'occurrence, ce scepticisme inné coïncidait avec son intérêt politique ; il n'y a pas lieu de s'étonner, dès lors, de la suite des événements, qui surprit et choqua les contemporains, et qui continue à scandaliser beaucoup d'historiens depuis quatre siècles.

En réponse à la lettre de ses commissaires, Élisabeth, le 16 octobre, convoqua l'ensemble des parties à Westminster pour le 25 novembre. Ce transfert répondait au désir de la reine de suivre les débats de plus près, sans les interminables délais imposés par la distance entre York et Londres ; et aussi, sans doute, à sa volonté d'étoffer le groupe de ses commissaires en y adjoignant le secrétaire d'État Guillaume Cecil, le garde des Sceaux Nicolas Bacon, le comte d'Arundel, le comte de Leicester, le grand amiral Lord Clinton, la fine fleur du Conseil privé. Il est permis de penser qu'elle commençait à se méfier de Norfolk et qu'elle préférait ne plus lui laisser trop d'initiative dans toute cette affaire.

Marie Stuart, quand elle apprit que ses commissaires étaient convoqués à Londres, commença par refuser. Puis, sur les instances de l'évêque de Ross, elle accepta de le laisser partir, avec Herries, Boyd et l'abbé de Kilwinning ; mais, plus que jamais, elle rappelait qu'elle était reine couronnée, donc ne relevant d'aucune justice terrestre, et qu'elle refuserait de répondre à toute espèce d'accusation*. C'était sans doute conforme au droit monarchique, mais, au moment où on commençait à parler ouvertement des documents compromettants de la cassette, cela risquait fort d'être interprété comme une crainte de voir révélée la vérité[20].

À Westminster, la commission se réunit dans la « Chambre peinte », mais l'essentiel des négociations, comme à York, se déroula hors séances. Les intrigues s'enchevêtrent, au cours de ces sept semaines, de façon si complexe qu'il est vain de chercher à tout reconsti-

* Un détail significatif, pourtant : « Au cas où quelque chose serait proposé concernant mon mariage avec le comte de Bothwell, vous répondrez que j'accepte qu'il soit dissous si les lois le permettent. »

tuer ; nos sources sont d'ailleurs partielles et souvent contradictoires.

Élisabeth, quant à elle, affectait la plus grande impartialité. Elle recevait les commissaires de Marie, leur prodiguait des paroles aimables. (« J'aimerais que vous soyez aussi franc avec moi qu'avec votre maîtresse », dit-elle à l'évêque de Ross — s'il faut en croire ce dernier[21].) Moray, qui savait de moins en moins où voulait en venir la reine d'Angleterre, commençait à craindre sérieusement, malgré les assurances de Cecil, un compromis dont il aurait fait les frais. Son arme principale — presque son arme unique — était les documents de la cassette ; mais Élisabeth n'avait toujours pas fait savoir si elle autorisait leur production officielle. Une véritable scène de comédie se déroula, avec l'évêque des Orcades poursuivant autour de la table le secrétaire de Moray pour lui arracher les documents, au milieu des rires et des plaisanteries, tandis que Moray feignait la consternation[22]. On conçoit que la reine d'Écosse, de sa résidence forcée de Bolton, ne cessât de protester contre toute cette procédure.

Devant l'impasse où paraissait engagée la cause de leur maîtresse, l'évêque de Ross et ses collègues prirent, à la fin de novembre, une étonnante initiative auprès du régent : ils proposaient l'abandon mutuel des accusations — complicité de meurtre d'un côté, rébellion et lèse-majesté de l'autre — et la négociation d'une paix de compromis. Il était facile de considérer une telle démarche comme un aveu tacite d'authenticité des lettres de la cassette. Moray le comprit aussitôt et le fit valoir auprès des commissaires anglais. Marie fut consternée, mais le mal était fait.

Finalement, au début de décembre, Élisabeth décida qu'il était temps pour elle de voir les fameux documents autour desquels tout le débat tournait de plus en plus. Elle se les fit présenter, à Hampton Court, en présence de ses conseillers *. Marie, en l'apprenant, protesta avec véhémence. Un peu tard, elle réalisa le danger. Elle

* C'est à cette occasion que Morton exposa les circonstances de la capture de la cassette, que nous avons relatées en leur temps (p. 320).

demanda à être entendue personnellement, à voir à son tour les documents, à s'expliquer sur eux. Peine perdue : sa cousine était bien décidée, précisément, à éviter cette confrontation.

Ce que l'évêque de Ross avait redouté, ce que Moray avait souhaité, se réalisait : les « lettres de la cassette » étaient devenues le centre de toute l'affaire, et le destin de Marie Stuart leur était suspendu.

Il est donc temps, maintenant, de parler d'elles.

CHAPITRE XVII

« J'aime dormir en sécurité sur mon oreiller... »

Toute biographie de Marie Stuart se doit, traditionnellement, d'inclure un examen des « lettres de la cassette ». Celle-ci ne saurait faire exception, puisqu'à tout prendre l'image de la reine varie du tout au tout selon qu'on admet qu'elle a écrit ces documents ou qu'on s'y refuse[1].

Nous n'entreprendrons pas, pour autant, d'entrer dans tous les détails de la controverse, qui emplirait à elle seule les rayons d'une bibliothèque. Chacune des lettres a été disséquée phrase à phrase, avec passion, depuis le XVIe siècle. Mais, étant donné que les originaux — entendons par « originaux » les documents qui furent présentés comme tels à la reine Élisabeth et à son Conseil, les 7 et 8 décembre 1568 — ont disparu depuis longtemps, la seule preuve qui serait vraiment concluante, celle de l'expertise graphologique, est à jamais impossible *.

* Après la fin des débats de Westminster, Moray remporta la cassette et son contenu en Écosse. Après sa mort, ils passèrent successivement aux trois régents qui lui succédèrent, Lennox, Mar et Morton. Après l'exécution de Morton en 1581, ils devinrent la propriété du comte de Gowrie, à qui Élisabeth tenta vainement de les acheter en 1582. Gowrie fut à son tour exécuté en 1584 et « on n'entendit plus parler » de la cassette et des lettres ; une hypothèse vraisemblable est que Jacques VI, le fils de Marie, fit brûler ces dernières. Le musée de Lennoxlove, propriété du duc de Hamilton, possède une célèbre cassette d'argent dont la description correspond, à peu près, à celle de Marie Stuart et qui est en général présentée

La discussion sur ces documents porte donc, par force, sur des copies, ou des copies de copies, dont la fidélité n'est rien moins que prouvée. Les lettres et les poèmes étaient écrits en français ; mais seules quatre des huit lettres nous sont connues par des copies directes en cette langue. Les autres ne sont disponibles que sous forme de traductions anglaises, écossaises et latines, qui ne coïncident pas entièrement entre elles. La version française courante, parfois citée par erreur comme originale, n'est en réalité qu'une traduction de traduction, publiée en 1572 à La Rochelle, cité huguenote, d'après la version latine et la version écossaise publiées l'année précédente par Georges Buchanan dans sa *Détection des actions de Marie, reine d'Écosse.* Quant aux poèmes, le texte français imprimé par Buchanan est le seul connu.

Les huit copies manuscrites des lettres qui figurent aux Archives nationales d'Angleterre et dans les archives de la famille Cecil à Hatfield House (quatre en français, quatre en anglais) portent des annotations — certaines de la main de Guillaume Cecil lui-même — qui en garantissent en théorie la fidélité par rapport aux documents présentés par Moray, mais elles sont trop fautives comme style et comme orthographe pour être des reproductions exactes d'originaux écrits par Marie Stuart.

Le nombre même des documents contenus dans la cassette varie selon les sources. Les lettres proprement dites, telles que les a publiées Buchanan, sont au nombre de huit. C'est donc sur elles que porte la discussion. Mais comme elles ne sont pas datées, leur ordre est sujet à discussion.

Dans l'ensemble, ces huit lettres émanent d'une femme follement éprise et jalouse, écrivant à un amant volage et indifférent. Les allusions à une rivale, à un beau-frère perfide, y abondent, ainsi que les plaintes et les expressions de désespoir. Tout cela serait sans

comme étant celle-là même. La cassette de Lennoxlove est entrée dans la famille de Hamilton au XVIIe siècle ; si c'est bien celle de Marie Stuart, on ignore ce qu'elle était devenue entre 1584 et son achat en 1632 par l'ancêtre du duc actuel.

importance si trois d'entre elles (la deuxième, la première et la septième) ne contenaient des allusions très précise et datables à des événements de la vie de Marie Stuart : sa visite auprès de Darnley, malade à Glasgow, en janvier 1567, et son enlèvement par Bothwell en avril de la même année.

La première de ces trois lettres* est, de loin, la plus importante. La plus longue aussi — sept pages manuscrites dans la copie des Archives d'Angleterre —, d'où son nom traditionnel de « longue lettre de la cassette ». Nous l'avons citée à propos de la visite de Marie à Glasgow**. Elle est censée avoir été écrite dans la nuit, à côté de la chambre où Darnley soignait sa maladie infectieuse. Le désordre de sa composition n'est pas, en soi, une preuve d'inauthenticité : au contraire, on admet volontiers qu'elle ait été rédigée en plusieurs fois, et un certain décousu serait plutôt un argument en sa faveur. En revanche, on comprend mal que Marie ait confié au papier des réflexions aussi compromettantes (le meurtre de Darnley est clairement envisagé), même si la lettre devait être portée par le fidèle Paris, alors qu'elle allait revoir Bothwell deux ou trois jours plus tard. On comprend moins encore qu'elle passe son temps à tresser un bracelet pour son amant, tout en lui recommandant de ne le montrer à personne, « car tout le monde le connaît, tant il a été fait à la hâte devant les yeux de chacun ». Cette lettre fourmille d'allusions à des personnages et à des événements contemporains ; il est certain qu'elle a été écrite par quelqu'un de très bien informé de la vie de la Cour, donc — s'il ne s'agit pas de Marie elle-même — par l'un de ses intimes. Mais elle se termine par une sorte d'aide-mémoire assez troublant : « Des Anglais. De sa mère. Du comte d'Argyll. Du comte de Bothwell. Du logis d'Édimbourg. » Que signifie cette mention « Du comte de Bothwell » dans une lettre adressée précisément à celui-ci ? Le mystère reste entier, quelle que soit l'opinion qu'on ait sur l'authenticité du document.

* Numérotation « standard » des éditions modernes. Dans la publication de Buchanan, cette lettre porte le n° 2.

** Voir p. 255-257.

La deuxième lettre (n° 1 de Buchanan), très brève, est la suite de la précédente. Marie écrit : « J'amène l'homme avec moi lundi à Craigmillar *, où il sera tout le mercredi [...]. Il est plus frais et dispos que vous ne l'avez jamais vu [...]. Je n'entre jamais vers lui que la douleur de mon côté malade ne me saisisse, tant il me fâche. »

Quant à la septième lettre, elle se présente comme écrite à Stirling, la veille ou l'avant-veille de l'enlèvement de Marie par Bothwell : « Du temps et du lieu, je m'en rapporte à votre frère et à vous » (si l'auteur est bien Marie Stuart et si l'événement envisagé est bien celui du 24 avril 1567, il faut comprendre « frère » comme signifiant « beau-frère », c'est-à-dire Huntly). Il s'agit que le destinataire s'y prenne de telle façon qu'il ne puisse être accusé de la « forcer et tenir captive ». Il est évident, à lire ce document, que la femme qui l'écrit est entièrement d'accord avec le projet d'enlèvement.

Aucune de ces trois lettres ne contient d'invraisemblance absolue pour les dates où elles sont censées avoir été écrites, avant le mariage de Marie et de Bothwell. Il n'en est pas de même de la quatrième, qui émane d'une femme apeurée et éplorée (« comme l'oiseau échappé de la cage ou la tourterelle qui est sans compagne, ainsi je demeurerai seule pour pleurer votre absence »), situation qui ne correspond à aucun moment des relations de Marie Stuart et de Bothwell avant leur union ; de la sixième, consacrée à une mise en garde contre le « déloyal beau-frère » qui s'oppose à leur union projetée (alors que Huntly, en réalité, était le plus actif artisan du mariage Marie-Bothwell) ; de la huitième, qui parle de l' « ancien beau-frère », expression qui n'a de sens qu'après le divorce de Bothwell et de sa première femme.

Aussi a-t-on émis l'hypothèse, soit que ces lettres datent en réalité du mois de mai ou de juin 1567 — auquel cas elles perdraient tout caractère scandaleux, puisqu'elles seraient d'une femme à son mari —, soit

* On se rappelle que Darnley devait d'abord être amené à Craigmillar (p. 259).

qu'elles ont été écrites à Bothwell par une de ses maîtresses jalouses — d'où les allusions au « déloyal beau-frère » et à la « tourterelle sans compagne »*.

Quant à la « longue lettre de Glasgow », elle serait une sorte de patchwork où seraient mêlés des éléments d'une authentique lettre de Marie et des passages apocryphes destinés à l'incriminer. Ceci expliquerait non seulement l'incohérence de la lettre, mais les différences de ton qui s'y remarquent, et aussi l'invraisemblance des précisions si compromettantes concernant le meurtre de Darnley.

Contre l'authenticité intégrale des lettres milite en effet l'obstination des accusateurs de Marie Stuart à lui en refuser la communication en original. Jamais, malgré ses demandes réitérées, les documents ne lui furent présentés, et jamais elle ne fut appelée à s'expliquer sur eux. Tout se passe comme si Moray et ses amis redoutaient de les lui laisser voir. Cependant, la brièveté du délai qui sépare la capture de la cassette de la première allusion aux lettres** rend peu probable une invention pure et simple de Morton. Il devait donc y avoir, dans le coffret, *des* documents de la main de la reine, qui donnèrent à ses vainqueurs l'idée de les « étoffer » pour les rendre plus compromettants.

Que l'auteur de cette falsification ait été un intime de Marie, c'est évident. Il fallait qu'il fût familier de son écriture, qu'il parlât couramment le français, qu'il connût parfaitement son entourage et les détails de ses itinéraires et de sa vie privée. Une personne, entre autres, répond à cette définition : un homme depuis longtemps proche de la reine, informé, de par ses fonctions, de toute sa correspondance, et de plus marié à une de ses plus anciennes compagnes : Guillaume Maitland. Le rôle que Maitland joua, lors de la conférence d'York et de Westminster, comme l'un des meneurs de l'accusation contre Marie et l'un de ceux qui présentè-

* On pourrait concevoir aussi que les mises en garde contre le « déloyal beau-frère » aient été délibérément ajoutée par les faussaires pour brouiller Marie avec Huntly, alors l'un de ses plus fidèles partisans.

** Voir p. 320-321.

rent les lettres aux commissaires anglais, rend particulièrement tentante l'attribution au célèbre « caméléon » du trucage des lettres.

Georges Buchanan, lui aussi, humaniste de renom international, écrivant tout naturellement en graphie italienne (« humanistique », comme on la désigne parfois) et habitué au français comme à sa langue maternelle, est un suspcct possible. Intime de Moray, il pouvait aisément recevoir de lui les informations confidentielles destinées à corser les lettres pour les rendre plus vraisemblables. N'oublions pas que c'est lui qui, en 1571, devait publier les lettres et les poèmes dans sa *Détection*. Rien ne s'oppose, psychologiquement ni matériellement, à ce qu'il les ait lui-même rédigées en la forme où elles furent produites à York et à Westminster. La différence qui existe entre la version française « originale » et celle de l'édition de La Rochelle n'infirmerait en rien la paternité de Buchanan quant à la première, puisque, nous l'avons vu, l'édition française a été faite indépendamment de lui, d'après les éditions latine et écossaise.

L'écriture des « originaux » montrés à York et à Westminster était (le procès-verbal en témoigne) une écriture « italienne », du type de celle qu'utilisait Marie Stuart, élevée à la cour des Valois. Cette graphie — qui est à l'origine de la nôtre actuelle — était, à l'époque, peu courante en Angleterre, où l'écriture habituelle était dérivée du gothique : l'« italienne » ou « romaine » ne devait remplacer le gothique outre-Manche qu'au XVIIIe siècle. Or l'unique copie ancienne d'une des lettres de la cassette qui soit parvenue à nous en écriture italienne est d'aspect général assez proche des manuscrits originaux de Marie Stuart que nous possédons par ailleurs. On comprend que des Anglais, peu familiers de cette écriture continentale, s'y soient laissé tromper, surtout si leur intérêt était de ne pas se montrer trop minutieux.

Nous avons cité plus haut les deux promesses de mariage de Marie à Bothwell que contenait également la cassette *. Quant aux douze prétendus « sonnets », qui

* Voir p. 292-293.

sont en réalité les strophes d'un poème de 159 vers, ils émanent clairement d'une femme coupable et malheureuse, qui a tout sacrifié à un amant ingrat. Leurs accents sont assez pathétiques :

J'ai hasardé pour lui et nom et conscience,
Je veux pour lui au monde renoncer,
Je veux mourir pour le faire avancer...
Pour lui aussi j'ai jeté mainte larme,
Premier (= avant) qu'il fût de ce corps possesseur
Duquel alors il n'avait pas le cœur...
Pour lui depuis j'ai méprisé l'honneur,
Ce qui nous peut seul pourvoir de bonheur ;
Pour lui j'ai hasardé grandeur et conscience,
Pour lui tous mes parents j'ai quitté et amis...

La maladresse de la prosodie n'est pas, en soi, une raison pour refuser de les attribuer à Marie Stuart, encore que Brantôme et Ronsard, qui connaissaient bien son style poétique, aient l'un et l'autre jugé qu'elle était incapable d'écrire des vers si médiocres. Mais beaucoup de détails sont invraisemblables sous sa plume : elle n'a quitté ni parents, ni amis pour Bothwell, il n'a jamais douté de sa constance, elle n'a certes jamais eu aucune intention de mourir pour « le faire avancer ». Tout ceci pourrait, en revanche, émaner de la maîtresse jalouse qui aurait écrit les lettres. Pour faire bonne mesure (ou plutôt mauvaise mesure, car les vers sont boiteux) les faussaires auraient modifié un passage pour l'appliquer explicitement à la reine :

Entre ses mains et en son plein pouvoir
Je mets mon fils, mon honneur et ma vie,
Mon pays, mes sujets, mon âme assujettie...,

(Remarquons toutefois que, précisément, l'enfant Jacques ne fut jamais entre les mains de Bothwell.)

En résumé, les documents de la cassette seraient donc un mélange de passages authentiques de lettres de Marie Stuart à Bothwell, de passages de lettres reçues par celui-ci d'une maîtresse jalouse* et de passages apocryphes volontairement rédigés en termes les plus compromettants possibles pour prouver l'adultère de la reine et sa complicité dans le meurtre de son mari.

Cette hypothèse — qu'il sera toujours, de toute évidence, impossible de prouver de façon formelle — a recueilli, depuis le début de notre siècle, l'adhésion de la majorité des historiens qui se sont penchés sur le problème. Mais de toute façon, les lettres de la cassette, comme preuves factuelles, sont dépourvues de toute crédibilité : tout raisonnement qui s'appuie exclusivement sur elles est vicié à la base.

Élisabeth, qui vit le contenu de la cassette les 7 et 8 décembre 1568, fut-elle, elle, convaincue ? À première vue, on serait tenté de répondre par l'affirmative. Elle écrit en effet à Marie Stuart, le 21 décembre, une lettre dont les termes peuvent être interprétés en ce sens : « Madame, je ne peux m'empêcher de vous dire que, désolée depuis longtemps par vos malheurs, je trouve mon chagrin redoublé en voyant des choses qui prouvent que vous en êtes vous-même la cause. Je n'aurais jamais cru avoir un jour à voir et à entendre des choses de si grande conséquence contre vous[2]. »

Mais, en même temps, Élisabeth précise formellement qu'elle réserve son jugement « avant d'avoir entendu vos réponses » : c'est donc que les « preuves » qu'elle avait vues n'étaient pas suffisantes pour entraîner sa conviction. D'ailleurs, les années suivantes devaient amener à maintes reprises la reine d'Angleterre à correspondre avec sa cousine sans qu'il fût jamais plus fait allusion aux fameuses lettres. Personne ne connaissait mieux qu'Élisabeth l'écriture de Marie Stuart ; elle-même, princesse cultivée s'il en fut, pratiquait la graphie italienne et pouvait donc parfaitement concevoir des doutes sur l'authenticité des documents qui lui étaient

* Ces lettres de la maîtresse jalouse auraient été peut-être conservées par Bothwell dans la cassette avec les lettres de Marie, ce qui aurait donné à Morton et à Maitland l'idée de l'amalgame. Il fallait, de toute façon, que ce fût une Française ou une femme habituée à s'exprimer en français.

montrés. Il n'entrait pas dans sa politique de formuler ces doutes à haute voix ; tout au contraire, elle avait tout intérêt, comme nous l'avons remarqué, à laisser planer l'incertitude, comme une menace éternellement suspendue sur l'ex-reine d'Écosse. À cela se borne ce que nous pouvons dire de l'opinion d'Élisabeth sur les lettres de la cassette.

De toute façon, celles-ci avaient joué le rôle que le gouvernement anglais leur assignait ; mieux valait, désormais, les laisser dans l'ombre. Restait à conclure, c'est-à-dire à terminer la conférence de Westminster. Exercice difficile, puisque s'opposaient toujours, plus inconciliables que jamais, deux légitimités antagonistes : celle de Marie Stuart au nom de son innocence et de sa prérogative de reine par la grâce de Dieu, celle de Moray au nom de l'abdication de Marie et du vote du Parlement de décembre 1567.

Le bruit courut, un moment, qu'Élisabeth et le régent d'Écosse allaient conclure un pacte en vertu duquel le petit roi de Stirling serait transféré en Angleterre et reconnu par la reine Tudor comme son héritier. Cela eût signifié l'éviction définitive de sa mère. Celle-ci, à Bolton, prit la chose très au sérieux. « L'amour naturel que je porte à mon enfant et à la conservation de ce qu'il a plu à Dieu de commettre sous ma charge me fait vous écrire cette lettre pour vous donner avis de choses que je ne fais doute vous sont cachées », écrit-elle le 17 décembre au comte de Mar, gardien de l'enfant. « Mon fils doit être mis hors de vos mains et envoyé en ce pays, et la garde du château de Stirling commise à une garnison d'étrangers. Vous savez que je vous ai baillé l'un et l'autre pour la fiance [confiance] que j'ai en vous[3]. »

Qu'y avait-il de fondé dans ces rumeurs ? nous l'ignorons. Rien ne les rend invraisemblables, compte tenu des intérêts des uns et des autres. À plusieurs reprises, dans l'avenir, Élisabeth devait effectivement tenter d'obtenir la garde de l'enfant : c'eût été pour elle le plus sûr garant de sa mainmise sur l'Écosse, but permanent de sa politique. Pour cette même raison, les maîtres successifs du pays s'y opposèrent avec non moins de persévérance.

Une autre solution commode, pour la reine d'Angleterre et pour Moray, eût été que Marie Stuart réitérât son abdication de Lochleven. Elle fut l'objet, à Bolton, de pressions en ce sens, mais elle réagit vigoureusement. « Je suis résolue et délibérée de mourir plutôt que de renoncer à la couronne que je tiens de Dieu [...]. La dernière parole que je ferai en ma vie sera d'une reine d'Écosse. » Si elle abdiquait, disait-elle, ce serait se condamner elle-même, car elle deviendrait une personne privée, donc soumise à la juridiction de la reine d'Angleterre, et serait « en perpétuelle crainte de sa vie ». En outre, elle serait à juste titre « en horreur spécialement aux peuples de toute cette île[4] ».

Même, loin de songer à céder, Marie prenait l'offensive. Le 7 janvier 1569, selon ses instructions, l'évêque de Ross remettait à Élisabeth une accusation en bonne et due forme contre Moray et ses complices comme « traîtres, auteurs et exécuteurs du meurtre du roi mon mari, avec autres crimes à peine moins horribles et exécrables que ledit meurtre. » Les choses risquaient de mal tourner pour le régent. Élisabeth n'insista pas; comprenant qu'elle ne viendrait plus à bout de l'intrigue qu'elle avait elle-même embrouillée, elle donna brusquement à Guillaume Cecil l'ordre de faire savoir aux représentants écossais des deux parties que « rien n'avait été prouvé contre l'honneur et la loyauté du comte de Moray et de ses amis », mais que d'autre part « rien n'avait été produit contre la reine d'Écosse qui fût de nature à conduire Sa Majesté à concevoir une mauvaise opinion de sa bonne sœur », et qu'en conséquence la conférence était terminée[5].

Selon l'expression de l'historien Patrick Tytler, pourtant peu favorable à Marie Stuart, « on ne peut rêver conclusion plus absurde et moins satisfaisante à une procédure aussi inhabituelle[6] ». C'était — chacun le comprit — une échappatoire plutôt qu'un jugement. L'impression de frustration fut générale : du côté de Marie Stuart, certes, parce que son innocence n'était pas formellement reconnue; mais aussi du côté de Moray, parce que son titre de régent et la royauté de l'enfant Jacques ne l'étaient pas davantage.

Pourtant, malgré les apparences, les plateaux de la balance n'étaient pas égaux. On le vit aussitôt, lorsque, le 12 janvier, Moray fut reçu par Élisabeth et obtint d'elle l'autorisation de rentrer en Écosse (lui donnant donc, pratiquement, les mains libres), tandis que Marie restait en résidence surveillée et se voyait, tout autant que par le passé, refuser la permission de rencontrer sa cousine. Plus qu'à aucun autre moment de la vie de Marie Stuart, on peut, à cette mi-janvier 1569, parler de *déni de justice* à son encontre. Rien, juridiquement, ne pouvait justifier son maintien en détention puisque la reine d'Angleterre reconnaissait publiquement que les accusations contre elle ne reposaient sur aucune preuve. La raison d'État apparaît là, cyniquement, toute crue. À partir de cet instant, la reine d'Écosse se considérera comme déliée de toute obligation morale à l'égard de celle qui, au mépris de tout droit, la retient prisonnière. L'histoire des dix-huit années à venir était tout entière contenue dans cette décision d'Élisabeth.

Nous avons pourtant tout lieu de penser que celle-ci n'avait pas l'impression, ni l'intention, de créer, en renvoyant dos à dos les deux partis écossais, une situation définitive. Bien au contraire, tout au long du printemps de 1569, des négociations se poursuivent sous ses auspices, dont l'idée générale est que Marie s'engagera solennellement à renoncer à toute vengeance contre ses sujets d'Écosse, confirmera toutes les lois anticatholiques de 1560, livrera quelques forteresses à l'Angleterre comme gages de bonne foi, abandonnera l'alliance française, moyennant quoi elle sera restaurée sur son trône (des accusations de complicité dans le meurtre de Darnley, il n'était plus question ; mais non plus de la rébellion de Moray et de ses amis).

Marie, dans son château-prison, était partagée entre des tentations contradictoires. D'un côté, les propositions d'Élisabeth paraissaient sincères — sans doute l'étaient-elles, car Élisabeth n'avait rien à gagner à garder indéfiniment sa « bonne sœur » en Angleterre, comme l'avenir devait le montrer. De l'autre, le parti « marianiste » restait puissant, au nord comme au sud de la Tweed. L'Europe, maintenant que la conférence d'York-Westminster était terminée, commençait à nouveau à s'intéresser à la royale captive. L'Espagne était en train de se brouiller avec Élisabeth pour des histoires de piraterie et de cargaisons d'or saisies. En novembre 1568, on apprit la triste nouvelle de la mort, à Madrid, de la jeune et charmante reine Élisabeth de Valois, l'amie d'enfance de Marie ; celle-ci écrivit au veuf Philippe II une lettre profondément émue : « La meilleure sœur et amie que j'eusse au monde, celle en qui j'avais le plus d'espoir [...], il ne m'est pas possible de vous en parler moi-même sans que mon cœur se fonde en larmes et en soupirs. » En même temps, elle assurait le roi d'Espagne de son inébranlable fidélité au catholicisme malgré tous les bruits contraires que pourraient faire courir ses ennemis[7]. Philippe reçut le message avec sympathie et donna des instructions à son ambassadeur pour multiplier les interventions en faveur de la captive.

D'autre part, après Bochetel de La Forest, rappelé à Paris en novembre, la France venait de nommer comme ambassadeur à Londres Bertrand de La Mothe-Fénelon, un diplomate de haut rang et de grand talent. Dès son arrivée, Fénelon prit à cœur la cause de Marie Stuart. Avec lui, l'influence française se faisait à nouveau active et efficace. Il trouva bientôt le moyen (nous ignorons comment) de correspondre avec Marie en chiffre, à l'insu de ses gardiens. La guerre civile avait repris en France entre catholiques et huguenots *, mais cette fois la fortune des armes favorisait les catholiques et la reine Catherine ne cherchait plus à ménager les protestants : tout au contraire, la bataille de Jarnac, glorieusement gagnée le 13 mars 1569 par le jeune duc d'Anjou — futur Henri III — redonnait à la couronne des Valois un éclat fâcheusement terni au cours des années précédentes. L'effet diplomatique se fit aussitôt sentir : « La reine d'Angleterre a changé de style de m'écrire », remarque en avril Marie Stuart[8].

Alors ? céder aux pressions d'Élisabeth et se réconcilier avec Moray ? ou se fier à la France et à l'Espagne

* Troisième guerre de religion, septembre 1568-août 1570.

pour imposer une libération et une restauration sans conditions ? La captive hésite visiblement entre ces deux solutions, en ce printemps 1569. Ou plutôt, conformément à sa déplorable tendance, elle les poursuit toutes les deux à la fois. Autour d'elle, les intrigues les plus contradictoires s'enchevêtrent plus que jamais. Le projet de mariage avec le duc de Norfolk prenait corps, avec la complicité de Maitland (qui commençait à prendre ses distances avec Moray : le caméléon, toujours...) et de l'évêque de Ross. Le régent d'Écosse lui-même faisait savoir à Norfolk qu'il y était favorable — il est vrai que cette union aurait parfaitement été compatible avec la réconciliation Moray-Marie, but avoué de la politique d'Élisabeth. Mais, là encore, le manque de franchise des uns et des autres compliquait tout. Interrogé par sa souveraine, en novembre 1568, sur les bruits qui commençaient à courir, Norfolk avait cru bon de tout nier avec véhémence : « Quoi, moi ? Que j'épouse cette mauvaise femme, cette adultère, cette meurtrière de son mari ? J'aime dormir en sécurité sur mon oreiller. Je me considère comme un aussi grand prince, sur mon terrain de jeu de Norwich, qu'elle en Écosse[9]. » Après de telles déclarations, toute poursuite de la négociation devenait un parjure, voire une trahison. Aussi les lettres échangées avec Marie Stuart étaient-elles plus que confidentielles : clandestines. Marie s'y prêtait, dangereusement. Le 11 mai 1569, elle écrit à Norfolk : « Le secret de votre correspondance est à l'abri de tout risque. Je conserve vos lettres sous clef. » Le 24 juillet, elle en est à des formules presque amoureuses : « Vous dites, mon Norfolk, que vous attendez mes ordres, mais je n'ai pas à vous en donner [...]. Quand ma santé le permet, c'est mon plus grand plaisir de vous écrire, et aussi de recevoir vos lettres [...]. Soyez sûr qu'elles ne tomberont en aucunes mains que celles à qui elles sont destinées. » L'affaire prenait de plus en plus l'aspect d'une conspiration, avec tous les risques que cela comportait[10].

Pour comble, on n'allait pas tarder à imaginer des choses encore plus graves. Au printemps de 1569, le bruit courut que Marie avait « cédé » ses droits au trône d'Angleterre... au duc d'Anjou, le frère du roi de

France, le vainqueur de Jarnac. Cette idée que des droits dynastiques pussent être ainsi cédés, légués, voire vendus, hors de toute filiation ou parenté, est si extravagante à nos yeux qu'il nous paraît difficile qu'elle ait pu être prise au sérieux ; pourtant Élisabeth s'en inquiéta fort — à moins que ce ne fût un prétexte pour faire traîner en longueur les négociations pour la libération de sa cousine. Marie elle-même, c'est certain, se considérait comme propriétaire de son royaume. Toute la formation qu'elle avait reçue en France à la Cour d'Henri II la confirmait dans cette croyance, depuis le jour où elle avait, à l'insu de ses sujets, « transféré » au roi Valois la couronne d'Écosse au cas où elle décéderait sans enfants*. Plus tard, elle devait menacer de céder à l'Espagne ses droits au trône d'Angleterre, si même elle ne le fit pas réellement**. Mais cette fois, en juin 1569, elle protesta avec force et, semble-t-il, à juste titre, contre l'accusation concernant le duc d'Anjou. Charles IX lui-même et son frère durent affirmer solennellement que ce bruit était sans fondement[11]. Tout permet de penser qu'ils avaient raison et que toute l'affaire n'était, comme on dit aujourd'hui, qu'une « intox ». Elle donne en tout cas une idée du trouble des esprits autour de cette encombrante prisonnière qu'était la reine d'Écosse.

Pendant ce temps, que devenait la situation dans le royaume du Nord ? C'était là, et là seulement, que les choses pouvaient se régler définitivement, d'une manière ou d'une autre. Or, conformément à la vieille tradition nationale, combats, trahisons, pillages, intrigues, y battaient leur plein plus que jamais, sous couvert des deux légitimités antagonistes que représentaient respectivement Marie Stuart et le régent Moray, et aucune solution n'apparaissait proche.

Moray jouissait, indéniablement, de l'appui agissant du gouvernement anglais. Le simple fait qu'après la clôture de la conférence de Westminster il eût été

* Voir p. 55.
** Voir p. 523.

autorisé à regagner l'Écosse sans délai, tandis que les partisans de Marie étaient retenus en Angleterre pendant plus d'un mois, en était la preuve. Ce délai fut mis à profit par lui, comme bien on pense, pour hâter les expéditions répressives contre les « marianistes », déjà bien mis à mal au cours de l'été et de l'automne précédents. La reine protesta avec vigueur auprès de sa « bonne sœur » contre ce traitement discriminatoire, mais sans succès.

Cependant, le parti de Marie Stuart n'était nullement anéanti. Argyll, Huntly, les Hamilton, Fleming, tenaient toujours des territoires importants, y compris la forteresse de Dumbarton. Le vieux duc de Châtellerault, après bien des hésitations, avait fini par se décider à quitter la France et à regagner son pays, où Marie l'avait nommé son lieutenant général avec Argyll et Huntly. L'évêque de Ross, Herries, Boyd, Livingston, franchissaient la frontière dans les deux sens, allaient en Écosse porter la bonne parole de la reine, revenaient lui rendre compte de la situation.

Le gros problème, comme toujours, restait celui de l'argent, mais Moray n'était pas beaucoup mieux loti à cet égard. Tout au long de l'année 1569, les négociations, ralliements, revirements, se succèdent dans les deux camps. Châtellerault, toujours inconsistant, reconnaît un moment Jacques VI comme roi et Moray comme régent, puis se rétracte. Il est emprisonné avec Argyll, puis libéré. Dans la correspondance de Marie Stuart, les expressions de confiance alternent avec celles d'inquiétude.

Dans ces conditions, l'hypothèse du compromis, auquel Élisabeth s'employait avec une apparente sincérité, pouvait gagner du terrain. Lord Boyd, un des fidèles de Marie, reçut mission de la reine d'Angleterre, en accord avec sa cousine, d'aller porter ses propositions aux nobles d'Écosse réunis à Perth en juillet : Marie serait restaurée, seule ou associée à son fils, contre promesse de pardon général et sous garantie anglaise. De son côté, elle avait fait savoir qu'elle était prête à soumettre à un tribunal la validité de son mariage avec Bothwell : autrement dit, qu'elle renonçait à lui[12].

Comme ce mariage avait été, en juin 1567, la cause officielle de la rébellion des lords, son annulation, acceptée par Marie deux ans plus tard, aurait dû logiquement clore le conflit. Mais la logique n'avait que peu de rapport avec la situation écossaise : on s'en aperçut bientôt, puisque l'assemblée de Perth repoussa la proposition (au motif que la lettre de Marie était rédigée et signée comme reine, alors que le souverain légitime était Jacques VI). Les pasteurs, moins que jamais, voulaient voir revenir dans le pays une femme qui considérait l'archevêque Hamilton, ce « rameau pourri de la vigne du Christ », comme le véritable chef de l'Église ; Boyd fut renvoyé à Élisabeth avec une fin de non-recevoir polie.

Derrière ce refus se profile, évidemment, Moray lui-même. À aucun moment il n'avait sincèrement souhaité se rapprocher de sa demi-sœur : entre eux, la méfiance et la rancœur étaient désormais trop vives pour qu'un accommodement fût possible. Seule une intervention directe et armée de la reine d'Angleterre aurait pu, peut-être, forcer le régent à accepter le retour de Marie et son rétablissement sur le trône ; mais Élisabeth n'entendait pas aller jusque-là. Quant aux lords de l'entourage de Moray, les Morton, les Mar, les Atholl, ils avaient tout à perdre à un compromis, et rien à gagner. Le vote de l'assemblée de Perth ne s'explique, dans ces conditions, que trop facilement.

Peu après, Nicolas Hubert, dit le Français Paris, ce serviteur de Bothwell qui avait joué le rôle que nous savons dans l'assassinat de Darnley, était arrêté alors qu'il rentrait du Danemark avec un message de Bothwell, et dans sa prison de Saint-André faisait les « aveux » les plus compromettants pour la reine ; après quoi, pour lui éviter toute tentation de se rétracter, il était aussitôt exécuté *.

Il ne restait donc plus à Marie Stuart que la lutte. Ses relations avec sa cousine se refroidissent sensiblement à l'automne 1569 ; en contrepartie, l'intrigue

* Voir p. 271-272.

avec Norfolk reprend de plus belle. Les nuages sombres se rapprochent.

Élisabeth, tout en travaillant à réconcilier Marie avec ses adversaires d'Écosse, n'avait jamais cessé de se méfier d'elle. Elle savait que sa cousine était fondée à protester contre sa détention arbitraire et à chercher les moyens de s'en libérer, et qu'elle serait donc, aussi longtemps que durerait sa captivité, un danger potentiel.

La situation politique, en Angleterre, devenait soudain orageuse, et la présence de la reine d'Écosse y était en effet pour beaucoup. En septembre 1569, Élisabeth atteint trente-six ans. Son célibat semble de plus en plus définitif, la question de sa succession se pose plus que jamais. Catherine Grey, la représentante de la branche cadette des Tudor, espoir du parti protestant, est morte en 1568, et son fils, Lord Beauchamp, n'a que sept ans. Les chances (ou les risques) de voir Marie Stuart accéder au trône de Londres se précisent. Tout le monde politique anglais s'agite fort autour de cette question. Le pasteur calviniste Sampson publie un livre hostile aux prétentions de la reine catholique, auquel l'évêque Leslie répond aussitôt par une *Défense de l'honneur de la très haute, très puissante et très noble princesse Marie, reine d'Écosse et douairière de France, avec la déclaration de ses droits et titres à la succession à la couronne d'Angleterre*[13]. Élisabeth, qui n'a jamais toléré aucune agitation autour de cette question de sa succession, fait bien entendu interdire et détruire les deux ouvrages, mais les remous persistent ; elle déteste cela plus que tout au monde.

Il y a plus grave. La Cour d'Angleterre n'est, pas plus que celles du continent, exempte de tensions et de luttes d'influence. La part de plus en plus importante prise par Guillaume Cecil au gouvernement suscite des oppositions qui, à plusieurs reprises, frôlent l'affrontement physique. Le plus hostile est sans doute le comte de Leicester, l'ancien ami de cœur d'Élisabeth — celui-là même qu'elle avait, en 1564, prétendu faire épouser à

Marie Stuart * —, demeuré l'intime de la reine mais dont l'influence politique ne cesse de décliner au profit de ce parvenu de Cecil.

Cecil est l'homme du parti protestant ; or ce parti, pour prépondérant qu'il soit depuis l'avènement d'Élisabeth, n'est pas, tant s'en faut, unanimement accepté dans le pays. Une partie non négligeable de la noblesse reste attachée à l'ancienne religion. La forme particulière de protestantisme que la reine a su imposer, malgré les pressions des calvinistes purs et durs, a permis — grâce au respect des fastes liturgiques, des cierges, des surplis, des fêtes patronales — d'éviter les conflits armés comme en Écosse ou en France ; les tensions n'en demeurent pas moins aiguës, d'autant qu'elles se superposent, comme c'est souvent le cas, à des rivalités personnelles, voire à des oppositions sociales.

De tout cela, Marie Stuart, qui n'a jamais été une « tête » politique, ni moins encore une théologienne, n'a sans doute qu'une conscience très limitée. Elle croit, car on le lui a toujours dit, que l'Angleterre profonde attend avec impatience le retour de la vraie religion (entendons : celle de Rome), et qu'elle est, elle, la reine d'Écosse, l'héritière légitime d'Angleterre, l'instrument choisi par Dieu pour cette sainte entreprise. Le projet de mariage avec le duc de Norfolk prend tout son poids dans cette perspective. Non que Norfolk lui-même soit catholique — il jurera toujours, en toute sincérité, qu'il n'a jamais cessé d'être un fidèle protestant —, mais sa famille est traditionnellement proche du parti catholique du Nord, et nombreux sont ses amis catholiques.

Un véritable complot se monte autour de lui, à l'été 1569, qui dépasse désormais le cadre des intrigues écossaises de Maitland et de l'évêque Leslie. En juin, plusieurs grands seigneurs anglais hostiles à Cecil, les comtes d'Arundel et de Pembroke, Lord Lumley, et, en tête, Leicester, remettent à Leslie un mémorandum souhaitant le mariage de Marie Stuart avec le duc de Norfolk, en stipulant bien, d'ailleurs, qu' « ils ne dou-

* Voir chapitre VI.

tent pas que la reine d'Angleterre aura ce mariage pour agréable de préférence à tout autre [14] ». Nicolas Throckmorton, l'ancien ambassadeur d'Angleterre en Écosse, qui a toujours montré de la sympathie pour Marie, participe à l'affaire et maintient le contact avec Maitland. Les ambassadeurs de France et d'Espagne sont tenus au courant et approuvent, avec des nuances.

Marie, elle, ne montre au départ qu'un enthousiasme mitigé. « J'ai eu si peu de succès dans ma vie jusqu'ici, surtout en ce qui concerne mes mariages, que je préférerais vivre seule tout le restant de mes jours [...]. Mes chagrins passés ont affaibli mon corps à tel point que je ne sais si je continuerai à vivre [...]. Cependant, pour plaire à la reine, ma bonne sœur, et à l'avis exprimé par sa noblesse, considérant la bonne volonté exprimée par le duc de Norfolk envers moi, sachant qu'il est aimé et apprécié de la noblesse et des communes de ce royaume [...], je suivrai ce conseil [15]. »

Malheureusement, cet accord d'Élisabeth, que chacun feint de tenir pour une simple formalité et sans lequel rien ne peut se conclure, n'est nullement acquis. Bien au contraire, Throckmorton — qu'on aurait cru plus prudent — précise à Maitland, dans une lettre du 20 juillet, que « Sa Majesté n'est au courant de rien [16] ». Dans ces conditions, c'était jouer avec le feu que de nouer une telle intrigue : même si, formellement, elle n'était pas dirigée contre la reine, le secret dont elle était entourée ne pouvait que la rendre suspecte le jour où elle serait découverte.

Or Maitland, son principal artisan, n'est soudain plus en mesure d'en tenir les fils. Ses relations avec Moray, qui n'avaient cessé de se détériorer depuis la fin de la conférence de Westminster, sont devenues franchement détestables au moment de l'assemblée de Perth. Le caméléon, changeant une nouvelle fois de couleur, et parcourant cette fois toute l'étendue du spectre, se fait maintenant ouvertement l'avocat d'une restauration de Marie. Nous ne connaissons qu'imparfaitement les raisons d'un tel revirement. Moray, d'après plusieurs témoignages, était devenu dictatorial, tyrannique ; il ne supportait plus les conseils de Maitland, il se méfiait de lui, l'humiliait. Maitland, de son côté, avec son génie de l'intrigue, inquiétait les hommes au pouvoir. Le prétexte est vite trouvé pour l'abattre (il resservira à l'avenir pour d'autre) : on l'accusera publiquement de complicité dans le meurtre de Darnley, ainsi que Jacques Balfour, qui suit Maitland dans sa disgrâce. Ils sont arrêtés le 5 septembre 1569.

Mais en Écosse rien n'est jamais simple. Maitland a des fidèles, et parmi eux le vaillant Kirkcaldy de Grange, gouverneur du château d'Édimbourg depuis la chute de Bothwell. Kirkcaldy, informé du malheur de son ami, prend la tête d'un commando, le libère à force ouverte et l'emmène en sûreté au château, où le rejoignent — ô renversement des choses ! — l'archevêque Hamilton, lord Herries et plusieurs autres partisans de Marie Stuart. Chance inespérée pour cette dernière : la capitale de l'Écosse est désormais sous le feu de l'artillerie de ses amis.

En quelques semaines, le pouvoir s'effrite autour de Moray. Le 22 novembre, jour fixé pour le procès de Maitland et de Balfour, leurs amis sont si nombreux dans les rues d'Édimbourg que Morton, principal témoin à charge, renonce à aller au tribunal (c'est comme une réédition du procès de Bothwell deux ans et demi plus tôt, avec d'autres acteurs) et le jugement doit être ajourné [17].

Mais, à cette date, d'autres événements ont éclaté, au sud de la frontière, qui retiennent l'attention de l'Europe et vont influer, plus encore que le ralliement de Maitland, sur le destin de Marie Stuart.

Le 13 août, Leicester, soudain effrayé de l'ampleur prise par l'intrigue du mariage Norfolk, a paniqué. Il a tout révélé à Élisabeth, qui prend, comme on pouvait s'y attendre, l'affaire très au sérieux, d'autant que Moray, de son côté, livre à Cecil les preuves des agissements de Maitland et de l'évêque de Ross. Bientôt Arundel, Pembroke, Lumley, Throckmorton sont arrêtés. Avec Norfolk lui-même, Élisabeth prend plus de formes : elle se contente, mi-figue mi-raisin, de lui donner une tape amicale en l'invitant à prendre garde sur quel oreiller il pose sa tête (allusion plus que transparente à leur conversation de l'automne précédent *)[18]. Le duc, qui n'a jamais été un foudre de guerre, s'affole : « C'était un lion avec la reine d'Écosse, mais un lièvre avec celle d'Angleterre », constate l'ambassadeur d'Espagne[19]. Il quitte la Cour brusquement et se retire en son duché. Grave manquement aux usages, presque crime de lèse-majesté : on ne s'absente pas du service de la souveraine sans sa permission. Élisabeth lui envoie aussitôt l'ordre de revenir. Il n'a pas l'étoffe d'un rebelle : après quelques jours d'hésitation, qu'il met sur le compte de la maladie, il est à Londres le 2 octobre, et fait connaissance avec les cachots de la Tour.

Cette nouvelle, comme une étincelle qu'un coup de vent transforme brusquement en brasier dans une grange de foin, enflamme tout à coup le nord du pays. Les comtes de Northumberland et de Westmoreland, les deux plus puissants seigneurs de la région, à sympathies catholiques avérées (on se rappelle l'intervention de Northumberland lors de l'arrivée de Marie Stuart en Angleterre **), soupçonnés de complicité dans l'intrigue du mariage Norfolk-Marie, sont convoqués à la Cour. Ils inclinaient à obéir, mais leur entourage les poussait à lever l'étendard de la révolte. Soudain, les cloches sonnèrent dans les campagnes, les paysans s'assemblèrent. Des bannières portant l'image des cinq plaies du Christ sortirent des cachettes, souvenirs du Pèlerinage de Grâce du début du siècle — l'affaire évoque, à beaucoup d'égards, le soulèvement de la Vendée contre la Convention en 1793. Le 14 novembre 1569, l'armée des comtes entre à Durham, détruit la table de communion protestante de la cathédrale et assiste à la messe célébrée sur un autel hâtivement édifié. Partout dans le Nord l'ancienne religion surgit de la clandestinité, les pasteurs s'enfuient ou se cachent.

Il s'en fallut de peu que Marie Stuart fût, dans la foulée, libérée par l'armée catholique. Elle fut, juste à temps, transférée à l'abri à Coventry, le 26 novembre. Mais déjà le mouvement se ralentissait. Le reste du pays

* Voir p. 391.
** Voir p. 361.

ne suivait pas. Le manque de chefs politiques se faisait sentir. En quelques semaines, la rébellion s'effilocha. Le 20 décembre, Northumberland et Westmoreland retraitaient et franchissaient la frontière d'Écosse pour se réfugier auprès des partisans de Marie Stuart *. Les derniers soubresauts du Nord cessèrent en février 1570, avec l'écrasement du dernier rebelle, Léonard Dacre. Élisabeth avait triomphé sans peine de l'unique révolte armée de son règne. La répression fut sanglante et impitoyable.

Marie Stuart, dans toute cette affaire, n'avait joué qu'un rôle passif — nous dirions : un rôle en creux. On ne voit pas qu'elle ait été en relation avec les deux comtes avant ni pendant leur malheureuse équipée. Les événements s'étaient déroulés avec une telle rapidité qu'il n'était plus temps d'échanger des lettres, de monter des intrigues, de tisser des trames, seule chose que Marie pût faire en sa prison.

Cependant, son imprudente correspondance avec Norfolk avait bien été le détonateur de l'explosion. Et surtout, c'était sa présence en Angleterre qui ranimait, sinon provoquait, toute cette opposition catholique, jusqu'alors silencieuse. Comme l'écrivait Moray à Élisabeth le 2 janvier 1570, la reine déchue était bien « la source de tous les tumultes, troubles et dangers du royaume[20] ». Élisabeth commençait à comprendre l'erreur politique qu'elle avait commise en gardant sa cousine captive : mieux eût valu un bon arrangement en Écosse, en prenant des précautions contre un éventuel retour en force des Français ou des Espagnols. C'est à la recherche de cette solution qu'allait être consacrée l'année 1570.

* Westmoreland réussit à passer aux Pays-Bas, où il mourra trente ans plus tard. Northumberland, moins chanceux, sera pris par Moray. Livré à Élisabeth par le régent Mar, il sera décapité à York en 1572.

CHAPITRE XVIII

« Cette servante de toute iniquité, Élisabeth... »

Faire revenir Marie Stuart en Écosse était, après la fin de la rébellion du Nord, le désir commun de Moray et d'Élisabeth. Mais les motivations de l'un et de l'autre étaient loin d'être identiques. Pour la reine d'Angleterre, il s'agissait essentiellement de se débarrasser d'une encombrante captive, cause permanente de troubles dans le royaume ; le but du régent d'Écosse, au contraire, était de la faire juger et condamner à la détention perpétuelle ou pis, pour l'éliminer définitivement de la scène politique. Un assez sordide marchandage fut même proposé par Moray : échanger Marie contre le rebelle Northumberland, prisonnier à Lochleven[1]. Élisabeth ne donna pas suite, car elle ne voulait pas prendre sur elle de livrer sa cousine à ses ennemis sans avoir des assurances sur sa sécurité : il fallait penser à l'opinion publique européenne.

Mais soudain tout fut remis en question par un coup de théâtre : Moray fut assassiné à Linlithgow, le 11 janvier 1570, par Bothwellhaugh, un membre du clan Hamilton dont il avait naguère offensé la femme. Le parti protestant le proclama aussitôt martyr, mais pour les amis de Marie c'était un bienfait du ciel. Elle-même fut enchantée : « Ce que Bothwellhaugh a fait a été sans mon commandement, mais je lui en sais aussi bon gré et meilleur que si j'eusse été du conseil », écrira-t-elle l'année suivante en attribuant une pension, sur son propre douaire, au providentiel assassin[2].

L'évêque Leslie, toujours soucieux de présenter sa souveraine comme une chrétienne exemplaire, assure que « quand elle reçut la nouvelle de la mort du comte de Moray, bien qu'il eût été le premier auteur de ses malheurs, elle ne put s'empêcher de pleurer, par affection et pitié, regrettant qu'il n'eût pas vécu assez pour reconnaître ses torts contre elle et qu'il fût mort de cette façon ignominieuse[3] ». Bien naïf qui le croirait.

Marie Stuart, jusqu'à la fin de sa vie, devait en effet considérer son demi-frère comme le symbole même de l'ingratitude et de la trahison. Elle fut toujours persuadée que, dès le début, il avait rêvé de la détrôner et de s'emparer du pouvoir, sinon même de la couronne. C'est possible, mais non prouvé. Moray n'avait rien du héros sans reproche que dépeignent ses apologistes, mais ce n'était pas non plus un Machiavel. Ses actions, quand il fut maître de l'Écosse, ne justifient nullement le qualificatif de grand homme d'État dont on le crédite parfois. C'était indéniablement un caractère énergique, capable de prendre des décisions rapides, et un homme courageux ; à cela se bornent les vertus qu'on peut lui attribuer. Il fit preuve, à plusieurs reprises, d'autant de brutalité, d'opportunisme et de duplicité que n'importe quel autre noble écossais de son temps. Son zèle calviniste était si peu évident que John Knox se brouilla avec lui pour cause de tiédeur religieuse. Et la façon dont, en 1565, il se laissa manœuvrer par Élisabeth contre Marie ne plaide pas en faveur de son flair politique.

Quoi qu'il en soit, sa mort créait une situation nouvelle. Si le parti marianiste avait eu une véritable tête, autre que l'ondoyant Maitland ou l'inconsistant Châtellerault, la disparition du régent eût pu être l'occasion de renverser la situation au profit de la reine déchue. Mais Élisabeth ne l'entendait pas ainsi ; Moray avait été son allié, sa créature même ; elle allait faire en sorte que l'Angleterre ne perde pas le fruit de tant d'années d'intrigues et de manœuvres. Du côté des ennemis de Marie, aucune personnalité ne s'imposait non plus avec évidence ; rivalités et ambitions n'allaient pas manquer d'entrer en jeu pour la succession du régent disparu. C'était le genre de situation où Élisabeth excellait.

Elle commença par envoyer en Écosse Thomas Randolph, ce diplomate espion qui avait déjà joué, dans le passé, un rôle si trouble contre Marie Stuart. Jacques Melville décrit pittoresquement les intrigues de Randolph après la mort de Moray : « Ainsi comme Néron se plaisait à regarder du haut d'une tour l'embrasement de Rome, ainsi le sieur Randolph prenait un plaisir extrême à voir augmenter le feu de nos dissensions civiles, parce que selon toutes les apparences tout le royaume d'Écosse devait en être consumé[4]. »

Comme cela ne suffisait pas pour réduire à l'impuissance le parti marianiste, Élisabeth, sur les conseils de Cecil, décida d'avoir recours vis-à-vis de l'Écosse à la bonne vieille politique du gros bâton, qu'avait jadis pratiquée son père avec la brutalité que nous savons. Prenant prétexte d'incursions commises par des amis des Hamilton en Angleterre, elle envoya le comte de Sussex, protestant et antimarianiste notoire, avec une petite armée chargée de rappeler l'Écosse au respect de sa puissante voisine. Ce fut, en avril 1570, une expédition rapide et sauvage, comme les pauvres habitants des Borders en avaient déjà tant subi : cinquante châteaux et trois cents villages détruits, toute la région de Glasgow dévastée, le château de Linlithgow pillé, celui de Hamilton incendié. Sussex rentra triomphalement en Angleterre, au bout de trois semaines, ayant subi pour tout dommage un rhume de cerveau causé par le mauvais temps. « Ç'a été, écrivit-il à Élisabeth le 3 juin, l'expédition la plus honorable qui fut jamais, avec si peu d'hommes et un retour si sûr[5]. » Le moins qu'on puisse dire est que le noble comte avait une curieuse conception de l'honneur.

Face à la force anglaise, le parti marianiste n'avait aucune chance de renverser en sa faveur la situation militaire et politique en Écosse, même si le roi de France, toujours aux prises avec la guerre civile dans son propre pays (la paix de Saint-Germain n'interviendrait qu'en août), avait envoyé un petit secours sous la conduite du sieur de Vérac. Élisabeth, soucieuse d'avoir à Édimbourg un interlocuteur à sa dévotion, finit par imposer comme nouveau régent, pour succéder à Moray, le peu brillant Mathieu Lennox, qui vivait toujours en Angleterre depuis le procès de son ex-bru. Avec Lennox, dont le rôle comme accusateur de Marie n'était oublié de personne, on pouvait être certain que le gouvernement écossais n'irait pas se rapprocher indûment des partisans de l'ancienne reine ; il serait, comme régent, le plus sûr garant que l'influence anglaise resterait prépondérante dans le royaume du nord.

C'est ici qu'on voit clairement quelle était la politique d'Élisabeth, en cette année 1570. Elle désirait certes se débarrasser de sa cousine, pour ôter aux catholiques d'Angleterre la tentation de se soulever ou d'intriguer en sa faveur ; mais elle entendait bien que son retour en Écosse ne se fît pas au détriment du parti proanglais. Autrement dit, il n'était pas question, dans son esprit, que la restauration de Marie Stuart entraînât la victoire du parti marianiste : il ne s'agissait que d'imposer un compromis, dans lequel Marie recouvrerait sa couronne, mais où ses adversaires conserveraient la réalité du pouvoir, sous le protectorat de fait de sa « bonne sœur et cousine ».

Véritable quadrature du cercle. Les lords d'Édimbourg n'avaient aucun désir de voir revenir sur le trône celle qu'ils avaient chassée et humiliée trois ans plus tôt — trois ans déjà ! Ils connaissaient son caractère entier, son orgueil. Ils savaient que toutes les promesses de pardon et d'oubli qu'elle pourrait faire pour rentrer en Écosse ne dureraient que le temps de se réinstaller et de reconstituer son parti. Une fois reine à nouveau, qui pourrait l'empêcher de faire appel aux Français, aux Espagnols, au pape ? À la cour même d'Élisabeth, Cecil et ses amis combattaient de toute leur influence le projet de restauration de la reine Stuart. Ils pensaient qu'à tout prendre, et malgré les inconvénients de la situation, il valait mieux la garder sur place, dans le Yorkshire ou le Staffordshire, là où du moins on pouvait la surveiller ou même, si besoin était, rendre sa captivité plus sévère. Et en Écosse les opérations militaires continuaient toujours, interminables, entre les deux partis, pour le plus grand avantage de l'Angleterre.

Les négociations, voulues par Élisabeth, s'ouvrirent en juin. La reine d'Angleterre avait décidé que sa cousine serait transférée du sinistre château de Tutbury (où elle était détenue depuis la fin de la conférence d'York-Westminster), à celui de Chatsworth, plus confortable. Elle avait aussi fait libérer l'évêque Leslie, emprisonné depuis la Rébellion du Nord où il avait été soupçonné, mais sans preuves, de complicité.

Marie, qui voyait s'entrouvrir les portes de sa prison, affichait les dispositions les plus conciliantes : « Je vous serai fidèle et obéissante toute ma vie comme je vous l'ai promis, aussi longtemps que je vivrai, écrit-elle à sa cousine le 14 juin. Je me soumettrai à vos commandements. De tout mon cœur je veux vous donner toutes les sûretés à moi possibles du titre de cette couronne (en ce qui concerne mes droits à la couronne d'Angleterre). Je ne manquerai point [...] d'empêcher tous étrangers d'entrer en mon pays en équipage de guerre [...]. Je vous supplie [de] recevoir ma bonne volonté comme je la vous offre de bonne foi, et permettez que soyons unies et jointes d'un nœud si indissoluble que nulle couleur (nul prétexte) ne reste à princes ou sujets de nous séparer[6]. »

Que demander de plus ? La négociation progressait à bon train. La fin de la guerre civile en France permettait à Charles IX et à sa mère d'envoyer un ambassadeur spécial, M. de Poigny, qui apportait leurs encouragements : le 14 juin, Marie écrit à Catherine de Médicis pour la remercier de ses précieuses interventions en sa faveur. Même le duc de Norfolk profitait de l'atmosphère de confiance générale : il fut libéré de la Tour de Londres le 4 août, tout en restant en résidence surveillée dans son palais.

En octobre, l'affaire semble presque conclue. Guillaume Cecil en personne, secrétaire d'État, et Walter Mildmay, chancelier de l'Échiquier, vont porter à Marie Stuart le texte du projet de traité, en douze articles, qui doit assurer sa restauration sur le trône d'Écosse[7]. Elle accepte tout, sauf l'engagement de livrer à l'Angleterre le comte de Northumberland (« son honneur ne lui permettant pas de livrer ceux qui sont venus se réfugier dans son pays »), et sous réserve que rien ne puisse être interprété dans le traité comme portant atteinte à ses droits d'héritière d'Élisabeth, si celle-ci venait à décéder sans enfants. Elle s'engage volontiers à renoncer à toute alliance avec une puissance étrangère contre l'avis de sa cousine d'Angleterre, comme à tout mariage que ladite cousine désapprouverait. Mieux : elle accepte que le petit prince (le texte proposé par Cecil et Mildmay l'appelle « le jeune roi ») soit emmené en Angleterre « pour sa sûreté », et y soit élevé comme « le plus proche parent de Sa Majesté » jusqu'à l'âge de quinze ans. On ne saurait dire plus clairement que l'Écosse sera, en fait, un *dominion* anglais *

Il ne restait plus maintenant, puisque les deux reines étaient d'accord, qu'à faire approuver le traité par le régent Lennox et par ses amis d'Édimbourg. Ce n'était pas le plus aisé, chacun en avait conscience. De fait, la négociation traîna en longueur, s'éternisa. Morton, délégué par Lennox, prétextait qu'après le serment prêté à Jacques VI, tout engagement qui aboutirait à lui retirer sa couronne serait une trahison. Selon les jours, selon les interlocuteurs, Marie ne savait plus que penser. Sa « bonne sœur » était-elle sincère ? Elle voudrait le croire, mais elle constate qu'en Écosse les actions militaires de Lennox contre les marianistes reprennent de plus belle et qu'Élisabeth ne proteste pas, malgré la trêve officiellement proclamée. Elle s'indigne qu'on laisse Georges Buchanan, nommé précepteur du petit Jacques, lui parler de sa mère « avec mots sales et déshonnêtes, ce qui est une méchanceté horrible[8] ». À mesure que passent les jours, les semaines, les mois même, sans que rien ne se conclue, elle perd espoir. « La reine d'Angleterre fait connaître par ses actions

* L'amabilité des échanges épistolaires entre les deux femmes n'excluait pas les « petites phrases » assassines. Comme Marie demandait qu'on ajoute, dans le traité, le mot « légitimes » après les mots « la reine d'Angleterre et ses enfants », Élisabeth répliqua, acide : « Ma bonne sœur d'Écosse juge tout le monde d'après elle-même. »

qu'elle est plutôt résolue d'entretenir mes rebelles qu'à se condescendre à aucun appointement (accord) ou me mettre en liberté, quelque chose qu'elle fasse dire au roi [Charles IX] par son ambassadeur [...]. Il ne faut attendre d'elle que dissimulation et moquerie » (lettre à l'archevêque Beaton, 7 janvier 1571).

Il est vrai que le zèle d'Élisabeth pour la réconciliation de Marie et de ses sujets s'attiédit à vue d'œil, tandis que l'automne succède à l'été et l'hiver à l'automne. L'influence antimarianiste de Cecil — alors au faîte de la faveur, et nommé baron de Burghley précisément en janvier * —, se fait-elle sentir ? Ou bien les maladroites intrigues de Marie, que nous allons maintenant évoquer, sont-elles parvenues à la connaissance de sa cousine ? Les deux hypothèses ne s'excluent pas l'une l'autre.

En effet, si la sincérité de la reine d'Angleterre pouvait prêter au doute pendant cette interminable négociation, celle de la reine d'Écosse est encore plus sujette à caution. Ou plutôt elle ne l'est pas, car les lettres de Marie Stuart, retrouvées dans les archives de ses divers correspondants, prouvent surabondamment que, tout en faisant à Élisabeth les promesses que nous savons, elle continuait plus que jamais à entretenir à travers l'Europe des relations hautement compromettantes.

Nous ne savons pas avec précision comment elle s'y prenait. Elle était étroitement surveillée, aussi bien à Chatsworth qu'à Sheffield où elle fut transférée en novembre (elle s'en plaint continuellement dans ses lettres), et cependant elle trouvait moyen d'écrire en chiffre à l'ambassadeur de France, à Maitland, à Kirkcaldy de Grange, à l'archevêque Beaton, au duc d'Albe, au duc de Nemours, sans compter le toujours remuant évêque Leslie et le toujours imprudent Norfolk. Sans doute profitait-elle pour cela des déplacements de ses serviteurs, des visiteurs autorisés par le gouvernement anglais, peut-être de certaines complicités parmi ses

* À partir de cette date, il faudrait dire « Lord Burghley » pour parler de lui. Par souci de clarté, et en demandant pardon à d'éventuels lecteurs anglais, nous continuerons à le nommer Cecil dans la suite du récit, contrairement à l'usage britannique.

propres gardiens. Mais il est hors de doute que Cecil connaissait ou soupçonnait, sinon toutes, du moins beaucoup de ces trames.

S'il s'était agi de faire le procès de Marie Stuart à cette époque, les arguments de la défense ne manqueraient certes pas. Elle s'estimait toujours, non sans raison, retenue prisonnière contre tout droit. Après tout, comme le dira Robespierre au moment du procès de Louis XVI, « si Louis est innocent, ceux qui l'ont détrôné sont coupables » : si la reine d'Écosse était innocente, les lords d'Édimbourg étaient coupables de rébellion ; il n'y a pas à sortir de là. L'attitude de sa cousine à son égard était plus qu'ambiguë : elle affirmait vouloir la restaurer, et en même temps elle favorisait presque ouvertement ses adversaires. On comprend assez que Marie, dans ces conditions, se soit estimée justifiée à chercher son salut partout d'où il pouvait venir. Elle était princesse souveraine et, à ce titre, n'avait (à ses propres yeux) de comptes à rendre à personne.

Mais précisément, ces manœuvres achevaient de lui enlever le peu de confiance qu'Élisabeth pouvait lui accorder. Là était la racine du drame, devenu bientôt inextricable. Marie Stuart aurait-elle vraiment été libérée et replacée sur son trône si elle avait joué, entièrement et sans arrière-pensée, le rôle que lui assignait sa « bonne sœur » ? C'est possible. Ce n'est pas certain : tant d'intérêts contradictoires étaient en jeu, et Élisabeth était si ondoyante ! Ce qui est sûr, en revanche, c'est qu'à rechercher simultanément, presque naïvement, des solutions aussi contradictoires que l'intervention de la France, celle de l'Espagne, la victoire militaire en Écosse, la restauration grâce aux bons offices et sous le protectorat de l'Angleterre, Marie s'enferrait chaque jour davantage et donnait des raisons nouvelles à sa cousine pour faire traîner en longueur les négociations engagées avec le gouvernement écossais.

Quant à l'Écosse même, la situation n'y évoluait pas en faveur de la reine déchue. Malgré quelques occasionnels secours français et espagnols, acheminés en grand secret et à grand risque, les deux forteresses marianistes, château d'Édimbourg et château de Dumbarton, tenaient de plus en plus difficilement. L'argent manquait, et avec lui les munitions, même les vivres. Lennox n'avait certes rien d'un génie politique, mais il était soutenu par des hommes aussi énergiques et décidés que Morton et Mar, et surtout il jouissait de l'appui toujours efficace de la *Kirk* calviniste. Le vieux John Knox, tout usé et malade qu'il fût (« un pied dans la tombe », précise-t-il), retrouvait ses accents passionnés d'autrefois pour mettre en garde ses fidèles contre toute tentative d'accommodement avec la reine catholique. « Si on ne frappe pas à la racine, les branches repoussent toujours, même quand elles semblent brisées », écrit-il alors à Cecil[9].

Marie Stuart, malgré son activité épistolaire clandestine, n'avait pas de moyens d'action directs. Elle avait de gros soucis d'argent — la rentrée de ses revenus français était toujours difficile et aléatoire — et ne pouvait aider personnellement ses partisans. Même Leslie, dont les domaines personnels en Écosse étaient séquestrés par le gouvernement du régent, lui était maintenant à charge, et elle en était réduite à supplier son « bon frère » Charles IX de lui attribuer quelque bénéfice ecclésiastique pour lui permettre de continuer à tenir son rang[10]. Chaque mois qui passait rendait plus improbable une victoire des marianistes écossais. À la fin de l'hiver 1570-1571, l'espoir de restauration pacifique qui avait occupé l'été et l'automne précédents s'est pratiquement dissous dans le vide.

La situation politique de l'Europe, au printemps 1571, offre un tableau sensiblement différent des années précédentes. Trois éléments importants marquent une évolution qui modifie en profondeur la position de Marie Stuart.

Le premier est la détérioration accélérée des relations entre l'Angleterre et l'Espagne, où se cumulent les causes économiques et idéologiques. L'ambassadeur Guzman de Silva, qu'appréciait Élisabeth, a été rappelé à Madrid en 1568 et remplacé par un diplomate de moindre envergure, Don Guerau de Espès, qui se rend très vite suspect par son goût de l'intrigue et ses maladresses. Des histoires de piraterie, de cargaison d'or espagnol saisie par les Anglais, enveniment les choses. Par voie de conséquence, Philippe II, qui a jusqu'alors manifesté peu d'intérêt pour la reine d'Écosse, prend soudain conscience du rôle important qu'elle peut jouer dans ses plans. L'idée d'une intervention espagnole en Grande-Bretagne, qui paraissait totalement utopique quelques années plus tôt, entre dans le domaine des possibilités.

Le second changement, symétrique du premier, concerne la France. La paix de Saint-Germain y a ramené non seulement la paix entre catholiques et protestants, mais, par un de ces coups de barre dont Catherine de Médicis est coutumière (et où ses apologistes voient, on se demande pourquoi, des traits de génie), une sorte de faveur du parti huguenot. Coligny intéresse le jeune Charles IX à un vaste dessein qui impliquerait un retour à la politique antiespagnole de François Ier ct unc alliance avec l'Angleterre. Un projet de mariage, d'abord vague, puis de plus en plus précis, s'ébauche entre la célibataire endurcie Élisabeth, âgée de trente-sept ans, et le séduisant duc d'Anjou, fils chéri de la reine Catherine, qui a dix-huit ans de moins qu'elle. La diplomatie française est mobilisée pour cette affaire. La Mothe-Fénclon, dès lors, se trouve gêné pour agir en faveur de Marie, dans la mesure où son gouvernement ne porte visiblement à cette dernière qu'un intérêt modéré. Nombreux sont même les observateurs qui jugent que Catherine de Médicis ne tient nullement à voir son ex-bru sortir de prison : « Il était sûr que la France ne souhaitait point que les couronnes d'Écosse et d'Angleterre se réunissent sur un même chef, et qu'il n'en fallait pas attendre de secours », écrit Jacques Melville [11].

Quant au troisième élément nouveau sur l'échiquier européen, c'est le raidissement doctrinal et politique très net de la papauté contre le protestantisme qui, depuis dix ans, n'a cessé de faire tache d'huile. Puisque Élisabeth Tudor, fille de l'hérétique Henri VIII, se confirme décidément comme hérétique elle-même, il faut en tirer les conséquences et l'excommunier : le coup est frappé par Pie V avec la bulle *Regnans in Excelsis,* de février 1570, dont les effets se font sentir peu à peu parmi les Anglais catholiques jusque-là loyalistes. La bulle, en effet, est rédigée en termes sans équivoque : « Cette servante de toute iniquité, Élisabeth, soi disant reine d'Angleterre, a détruit et supprimé le Saint Sacrifice de la Messe, les prières, les jeûnes, les sacrements et tous les rites de la Sainte Église [...], a contraint ses sujets à se soumettre à ses lois impies, à renier l'autorité du Saint-Siège et à la reconnaître comme maîtresse en matière spirituelle et temporelle [...]. À cause de quoi, en vertu de Notre pleine puissance apostolique, Nous la déclarons hérétique, séparée de l'unité du corps du Christ, privée de tous ses prétendus droits au royaume d'Angleterre et de toute autre dignité. Nous délions tous les sujets de ce royaume de toute allégeance envers elle [...] et Nous leur interdisons de lui obéir, sous peine d'encourir la même sentence de malédiction[12]. » On conçoit qu'à la lecture de ce document (dont la diffusion est aussitôt interdite, sous peine de mort, mais que l'évêque Leslie, entre autres, réussit à faire afficher jusqu'à la porte du palais de l'évêque anglican de Londres) les catholiques anglais soient troublés au plus profond de leur conscience et que Marie Stuart, la reine emprisonnée pour cause de fidélité à sa foi, apparaisse à beaucoup d'entre eux comme le recours ultime.

De tout cela, Marie, dans sa résidence étroitement surveillée de Sheffield, n'a sans doute qu'une connaissance imparfaite. Ses lettres montrent que certains faits lui sont inconnus, ou ne parviennent jusqu'à elle qu'avec beaucoup de retard. Mais par Leslie, par La Mothe-Fénelon, elle est quand même au courant des principaux événements. Le projet de mariage Élisabeth-Anjou, notamment, l'inquiète fort ; elle ne cesse, dans ses messages à Fénelon et à Beaton, de les supplier d'intervenir pour y couper court.

En avril-mai 1571, c'est une femme presque désespérée qu'atteint la nouvelle, tragique pour elle, de la chute du château de Dumbarton, l'avant-dernière des places fortes tenues par ses partisans en Écosse. Grand succès pour le régent Lennox et le parti du roi Jacques. Dans l'ivresse de la victoire, l'archevêque Hamilton, qui se trouvait dans la forteresse, est transféré à Stirling et pendu sans jugement, revêtu de ses habits pontificaux, pour complicité dans le meurtre de Darnley (et dans celui de Moray, pour faire bonne mesure). « Heureux arbre, puisses-tu croître et vivre pour porter encore de tels fruits ! » écrit une main anonyme sur la potence. Quant à Élisabeth, elle exulte : « Ce méchant homme avait bien mérité la mort », commente-t-elle en guise d'oraison funèbre. Désormais, il ne reste plus aux marianistes que le château d'Édimbourg, de plus en plus étroitement encerclé par ses adversaires et difficile à ravitailler. Marie Stuart risque fort de n'être bientôt plus que la reine d'un parti en déroute.

C'est dans ce contexte qu'il faut situer la grande intrigue qui naît en février ou mars 1571, et qui scellera le destin de la captive : la conspiration de Ridolfi.

Roberto Ridolfi était un banquier florentin bien établi sur la place de Londres et qui comptait parmi ses clients la plupart des membres de l'aristocratie anglaise. C'était aussi, et Cecil avait toutes les raisons de le soupçonner, un agent secret du pape. Ses correspondances d'affaires servaient volontiers de couverture à des messages moins anodins ; ses voyages sur le continent le mettaient en relations avec beaucoup de responsables politiques et le mêlaient à toutes sortes de tractations. Il avait même été arrêté, un temps, après la Rébellion du Nord, mais on l'avait relâché, faute de preuves de sa complicité dans l'aventure.

Nous ignorons par qui et quand exactement il entra en contact avec Marie Stuart. Sans doute l'évêque Leslie, dont nous connaissons les talents d'intrigant, en prit-il l'initiative, à moins que celle-ci ne revienne au Florentin lui-même. L'ambassadeur d'Espagne Guerau de Espès était aussi de la partie.

Le plan conçu par Ridolfi, ou par Leslie, était à la fois grandiose et assez flou. Il comprenait, en gros, quatre volets : soulèvement des nobles catholiques en Angleterre et en Écosse sous la conduite de Norfolk, intervention de corps expéditionnaires espagnols dans les deux pays, libération de Marie Stuart et son mariage avec Norfolk. Tout cela restait d'ailleurs sujet à beaucoup d'incertitudes : que deviendrait Élisabeth, une fois les armées espagnoles maîtresses du terrain ? « Nous lui ferons entendre la messe, qu'elle le veuille ou non », disait Ridolfi. Fort bien. Mais ensuite ? La bulle d'excommunication prononçait explicitement sa déchéance. Alors, un cachot à la Tour de Londres ? Mieux valait ne pas trop insister.

Marie, dès qu'elle fut informée du plan par Leslie, fut séduite. C'était le moment où les négociations pour sa restauration pacifique se mouraient, où le château de Dumbarton était assiégé, où le projet de mariage Élisabeth-Anjou prenait consistance. La perspective d'une intervention armée espagnole arrivait comme un message de la Providence.

Elle n'avait jamais rompu le contact avec Norfolk, depuis leurs promesses réciproques de l'année précédente. Pendant qu'il était emprisonné à la Tour de Londres, elle lui avait même écrit pour l'inciter à s'évader et à venir la libérer : « Peu m'importe le danger, car nous trouverons aisément des amis pour nous aider. Ne croyez pas ceux qui disent que je vous quitterai jamais, car je suis déterminée à demeurer vôtre pour toujours... » (31 janvier 1570) * [13]. Norfolk, il est vrai, en sortant de sa prison en août 1570, avait juré à Élisabeth qu'il n'aurait plus aucune relation avec la reine d'Écosse et ne songerait plus à l'épouser ; mais il n'attachait pas plus de prix à ses engagements que Marie elle-même, ce qui n'est pas peu dire.

C'est en février 1571 qu'on voit apparaître le nom de Ridolfi dans la correspondance de Marie Stuart, mais sans doute l'affaire remontait-elle plus haut, car le projet est déjà au complet à cette date. Une longue lettre datée

* Pour apprécier toute la saveur de cette lettre presque amoureuse, il faut rappeler qu'elle a été écrite alors que la Rébellion du Nord était à peine terminée. Marie jouait littéralement avec le feu.

du 8 février exprime sa pleine confiance dans le Florentin et son accord pour envoyer le petit prince Jacques en Espagne pour y être élevé « loin des dangers et périls qui l'entourent dans cette île [14] ». Il reste bien une difficulté pour la réalisation du plan, à savoir l'appartenance du duc de Norfolk à la religion protestante, qui risque d'indisposer le pape et le roi Philippe ; aussi le duc devra-t-il prendre l'engagement de se convertir au catholicisme dès que possible.

Faire appel à l'Espagne d'une façon aussi compromettante n'était guère compatible avec les engagements réitérés de fidélité à la France que Marie multipliait en toute occasion *. Elle s'en rendait compte, puisqu'elle écrit : « La négociation doit être gardée très secrète, et Ridolfi doit se garder en France de se mêler de mes affaires, à cause de la jalousie qui existe entre le roi de France et celui d'Espagne [15]. » Admirable spécimen de cette duplicité où elle s'enfonçait chaque jour davantage.

Ridolfi partit pour le continent le 24 mars, muni d'instructions de Marie et de Norfolk, très explicites et accompagnées d'une liste de seigneurs anglais supposés favorables à l'entreprise [16]. Cette liste, remise au pape et conservée aux archives du Vatican, reste l'un des éléments mystérieux de l'affaire : émanait-elle de Norfolk en personne ? On a peine à croire à une telle inconscience de sa part. Sans doute était-elle plutôt l'œuvre de Ridolfi lui-même, qui, nous le savons, avait de nombreuses relations dans l'aristocratie anglaise. Quoi qu'il en soit, c'était un document potentiellement explosif si jamais il était tombé entre les mains de la police d'Élisabeth. Comme élément de preuve, elle ne doit être considérée qu'avec la plus grande circonspection.

La première étape de Ridolfi en Europe était Bruxelles où il rencontra le duc d'Albe, représentant de Philippe II. Le rôle d'Albe dans le projet d'invasion était

* Dans une lettre du 26 juillet 1570, elle rappelle à Catherine de Médicis « la naturelle affection que j'ai de tout temps de vous aimer, honorer et servir », et l'assure qu'elle « désire en toutes choses suivre sa volonté » !

essentiel, puisque c'était de la Belgique espagnole que devait partir le corps expéditionnaire chargé d'appuyer le soulèvement de Norfolk et de ses amis. Nous possédons la lettre qu'il écrivit au roi d'Espagne pour lui rendre compte de son entrevue avec le Florentin. Son impression était loin d'être favorable. Ridolfi lui apparaissait surtout comme un « grand bavard », et le projet était bien imprécis. En cas d'échec, la vengeance de la reine d'Angleterre serait terrible, et la France tirerait les marrons du feu (perspective intolérable entre toutes aux yeux de Philippe II : on était en pleines négociations pour le mariage Élisabeth-Anjou). Tout deviendrait, certes, bien différent si Élisabeth venait à mourir « de mort naturelle ou autrement » (*sic*) ; mais, tant que cette heureuse hypothèse ne se réalisait pas, les risques paraissaient au duc d'Albe trop grands pour tenter l'aventure[17]. Le prudentissime roi d'Espagne n'avait pas besoin d'une telle mise en garde pour hésiter à s'engager.

À Rome, étape suivante du voyage de Ridolfi, en mai, l'accueil fut plus favorable. Le pape se montra séduit par le projet, qui devait mettre fin au schisme de l'Angleterre et au scandale de cette reine hérétique régnant à Londres. Il nota avec bienveillance la demande formulée par Marie Stuart, dans sa lettre apportée par le Florentin, d'une annulation canonique de son mariage avec Bothwell (célébré « contre sa volonté », précisait-elle). Puis le négociateur passa en Espagne, où tout devait se décider.

Cet été de 1571 est donc lourd de tous les dangers. Dangers pour Élisabeth, car la menace d'un débarquement espagnol ne doit pas être prise à la légère. Dangers pour Marie, dont les intrigues périlleuses commencent à apparaître au grand jour. Et, bien sûr, dangers pour Norfolk, dont les actions relèvent clairement de la haute trahison vu sa qualité de pair du royaume.

En fait, tandis que Ridolfi poursuivait à travers l'Europe son imprudente mission, le secret en était déjà percé à jour par le gouvernement anglais. Un certain Charles Baillie, serviteur de l'évêque Leslie, envoyé par celui-ci à Bruxelles pour en rapporter un paquet de lettres de Ridolfi et d'autres, s'était fait prendre à son retour, à Douvres, avec les documents. Grâce à la complicité du gouverneur de Douvres, Lord Cobham, ami secret de Norfolk, il avait réussi à substituer aux papiers les plus compromettants des faux anodins hâtivement fabriqués, mais, mis à la torture, il avait dû révéler l'existence entre Ridolfi et Leslie d'une correspondance dont le caractère subversif ne pouvait guère faire de doute. L'évêque fut aussitôt arrêté, interrogé et assigné à résidence loin de Londres dans le diocèse d'Ely. Les preuves concrètes manquaient contre lui, mais il était désormais, comme on dirait aujourd'hui, « brûlé ».

N'importe qui aurait compris, après une telle alerte, que le complot était connu du gouvernement anglais, et que le poursuivre était suicidaire. Mais Leslie, Marie Stuart, Norfolk étaient incurablement optimistes — ou plutôt, pour employer le mot exact, inconscients. Marie, informée de l'arrestation de son ambassadeur, feignit l'étonnement, l'indignation : « Si je pouvais croire que l'évêque de Ross ait pu offenser la reine ma bonne sœur, je lui infligerais moi-même une punition plus grande qu'elle ne peut le désirer, mais je connais de longue date son honnêteté et sa discrétion », écrit-elle à Cecil le 4 juin. (Pour apprécier sa sincérité, notons que le 12 juin, donc huit jours plus tard exactement, elle transmet à Fénelon « certaines lettres de Ridolfi, lesquelles je vous prie déchirer après les avoir montrées »). Fénelon, ayant tenté d'intervenir auprès d'Élisabeth en faveur de Leslie, s'entendit répondre qu'elle s'étonnait que l'ambassadeur d'un prince allié pût s'intéresser à un traître et à un comploteur de cette espèce.

Sans doute, après tout, était-il trop tard pour arrêter la machine. Presque au même moment que Baillie était arrêté à Douvres, Ridolfi arrivait à Madrid, et cette fois le roi Philippe se montrait « très décidé à agir, non pour son propre intérêt, mais pour la seule gloire de Dieu[18] ». Au cours d'une réunion secrète du Conseil d'Espagne, en présence du nonce du pape, il fut convenu que l'expédition projetée aurait lieu, mais qu'auparavant on ferait assassiner Élisabeth (Ridolfi donna les noms de plusieurs seigneurs anglais qui, à son avis, se dévoueraient volontiers pour cette noble action, mais un Flamand nommé Chapin fut finalement désigné). Aussitôt le meurtre accompli, les catholiques anglais se soulèveraient sous la conduite de Norfolk, les troupes du duc d'Albe débarqueraient, Marie Stuart serait libérée, et la cause de Dieu triompherait. Cela se passait le 7 juillet 1571, et les minutes de cette délibération existent encore dans les archives d'Espagne, au château de Simancas [19]. De nos jours, ce genre de décisions laisse moins de traces écrites.

Peut-être, si les affaires espagnoles avaient été menées avec plus de rapidité, la grande entreprise aurait-elle pu effectivement se réaliser ; mais on sait que, sous le règne du prudent Philippe II, tout se passait avec une sage lenteur. Il fallait préparer la flotte d'Albe, celle du duc de Medina qui viendrait d'Espagne se joindre à elle. Rien ne serait prêt, au mieux, avant l'automne. Pendant ce temps, malheureusement pour les conjurés, le gouvernement anglais achevait de tout découvrir.

Il y eut d'abord une assez vilaine machination de contre-espionnage, où le roi Philippe se laissa complètement berner, lui pourtant si méfiant. L'origine en était le célèbre corsaire John Hawkins, l'auteur de tant de pillages en territoire espagnol, qui, pour faire libérer ses anciens compagnons prisonniers à Séville, imagina de faire croire qu'il était secrètement catholique et prêt à livrer sa flotte à l'Espagne. C'était si énorme qu'il fallait, pour rendre la manœuvre vraisemblable, quelque chose qui ressemblât à une preuve, ou à un gage. Hawkins s'en ouvrit à Cecil, qui vit là l'occasion d'une infiltration en Espagne, en ce moment où la conspiration de Ridolfi commençait à se révéler. On envoya donc à Madrid le lieutenant de Hawkins, Georges Fitzwilliams, qui rencontra le duc de Feria, l'un des ministres de Philippe II, et, pour le mettre en confiance, lui dit qu'il avait des contacts avec l'entourage de Marie Stuart. Feria se montra intéressé, mais demanda à voir une lettre de la reine captive. Fitzwilliams retourna en Angleterre, obtint sans peine de Cecil la permission de rencontrer Marie, lui fit croire qu'il demandait son aide pour faire libérer ses compagnons captifs. Elle n'y vit pas malice — pourquoi l'aurait-elle fait ? — et écrivit un message anodin à l'intention de Philippe II. Elle aurait dû, logiquement, se méfier de ce marin qui trouvait si facilement accès auprès d'elle, alors qu'elle était étroitement surveillée, mais nous savons qu'elle croyait volontiers à ce qui allait dans le sens de ses désirs.

Muni de la lettre de Marie Stuart, Fitzwilliams repartit pour Madrid, où cette fois il fut reçu en audience par le roi lui-même, et fut informé du projet Ridolfi. C'est tout ce que désirait Cecil. Un accord fut conclu (les marins prisonniers à Séville furent libérés : seul aspect positif de l'affaire), par lequel Hawkins s'engageait à joindre sa flotte à celles d'Espagne lors du grand débarquement prévu, et Fitzwilliams se hâta de regagner son pays. « Le traité est signé », écrit-il triomphalement à Cecil le 4 septembre 1571. « Ce sont là des pratiques maudites, mais avec l'aide de Dieu nous les prendrons dans leurs propres rets[20]. » (Chose curieuse, les Espagnols ne connurent jamais le double jeu de Hawkins et de Fitzwilliams. Il fallut l'ouverture simultanée, au XIXe siècle, des archives anglaises et espagnoles pour que l'intrigue apparaisse sous ses deux dimensions. Telles sont les indiscrétions de l'histoire.)

Cecil était donc maintenant bien au courant de l'entreprise espagnole, mais il manquait de preuves écrites, sans lesquelles il ne pouvait rien faire.

Elles survinrent, presque par hasard, grâce à une imprudence de Norfolk. Celui-ci, qui décidément prenait goût à l'intrigue, faisait passer en Écosse, de la part de Marie Stuart, de l'argent que l'ambassadeur de France lui remettait à cet effet. C'était de l'argent pris sur les revenus du douaire de la reine ; donc l'opération en soi n'avait rien de scandaleux, mais son caractère clandestin la rendait dangereuse, au moment où il aurait fallu faire preuve de la plus grande prudence pour éviter d'attirer l'attention des autorités anglaises. Précisément, à la fin d'août, une somme de 600 livres en or fut ainsi confiée — autre légèreté — à un marchand de Shrewsbury, Mr. Brown, pour être portée en Écosse à Lord Herries, marianiste notoire. Le marchand, soupçonneux, prit sur lui d'ouvrir le sac et y trouva, outre l'or, des lettres chiffrées. Il revint sur ses pas et donna le tout à Cecil.

Le secrétaire de Norfolk, Higford, qui avait remis l'argent à Mr. Brown, fut aussitôt arrêté et interrogé sur ces lettres chiffrées. Mis à la torture, il révéla la cachette des chiffres — sous le tapis de la chambre du duc. Or il y avait là bien autre chose que les chiffres : des documents aussi compromettants que possible, dont une lettre de Marie Stuart relative à la mission de Ridolfi. C'était la preuve que Cecil attendait. En quelques heures, les serviteurs de Norfolk étaient arrêtés, la maison fouillée, lui-même interrogé. Il niait tout, avec tant d'apparente sincérité que Sadler, un des commissaires chargés de l'enquête, ne sachant plus que penser, se demandait si c'était « un démon ou un chrétien ».

La suite fut lamentable. Les serviteurs, les uns après les autres, confessaient tout ce qu'ils savaient, sous la torture ou la menace. Norfolk s'enferrait, se contredisait. On dit qu'il se traîna à genoux — lui, le premier pair d'Angleterre, le descendant des glorieux Howard, le cousin de la reine. L'imprudence qu'il avait eue de conserver chez lui tant de documents dangereux le perdait : à quoi servaient ses dénégations, puisque les preuves étaient là * ?

A mesure que les experts déchiffraient les papiers, le rôle de l'évêque Leslie apparaissait plus crucial et plus grave dans toute l'affaire. Il était toujours à Ély, en résidence surveillée chez l'évêque de ce diocèse rural. Le 19 octobre, on le ramena à Londres pour l'interroger.

Cela posait un problème juridique. En droit international, un ambassadeur est inviolable. Pouvait-on donc traiter Leslie, Écossais, ambassadeur de Marie Stuart, comme un Anglais soupçonné de trahison ? Une commission de juristes, consultée, conclut par l'affirmative : d'abord parce que Marie Stuart, reine déchue, ne pouvait prétendre au privilège d'avoir des ambassadeurs

* Leslie, dans son mémoire justificatif, affirme que Norfolk avait donné l'ordre que tous ces documents fussent brûlés au fur et à mesure, et que ses secrétaires lui avaient désobéi « dans l'intention délibérée de le trahir ». Cela paraît bien difficile à croire.

revêtus du statut diplomatique, ensuite parce que en se mêlant d'une conspiration contre la souveraine du pays, Leslie avait renoncé de lui-même à son privilège d'exterritorialité. Le sort en était jeté : il serait donc questionné, et sans ménagements.

Cet interrogatoire de l'évêque de Ross, dont le détail nous est connu par ses procès-verbaux et par les lettres de ceux qui en étaient chargés, a quelque chose d'effrayant[21]. Qu'il ait été réellement torturé, ou seulement menacé, cet homme, à qui Marie faisait toute confiance depuis tant d'années, s'effondra. Il raconta tout, la Rébellion du Nord, l'intrigue du mariage Norfolk, le complot de Ridolfi. Il était, comme certains accusés lors de célèbres procès de notre siècle, saisi d'une frénésie d'autodestruction. « Cette découverte est due à la Providence, afin qu'à l'avenir Votre Majesté ne se fie plus qu'en Dieu et en sa bonne sœur la reine de ce pays », écrit-il à Marie, le 8 novembre. On croit rêver !

Mais il y a pire : devant le juge anglais Thomas Wilson, médusé, Leslie charge sa souveraine de tous les crimes. « Il dit que la reinc sa maîtresse n'est pas digne d'avoir un mari, qu'elle a d'abord empoisonné son premier mari le roi de France, ensuite qu'elle a consenti au meurtre de son deuxième mari Lord Darnley et qu'elle l'a amené à Kirk o'Field, puis qu'elle a épousé son meurtrier, et finalement qu'elle a voulu épouser le duc [de Norfolk], à qui, à son avis, elle n'aurait pas été longtemps fidèle, et qui n'aurait pas vécu longtemps auprès d'elle. » « Seigneur, quels gens sont-ce là ! conclut le juge scandalisé. Quelle reine, et quel ambassadeur ! »

Cette « confession » de l'évêque Leslie est souvent invoquée par les partisans de la culpabilité de Marie Stuart à l'appui de leur opinion. L'historien anglais J. A. Froude, dont l'œuvre fit longtemps autorité en Angleterre, y voit la preuve concluante de la complicité de Marie dans le meurtre de Darnley et de son adultère avec Bothwell. Mais notre siècle nous a enseigné le peu de foi que l'on peut accorder à ce genre d'aveux. « L'évêque de Ross n'est qu'un pauvre prêtre torturé et effrayé », dit Marie quand elle apprit la trahison de son ancien conseiller[22]. Elle lui en tint si peu rigueur qu'elle devait, par la suite, intervenir pour qu'il puisse trouver en France une retraite honorable. Mais n'empêche : ce déluge d'accusations, venant d'un homme qui avait été si proche de la reine pendant si longtemps, laisse un goût d'amertume.

Après les aveux des secrétaires et ceux de Leslie, le complot de Ridolfi apparaissait désormais en pleine lumière.

Une première conséquence devait être l'expulsion de l'ambassadeur d'Espagne, dont la complicité était évidente et prouvée (ses lettres figuraient dans les papiers saisis chez Norfolk). Il quitta l'Angleterre à la fin de décembre.

Mais, surtout, le procès de Norfolk lui-même devenait inévitable. Élisabeth hésita encore pendant près d'un mois : ce n'était pas une petite affaire que de juger le premier pair du royaume. Aucun noble n'était monté sur l'échafaud depuis le début de son règne, et elle en était très fière. Après les orgies d'intolérance de son père et de sa sœur, elle faisait de la concorde l'image même de son pouvoir ; le contraste était grand avec les horreurs de la guerre civile en France et aux Pays-Bas, avec les bûchers de l'Inquisition en Espagne. La rébellion du Nord, à la fin de 1569, avait été une première alerte ; cette fois, avec l'ampleur du projet de Ridolfi, c'était la vie même de la souveraine, l'avenir du pays, qui étaient en jeu. Il n'était plus possible de jouer la clémence ou l'oubli *.

Le procès devait, selon la loi, être jugé par la Chambre des pairs. Norfolk y disposait de si nombreux amis que, si les preuves avaient été moins lourdes, il aurait presque certainement été acquitté. Pour plus de sécurité, Cecil fit revenir de Sheffield le gardien de

* Ridolfi lui-même se trouvait à Paris au moment de la découverte du complot ; il s'empressa de partir pour l'Italie, où il mourut quarante ans plus tard, en 1612. Charles Baillie, dont l'imprudence avait été à l'origine de la découverte du complot, fut libéré de prison l'année suivante et vécut encore quarante-trois ans, en France où il s'était réfugié.

Marie Stuart, le comte de Shrewsbury, afin de présider les débats ; son autorité morale et sa loyauté au gouvernement garantissaient un jugement régulier, mais sans indulgence.

La personnalité de Norfolk apparaît, dans ce procès, singulièrement ambiguë et contradictoire. Avec dignité — il avait surmonté sa peur panique du premier jour —, il fit face à l'accusation, mais son système de défense était absurde : il niait tout, même l'évidence. Il ne connaissait pas Ridolfi, n'avait jamais rien tenté ni envisagé contre sa souveraine, pour laquelle il éprouvait amour et ferveur. Sans doute avait-il souhaité épouser la reine d'Écosse, et il l'avait aidée à ravitailler ses partisans à Édimbourg, mais ce n'était pas un crime, puisque la reine d'Angleterre n'avait jamais reconnu le prince Jacques comme roi et que, par conséquent, Marie était l'autorité légitime dans son pays. Il oubliait qu'il avait juré à Élisabeth, un an plus tôt, de ne plus avoir de relations avec la captive et de ne plus songer à ce mariage.

Tout cela était incohérent, indéfendable. Les juges avaient sous les yeux ses échanges de lettres avec Ridolfi, avec Marie Stuart, avec Leslie. À l'issue d'une longue journée de débats, le 16 janvier 1570 — durée inhabituelle pour l'époque —, il fut déclaré coupable et condamné à mort. « C'est la sentence d'un traître, et pourtant je suis aussi innocent qu'aucun homme vivant ! » cria-t-il au moment où le président de la cour se couvrait rituellement la tête du voile noir, symbole de la peine capitale. On croirait presque entendre l'accent de la sincérité. Mais les documents sont là, où sa responsabilité est évidente, dans les archives d'Angleterre, dans celles d'Espagne, au Vatican.

Une fois de plus, Marie Stuart entraînait dans la mort un compagnon de route. Ce n'était pas la dernière. *Mary, the dangerous Queen.*

CHAPITRE XIX

« La meilleure façon de mettre fin aux troubles... »

Norfolk condamné à mort, Leslie emprisonné, l'ambassadeur Guerau de Espès expulsé, le réseau — comme on dirait aujourd'hui — démantelé, tels étaient les résultats de cette entreprise de Ridolfi, dans laquelle Marie Stuart, quoi qu'elle affirmât, s'était bien aventurée, sans en mesurer peut-être toute la gravité. Serait-elle donc la seule à échapper à ses conséquences ?

Dès les révélations de Higford et la découverte des fatales correspondances dans la chambre de Norfolk, Marie avait fait l'objet d'une surveillance accrue. Elle s'en plaint dans ses lettres, avec indignation : « Je suis gardée fort étroitement et les lettres se trouvent toutes ouvertes ; même ne m'est permis d'écrire à M. de La Mothe-Fénelon si les lettres ne sont premièrement envoyées à la Cour par le comte de Shrewsbury pour les délivrer si bon leur semble, mande-t-elle à l'archevêque Beaton le 28 août 1571. Je ne puis vous écrire comme je voudrais [...] sinon avec beaucoup d'incommodité et hasard (risque), pour l'exacte recherche qui se fait par les chemins, et suis tellement observée que ce que j'écris ou fais écrire est à la dérobée, et de peur de surprise je fais incontinent brûler les minutes des chiffres [1]. »

Bientôt, ce sont des mesures de contrainte physique, la fouille même de son linge de corps, l'interdiction de sortir. « L'extrémité où je suis réduite par votre commandement me contraint [à] vous faire cette lettre pour vous dire que, si le traitement que j'ai m'est continué, mes forces ne sont plus suffisantes pour le porter [...]. Je suis entre vos mains, vous pouvez en tout temps faire de moi ce que bon vous semblera, mais cependant je veux bien déclarer à vous et à tout le monde que je ne vous ai donné occasion de me faire traiter ainsi[2]. » Cette lettre à Élisabeth, du 8 septembre, n'a-t-elle pas toutes les apparences de la sincérité ? Malheureusement pour Marie, c'était quelques jours après la découverte des correspondances clandestines de Norfolk et de Ridolfi. Écrivant à Fénelon, elle se montre beaucoup moins ignorante des « occasions de se faire traiter ainsi » : elle lui expose qu'elle est accusée d'avoir comploté une rébellion et une intervention de l'Espagne, mais que tout cela est « faux et malicieusement controuvé ». Devinant l'effet déplorable qu'aurait sur l'ambassadeur de France la révélation de ses intrigues avec l'Espagne, elle prend les devants : « Voyant l'état présent où est le duc de Norfolk *, je ne me trouve, Dieu merci, si dépourvue de sens que je connaisse combien peu me servirait avoir aucune intelligence ou pratique avec lui, et le danger que par ce moyen je pourrais encourir[3]. »

Cette lettre est l'une des plus révélatrices qu'ait jamais écrites Marie Stuart. Elle sait — elle ne peut pas ne pas savoir, ou tout au moins soupçonner — que ses correspondances chiffrées sont entre les mains de Cecil. Elle doit bien se douter qu'un jour ou l'autre Fénelon en aura connaissance. À moins d'être amnésique, ou inconsciente, elle se rappelle toutes les « pratiques » et « intelligences » de ces derniers mois. Il serait temps encore, peut-être, de s'expliquer, de tenter de se justifier ; mais non : elle nie, face à l'évidence, face aux preuves matérielles. Elle fera de même, quinze ans plus tard, lors de l'affaire Babington. Nous avons ici, à l'état pur, toute la dimension de son aptitude à mentir, et aussi de sa maladresse. C'est pourquoi, sous sa plume ou dans sa bouche, les accents de la plus véhémente sincérité

* Il venait d'être emprisonné à la Tour de Londres.

ne peuvent jamais être pris pour argent comptant*.

À la mi-septembre, Marie fait appel à Charles IX, par l'entremise de Beaton : « Ma vie est en danger si le roi ne se déclare contre cette reine [Élisabeth], laquelle, se sentant assurée de lui, me fait ce traitement. » Le 29 octobre, on pourrait croire qu'elle a compris le danger de sa situation : « Je me remets à la miséricorde de Dieu, résolue de mourir quand il Lui plaira [de] me délivrer de ce malheureux monde », écrit-elle à Élisabeth. Lettre pathétique, comme celles qu'elle rédigera plus tard avant de monter à l'échafaud. L'effet en est quand même un peu gâté par une autre lettre, envoyée à Fénelon : « Envoyez-moi quelque chose par les voituriers, et n'oubliez le ruban. Je désirerais bien avoir aussi de l'eau de cannelle[4]... »

Au milieu de toutes ces inquiétudes, elle tombe malade ; son côté et son estomac ont « fort empiré », d'où la demande instante d'eau de cannelle et de « noix de muscade confite ». Le comte de Shrewsbury n'est pas convaincu de la gravité de ces malaises, qu'il attribue à un excès de médicaments. Comment savoir ?

Ce qui est certain, c'est qu'à mesure que les révélations s'accumulent sur le complot de Ridolfi, la complicité de Marie Stuart apparaît plus évidente. Il n'y a nul hasard, nulle coïncidence dans la publication, en novembre, de la première édition (latine) de la *Détection des actions de Marie, reine d'Écosse* de Georges Buchanan, avec les fameuses lettres de la cassette en annexe. Élisabeth a très certainement donné le feu vert, comme elle le donnera bientôt à la version anglaise.

L'immunité tacite dont jouissait Marie depuis la conférence d'York est terminée. Au printemps suivant, le député Pierre Wentworth pourra traiter l'ex-reine d'Écosse de « plus grande putain du monde » sans se faire rappeler à l'ordre. L'Église anglicane est tout particulièrement âpre dans sa demande de punition de la

* Bien entendu, il s'est trouvé des apologistes pour affirmer que les lettres à Norfolk et à Ridolfi étaient des faux, comme celles de la cassette, comme plus tard celles à Babington. Nous ne sommes plus alors dans le domaine de l'histoire, mais dans celui de la foi, qui par définition échappe à la démonstration.

reine catholique. Un document d'une rare violence, où retentissent tous les noms bibliques, Saul, Achab, Benhadad, Jézabel, Athalie, est remis à la reine d'Angleterre pour la prier de sévir : « L'adultère, le meurtre, la trahison, le blasphème, ne peuvent rester impunis », dit l'évêque de Londres[5]. Nombreux sont, au printemps 1572, ceux qui pensent que la hache guette Marie Stuart : dans l'Europe d'alors, c'est le châtiment normal de tous ceux qui attentent, même par simple complicité, au règne d'un souverain.

Dans l'entourage d'Élisabeth, plusieurs de ses proches conseillers la poussent en ce sens ; mais elle hésite, plus consciente qu'eux — et pour cause — de la gravité d'une atteinte au caractère sacré d'une tête couronnée. Même l'exécution de Norfolk, pourtant condamné judiciairement, est remise de semaine en semaine. « Sa Majesté a toujours été douce et miséricordieuse, écrit Cecil le 23 janvier 1572, et par là elle s'est attiré plus d'ennuis que par la justice, bien qu'elle croie que la mansuétude lui est plus profitable[6]. » À plusieurs reprises elle signe l'ordre d'exécution, puis l'annule au dernier moment. « Les mauvais se réjouissent de voir que Sa Majesté a perdu la force de punir », se lamente Sadler.

Finalement, Élisabeth, sentant le poids de l'opinion publique, se résoud à convoquer le Parlement, qui se réunit le 8 mai, et vote, presque aussitôt, un *Bill of Attainder* (condamnation pour haute trahison) contre la reine d'Écosse. Celle-ci, toujours en retard sur l'évolution des événements, se croyait tout au plus menacée d'une mesure qui mettrait en cause son droit à la succession au trône d'Angleterre. Une loi d'exclusion est en effet votée, mais Élisabeth, avec force bonnes paroles pour les députés, refuse obstinément de donner sa sanction à l'un comme à l'autre des deux textes. « Sa Majesté est la pire ennemie d'elle-même », commente amèrement Cecil[7]. Marie sauve donc sa tête, sans mesurer, sans doute, à quel point le coup est passé près d'elle. Encore faut-il jeter du lest pour ne pas trop mécontenter le Parlement. Élisabeth sacrifie Norfolk, qui monte à l'échafaud le 2 juin, affirmant son innocence jusque devant le bourreau, et se proclamant fidèle protestant.

En ce début d'été 1572, Marie Stuart n'a pratiquement plus d'appuis efficaces en Europe. L'échec de l'intrigue Ridolfi a rejeté Philippe II d'Espagne dans l'attentisme. Quant à la France, elle est en plein rapprochement avec l'Angleterre, allant de pair avec l'influence huguenote à la cour ; un traité d'alliance franco-anglais est signé à Blois le 29 avril, où il n'est pas fait mention de la reine d'Écosse prisonnière. La négociation pour le mariage d'Élisabeth et du duc d'Anjou est relancée par l'ambassadeur Paul de Foix précisément en juin, au moment où tombe la tête de Norfolk. Nul doute que Cecil ait obligeamment communiqué au diplomate français copies des lettres où Marie conseillait à Ridolfi de tenir la France à l'écart de son entreprise. « On dit que le roi (Charles IX) fait tout ce qu'il peut pour sauver la vie de l'infortunée reine d'Écosse, écrit de Paris l'ambassadeur de Venise, mais il craint de ne pouvoir y parvenir, car même si elle échappe à une condamnation publique, il est probable qu'on exécutera secrètement[8]. »

Marie, elle, se plaignait de douleurs au bras, demandait à aller faire une cure pour soigner ses rhumatismes, et menaçait Charles IX de se rapprocher de ses adversaires en Écosse s'il ne lui envoyait pas des secours. Jamais le gouffre psychologique entre la prisonnière et sa « chère France » n'avait été aussi profond.

La nécessité de relater, sans rompre le fil du récit, la conspiration de Ridolfi et ses conséquences pour Marie Stuart, nous a contraint, malgré la simultanéité des événements, à laisser jusqu'ici de côté les choses d'Écosse, depuis le moment où le château de Dumbarton était tombé entre les mains du régent Lennox et où l'archevêque Hamilton avait payé de sa vie les haines accumulées de longue date contre lui *.

Contrairement à ce qu'on aurait pu penser alors, le parti marianiste n'était pas anéanti par ce revers. Huntly tenait toujours dans le Nord, et surtout Kirkcaldy de

* Voir p. 412.

Grange, avec Claude Hamilton, Kerr de Fernyhurst, Maitland et plusieurs autres, conservait cette place forte essentielle qu'était le château d'Édimbourg.

L'Écosse étant ce qu'elle était, cette division en deux camps adverses n'empêchait bien entendu ni les négociations, ni les marchandages, ni les petites trahisons ; elle se traduisait surtout par un état de permanente anarchie, où les embuscades, pillages, assassinats, se paraient pour la forme de motivations politiques alors que le plus souvent ils relevaient du banditisme pur et simple. Élisabeth, avec son fidèle Randolph sur place, veillait à ce que le parti de Lennox (officiellement, du roi Jacques) gardât toujours la haute main, mais jusqu'au complot de Ridolfi elle n'agit pas avec fermeté pour écraser les marianistes. Au fond, cet état de guerre civile dans le royaume voisin lui convenait assez, ne fût-ce que parce qu'il lui permettait de maintenir — au moins en apparence — la balance égale entre Marie Stuart et ses adversaires, et d'éviter de trancher entre les deux légitimités antagonistes de la mère et du fils : nous savons que l'indécision était son attitude préférée.

Tout change à l'été 1571, avec la révélation des intrigues de Marie et de l'Espagne. Il y a certainement plus qu'une coïncidence entre la saisie des papiers de Charles Baillie, en avril, et l'intensification du siège du château d'Édimbourg par les troupes de Lennox. On se rappelle que c'est en tentant de faire passer de l'argent français à Kirkcaldy de Grange et à Maitland que Norfolk se fit prendre à la fin d'août. À cette époque, Randolph assurait aux partisans de Lennox que leur victoire était proche, ce que Marie, dans sa prison, interprétait comme une menace d'assassinat : « Il est bien raisonnable que Randolph déclare comment je dois être dépêchée […] puisqu'il écrit à mes rebelles qu'ils seront bientôt quittes de moi[9]. »

Pour hâter les choses, Lennox convoqua à Stirling un Parlement, qui devait prononcer la condamnation définitive des marianistes et la confiscation de leurs biens — mesure toujours redoutable dans l'Écosse d'alors. Le petit roi Jacques, dont c'était la première apparition officielle (il avait cinq ans, et faisait l'admiration de son entourage par sa précocité), remarqua un trou dans la nappe de la salle, ou dans le plafond, nous ne savons pas au juste, et commenta : « Je crois bien que c'est le Parlement qui est troué. » En fait, la réunion avait à peine commencé qu'un coup d'éclat d'une rare audace amena à Stirling un commando de marianistes, accouru au galop d'Édimbourg — distante de cinquante-cinq kilomètres —, lequel s'empara presque sans coup férir du régent et de ses partisans. Pendant quelques heures, on put croire que l'Écosse allait basculer et que l'enfant Jacques VI tomberait aux mains des partisans de sa mère. Mais le comte de Mar, gardien du roi, tint bon au château de Stirling, rallia ses troupes et vola au secours de ses amis dans la basse ville. Les marianistes, pris au dépourvu, se dispersèrent et bientôt le parti du roi fut de nouveau maître de la situation. Dans le feu de l'action toutefois, quelqu'un avait grièvement blessé le régent Lennox : Claude Hamilton comme certains l'affirmèrent, ou un de ses vassaux nommé Calder ? C'était en tout cas, de l'avis unanime, une vengeance pour l'exécution de l'archevêque Hamilton au printemps précédent. Comme l'archevêque lui-même avait été pendu pour sa complicité dans l'assassinat de Moray, on saisit là, sur le vif, cet enchaînement de violences meurtrières qui apparente l'Écosse du XVIe siècle à la Corse de *Matteo Falcone* et de *Colomba*. Lennox succomba à ses blessures quelques jours plus tard. « Sa Majesté [Élisabeth] aura de la peine à trouver à l'avenir quelqu'un qui lui soit aussi dévoué », commenta Drury avec regret. Curieuse oraison funèbre pour un régent d'Écosse.

L'épisode de Stirling (3 septembre 1571), pour dramatique et spectaculaire qu'il fût, ne changeait donc rien en profondeur. Mar, le héros de la journée, succéda à Lennox comme régent, et mena bientôt la même politique antimarianiste. Avec le rapprochement franco-anglais que nous avons évoqué plus haut, avec la difficulté croissante où était Marie Stuart de communiquer avec ses partisans d'Écosse, l'étau se resserrait autour du château d'Édimbourg. Sentant tourner le vent, plusieurs marianistes notoires commençaient à amorcer leur ralliement au roi Jacques.

Peut-être les choses auraient-elles insensiblement évolué vers une pacification par lassitude générale si un événement, survenu hors d'Écosse et d'Angleterre, n'avait soudain tout remis en question : il s'agit de la Saint-Barthélemy (24 août 1572), qui coupait court — au moins pour un temps — à l' « entente cordiale » franco-anglaise et remettait au pouvoir, à Paris, le parti catholique dont les Guise reprenaient au même moment la direction. L'effet psychologique du massacre fut, comme bien on pense, immense dans les pays protestants. L'Église catholique retrouvait, aux yeux de la Réforme, l'aspect apocalyptique de la Bête sanglante. D'innombrables pamphlets, en Angleterre comme en Écosse, réclamèrent la mise hors la loi des catholiques, l'exécution de Marie Stuart — qui, cette fois, n'y était vraiment pour rien.

Élisabeth, ou Cecil, conçut alors, à l'automne de 1572, un plan assez sinistre, qu'on aurait peine à croire si des documents d'archives n'en apportaient la preuve irréfutable. Il s'agissait de livrer Marie à ses ennemis d'Écosse, en s'assurant au préalable que ceux-ci la mettraient à mort.

Pour cette sanglante négociation, Henri Killigrew — que nous avons vu, dans le passé, chargé de missions plus honorables — fut envoyé à Édimbourg, où il rencontra le régent Mar et le plus influent de ses conseillers, Morton. Il était muni d'instructions précises, spécifiant que Marie devait absolument être exécutée (« sinon le remède serait pire que le mal ») mais qu'en aucune façon le nom d'Élisabeth ne devrait être prononcé. « Toutes choses bien considérées, aucune solution n'apparaît aussi bonne que celle-là, écrit Cecil à Killigrew le 29 septembre. Employez donc tout votre zèle à la faire aboutir, tant dans l'intérêt du régent [Mar] que dans celui de la religion[10]. »

Le 8 octobre, il y eut conférence secrète chez Morton, et l'affaire apparut quasi conclue : « Au sujet de l'affaire que vous savez, le régent et le comte de Morton sont tout disposés à ce que vous désirez. Ils sont d'accord que c'est la seule et meilleure façon de mettre fin aux troubles de nos deux royaumes » (Killigrew à Cecil,

9 octobre). Cependant, les Écossais demandaient des garanties, et aussi « une aide plus généreuse de Sa Majesté pour payer les soldats » : condition qui, on s'en doute, n'avait rien pour plaire à l'économe Élisabeth.

Les grandes lignes de l'accord envisagé étaient les suivantes : la reine d'Angleterre prendrait le roi d'Écosse sous sa protection, paierait tous les arriérés de soldes des troupes de Mar et de Morton, conclurait avec l'Écosse une alliance défensive sans restrictions. (On retrouve là, toujours renaissant, l'éternel rêve élisabéthain de protectorat anglais sur le royaume du Nord.) Restaient à régler les modalités de l'élimination de Marie Stuart. Pour les Anglais, le mieux eût été de la « dépêcher dans les quatre heures après qu'elle aurait franchi la frontière du pays[11] ». Les Écossais, eux, tenaient à y mettre plus de formes : jugement par le Parlement, et surtout exécution publique en présence d'un grand seigneur représentant Élisabeth — Bedford, Essex ou autre — et de trois mille soldats anglais. Killigrew ne pouvait évidemment consentir à donner un caractère aussi officiel à une procédure dont l'essence même était la discrétion.

On en était là quand le comte de Mar mourut brusquement — empoisonné dit-on — le 28 octobre 1572. Morton lui succéda : c'était le quatrième régent d'Écosse depuis l'abdication de Marie Stuart, six ans plus tôt. Killigrew demanda des instructions à Londres, que Cecil se garda bien de lui envoyer ; la négociation prit fin et Marie sauva sa tête. Elle ignora sans doute toujours combien elle était passée près de la mort : ses principaux soucis, à en croire ses lettres, étaient alors de toucher les arrérages de son douaire français et d'être autorisée à aller soigner ses malaises aux eaux de Buxton.

Mais Morton, s'il devait renoncer au plaisir de faire exécuter ou assassiner son ancienne souveraine, n'était pas homme à laisser s'éterniser la guerre civile. Il décida de frapper le coup final.

Il fallait d'abord épuiser les dernières chances de conciliation. Killigrew s'entremit ; les Hamilton, Huntly, Argyll, Balfour, las aussi de cette guerre sans issue, cédèrent, acceptèrent de reconnaître Jacques VI comme roi, moyennant l'oubli des querelles passées. John Knox, de son lit de mort, lança un appel prophétique à son ancien fidèle Kirkcaldy de Grange : « Abandonne ces compagnons d'iniquité, de peur d'être bientôt arraché à ton refuge et pendu à la face du soleil ! » Mais Kirkcaldy et Maitland tinrent bon : eux qui avaient, plus que d'autres, contribué à la chute de Marie Stuart en 1566, s'apprêtaient maintenant à mourir pour elle.

Seul un secours étranger pouvait sauver le château d'Édimbourg, assiégé par les troupes de Morton et par un corps expéditionnaire anglais de quatre mille hommes commandé par Guillaume Drury. Une flotte française, sous Vérac, fut armée en hâte, mais la tempête la dispersa au large de Scarborough. Les dés étaient jetés. Le bombardement du château commença le 17 mai 1573 ; une partie des murailles céda le 24, et le 29 Kirkcaldy de Grange, Maitland et leurs compagnons se rendirent à Drury.

C'était la fin honorable d'un long fait d'armes. Mais Morton n'entendait pas risquer de voir un jour la guerre renaître de ses cendres ; il demanda à Élisabeth d'ordonner que les prisonniers lui fussent remis, et elle eut la faiblesse d'y consentir. Maitland, le « caméléon » haï de Buchanan, mourut en prison, opportunément, le 8 juin ; Melville dit qu'il s'était suicidé « comme les anciens Romains », mais Marie Stuart fut toujours persuadée qu'on l'avait empoisonné. Kirkcaldy et son frère furent livrés à Morton et pendus à la Croix d'Édimbourg au milieu des vociférations de la foule et des imprécations des pasteurs. Élisabeth affecta de se montrer scandalisée de cette barbarie : elle avait volontiers de ces remords, une fois l'acte accompli.

Pour la prisonnière de Sheffield, c'était la fin de toute illusion. Il n'y avait plus en Écosse, malgré qu'elle en eût, que le roi Jacques VI et la poigne de fer du régent Morton. Le règne de la reine Marie était bien terminé. Un long crépuscule commençait pour elle.

Les treize ou quatorze années qui restent à vivre à Marie Stuart à partir du moment où s'effondre son parti en Écosse ne seront pas, il s'en faut, vides d'événements. Ce sera au contraire une succession de complots, d'intrigues, de conspirations, dont l'issue, nous le savons, sera fatale. Mais ce sera aussi une interminable série de jours de détention, avec toutes les mesquineries et les misères, grandes ou petites, qu'entraîne l'état de prisonnière, fût-elle royale. Le moment est venu pour nous d'évoquer les conditions de cette vie captive, sur lesquelles nous possédons d'abondantes informations par les correspondances de Marie elle-même et par celles de ses geôliers successifs.

Une remarque, tout d'abord : les événements politiques ne cessent jamais, tout au long des dix-neuf ans que Marie Stuart passe en Angleterre, d'influer sur son mode d'existence. Selon les cas, la garde se fait plus ou moins discrète, le confort matériel plus ou moins acceptable, le ton des relations avec Élisabeth plus ou moins âpre. Il ne faut pas s'imaginer la reine en prison comme recluse dans un cachot ou dans une tour médiévale. La plupart du temps, elle est simplement en résidence surveillée dans un château, autorisée à se promener, à chevaucher et chasser dans la campagne environnante, voire à soigner sa santé dans une station thermale. Aux moments de crise (par exemple après le complot de Ridolfi, ou après celui de Throckmorton qui sera relaté plus loin, ou bien entendu dans les mois précédant le drame final), la captivité devient plus sévère ; mais, sauf dans les dernières semaines, Marie est toujours traitée avec les honneurs dus à une souveraine. Elle a une sorte de trône sur une estrade, surmonté d'un dais, où elle reçoit ses visiteurs. Elle entretient à Paris, occasionnellement à Rome et à Madrid, un ambassadeur qui jouit du statut diplomatique. La fiction d'une reine régnante est maintenue, avec des nuances selon la conjoncture, presque jusqu'à la fin.

Les lieux de détention varient, eux aussi. Les conditions de vie du XVIe siècle expliquent en partie les innombrables et incessants déplacements d'un château à l'autre. Toutes les cours de l'époque sont itinérantes, par la force des choses. Il n'y a ni eau courante ni commodités nulle part ; après quelques semaines ou quelques mois, le séjour devient intenable dans ces demeures, surtout en hiver quand on ne peut pas aérer en permanence. Il faut alors se transférer ailleurs, pour procéder au grand nettoyage.

Il serait sans intérêt pour nous d'énumérer ici toutes les résidences successives de Marie Stuart en Angleterre. Elles ont été souvent étudiées, et son emploi du temps a été retracé, presque mois par mois, notamment par John Daniel Leader en 1880 et Michael Shoemaker en 1902. Rappelons seulement qu'après son arrivée elle avait été tout d'abord logée au château de Carlisle, puis à Bolton (où elle se trouvait pendant que se déroulait la conférence d'York d'où son sort allait dépendre) ; puis à Tutbury et à Wingfield. Au moment de la Rébellion du Nord on l'avait transférée d'urgence à Coventry, pour la mettre hors d'atteinte de ses partisans désireux de la libérer. Puis la situation se stabilisant, elle s'était finalement fixée, d'abord à Chatsworth, puis à Sheffield.

Sheffield devait être le lieu où elle résiderait le plus longtemps, de façon presque continue, de 1570 à 1584. Elle y habitait alternativement le château proprement dit, grande forteresse médiévale aujourd'hui détruite, et la « Manor House », résidence plus petite mais plus confortable. L'un et l'autre étaient la propriété du comte de Shrewsbury, auquel, en somme, Élisabeth confiait la charge de garder la captive plus ou moins à ses frais *. La campagne permettait de longues promenades et chevauchées, indispensables à cette passionnée de grand air qu'était Marie Stuart.

Georges Talbot, comte de Shrewsbury, devait donc jouer, à son corps défendant, un rôle de premier plan dans la vie de la reine d'Écosse. Elle aurait pu tomber plus mal. C'était un grand seigneur d'une scrupuleuse honnêteté, un peu maussade et pointilleux, mais non insensible au prestige et aux malheurs de sa captive. Protestant sincère, il n'était pas aussi intransigeant et intolérant que beaucoup d'autres — Paulet, par exem-

* Il touchait une indemnité de 52 livres par semaine, réduite par la suite à 30 livres. C'était très inférieur à la dépense réelle, et il y était largement de sa poche. Ce n'était pas la moindre cause de mécontentement de sa femme.

ple, ou Walsingham. Pendant toutes les années où il eut la responsabilité de Marie Stuart, elle n'eut jamais rien à lui reprocher personnellement ; elle ne manqua jamais, au contraire, l'occasion de lui rendre hommage en termes élogieux.

Malheureusement, il était doté d'une épouse exceptionnellement insupportable, et la cohabitation forcée des deux femmes, la reine captive et la maîtresse du domaine, devait être pour l'une et pour l'autre une source de conflits permanents. Lady Shrewsbury n'en était pas, tant s'en faut, à son premier mari : elle en avait déjà enterré trois (elle avait quarante-neuf ans en 1570, et Lord Shrewsbury quarante et un), et elle était pourvue de plusieurs enfants de ses lits successifs, avec toutes les tensions familiales qu'on peut facilement imaginer en conséquence.

« Bess de Hardwick » (tel était son nom de jeune fille, et telle elle est restée connue dans l'histoire) avait le génie de l'intrigue et de la médisance. C'était le genre de femmes dont on dit familièrement qu'elles feraient se battre les montagnes. Ambitieuse, agitée, la résidence forcée à Sheffield lui était aussi insupportable qu'à Marie Stuart elle-même. Elle y employait son temps à répandre des cancans, à inventer des histoires ; Marie n'eut pas d'ennemie plus perfide qu'elle ni surtout plus vigilante. Entre femmes, il était beaucoup de choses qu'elles ne pouvaient se dissimuler l'une à l'autre ; au cours des longues soirées d'hiver, Lady Shrewsbury bavardait, Marie aussi, imprudemment. La comtesse avait une langue de vipère ; personne n'échappait à ses commentaires, même pas la reine Élisabeth, sur laquelle elle racontait des anecdotes scandaleuses, que Marie engrangeait soigneusement. On se figure aisément dans quelle atmosphère devait vivre le pauvre Lord Shrewsbury, pris entre ces deux femmes qui se détestaient mais qui, par la force des choses, devaient coexister en état permanent de paix armée.

Matériellement, Marie Stuart aurait dû être à l'abri du besoin. Elle jouissait, en théorie, des revenus de ses domaines français en tant que reine douairière ; mais nous savons que la guerre civile, sans cesse renaissante entre catholiques et protestants, rendait souvent aléatoire la perception de ces revenus. A plusieurs reprises, Charles IX puis Henri III proposèrent ou plutôt imposèrent à leur ex-belle-sœur des échanges de terres qui étaient rarement à son avantage. Avec la distance et l'impossibilité où elle était de se déplacer personnellement, elle était à la merci de ses agents, dont l'honnêteté était souvent sujette à caution. Ses lettres, d'année en année, sont pleines de récriminations pour la lenteur de l'acheminement de son argent, pour les inexactitudes constatées ou soupçonnées dans les comptes qui lui sont rendus. À maintes reprises, elle se dit à bout de ressources, dans l'impossibilité de payer ses serviteurs ; c'est comme un leitmotiv qui revient sans cesse dans sa correspondance.

Il est vrai que son train de vie n'était pas modeste. En dehors des périodes où, pour des raisons politiques, Élisabeth l'obligeait à restreindre le nombre de ses suivants et suivantes (pour diminuer les risques de correspondances clandestines), elle était entourée d'une véritable Cour, qu'elle entretenait à ses frais : une trentaine de personnes, femmes de chambre, cuisiniers, cochers et valets d'écurie, apothicaires, médecins, secrétaires, et bien entendu les demoiselles d'honneur sans lesquelles ne saurait se concevoir la vie d'une princesse au XVIe siècle. On retrouve, parmi cette « maison », les noms de plusieurs familiers qui l'entouraient déjà en Écosse : Lord et Lady Livingston, Marie Seton, Bastien Page et aussi Guillaume Douglas, ce jeune homme qui l'avait aidée à s'échapper de Lochleven, Jean et André Beaton, frères de l'archevêque. Preuve supplémentaire qu'Élisabeth, malgré son hostilité, continuait, au moins en apparence, à traiter sa cousine en reine.

Outre la charge financière des gages de ses serviteurs, Marie Stuart devait payer, plus ou moins régulièrement il est vrai, les pensions de ses agents diplomatiques à l'étranger, voire, jusqu'en 1573, les aides qu'elle faisait passer à ses partisans en Écosse pour y entretenir la guerre civile. Tout cela était fort lourd, même pour une reine douairière de France, d'autant plus qu'elle ne négligeait pas son propre confort et même son propre luxe. Elle était restée coquette, se préoccupait de suivre la dernière mode de France. Elle prie Beaton de lui envoyer de Paris « des patrons d'habits, des échantillons de drap d'or, d'argent et de soie, les plus jolis et rares que l'on porte à la Cour [...] et recouvrer d'Italie des plus nouvelles façons de coiffures et voiles et rubans avec or et argent ». Son décor de vie ne lui était pas davantage indifférent ; elle commande (en grand secret, on se demande pourquoi) « six grands chandeliers de salle, des plus grands, beaux, riches et mieux faits que vous pourrez [12] ». Tout cela ne contribuait pas à rétablir l'équilibre de son budget : l'archevêque Beaton lui-même, malgré la faiblesse de ses ressources personnelles (son diocèse de Glasgow était bien entendu sous séquestre), dut à plusieurs reprises lui faire des avances sur sa propre bourse, ce qu'il n'appréciait nullement : on le comprend.

À quoi la captive occupait-elle son temps ? Quand elle le pouvait, elle sortait dans le parc ou dans les environs. C'était son divertissement favori ; mais il arrivait souvent que cela lui fût interdit, par mesure de sécurité, ou peut-être tout simplement par rétorsion lorsque l'une ou l'autre de ses intrigues venait à être révélée. Elle aimait les animaux. Beaton lui faisait parvenir des tourterelles, des « poules de Barbarie » (pintades), des petits chiens « dans des petits paniers, bien chaudement ». Elle-même élève des chiens de chasse, dont elle envoie des chiots à l'ambassadeur de France à l'intention d'Henri III. « Ce sont des passe-temps de prisonnière », écrit-elle mélancoliquement.

L'hiver, elle brodait, comme toute femme de son temps. C'était une occupation à laquelle elle se livrait déjà en Écosse, et où semble-t-il, elle excellait. L'approvisionnement en fil et autres matériaux tient beaucoup de place dans sa correspondance. La Mothe-Fénelon est prié de hâter l'envoi de « huit aunes de satin incarnat, de la couleur de l'échantillon de soie que je vous envoie, le mieux choisi que vous pourrez trouver dans Londres, et une livre du plus délié et double fil d'argent que vous pourrez faire tramer [...]. Si je ne l'ai bientôt je chômerai[13] ». Des panneaux, des ceintures, des coussins avec « devises » sont ainsi réalisés, dont certains sont offerts en cadeau à Lady Shrewsbury, d'autres à Élisabeth — pathétiques tentatives pour se concilier ces deux puissances dont dépend son sort. En mai 1574, Élisabeth a manifesté du plaisir d'un ouvrage en fil d'argent brodé par sa cousine ; elle reçoit aussitôt une lettre débordante de joie : « Je m'estimerai heureuse quand il vous plaira trouver bon que je me mette en devoir par tous moyens de recouvrer quelque part en votre bonne grâce[14]. » Hélas, il fallait autre chose que des travaux d'aiguille pour attendrir le cœur d'Élisabeth Tudor !

Plusieurs de ces ouvrages de dame, œuvres supposées des doigts de Marie Stuart, sont aujourd'hui conservés dans des musées ou dans des collections privées d'Angleterre. Leur authenticité n'est pas toujours au-dessus de tout soupçon, mais au moins le grand panneau du château d'Oxburgh Hall, dans le comté de Norfolk, semble bien être effectivement sorti des mains de la reine d'Écosse, avec ses emblèmes allégoriques dont plusieurs évoquent la France des Valois, croissant de lune, salamandre, roue de Fortune, corne d'abondance, phénix, lionne et lionceau, pélican, licorne, et la devise destinée à devenir si célèbre, « En ma fin est mon commencement[15] ». Ce sont des broderies d'une extrême finesse et dignes d'un artiste professionnel.

Tout cela, pour une femme jeune encore et vigoureuse, éprise de sport et d'exercice physique, n'était pas très épanouissant. Aussi la santé de Marie Stuart devint-elle rapidement un sujet de préoccupation pour elle et pour son entourage. Déjà en Écosse, elle était sujette à des crises (notamment sa célèbre douleur au côté, qui survenait régulièrement dans les moments de grande tension ou de grande contrariété) qui prenaient parfois, comme à Jedburgh en octobre 1566, une tournure dramatique. À partir de sa captivité en Angleterre, ces crises se font plus fréquentes et plus longues.

Parmi les malaises dont les lettres de Marie se font régulièrement l'écho, certains sont indubitablement d'ordre rhumatismal. Le climat anglais, l'inconfort des châteaux mal chauffés — surtout celui de Tutbury, redoutable par ses courants d'air et ses cloisons mal jointes — suffisent à expliquer cette maladie. Les « catarrhes » que cite souvent la captive sont peut-être tout simplement des fluxions ou des enflures arthritiques. S'y ajoutent, à l'occasion, des troubles gastriques (qu'elle serait tentée parfois de prendre pour des tentatives d'empoisonnement si elle n'avait toute confiance dans l'honnêteté de Lord Shrewsbury), des fièvres tierces ou quartes, des maux de tête. Certains jours, quand elle apprenait de mauvaises nouvelles, elle pleurait des heures entières, sans pouvoir s'arrêter. Et toujours le point de côté, récurrent dans les moments de crise. En février 1581, elle se juge elle-même « quasi à l'extrémité ». En novembre 1582, elle est aussi malade qu'à Jedburgh seize ans plus tôt. Ce mauvais état de santé frappait ses visiteurs comme son entourage : vers 1580, elle s'est empâtée, elle boite par intermittence, elle se plaint de douleurs au bras, elle a peine à tenir la plume. Elle se bourre aussi de médicaments, qui achèvent de la délabrer.

Les médecins modernes ont tenté d'évaluer tous ces symptômes et d'en tirer un diagnostic[16]. On a parlé d'ulcère d'estomac, de goutte, de calculs rénaux, surtout de porphyrie, maladie héréditaire (dont son père Jacques V aurait été atteint avant elle et son fils Jacques VI après elle) caractérisée, outre les urines rouges qui lui donnent son nom, par des douleurs abdominales, des maux de tête et des crises de dépression. Il est certain, en tout cas, que les malaises de Marie Stuart revêtaient un fort caractère psychosomatique ; ils coïncident toujours avec des périodes de vive contrariété ou de vive angoisse, par exemple à l'époque de son mariage avec Darnley ou de la conférence d'York. Par ailleurs, comme tous les prisonniers, elle s'occupait beaucoup d'elle-même ; ses lettres sont pleines d'allusions à sa mauvaise santé et de plaintes contre les conditions de sa détention. Elle parle souvent de la mort comme d'une délivrance, sans qu'il faille nécessairement prendre toutes ces déclarations très au sérieux.

Dans cette atmosphère confinée, physiquement et moralement, les moindres choses prennent de l'importance. Lorsque le secrétaire français de Marie mourut de tuberculose en août 1574, il fallut le remplacer par un homme de confiance : ce fut Claude Nau — celui-là même qui devait, plus tard, rédiger le livre de mémoires que nous avons souvent cité dans les chapitres précédents —, ancien secrétaire du cardinal de Lorraine et envoyé par celui-ci à sa nièce. Après un an de séjour à Sheffield, Nau confiait à Beaton sa mélancolie : « Notre prison ici est plus étroite et ennuyeuse que n'étaient les maréchaux en la Bastille. N'était l'obligation que j'ai à la mémoire de feu Monsieur le Cardinal, mon bon maître *, je souhaiterais volontiers le recouvrement de ma liberté, sans m'embrouiller davantage [17]. »

Marie elle-même était parfois excédée de ce monde carcéral, où fleurissaient intrigues et brouilleries domestiques. « Il est besoin de gens patients et paisibles, entre prisonniers qui n'ont pas toutes leurs commodités à souhait », écrit-elle le 18 juillet 1574. Les querelles de personnes prenaient une importance démesurée. « Vous ne croiriez l'audace de cette canaille (le cuisinier et sa femme) et les bravades qu'ils m'ont faites » (15 septembre 1578) [18].

Le pis fut lorsque la comtesse de Shrewsbury, cette mégère, se mit en tête en 1584 d'accuser son mari de relations coupables avec la reine captive. Celle-ci faillit devenir folle de colère ; elle inonda tous ses correspondants de lettres furieuses, exigeant rétractation et réparation. Comme Élisabeth ne semblait pas prendre l'affaire très au sérieux, Marie chargea Mauvissière de la menacer de mesures de rétorsion : « Je ressens au plus profond de mon cœur malcontentement du tort et irréparable injure qui me sont faits en cet endroit [...]. Je crierai si haut en cette maison que le bruit en ira loin, et je ne me pense pas si dénuée d'amis en la chrétienté qu'ils ne se mettent en devoir de me défendre [19]. »

Bientôt, pour soulager sa bile, Marie Stuart rédigea à l'intention de sa cousine une lettre étonnante où, sous prétexte de lui répéter les calomnies proférées contre elle par la Shrewsbury, elle lui « envoyait son paquet »

* Le cardinal de Lorraine était mort le 26 décembre 1574.

— pour employer une expression imagée, bien appropriée ici — en termes dépourvus d'équivoque : « La comtesse de Shrewsbury m'a dit que quelqu'un * avait couché infinies fois avec vous, avec toute la licence et privauté qui se peut user entre mari et femme, mais que vous n'étiez pas faite comme les autres femmes, et pour ce respect (pour cette raison) c'était folie à tous ceux qui affectaient votre mariage avec M. le duc d'Anjou [...] et que vous ne voudriez jamais perdre la liberté de vous faire faire l'amour et avoir votre plaisir avec nouveaux amoureux [...]. Elle dit aussi que vous étiez si vaine de votre beauté, comme si vous étiez quelque déesse du ciel, que vous preniez grand plaisir en flatteries hors de toute occasion, comme de dire qu'on ne vous osait regarder à plein, d'autant que votre face luisait comme le soleil[20]. »

Il est peu probable que cette lettre fut jamais envoyée. Marie la garda, apparemment, dans son coffret, où elle fut retrouvée lorsque l'ensemble de ses papiers fut saisi, au moment du complot de Babington. Mais on imagine combien elle dut se sentir soulagée de l'avoir écrite, d'avoir osé mettre noir sur blanc tout ce qu'elle avait sur le cœur depuis tant d'années à l'égard de cette cousine détestée. C'est un des documents les plus humains qui soient sortis de sa plume ; comme par hasard, c'est aussi un de ceux dont le style est le plus vivant : une pièce d'anthologie.

Élisabeth, d'ailleurs, finit par s'émouvoir des intrigues de Lady Shrewsbury, la convoqua à la Cour et l'obligea à reconnaître, à genoux et publiquement, que les bruits qu'elle faisait courir sur son mari et sur la reine d'Écosse étaient calomnieux et sans fondement. Marie avait satisfaction. Mais c'était l'époque où les complots espagnols donnaient au gouvernement anglais d'autres soucis que les intempérances de langage de la comtesse. Il n'était plus possible de laisser Marie à Sheffield, où elle avait trop de facilités pour intriguer à l'extérieur. Le comte de Shrewsbury fut

* Leicester, évidemment.

relevé de ses fonctions, à sa grande satisfaction. Il ne devait revoir sa prisonnière que comme accusée et condamnée à mort *.

Tant qu'elle fut à Sheffield avec Shrewsbury, pendant ce qu'on pourrait appeler, en forçant quelque peu la note, les « belles années » de sa captivité, Marie Stuart bénéficia donc de conditions matérielles de détention non seulement décentes, mais par certains côtés confortables.

En particulier, malgré les soupçons du gouvernement anglais, il lui était accordé de temps à autre de recevoir des visites de nobles du voisinage, avec qui elle pouvait faire de la musique, se promener, voire danser (divertissement qu'elle prisait fort depuis sa jeunesse). Il ne faut pas oublier qu'elle était toujours la plus proche parente d'Élisabeth et qu'au cas où celle-ci serait venue à disparaître, par maladie ou accident, elle était son héritière la plus probable et la plus naturelle. Personne, dans ces conditions, n'osait se mettre délibérément dans ses mauvaises grâces : ni Shrewsbury, ni même Cecil. Qui pouvait savoir si, du jour au lendemain, la captive de Sheffield ne se retrouverait pas reine à Westminster ? Il était de l'intérêt de tous de rendre aussi tolérables que possible à la reine d'Écosse les conditions de sa détention. Sans doute aussi Lady Shrewsbury, qui n'avait aucun goût pour la vie recluse et pour les privations, poussait-elle en ce sens.

Une de ces éclaircies dans la vie monotone des prisonniers de Sheffield était le séjour d'été, presque annuel, qu'ils faisaient, à partir de 1573, aux eaux de Buxton. C'était la station thermale à la mode, efficace surtout, disait-on, pour les rhumatismes : ce qui explique la vogue dont elle jouissait, dans cette Angleterre du XVIe siècle où l'arthritisme était le mal chronique de presque tout le monde.

À Buxton, Marie et sa suite logeaient dans un pavillon construit à leur intention. Elle y rencontrait de nombreux nobles ; même, une année, Lord Burghley —

* Sur le départ de Marie de Sheffield, voir chapitre suivant, p. 461.

Guillaume Cecil — en personne, et une autre fois le comte de Leicester. L'un et l'autre se montrèrent courtois et empressés, trop heureux sans doute de cette occasion de faire leur cour à une possible future souveraine. (Marie s'amusa fort des indiscrétions de Leicester — volontaires ou involontaires, qui peut le dire ? « On pense qu'il a épousé secrètement cette reine [Élisabeth], et lui-même en parle un peu plus librement qu'il ne lui serait par aventure (sans doute) profitable. ») Élisabeth, quand elle apprit ces rencontres, s'en montra fort alarmée et irritée, mais elle n'osa pas, jusqu'à 1584, interdire ces cures à Buxton. Leur suppression devait être, pour la reine captive, un regret amer, prélude à bien d'autres épreuves.

Autre distraction pour Marie : les petites affaires sentimentales de son entourage. Ses serviteurs se mariaient volontiers entre eux, et elle devenait marraine de leurs enfants, les comblant de petits cadeaux. Elle était de nature affectueuse et généreuse, à l'inverse de sa cousine Tudor. Lorsque André Beaton, son chambellan, tomba amoureux de Marie Seton, elle usa de tout son pouvoir pour décider la jeune femme, qui ne voulait pas se marier ; l'union finalement ne se fit pas, car André Beaton mourut prématurément, mais cette intrigue sentimentale avait occupé le petit monde de Sheffield pendant de longs mois.

En revanche, un mariage se réalisa, qui devait avoir des conséquences imprévues à long terme. Lady Shrewsbury, nous l'avons dit, avait plusieurs enfants de ses premiers mariages ; une de ses filles, Élisabeth Cavendish, épousa Charles Stuart Darnley, le jeune frère du malheureux Henri Darnley, donc proche cousin de la reine d'Angleterre autant que de celle d'Écosse*. L'union avait été préparée par ces maîtresses ès-intrigues qu'étaient les deux mères, Lady Shrewsbury d'un côté, Lady Lennox de l'autre. Élisabeth, quand elle l'apprit, éclata d'une des colères dont elle était coutumière en pareil cas. Les deux comtesses se retrouvèrent en prison pour un temps ; mais un enfant devait naître,

* Voir tableau généalogique.

une petite fille qu'on prénomma Arabella, et qui devait bientôt devenir orpheline. Lady Shrewsbury la prit avec elle pour l'élever à Sheffield, et Marie Stuart se prit pour elle d'une affection presque maternelle. La présence de l'enfant fut pour Marie une source de joies inespérées jusqu'au jour où elle lui fut enlevée, à l'âge de dix ans, à la suite de la rupture provoquée par les calomnies de sa grand-mère contre la reine captive. (Arabella, dans les veines de qui coulait le sang des Stuart et des Tudor, devait avoir une triste destinée : impliquée malgré elle dans un complot contre Jacques Ier, mariée clandestinement à un autre prétendant au trône, elle mourut folle en prison en 1615. Il n'était pas bon, en ce temps, de naître trop près du trône...)

Ainsi s'écoulaient, partagés entre les travaux d'aiguille, les soins médicaux, les intrigues domestiques et les rires d'une petite fille, les jours de captivité.

Un portrait, réalisé en 1577 par un peintre dont nous ignorons le nom, nous montre Marie Stuart, âgée de trente-cinq ans. C'est une femme approchant de la maturité, avec un soupçon de double menton, sévèrement vêtue de noir, mais elle a conservé son teint clair, peut-être un peu cireux, et son regard velouté dans l'encadrement du col de dentelle empesée et de la coiffe de linon blanc. L'adolescente enchanteresse de Fontainebleau et de Saint-Germain n'est plus ; cependant la reine trois fois veuve * garde suffisamment de charme pour qu'on puisse s'expliquer les dévouements, et même les passions, qu'elle suscitera encore **.

On s'étonnera peut-être de ne pas voir figurer, au nombre des occupations de Marie Stuart prisonnière, les exercices de piété. Sa fidélité catholique est pourtant

* Bothwell est mort dans sa prison danoise en avril 1576.

** Il s'agit ici du célèbre portrait dit « portrait de Sheffield », qu'on peut dater avec vraisemblance, sinon avec certitude, par une note de Claude Nau du 31 août 1577[21]. L'original était sans doute de dimensions modestes, vu les conditions semi-clandestines où il fut peint. Il en existe de nombreuses versions, sans que nous puissions savoir si l'une ou l'autre est l'original, ou si ce sont toutes des copies ou des copies de copies. Elles se ressemblent d'ailleurs toutes de façon frappante. On l'attribue parfois au célèbre portraitiste Nicolas Hilliard, ou à P. Oudry, mais peut-être ne sont-ce que des copistes.

connue, hors de doute, et maintes fois affirmée par elle-même. Mais Élisabeth ne lui permettait pas d'avoir un chapelain (c'était l'une de ses revendications fréquemment répétée). Quand elle recevait un prêtre, c'était en cachette, grâce à un déguisement. Dans ses lettres écrites à Sheffield, la religion tient peu de place. C'est plus tard, au moment des épreuves finales, que sa foi s'épanouira et deviendra vraiment le soutien de sa vie. Jusque-là, l'essentiel de son activité restera consacré à la politique, à son rêve de restauration sur le trône d'Écosse, à ses correspondances officielles ou clandestines avec les Cours d'Europe. Ce sont ces jeux dangereux qu'il nous faut maintenant évoquer.

CHAPITRE XX

« Comme fils dénaturé, ingrat et perfide... »

Avec la chute du château d'Édimbourg et la disparition de Maitland et Kirkcaldy de Grange, tout espoir de restauration sur le trône d'Écosse devenait interdit à Marie Stuart dans un avenir prévisible.

Non que ses partisans eussent tous déserté sa cause : les comtes d'Argyll et d'Atholl, Lord Herries, Lord Seton, d'autres encore, resteront longtemps marianistes de cœur ; mais ils ne constituent plus une force armée. Plus tard, ils tenteront de revenir au pouvoir dans l'entourage du jeune Jacques VI, et ils y réussiront à diverses reprises. Cependant Jacques VI est roi, incontesté. Affirmer, comme ne cessera de le faire sa mère, qu'il est un usurpateur, n'est pas réaliste : le principe de légitimité, en cette occurrence comme en beaucoup d'autres, ne pèse pas lourd à côté des faits. On peut dire que, vers 1575, un consensus (pour employer un mot d'aujourd'hui) s'est réalisé autour du jeune roi, sinon du régent Morton. C'est une donnée dont Marie Stuart ne prendra jamais conscience.

Le rôle politique virtuel de l'ancienne reine n'est pourtant pas terminé pour autant ; mais c'est surtout en Angleterre, plus qu'en Écosse, qu'elle pense avoir maintenant ses chances.

La situation interne de l'Angleterre est, évidemment, liée à celle de l'Europe. Comme toujours, depuis le début des guerres de Religion vers 1560, c'est la grande opposition des catholiques et des protestants qui domine la scène. Les historiens modernes ont souvent tendance à estomper l'importance de l'élément proprement religieux dans le grand conflit européen, et à insister au contraire sur les causes économiques et sociales, sur les rivalités d'États, sur les ambitions dynastiques. Il y a certes du vrai dans ces analyses. La guerre franco espagnole existait bien avant la naissance du protestantisme, et elle durera bien après que le catholicisme aura triomphé dans les deux pays. La révolte des Pays-Bas contre l'Espagne ne saurait s'expliquer sans faire intervenir un sentiment « national » avant la lettre. Les poussées démographiques jouent également leur rôle. Mais, en ce siècle où la foi chrétienne était vive, l'immense force des passions religieuses ne doit pas être minimisée. La haine profonde, viscérale, qu'éprouvaient par exemple les Espagnols pour toute déviance théologique, n'avait d'égale que l'horreur qu'inspirait aux calvinistes l' « idolâtrie » papiste.

Dans ce contexte, le sort des minorités religieuses — qu'il s'agisse des protestants en Espagne ou des catholiques en Angleterre — était difficilement concevable dans la paix et la sérénité. Tous ceux, et toutes celles, qui ont tenté alors de réaliser une coexistence pacifique ont échoué : Catherine de Médicis en France, comme Élisabeth en Angleterre, comme Marie Stuart en Écosse.

Élisabeth était tout sauf fanatique. Pour autant que nous puissions le savoir, elle était, personnellement, assez indifférente en matière de foi. Sa tendance naturelle la portait plutôt vers une sorte de catholicisme national — elle aimait les belles cérémonies, la pompe liturgique, le décorum — ; mais la condamnation au feu des hérétiques, telle que l'avait pratiquée sa sœur Marie Tudor, lui était sincèrement odieuse. Les conditions de sa naissance, la maladresse de Marie Stuart qui avait mis en cause sa légitimité, la rejetaient bon gré mal gré vers le protestantisme. À mesure que les années passaient, la nouvelle religion s'implantait en profondeur dans le pays. Les principaux conseillers et ministres d'Élisabeth, Guillaume Cecil en tête, Leicester aussi, Walsingham surtout à partir de 1573, étaient résolument protestants. Vers 1575-1580, le triomphe de la foi réformée apparaît définitif en Angleterre.

Ce triomphe aurait-il pu s'accommoder d'une liberté laissée aux catholiques de continuer à pratiquer leur religion ? Il faudrait beaucoup de naïveté pour le croire. Ni les uns ni les autres n'étaient disposés à supporter le voisinage des « hérétiques » ou des « idolâtres ». Le serment de Suprématie (la reconnaissance de la reine comme chef suprême de l'Église d'Angleterre), imposé par le Parlement en 1559, constituait, de toute façon, un obstacle insurmontable pour les catholiques. Au début de son règne, Élisabeth se vantait volontiers que ses sujets catholiques fussent aussi loyaux que les protestants * ; à partir de la Rébellion du Nord et de l'excommunication fulminée par Pie V en 1570, il n'en allait plus de même, quel que fût le désir de la souveraine d'éviter les mesures extrêmes.

Il serait sans doute exagéré de supposer que, vers la fin des années 1570, tous les catholiques anglais fussent devenus des opposants à la reine protestante ; plus encore, de les accuser de collusion avec l'Espagne. Cependant, le complot de Ridolfi montre que, dès 1572, certains nobles catholiques n'hésitaient pas à tourner leurs regards vers le roi de l'Escurial comme vers un possible recours.

Philippe II, quant à lui, n'éprouvait au départ nul enthousiasme pour une telle intervention dans l'île britannique. L'interminable révolte des Pays-Bas contre son autorité et sa religion suffisait à nourrir ses soucis et mobiliser ses ressources. Mais beaucoup d'éléments jouaient, malgré lui et malgré Élisabeth, pour pousser à l'affrontement des deux pays : le fanatisme protestant des uns, catholique des autres ; les orgueils nationaux exacerbés ; la rivalité économique pour l'exploitation

* On cite l'anecdote d'un prêtre catholique qui, au passage de son carrosse, cria « Vivat Regina ! Honni soit qui mal y pense ! », ce dont elle fut si enchantée qu'elle le signala à l'ambassadeur d'Espagne. « Je n'ai pas l'intention d'ouvrir des fenêtres pour regarder dans le cœur de mes sujets », dit-elle un jour. Catherine de Médicis pensait de même.

des richesses d'Amérique — les corsaires anglais ne cessaient de piller les galions espagnols chargés d'or, et poussaient même l'audace jusqu'à débarquer en territoire hispanique : l'expédition de Francis Drake, qui osa prendre à revers le Pérou en 1578 et revint par le cap de Bonne-Espérance, eut un retentissement inouï.

Une alliance franco-anglaise contre l'Espagne s'esquissait même, avec un projet de mariage entre Élisabeth et le frère cadet d'Henri III François d'Alençon *, assorti d'un plan d'intervention commune aux Pays-Bas. Alençon vint à Londres en 1579 pour faire connaissance de sa « fiancée » (il avait vingt-cinq ans et elle quarante-six, mais ce détail semblait négligeable à l'époque), et en repartit lesté de promesses flatteuses.

Toutes ces raisons contribuaient à rendre inévitable, aux yeux de beaucoup, une opération espagnole contre l'Angleterre. Pour un nombre croissant de sujets de Philippe II, le royaume d'Élisabeth apparaissait comme le réservoir inépuisable de l'hérésie, l'allié des rebelles des Pays-Bas, le tombeau de la vraie foi. Des appels parvenaient de fidèles persécutés ; le Vatican poussait à l'intervention. Mais Philippe le Prudent était l'homme du monde le plus lent à prendre une décision.

Dans les plans espagnols, Marie Stuart tenait un rôle central. Elle offrait la solution au problème du remplacement de la reine Tudor hérétique, une fois le débarquement réussi et l'insurrection catholique maîtresse du terrain. Mieux : sa libération constituait à la fois un but de guerre immédiat et un prétexte honorable d'intervention. Vers 1580, personne dans l'Europe catholique ne songeait plus à la mort de Darnley ni au scandaleux mariage de Bothwell qui, quinze ans plus tôt, avaient tant choqué les amis de la reine d'Écosse. Elle n'était plus que la princesse captive, la victime de la perfidie hérétique, l'héroïne de la foi. Déjà au temps de Ridolfi et de Norfolk le schéma était discernable. Désormais, le débarquement espagnol et la libération armée de Marie

* François d'Alençon devint en mai 1576 duc d'Anjou, titre porté antérieurement par son frère Henri III avant son accession au trône. Par souci de clarté nous continuerons à le nommer ici Alençon.

Stuart constitueront les deux faces, inséparables, de tous les complots qui s'échelonneront jusqu'à la mort de la prisonnière, et qui ne forment en réalité que la reprise infatigable d'un même projet : ce qu'on nomme, dans le langage diplomatique d'alors, l' « Entreprise ».

C'est une question fondamentale, pour la suite des événements, que de savoir dans quelle mesure Marie elle-même était au courant de ces projets, et dans quelle mesure elle y participait. Ses correspondants habituels, certes, l'en informaient pour autant qu'ils les connaissaient, mais ce n'était pas toujours le cas, loin de là. De nombreuses lettres d'elle montrent son irritation d'être tenue dans l'ignorance de beaucoup de choses. Malgré tout le réseau de courriers clandestins que ses amis avaient réussi à établir pour elle, bien des contacts directs lui restaient interdits, notamment avec l'Espagne.

C'est en effet par l'ambassadeur de France à Londres que presque toutes les lettres « non officielles » transitaient. En provenance du continent, les correspondances arrivaient à l'ambassade par ce que nous appellerions aujourd'hui la valise diplomatique, puis elles étaient acheminées en secret à Sheffield par des serviteurs dûment gagnés, occasionnellement par des visiteurs admis à rencontrer Marie (entre 1575 et 1580 environ, la sévérité de sa détention a tendance à s'adoucir quelque peu). Les mêmes circuits compliqués permettaient d'acheminer, dans l'autre sens, les lettres écrites par la royale prisonnière ou par ses secrétaires : Gilbert Curle pour les lettres en anglais, Claude Nau pour les lettres en français. Tout un système de chiffres était périodiquement élaboré, auquel elle prenait un plaisir extrême. Elle goûtait cet aspect clandestin et romanesque des choses. On écrivait à l'encre sympathique entre les lignes de certains livres soigneusement signalés, ou sur certaines pièces de lingerie ; on cachait des lettres dans la double semelle des chaussures. Telle des lettres de Marie Stuart — celle du 31 janvier 1586, par exemple — constitue, non sans naïveté et surtout sans imprudence, un véritable petit manuel du parfait agent secret[1].

Par ces moyens, Marie correspondait, plus ou moins

régulièrement, avec son ambassadeur à Paris, le fidèle archevêque Beaton, plus rarement avec Henri III, avec le duc de Guise, avec le pape. C'était assez pour que ces lettres, si elles venaient à être connues, fussent gravement compromettantes pour elle ; pas assez, cependant, pour qu'elles nous permettent de savoir son degré exact de connaissance des intrigues hispano-catholiques destinées à la libérer et à l'installer sur le trône à la place d'Élisabeth.

C'est le cas, en particulier, d'un projet qui agita les chancelleries au cours des années 1573-1578 et qui était centré autour de Don Juan d'Autriche, le demi-frère de Philippe II *.

Don Juan était alors au sommet de sa gloire et de son prestige. Vainqueur des Turcs à Lépante et à Tunis, séduisant et charmeur au possible (il avait vingt-six ans en 1573), il souffrait de sa situation de bâtard royal — fils de Charles Quint et d'une lavandière allemande — et rêvait d'un trône. Ceux d'Écosse et d'Angleterre pouvaient échoir au futur mari de la reine Stuart s'il était assez fort pour les conquérir à la pointe de l'épée. C'était le genre d'entreprise qui avait tout pour tenter l'aventureux jeune homme. Son conseiller et ami Escobedo en parla au pape, qui fut enthousiasmé.

Philippe II le fut beaucoup moins. Il était jaloux de son trop brillant demi-frère, de ses succès militaires, de sa popularité. Il ne voulait à aucun prix lui voir ceindre une couronne qui eût fait de lui son égal. En outre, il cherchait plus, à ce stade, à calmer le jeu avec Élisabeth qu'à entrer en guerre contre elle. Il fit savoir que le plan de débarquement espagnol en Angleterre et de libération de Marie Stuart par la force des armes n'était pas d'actualité.

* Cette appellation « d'Autriche » se réfère au fait que Charles Quint, père de Don Juan et de Philippe II, appartenait à la dynastie de Habsbourg ou « Maison d'Autriche », laquelle régnait sur l'Espagne en vertu du mariage de l'héritière espagnole Jeanne la Folle avec l'archiduc autrichien Philippe le Beau en 1496. Don Juan, personnellement, n'avait aucun lien avec l'Autriche. On se rappelle que déjà en 1564, son nom avait été prononcé comme possible époux de Marie Stuart.

Pourtant, Don Juan ne renonçait pas. Par ses relations au Vatican, le projet s'ébruitait. En Angleterre, il soulevait l'enthousiasme des catholiques, l'inquiétude des protestants. Les catholiques du Yorkshire voyaient dans le ciel, au-dessus du château de Sheffield, une figure de lion terrassant un dragon avec les lettres M Q E, qu'ils s'empressaient d'interpréter comme signifiant *Mary Queen of England*[2].

Marie se laissait entraîner. Elle affirmait, à l'intention d'Élisabeth et de l'ambassadeur de France, qu'elle ignorait tout de l'affaire, ce qui signifie que ses correspondants habituels étaient réticents à son sujet, mais elle en savait beaucoup plus qu'elle ne voulait le dire, puisqu'elle exprimait au roi Philippe, dès novembre ou décembre 1571, son désir d'épouser Don Juan[3]. Elle avait soin cependant de le cacher soigneusement au roi de France et elle était décidée à tout nier si la chose venait à s'ébruiter : les contradictions, nous le savons, n'avaient rien pour l'effrayer.

Indéniablement, Don Juan était un candidat séduisant. Sans doute avait-il toutes les qualités d'un souverain. Par malheur pour lui, il n'avait pas les moyens personnels de mener à bien son entreprise anglaise, et son demi-frère était fort décidé à l'en empêcher. Le projet d'union Don Juan-Marie resta donc du domaine du rêve. Don Juan mourut, peut-être empoisonné, le 1er octobre 1578, âgé de trente et un ans. Ce devait être le dernier en date des « fiancés » de Marie Stuart. L'heure de l' « Entreprise » n'avait pas encore sonné*.

De façon assez imprévue, une autre perspective s'ouvrait à la même époque pour la reine captive ; et cette fois, ce n'était plus de l'Angleterre qu'il s'agissait, mais de l'Écosse, où des événements — peut-être liés

* Le romancier catholique anglais G. K. Chesterton a imaginé ce qui serait arrivé *Si Don Juan d'Autriche avait épousé Marie Stuart* (dans *If it had happened otherwise,* éd. par John Collings Squire, 1931). Il est toujours permis de réécrire l'histoire, quand c'est avec talent. Quant à savoir si l'Angleterre, à ce stade, pouvait encore être ramenée au catholicisme, il est permis pour le moins d'en douter.

au complot espagnol, mais nous n'en avons pas la preuve — se produisaient autour du jeune Jacques VI.

L'éducation austère que celui-ci avait reçue de Georges Buchanan faisait de lui un garçon renfermé, passablement pédant, émotif, rancunier. Les humiliations qu'il avait essuyées au cours de ses premières années lui avaient donné à la fois un grand pouvoir de dissimulation et un sens très aigu de sa dignité royale. Jamais il ne devait s'interroger sur la légitimité de son pouvoir ; pour lui, l'abdication de sa mère à Lochleven était parfaitement valable, et c'était bien lui qui était le roi d'Écosse. Elle, au contraire, refusa toujours de le considérer autrement que comme « le prince », son héritier. Ce malentendu, à l'expérience, devait se révéler incontournable et insoluble ; mais, vers 1580, alors que Jacques avait quatorze ans, on n'en était pas encore là.

Comme pour tout souverain au XVIe siècle, on se préoccupait fort, dans l'entourage du roi d'Écosse et dans les chancelleries européennes, de son futur mariage. Morton et Élisabeth voulaient bien entendu une princesse protestante (on parlait, en 1576, de Catherine de Bourbon, sœur du jeune roi de Navarre). Marie l'apprit et s'en indigna : « Ce projet ne m'est nullement agréable, et j'ai bien moyen de l'empêcher[4]. » Elle imaginait, pour sa part, de faire enlever le garçon pour l'arracher aux mains de Morton et le faire emmener en Espagne, où il serait remis dans la droite voie catholique avant d'y épouser une des infantes, filles de Philippe II — on était alors en plein rêve du mariage Marie-Don Juan, dont la captive ignorait, évidemment, combien Philippe y était hostile.

Simultanément, Marie Stuart évoquait avec ses correspondants la possibilité de faire transférer le « prince » en France. Elle insistait même sur l'urgence de la chose (lettre du 5 novembre 1577 à Beaton), car elle avait eu vent qu'Élisabeth cherchait de son côté à se le faire livrer pour l'élever en Angleterre[5].

Avec la force d'illusion qu'elle avait toujours possédée, la reine déchue était persuadée que le « pauvre petiot » ne songeait qu'à elle. « Mon fils se soumet entièrement en mon obéissance, et les seigneurs qui sont près de lui font état de dépendre directement de ma volonté, m'en ayant déjà donné assurance[6]. » Il lui faudra bien du temps pour comprendre qu'elle était loin de compte.

Cependant, des perspectives nouvelles s'ouvrent, à partir de 1580, à la suite de l'arrivée en Écosse d'un cousin de Jacques VI, membre d'une branche de la famille Stuart fixée de longue date en France, Esmé d'Aubigny. Aubigny, ambitieux, habile, séduisant, devient vite le favori du jeune souverain et prend sur lui une influence prépondérante. On le soupçonna d'être un agent des Guise, voire du pape. C'était peut-être le cas au début, mais ce ne le sera pas longtemps : bien vite, Aubigny (promu bientôt comte, puis duc de Lennox) ne roulera plus, comme on dit aujourd'hui, que pour lui-même. Après deux ans de lutte sourde, il réussit à éliminer Morton, qui est arrêté en plein Conseil, jugé et condamné à mort pour sa participation au meurtre de Darnley quatorze ans plus tôt. L'ex-régent est exécuté le 2 juin 1581. Marie exulte dans sa prison, tandis qu'Élisabeth écume de rage. Pour toute l'Europe, c'est le renversement de la politique écossaise qui s'annonce, et la fin de la tutelle anglaise sur le pays. Tous les espoirs sont permis à la prisonnière de Sheffield.

L'idée qui se fait jour alors, et dont nous ignorons l'origine exacte (Aubigny ? Marie elle-même ? ou quelque intermédiaire officieux ?) serait d' « associer » l'ancienne reine et son fils sur le trône d'Écosse, à égalité. Ce serait une façon élégante, en effet, de résoudre le conflit des deux légitimités antagonistes. Tout le monde y trouverait son avantage, même Élisabeth d'Angleterre puisqu'elle se trouverait enfin débarrassée de son encombrante captive. Cependant les arrière-pensées sont nombreuses, pour les uns comme pour les autres. Le gouvernement anglais n'acceptera de libérer Marie que si celle-ci donne des gages que son retour en Écosse n'entraînera pas un retour au catholicisme, à l'alliance française ou, pis, à l'alliance espagnole. Les Écossais de l'entourage de Jacques VI, Aubigny tout le premier, n'ont nullement l'intention de se sacrifier pour l'ancienne reine : ils ne lui feront place, à côté de son fils, qu'à condition d'être sûrs de rester au pouvoir. Quant à Marie, ses partenaires savent bien qu'elle jurera tout ce qu'on voudra, mais qu'au fond elle n'aura pour but que de reprendre toute l'autorité et gouverner à sa guise : « Ceux qui connaissent sa nature disent qu'elle a plus de désir de faire sa volonté que d'observer des accords », écrit crûment l'agent anglais Bowes à Walsingham[7].

Dès le début, en effet, la négociation achoppe sur une question de forme : jamais Marie n'acceptera de qualifier son fils de « roi d'Écosse » tant qu'elle ne lui aura pas elle-même « concédé » ce titre, à son heure et à ses conditions. Au contraire, les Écossais font de cette reconnaissance de la légitimité du roi Jacques un préalable à la discussion. L'affaire commence mal.

Mais la France, qui a tout intérêt à voir se conclure l'association, pousse à la roue et s'ingénie à aplanir les difficultés. « Ayant entendu que mon neveu, le prince votre fils, vous porte et rend toute l'amitié, honneur et reconnaissance qu'il vous doit, vous me permettrez de vous dire qu'il me semble que c'est à vous de le fortifier en cette dévotion [...], ce que vous ne pouvez mieux faire qu'en lui permettant, conjointement avec vous, de se faire appeler roi », suggère avec beaucoup de tact Henri III à Marie[8].

Au printemps de 1582, la négociation semble en bonne voie. Marie Stuart ne parle plus de faire enlever Jacques ni de le « réduire en mon obéissance », mais au contraire de « lui faire paraître l'affection que je lui ai toujours portée ». Elle affirme n'avoir plus aucune ambition personnelle, « étant si maladive et valétudinaire par le mauvais traitement que depuis treize ans j'ai reçu en cette prison, qu'à quelque prix que ce sera je suis en délibération d'en poursuivre et faciliter ma délivrance[9] ». Élisabeth, de son côté, semble tentée : elle adoucit la captivité de sa cousine, lui donne des permissions de promenade et d'exercice. Du coup, Marie écrit à son fils pour l'exhorter à aimer et respecter sa marraine « comme sa seconde mère ». Même le roi d'Espagne fait connaître son intérêt. Encore quelques mois, peut-être...

Ce serait compter sans les forces d'opposition qui sont à l'œuvre en Écosse : l'Église presbytérienne, les lords hostiles à Aubigny, et en Angleterre : Cecil, Walsingham, tous ceux qui redoutent plus que tout le retour des Français et du catholicisme au nord de la Tweed. Un complot est monté avec la bénédiction des Anglais et, le 22 août 1582, Jacques VI est fait prisonnier au château de Ruthven. Aubigny est obligé de quitter le pays (il mourra en France l'année suivante) et le parti calviniste triomphe à nouveau. Le jeune roi ne se libérera que dix mois plus tard, et désormais il mènera lui-même le jeu.

La discussion pour l'association de la mère et du fils reprend à l'automne de 1583, mais le cœur n'y est visiblement plus. Jacques VI choisit comme négociateur son nouveau favori, un jeune noble écossais doté d'un grand charme personnel mais parfaitement amoral, Patrick Gray, qui feint d'être dévoué à Marie tout en la trahissant sans vergogne. Pendant plusieurs mois encore, les correspondances vont s'échanger, de plus en plus méfiantes de part et d'autre. Marie, malgré tout son désir de croire en un fils obéissant, est bien forcée de constater que le « prince » ne manifeste aucun enthousiasme. Elle en vient même à menacer : « Que mon fils ne désavoue donc plus l'association entre nous, car je pense lui faire honneur et devoir de bonne mère de le faire mon compagnon à traiter [...]. Je m'assure qu'il ne goûtera pas de me désobéir, voire me grièvement offenser, vu tout ce que je lui suis », écrit-elle à Gray le 14 décembre 1584 *. Elle en arrive même à envisager le recours à la force pour venir à bout de l'affaire. Elle

* À partir de décembre 1582, un décalage de dix jours existe entre le calendrier usité en Angleterre et en Écosse (calendrier julien) et celui usité dans les pays catholiques (calendrier grégorien, le nôtre). Cette différence résulte de la réforme du calendrier promulguée par le pape Grégoire XIII, qui ne devait être adoptée en Grande-Bretagne qu'en 1752. Le 10 décembre julien est le 20 décembre grégorien. Marie Stuart continue à dater en calendrier julien toutes ses correspondances.

nomme le duc de Guise, son cousin, « lieutenant général » en Écosse, avec mission d'enlever le « prince » et de l'emmener en France [10].

Hélas ! Pendant tout ce temps, Jacques VI négociait avec Élisabeth pour conclure une alliance anglo-écossaise, sacrifiant délibérément le sort de sa mère à ses propres ambitions. Le projet d'association mère-fils n'était, dans son esprit, qu'une menace agitée devant la reine d'Angleterre, un moyen de chantage pour obtenir d'elle le maximum de concessions. « Si la reine d'Écosse persiste à affirmer qu'il a signé une quelconque promesse de s'associer à elle sur le trône, il prouvera qu'il n'en est rien, et que ce projet est entièrement contraire à sa volonté », précise Bowes à l'intention de son patron Walsingham [11]. Cecil et Walsingham avaient en effet senti le danger, pour la cause anglo-protestante, d'un retour de Marie en Écosse, et ils avaient fini par obtenir de leur souveraine les avantages propres à séduire son besogneux jeune cousin : une pension annuelle de 5 000 livres sterling, des chevaux, du gibier vivant pour ses chasses. Walsingham en personne vint à Édimbourg l'annoncer à Jacques, qu'il trouva « un jeune prince remarquable ».

Dès lors il n'était plus nécessaire pour Jacques VI de poursuivre la négociation en trompe l'œil avec sa mère : il écrivit à celle-ci, en février 1585, pour l'informer que son Conseil, après mûre délibération, avait définitivement renoncé à l'association.

La désillusion de Marie Stuart fut immense. Immense aussi sa colère, dont témoigne sa lettre à Mauvissière du 12 mars : « Cette lettre [de mon fils] est si éloignée, en langage et en substance, du devoir et obligation qu'il m'a, et de ses anciennes promesses, que je ne la puis recevoir pour telle, mais plutôt de Gray, lequel, plein d'impiété et dissimulation vers Dieu et vers les hommes, pense faire un chef-d'œuvre en parachevant l'entière séparation de mon fils et de moi [...]. Si mon fils persiste en cela, vous pouvez assurer le Justice-clerc que j'invoquerai la malédiction de Dieu contre lui [...] et le déshériterai et priverai, comme fils dénaturé, ingrat et perfide et désobéissant, de toute la grandeur qu'il peut jamais avoir de moi en ce monde ; et plutôt, en tel cas, donnerai-je mon droit au plus grand ennemi qu'il ait, avant que jamais il en jouisse par usurpation comme il fait[12]. »

Cette fois, la rupture entre la mère et le fils est complète et définitive. À maintes reprises, dans ses lettres à ses divers correspondants, Marie exprimera sa colère envers cet enfant indigne, obstiné en l'hérésie et jouissant en paix d'un trône auquel elle seule a droit. Elle ne cessera de protester, au cours des mois suivants, contre le rapprochement de la France et de ce prétendu « roi » d'Édimbourg, qui ne sera jamais à ses yeux que « le prince ».

Quant à Jacques VI, sa mère ne tiendra plus guère de place dans ses préoccupations, au moins jusqu'aux semaines fatales de 1586 où, bon gré mal gré, il devra prendre sa défense pour tenter de l'arracher à l'échafaud. Peut-on parler, en son cas, d'ingratitude, ou même de sentiments dénaturés ? Il faudrait, pour user de tels termes, oublier qu'il n'avait jamais vu sa mère depuis l'âge de dix mois ; qu'il avait vécu toute son enfance entouré d'hommes qui la lui dépeignaient comme une adultère et une criminelle ; qu'il doutait même, parfois, de la légitimité de sa naissance *. Élevé comme roi, très imbu de sa dignité, il était certes l'homme le moins susceptible de sacrifier volontairement une part, fût-elle minime, de sa couronne — pas plus, reconnaissons-le, que sa mère n'était elle-même disposée à reconnaître ses droits en dehors de ceux qu'elle accepterait de lui « accorder ». Le malentendu entre eux était total. Dans la négociation, Marie n'avait rien de concret à apporter, et pourtant elle parlait en maîtresse : il s'agissait bien de deux égoïsmes irréductibles et de deux orgueils inconciliables. L'échec du projet d'association était inscrit dans la nature des choses comme dans les caractères des protagonistes.

* En 1584, il confiait à l'un de ses familiers, « avec des larmes dans les yeux », qu'il croyait ne pas être le fils de Darnley, « mais de David » (Rizzio).

Force est donc à Marie Stuart, à l'été 1585, de revenir à la seule chance qui lui reste d'être libérée : l'« Entreprise » catholico-espagnole.

Celle-ci, après la mort de Don Juan d'Autriche, avait continué à faire son chemin dans les esprits. Les relations diplomatiques entre l'Angleterre et l'Espagne n'avaient cessé de se détériorer (malgré la nomination à Londres, en 1578, d'un ambassadeur espagnol, Don Bernardino de Mendoza, le premier depuis le départ de Guerau de Espès). Mais surtout, le Vatican avait énergiquement repris en main la propagande catholique dans l'île, grâce à un réseau très actif de prêtres, notamment de jésuites, spécialement formés au séminaire anglais de Douai-Reims*. Les pamphlets antiélisabéthains devenaient de plus en plus agressifs. La substitution de Marie à sa cousine sur le trône de Londres était désormais prônée par Rome et, à ce titre, séduisait un nombre croissant de catholiques anglais.

En 1581, le pieux et éloquent jésuite Edmond Campion, débarqué en Angleterre l'année précédente, avait été arrêté et exécuté, comme porteur d'une bulle pontificale (crime puni de mort depuis le Parlement de 1572). Il faisait maintenant figure de martyr, mais son confrère Robert Parsons, plus heureux, avait réussi à s'échapper et, de France ou des Pays-Bas, manipulait les fils des intrigues catholiques outre-Manche.

Sans doute y eut-il des complots dont nous ne connaissons pas tous les détails. Ainsi, en mai 1582, un messager de l'ambassadeur d'Espagne se fit prendre à la frontière écossaise, et on trouva dans ses bagages un miroir dont le double fond dissimulait des documents relatifs à l'« Entreprise ». Il est d'ailleurs probable que les projets naissaient de plusieurs côtés à la fois et qu'ils s'ignoraient souvent les uns les autres.

Mais Walsingham, devenu le véritable ministre de la police d'Élisabeth, était un adversaire redoutable. Par les menaces, la torture s'il le fallait, il arrachait aux

* Le séminaire anglais, fondé en 1568 à Douai, possession espagnole, fut transféré en 1578 à Reims, sous l'influence des Guise. C'était un centre très actif de propagande antiélisabéthaine.

accusés des aveux dont il se servait ensuite pour démanteler les réseaux. Ses espions étaient partout. Il ne réussissait pas à intercepter toutes les lettres de Marie Stuart — pas encore —, mais beaucoup d'entre elles passaient par ses mains. Même hors d'Angleterre il tissait ses toiles. « Il n'y a collège de jésuites à Rome ni en France où il ne s'en trouve qui disent tous les jours la messe pour se couvrir et mieux servir à la reine d'Angleterre », écrit le diplomate français Châteauneuf[13].

Marie, parfois, avait des doutes. Elle remarquait que telle ou telle de ses lettres semblait connue du gouvernement anglais. Mais son imprudence naturelle reprenait le dessus. Claude Nau s'en effrayait : « Sa Majesté se dispose (s'agite) plus que sa sûreté ne requiert. Il me déplaît infiniment de la voir manquer ici d'hommes expérimentés et de conseil pour l'aider à se résoudre en telle nécessité de ses affaires », écrit-il à l'archevêque Beaton[14]. Il voyait clair : mais il n'était pas au bout de ses peines.

Le drame éclata lorsqu'en novembre 1583 la police de Walsingham mit la main sur un jeune noble catholique, Francis Throckmorton, neveu de l'ambassadeur du même nom qui avait à plusieurs reprises joué un rôle dans la vie de Marie Stuart du temps où elle régnait en Écosse et durant sa captivité à Lochleven. Le jeune Throckmorton avait voyagé à diverses reprises sur le continent, où il avait fait connaissance de plusieurs amis de Marie Stuart et des Guise, notamment Charles Paget et Thomas Morgan — deux noms que nous retrouverons bientôt. Il s'était laissé persuader de servir d'intermédiaire pour porter, de part et d'autre de la Manche, des lettres chiffrées relatives à l' « Entreprise ». L'interlocuteur principal, du côté anglais, était l'ambassadeur espagnol Mendoza, grand intrigant devant l'Éternel.

Throckmorton, malheureusement pour lui et pour ses amis, était d'une folle imprudence. (La légèreté sera, tout au long des intrigues de l' « Entreprise », le trait commun le plus frappant entre la plupart des participants.) Il allait et venait à l'ambassade d'Espagne sans presque se cacher. Ce qui devait arriver arriva : il se fit arrêter à la suite d'une dénonciation et, sous la torture, révéla tout ce qu'il savait. On trouva chez lui des listes de catholiques complices, des plans des ports anglais destinés à aider le débarquement de l'armée espagnole, des documents à l'appui des droits de Marie Stuart au trône anglais.

Cette fois, Walsingham tenait les preuves qu'il cherchait depuis si longtemps. L'opinion publique fut aussitôt mise en condition par une brochure intitulée *La Découverte de la trahison pratiquée et préparée contre Sa Majesté la Reine et le Royaume ;* Throckmorton fut jugé, condamné à mort et exécuté le 10 juillet 1584. Mendoza, le diplomate-espion, avait été expulsé dès janvier : la rupture entre l'Angleterre et l'Espagne était enfin consommée.

Il restait, cependant, à établir la complicité effective de Marie Stuart. Celle-ci comprit très vite le danger qui la menaçait. Elle affirma qu'elle ne connaissait pas Throckmorton, tout en faisant remarquer, assez habilement, qu'elle ne pouvait être tenue pour responsable des espoirs que certains mettaient en elle : « Si aucuns (certains) d'entre les catholiques ou protestants de ce royaume sont trouvés, en paroles ou autrement, affectionnés vers moi et se servir à mon insu de ma souffrance, ce n'est crime qui me doive être imputé[15]. »

En effet, rien dans les papiers saisis chez Throckmorton n'incriminait directement l'ancienne reine d'Écosse, ce qui interdisait à Walsingham de l'impliquer dans la condamnation du jeune conspirateur. Elle n'en subit pas moins le contrecoup de l'affaire : à la fin d'août, elle quitta définitivement Sheffield, où elle résidait depuis quatorze ans, et fut transférée à Wingfield, dans le Derbyshire. En même temps, au comte de Shrewsbury succédait comme gardien Sir Ralph Sadler, que Marie avait connu comme ambassadeur d'Élisabeth du temps où elle régnait à Édimbourg*.

Pendant ce temps, l'offensive de reconquête catholique en Europe s'accélérait. Le chef de la révolte

* La découverte du complot de Throckmorton coïncide, quant aux dates, avec le conflit entre Marie Stuart et Lady Shrewsbury à propos des relations supposées entre la prisonnière et son gardien (p. 440).

protestante aux Pays-Bas, Guillaume le Taciturne, était assassiné le 10 juillet 1584 par un fanatique à la solde de l'Espagne. En France, la Ligue catholique dirigée par le duc de Guise s'alliait ouvertement avec l'Espagne ; bientôt elle allait imposer à Henri III la révocation des concessions faites aux protestants, provoquant ainsi la reprise de la guerre civile. Le moment n'était pas venu, pour la police de Walsingham, de se reposer sur ses lauriers.

Elle le pouvait d'autant moins que, quatre mois à peine après l'exécution du jeune Throckmorton, une nouvelle affaire éclatait. Un jésuite écossais, le P. Crichton, était arrêté aux Pays-Bas par les calvinistes pour complicité dans l'assassinat de Guillaume le Taciturne, et livré à l'Angleterre. On trouva dans ses papiers des documents relatifs au projet d'invasion espagnole, avec des allusions précises à l'élimination physique de la reine Élisabeth. Crichton fut emprisonné à la Tour de Londres le 16 septembre 1584 et, selon la coutume mis à la torture, avoua tout ce qu'on voulait. Cette fois, si peu de temps après l'exécution de Throckmorton, la mesure était comble. L'Angleterre protestante trembla : Élisabeth disparue, c'était le spectre d'un retour au règne sanglant de Marie Tudor qui se dressait. Une grande vague de loyalisme souleva le pays. Le Conseil privé de la reine prit l'initiative d'inviter nobles et bourgeois à s'engager par serment à défendre la reine et, s'il le fallait, à venger sa mort. Les signatures affluèrent de tout le royaume : c'était une ligue, et quelle ligue ! sous le nom de *Bond of Association* ou *pacte d'Association* *.

Marie Stuart était très explicitement visée par le pacte : « Nous, soussignés, nés sujets de ce royaume, ayant pour légitime souveraine notre gracieuse reine Élisabeth [...], considérant que la vie de Sa Majesté a été récemment mise en péril par les partisans d'un prétendu titre à sa couronne [...], nous promettons et jurons, par serment devant Dieu, que nos vies et nos biens seront

* Qui n'a évidemment rien de commun, malgré la similitude du terme, avec le projet d' « association » de Marie Stuart et de son fils évoqué plus haut.

entièrement consacrés à servir et défendre notre souveraine, contre tous ennemis quels qu'ils soient [...] et à punir toute personne, de quelque rang qu'elle soit, qui commettrait, tenterait ou conseillerait tout acte tendant à porter atteinte à Sa Majesté ou qui en serait complice [...]. Nous nous engageons également à mettre à mort toute personne en faveur de qui cet acte détestable serait entrepris ou tenté [16]. »

Le Parlement, réuni en novembre 1584, donna une approbation officielle au document, le rendant par là même légitime et respectable. Marie Stuart, dans sa prison de Wingfield, en eut aussitôt connaissance. Elle ne pouvait pas ne pas comprendre que le pacte était dirigé contre elle. Avec une assez étonnante audace (ou une parfaite inconscience ?), elle feignit de l'approuver et affecta même d'y adhérer, tant était grand son amour pour sa « chère sœur » Élisabeth : « Je déclare et promets, en parole de reine, sur ma foi et honneur, réputer dès à présent mes mortels ennemis tous ceux, sans nuls excepter, qui par conseil, procurement (complicité), consentement ou autre acte quelconque, attenteront ou exécuteront aucune chose (quelque chose) au préjudice de la reine ma bonne sœur [17]. »

Qui pouvait-elle espérer tromper par une palinodie aussi naïve ? Ses relations avec l'Espagne n'étaient plus un mystère pour Élisabeth, depuis la découverte des papiers de Throckmorton et de Crichton. Il y a, dans toute cette diplomatie machiavélienne du XVIe siècle, une sorte de candeur dans le mensonge qui ne cesse de nous surprendre et de nous déconcerter.

Élisabeth était d'ailleurs si peu dupe que, peu après avoir reçu cette adhésion de sa cousine au pacte d'Association, elle décida de la transférer à nouveau à Tutbury, cette inconfortable bâtisse qu'elle détestait, sous la surveillance d'un nouveau gardien, Sir Amias Paulet, un diplomate de strict loyalisme. Cela se fit le 13 janvier 1585.

Paulet n'avait, malheureusement pour Marie, rien de commun avec le grand seigneur courtois qu'était le comte de Shrewsbury. C'était, au contraire, un fonctionnaire rigide, totalement imperméable au charme légendaire de sa captive, un puritain détestant le catholicisme et l'« idolâtrie ». Tout dévoué à Walsingham, dont il était l'ami, il était décidé (lui écrivait-il) à « tuer la prisonnière de sa main plutôt que de la laisser échapper » si un coup de main était tenté pour la délivrer.

Marie s'aperçut bien vite du changement de son régime de détention. Plusieurs de ses serviteurs furent renvoyés, les autres étaient étroitement surveillés. Le linge de blanchissage était fouillé, tous les étrangers impitoyablement refoulés ou arrêtés. À partir de décembre 1584, le circuit des correspondances clandestines se tarit : les lettres de France s'accumulent chez l'ambassadeur Mauvissière, faute de moyens pour les faire parvenir à leur destinataire à l'insu de Paulet.

La prisonnière a beau jeu, dès lors, de protester de son innocence lorsqu'en mars 1585 un député au Parlement, Guillaume Parry, est arrêté avec un complice, Edmond Neville, pour complot et tentative d'assassinat contre Élisabeth. L'affaire était, preuves à l'appui, montée en accord avec les amis de Marie sur le continent, mais elle-même pouvait affirmer qu'elle en ignorait tout. Du reste, écrit-elle à Mauvissière, Parry lui est « totalement inconnu[18] ». Pour une fois, on est tenté de la croire : elle n'avait plus de communications avec son réseau.

Le complot de Parry, s'il n'est pas le plus important de tous ceux qui jalonnent les années 1583-1586, n'en devait pas moins être celui qui aurait, à terme, les conséquences les plus dramatiques pour Marie Stuart.

Élisabeth, maintenant, avait réellement peur. La multiplication des complots, dûment orchestrée auprès d'elle par Walsingham et Leicester, montrait à l'évidence que les mâchoires de l'étau espagnol se resserraient. Ce n'était plus l'heure de temporiser ni de rechercher les mesures d'apaisement. Elle convoqua le Parlement, qui confirma le pacte d'Association et vota une loi terrible, dite *loi pour la protection de la personne sacrée de Sa Majesté la Reine,* par laquelle étaient punis de mort non seulement — ce qui allait de soi — les auteurs et complices de tout complot ou tentative mettant en péril Élisabeth, mais toute personne « en faveur de qui » ce complot ou tentative serait entrepris. Autrement dit, il n'était plus besoin que Marie Stuart fût personnellement impliquée dans un attentat contre sa cousine : le simple fait qu'un régicide ou un traître se réclamât d'elle suffirait à la faire condamner. C'était une loi inique, qui d'ailleurs souleva, à l'époque même, des objections juridiques, la « culpabilité collective » n'étant pas une notion familière au droit anglais ; mais l'émoi en Angleterre, la terreur même, étaient si vifs, que le Parlement écarta toutes les objections et que la loi entra en vigueur.

Walsingham tenait désormais en main l'arme absolue. Marie, dans sa prison de Tutbury — on peut maintenant parler réellement de prison, et non plus seulement de résidence surveillée —, s'aperçut bien vite de la nouvelle tournure des événements. Le gouvernement anglais n'avait plus de ménagements à garder avec elle (la rupture de ses négociations avec son fils est exactement contemporaine de la découverte du complot de Parry). Dès le début d'avril, un jeune catholique, qui avait tenté d'entrer en relations avec elle, était emprisonné à Tutbury même, et mourait étranglé — suicidé ou assassiné, on ne sait — « quasi à vue ouverte devant mes fenêtres », écrit Marie avec indignation. Sous le coup de l'émotion, elle envoie à Élisabeth une lettre véhémente : « Cette faction puritaine, sans doute, vous donnera enfin la loi à vous-même [...]. Il vous est très dangereux de souffrir vos sujets être si à l'extrémité persécutés et poursuivis contre leur conscience, pour le seul respect de leur religion, car le désespoir, qui de là se peut engendrer aux cœurs de plusieurs, peut produire divers sinistres et incompréhensibles effets[19]. »

Nous ignorons si Élisabeth lut cette lettre — d'ailleurs l'une des plus belles qui soient sorties de la plume de Marie. Il est bien probable que Walsingham veilla à ce qu'elle n'en eût pas connaissance. À ce stade, la prisonnière craignait le pire : « Je suis à pourvoir à la préservation de ma vie ; pour le moins, si j'ai à la perdre, que ce ne soit à l'insu de la reine ma bonne sœur et couvertement (secrètement) par quelque coup de main aposté par mes ennemis », écrit-elle à l'ambassadeur Mauvissière ; mais la lettre fut bien entendu interceptée et Mauvissière ne la reçut jamais[20].

À partir de ce moment, le meneur du jeu devient sans conteste Walsingham. De Tutbury, Paulet le renseignait, presque au jour le jour, sur les petits détails de la vie quotidienne, les récriminations de Marie, sa mauvaise santé, ses querelles domestiques. « L'indisposition de la reine et la grande infirmité de sa jambe, qui est si grave qu'elle-même la juge sans espoir de guérison, sont pour moi un avantage, car ainsi je n'ai plus peur de la voir s'enfuir, à moins qu'on ne vienne l'enlever de force » (23 septembre 1585). « La reine n'a pas espoir de vivre longtemps ; elle a perdu l'usage de ses membres, et elle dit qu'elle est maintenant bien éloignée de toute ambition » (16 octobre). Avec l'hiver, la situation empire : « Plusieurs des serviteurs de la reine sont malades, et il faut aussi que je m'occupe de les soigner » (25 avril 1586). Tutbury devait ressembler plutôt à un hôpital qu'à une villégiature.

Tel que nous connaissons le caractère de Marie Stuart, plus que l'humidité, les courants d'air glacés et les mauvaises odeurs des latrines, ce qui devait lui être insupportable dans cette abominable prison était la privation de tout contact avec l'extérieur. Nul doute que Paulet la tenait informée des événements politiques, mais il le faisait selon sa propre optique, et avec les commentaires les plus propres à la décourager.

Ce qu'il ignorait, ou en tout cas qu'il laissait ignorer à sa captive, c'est que, malgré la *loi sur la protection de la reine,* les complots de l' « Entreprise » continuaient, et que de jour en jour — chose essentielle — le roi d'Espagne y adhérait de façon moins réticente.

L'Europe du XVIe siècle n'avait pas, pour l'assassinat politique, l'horreur (au moins de façade) que professeront d'autres siècles plus policés ou plus hypocrites. La notion de « tyrannicide » était alors assez communément admise, contrepartie peut-être de celle du pouvoir de droit divin. On a défini l'autocratisme des tsars, au temps des Romanov, comme « une dictature tempérée par l'assassinat » ; c'est de cette façon qu'on peut interpréter certaines théories du temps d'Élisabeth et de Philippe II. L'élimination physique devenait, pour les plus fanatiques des croyants (catholiques ou protestants), un devoir lorsqu'il s'agissait de sauver les âmes en les délivrant d'un tyran « hérétique » ou « idolâtre », selon le cas. Philippe II ne faisait pas mystère d'avoir commandité l'assassinat de Guillaume le Taciturne ; il est vrai que, bientôt, Élisabeth ne reculerait pas devant la perspective d'une suppression discrète de Marie dans sa prison. Au Vatican, les théologiens discutaient gravement de la légitimité du tyrannicide, et beaucoup concluaient par l'affirmative.

Pour Walsingham, qui n'avait rien d'un théologien, mais tout d'un homme d'action, le dilemme était simple : ou bien laisser Marie Stuart libre de faire assassiner sa cousine et de lui prendre sa couronne, ou bien se débarrasser d'elle avant qu'elle ait pu mener à bien ses projets.

En effet, à ses yeux la complicité active de l'ex-reine d'Écosse dans tous les complots de l' « Entreprise » était certaine. S'il n'avait pas réussi encore à en persuader Élisabeth de façon assez convaincante, ce n'était pas qu'il y eût doute sur la réalité des faits, mais les preuves matérielles manquaient. Tant que la reine Stuart vivrait dans sa prison de Tutbury, toute la vigilance d'Amias Paulet, toute l'habileté de la police anglaise, ne pourraient empêcher les jésuites et les Espagnols de renouer sans cesse les fils de l'intrigue pour la délivrer et l'installer sur le trône de Westminster en éliminant Élisabeth. Et cela, Walsingham était résolu à l'empêcher à tout prix.

Il fallait donc, d'une façon ou d'une autre, supprimer Marie Stuart. Mais comment y parvenir (à moins d'un assassinat pur et simple, solution qui ne semble pas avoir été envisagée à ce stade), tant qu'elle serait maintenue au secret ? Tout compte fait, l'impossibilité où on l'avait mise de communiquer avec ses amis n'était peut-être pas habile : si elle ne pouvait plus écrire, elle ne pourrait plus se compromettre. L'idéal serait, au contraire, de la laisser libre de correspondre, tout en interceptant son courrier. L'idée fit son chemin dans l'esprit de Walsingham. Le tout était de trouver un moyen pratique de la réaliser.

Depuis quelques mois (septembre 1585), l'ambassadeur de France à Londres, Mauvissière, avait été remplacé par un nouveau diplomate, jouissant de toute la confiance d'Henri III, Guillaume de L'Aubespine de Châteauneuf. Celui-ci, sur ordre de son souverain, ne cessait d'intervenir pour que les conditions de détention de la reine d'Écosse fussent adoucies.

Le 24 décembre, Marie apprit avec joie qu'elle allait enfin quitter l'odieux Tutbury. Sa nouvelle résidence était le château de Chartley, dans le Staffordshire, propriété du comte d'Essex. Résidence assez plaisante, dans une île au milieu d'un étang, donc facile à surveiller, mais beaucoup plus confortable que Tutbury. Châteauneuf remercia le gouvernement anglais et fut persuadé que c'était son intervention qui avait obtenu ce transfert. Walsingham se garda bien de le détromper.

Une bonne nouvelle n'arrivant jamais seule, Marie se vit bientôt remettre, en grand mystère, un tube de bois humide et imprégné de bière, dans lequel se trouvait une lettre d'un nommé Gilbert Gifford, qui lui disait être mandaté par ses amis de Paris pour renouer avec elle le circuit des correspondances clandestines interrompues.

De fait, Gifford était en possession de lettres de Thomas Morgan et de Charles Paget le recommandant chaudement à la prisonnière. Or Morgan et Paget, qui comptaient parmi les plus sûrs et les plus fidèles partisans de Marie sur le continent, étaient au courant de toute l'activité de son réseau ; l'un et l'autre vivaient dans l'entourage de l'archevêque Beaton et lui servaient à l'occasion de secrétaires et de messagers.

À l'époque de l'entrée en scène de Gifford, Morgan était, il est vrai, enfermé à la Bastille à la demande d'Élisabeth, qui l'accusait (non sans raison) d'avoir collaboré au complot de Parry contre elle ; mais il jouissait, Henri III fermant volontairement les yeux, de toutes les facilités pour correspondre avec ses amis et pour les recevoir en visite dans sa cellule.

Donc, Paget et Morgan, en qui Marie avait toute

confiance, se portaient garants de ce nouveau venu. Celui-ci venait de passer plusieurs années à Reims et à Rome, était bien introduit dans le milieu jésuite. Son zèle catholique était exemplaire. Par une chance extraordinaire, il était originaire du Staffordshire, des environs même de Chartley, et c'est grâce à ses relations dans le pays qu'il avait, en soudoyant le brasseur qui livrait la bière au château, trouvé le moyen de rétablir le circuit des correspondances secrètes : les lettres, à l'arrivée et au départ, étaient glissées dans un tube de bois creux caché dans le tonneau. Pour les acheminer de Londres à Chartley et *vice versa,* Gifford s'en chargeait grâce à un réseau d'amis discrets.

De fait, en quelques semaines, Marie Stuart vit arriver à Chartley toutes les missives qui étaient restées en souffrance chez l'ambassadeur de France depuis un an. Elle était de nouveau reliée au monde extérieur.

Pour elle, c'était la Providence qui se manifestait.

Pour Walsingham, c'était le premier succès de la machination qu'il avait montée pour la perdre.

CHAPITRE XXI

« Six nobles gentilshommes entreprendront l'affaire... »

L'ambassadeur Châteauneuf, lorsqu'il avait reçu pour la première fois la visite de Gilbert Gifford, s'était méfié. Ce personnage qui survenait à point nommé, recommandé par les membres les plus confidentiels du réseau de la reine d'Écosse, réussissant à entrer en communication avec la prisonnière de Chartley là où tous les autres avaient échoué depuis plus d'un an, lui paraissait trop providentiel pour ne pas inspirer quelque doute.

Châteauneuf avait d'autant plus de raisons d'être prudent que Gifford lui-même, de retour de Chartley, portait une lettre de Marie où elle le mettait en garde contre les espions « qui peuvent vous être envoyés sous couvert de la religion catholique, en quoi votre prédécesseur [Mauvissière] a été fort abusé [...]. Je vous prie de ne vous fier en qui que ce puisse être, hormis Chérelles et Cordaillot*, de ce qui pourra passer entre vous et moi[1] ». Elle se sentait confusément entourée de traîtres. Le misérable échec de la négociation avec son fils, l'année précédente, l'avait laissée amère et désabusée. Mais les raisons mêmes qui auraient dû lui inspirer de la défiance envers Gifford l'incitèrent à croire à sa sincérité : elle avait besoin de renouer le contact avec ses

* Chérelles était précisément celui qui la trahissait, ce qu'elle n'apprendra que quelques mois plus tard. Le manque de discernement de Marie Stuart dans toute cette affaire est pathétique.

amis, de se sentir à nouveau au cœur de l'action. Ce jeune ecclésiastique (Gifford avait été ordonné diacre à Reims), si enthousiaste, si prêt à affronter les dangers pour elle, si bien informé de toutes les entreprises menées en sa faveur par les catholiques de France et d'Espagne, répondait à ses vœux les plus secrets. Elle se livra à lui, sans réticence. D'ailleurs il tenait ses promesses : les correspondances arrivaient maintenant régulièrement dans le tonneau de bière — Châteauneuf avait fini par se laisser convaincre — et les réponses repartaient de même.

Malheureusement, c'était l'ambassadeur qui avait eu raison : Gifford était un traître, un agent de Walsingham, et toute l'intrigue avait été, depuis le début, montée par le ministre. Les séjours de Gifford en France, ses liens avec Beaton, Paget, Morgan, étaient réels, mais Walsingham en était tenu fidèlement informé. Quant aux correspondances de Marie, le circuit « clandestin » par l'intermédiaire du brasseur avait été imaginé en commun par Walsingham et Gifford : avant introduction dans le tonneau (pour les courriers à l'arrivée) ou après extraction (pour les courriers au départ), chaque lettre était soigneusement décachetée et déchiffrée par un agent spécialisé, Thomas Phelippes, véritable génie du décryptage dont le rôle dans toute l'affaire devait se révéler essentiel * ; après quoi elle était acheminée à destination, apparemment intacte et inviolée.

Le choix même de Chartley comme lieu de résidence de Marie Stuart n'était pas innocent : c'étaient précisément les liens familiaux de Gifford dans le Staffordshire, facilitant l'organisation du réseau local autour de la captive, qui avaient dicté cette implantation.

Mais il n'eût servi à rien, pour Walsingham, de mettre en place ce système exemplaire d'espionnage, si les correspondances de la prisonnière, après déchiffrement, devaient se révéler anodines ou ambiguës. Il fallait, pour

* Les détails de l'intrigue nous sont connus en particulier par un long mémoire de l'ambassadeur Châteauneuf, qui les apprit après le procès et la mort de Marie Stuart.

qu'Élisabeth se laissât convaincre, des preuves bien nettes, bien formelles, de la culpabilité de sa cousine.

Or Marie — il faut lui rendre cette justice — était, en règle générale, assez prudente dans ses lettres. Elle était suffisamment familière des usages diplomatiques pour savoir qu'une reine ne doit jamais s'engager personnellement en première ligne. Elle n'ignorait pas que les espions étaient nombreux autour d'elle, qu'une indiscrétion était toujours possible, qu'un messager pouvait être arrêté et fouillé.

D'ailleurs, à partir de 1584-1585, on constate, de la part de certains responsables de l' « Entreprise » catholico-espagnole, une sorte de réticence à l'égard de la reine d'Écosse. Ses négociations avec son fils pour son « association » avec lui sur le trône d'Édimbourg, les concessions qu'elle avait consenties à cette intention, ses preuves réitérées d'amitié et de confiance envers Élisabeth, avaient fini par impressionner désagréablement le Vatican. Le jésuite Martelli lui écrivait, en décembre 1584, une lettre sévère : « On craint, Madame, qu'il y ait des traîtres autour de vous. On doute même de votre discrétion. Pour l'amour du ciel, Madame, prenez garde. Votre cause est la cause de Dieu, vous devez agir honnêtement en Sa présence. Vous avez trop de fers au feu à la fois, et trop opposés les uns aux autres [...]. Prenez garde de vous entendre avec la Jézabel *. Vous risquez de ruiner complètement votre cause en désertant le combat des catholiques[2]... »

Le pape Grégoire XIII, perplexe, ne savait plus que penser : « Va-t-elle donc maintenant s'entendre avec les hérétiques ? Va-t-elle se déshonorer en ce monde et mettre en péril son âme ? » demandait-il au P. La Rue, ancien confesseur de Marie.

Quant à Philippe II, qui n'avait jamais eu beaucoup de sympathie personnelle pour Marie, il commençait à découvrir que cette femme instable, changeante, menant de front des intrigues contradictoires, n'était pas la

* Surnom biblique que les catholiques donnaient volontiers à Élisabeth : Jézabel est l'une des reines maudites de l'Ancien Testament. John Knox qualifiait aussi Marie Stuart de Jézabel.

souveraine dont l'Angleterre rénovée aurait besoin pour y rétablir, sans faiblesses ni compromissions, la religion catholique. Il craignait qu'après elle son fils, ce jeune hérétique pourri par Knox et Buchanan, ne ruinât ce qu'elle aurait pu faire en faveur de Rome. Il se souvint opportunément que lui aussi avait des droits au trône d'Angleterre — par unc arrière-arrière-grand-mère, petite-fille du roi Édouard III Plantagenêt: la filiation était lointaine, mais elle valait bien celle des Tudor, descendants d'un bâtard du fils de ce même Édouard III *. Un parti se forma, animé par les jésuites, pour défendre la candidature du roi d'Espagne à la couronne d'Angleterre : on ne disait pas avec précision s'il s'agissait d'écarter Marie Stuart, ou seulement d'assurer sa succession en excluant l'hérétique Jacques, mais tout cela créait entre la prisonnière et le parti espagnol une inquiétante zone d'ombre.

Depuis la fin tragique du complot de Parry, en mars 1585, la police de Walsingham n'avait mis au jour aucune nouvelle tentative contre Élisabeth. Pendant trois mois, le système d'interception du courrier de Marie Stuart mis en place par Gifford fonctionna à vide ; les lettres qu'elle recevait ou qu'elle envoyait étaient trop prudentes, ou trop vagues, pour tirer à conséquence. Il y était surtout question de l'ingrat Jacques VI, à qui elle demandait qu'on n'envoyât pas d'argent « car je ne veux lui fournir de quoi fortifier mes rebelles contre moi-même », et qu'elle proposait de faire enlever pour le transférer en Espagne [3]. Une lettre du 29 mai 1586 parle bien de « l'entreprise proposée pour le rétablissement de cet État », mais sans plus de précision.

Le 20 mai, Marie va cependant plus loin : écrivant à Mendoza (devenu ambassadeur d'Espagne à Paris), elle envisage explicitement de céder ses droits « sur la succession d'Angleterre » au roi d'Espagne, vu l'obstination de Jacques dans l'hérésie, mais elle prie son correspondant de lui garder le plus grand secret, « d'autant que, s'il venait à être révélé, ce serait en France la

* Tableau généalogique, page 562.

perte de mon douaire, en Écosse entière rupture, avec mon fils, et en ce pays ma totale ruine et destruction »[4].

C'était certes bien compromettant, mais pas assez pour tomber sous le coup de la loi. Il en faudrait davantage pour amener Élisabeth à consentir à l'élimination de sa cousine.

La conspiration de Babington survint à point pour donner à Walsingham l'occasion qu'il attendait.

De cette conspiration de Babington, nous connaissons mal les débuts, sans nul doute parce qu'ils ont été volontairement entourés d'un brouillard épais par le gouvernement anglais lors du procès.

Les historiens, depuis le XVIe siècle, se sont divisés autour de la question cruciale : s'agissait-il d'un véritable complot, né à Paris dans le milieu des amis de Marie Stuart, ou d'une provocation montée, dès l'origine, par les agents de Walsingham ? On en discute encore aujourd'hui, les documents d'époque ne permettant pas de trancher de façon définitive.

Selon le mémoire de Châteauneuf, c'est Gifford lui-même qui aurait jeté les bases de l'affaire, au cours d'un voyage à Paris en mars 1586 : « Tout ce complot était suscité par le Conseil d'Angleterre[5]. » À Paris, Gifford se serait lié avec le prêtre Jean Ballard, lui aussi ancien élève du séminaire de Reims, qui, venu avec lui en Angleterre, l'aurait mis en relation avec un jeune courtisan d'Élisabeth, riche, idéaliste et naïf (« assez simple », dit Châteauneuf), fervent partisan de Marie Stuart et prêt à tout pour la tirer de prison : Antoine Babington. Ainsi serait née la conspiration, manipulée dès le début par Walsingham.

Mais d'autres sources, et notamment les aveux des intéressés lors de leur procès, donnent à penser que le complot existait indépendamment de Gifford, et que celui-ci, pour employer une expression de notre siècle, aurait « pris le train en marche ». La cheville ouvrière du projet aurait été un certain Jean Savage, militaire intrépide qui avait combattu aux Pays-Bas dans les rangs espagnols, recruté par Ballard, cependant que le « nerf de la guerre » était fourni par Mendoza.

Quoi qu'il en soit, au début de mai, Babington était entré dans le circuit fatal, et Thomas Morgan, de la Bastille, écrivait à Marie pour le lui recommander : « Gentilhomme de bonne maison et de bonne parenté. Je suis d'avis que trois ou quatre lignes de la main de Votre Majesté au dit Babington seraient utiles, pour lui dire votre bonne opinion de lui et la confiance que vous avez en lui, et le remercier de la bonne affection qu'il porte à Votre Majesté[6]. » Marie attendra pourtant le 25 juin pour s'exécuter, mais sa lettre prouve qu'elle connaissait déjà Babington : « Mon grand ami, quoiqu'il y ait longtemps que vous n'ayez eu de mes nouvelles, pourtant je serais bien marrie que vous pensassiez que je n'eusse souvenance de l'affection essentielle que vous avez montrée en tout ce qui m'appartient[7]. » Ces relations antérieures entre Marie et le jeune conspirateur, auxquelles fait clairement allusion cette lettre, restent pour nous mystérieuses. Le nom de Babington n'apparaît nulle part dans la correspondance de la reine avant cette date de mai 1586. Châteauneuf dit qu'il avait fait partie de l'entourage du comte de Shrewsbury à Sheffield, et que c'était là qu'il était tombé amoureux de la captive ; c'est possible, mais nous n'en avons aucune preuve, et Babington lui-même n'y fit pas allusion au cours de son procès. Quant à Marie, elle nia énergiquement avoir connu Babington, mais sa lettre du 25 juin prouve le contraire : nous savons d'ailleurs, par d'autres exemples, ce que valaient ses protestations de sincérité en pareil cas.

Retenons de tout cela que, vers la fin de mai 1586, un complot est bien noué, que les amis parisiens de Marie Stuart en sont non seulement informés mais participants actifs, qu'un réseau d'exécutants est en place en Angleterre — Babington, Savage, Ballard et divers autres —, que l'ambassade d'Espagne à Paris est le centre nerveux de l'opération, et que Walsingham suit pas à pas les progrès de l'affaire grâce au traître Gifford.

En quoi consiste exactement le complot ? Il est la réédition exacte de beaucoup d'autres, toujours dans le cadre de l' « Entreprise » sans cesse récurrente depuis cinq, six, sept ans et davantage : débarquement espagnol en Angleterre, soulèvement des catholiques du pays, libération armée de Marie Stuart — et cette fois, sans hésitation possible, assassinat d'Élisabeth *. De ce dernier aspect de l'opération, John Savage sera l'exécutant personnel, avec six hardis compagnons, tandis que Babington et ses amis se chargeront de l'enlèvement de Marie à Chartley.

Walsingham, sans doute, se gardait bien d'informer sa souveraine de tous les détails de l'affaire : pas plus que Fouché, plus tard, ne tiendra Napoléon au courant de toutes ses machinations policières. Il attendait son heure pour frapper le grand coup. Cependant, Élisabeth savait que quelque chose se tramait, puisqu'en avril, recevant Châteauneuf en audience, elle lui dit : « Monsieur l'ambassadeur, vous avez grande intelligence et secrète avec la reine d'Écosse, mais croyez que je sais tout ce qui se fait en mon royaume. J'ai été prisonnière au temps de la reine ma sœur, je sais de quels artifices usent les prisonniers pour gagner des serviteurs et avoir de secrètes intelligences[8]. » Châteauneuf transmit le message à Gifford : c'était, hélas, confier au loup la garde de la bergerie.

Nous en arrivons maintenant à la question fondamentale, celle qui — comme les « lettres de la cassette » — oppose, depuis quatre siècles, les historiens partisans de l'innocence de Marie Stuart à ceux qui croient à sa culpabilité : était-elle, ou non, informée et complice du projet d'assassinat de sa cousine ?

Qu'elle fût au courant du projet de soulèvement armé des catholiques et de sa propre libération est hors de doute. Dans une lettre du 20 mai à Charles Paget, elle souhaite que le roi d'Espagne hâte l'invasion de l'Angleterre, « qui me semble être le moyen le plus sûr de se débarrasser de cette reine [Élisabeth] en éliminant la source de toute cette humeur maligne[10] ». La perspective d'une proche libération l'excitait même si fort que

* Une lettre de Mendoza à Philippe II, du 11 mai, le prouve absolument : « Par le fer ou par le poison », précise-t-il même[9]. Philippe II approuve : « Éliminer la reine est la première chose à faire », note-t-il en marge, de sa propre main.

Paulet remarque, le 3 juin, qu'« elle va beaucoup mieux et [qu'] elle est sortie pour assister à une chasse au canard sauvage ». Cette expression, « se débarrasser de la reine », signifie-t-elle qu'elle connaissait le projet d'assassinat ? On peut se poser la question jusqu'au 12 juillet. Mais à cette date, elle reçut une lettre de Babington, écrite le 6, qui levait toute ambiguïté : « Très excellente et très haute souveraine et dame, à qui je dois toute fidélité et obéissance, qu'il plaise à Votre Majesté de pardonner mon long silence [...]. Ballard m'a informé du projet préparé par les princes chrétiens amis de Votre Majesté, pour délivrer notre pays de l'état misérable où il se trouve [...]. Il s'agit d'organiser une invasion, dans des ports de débarquement désignés à l'avance, où une forte troupe attendra les envahisseurs pour les aider. Votre Majesté sera libérée, et l'usurpatrice sera dépêchée [*dispatched*], acte pour l'exécution duquel Votre Majesté peut se reposer sur moi. Je jure devant Dieu Tout-Puissant, qui a miraculeusement protégé Votre royale personne pour le bien de tous, que ce que j'ai dit sera exécuté, ou nous perdrons avec joie nos vies dans l'entreprise [...]. Tout retard étant extrêmement dangereux, je supplie la sagesse de Votre Majesté de nous conseiller pour hâter l'affaire [...]. Moi-même, avec dix gentilshommes et cent compagnons, j'entreprendrai de libérer Votre royale personne de ses ennemis. Pour dépêcher l'usurpatrice, à l'égard de qui l'excommunication nous a relevés de toute obéissance, six nobles gentilshommes de mes amis entreprendront l'exécution, par zèle pour la cause du catholicisme et de Votre Majesté. Je souhaite que, compte tenu de leur acte héroïque, ils soient récompensés honorablement s'ils sont encore en vie, ou leurs enfants à défaut [...]. Le très fidèle et dévoué serviteur de Votre Majesté, Antoine Babington[11]. »

On a discuté de l'authenticité de cette lettre, comme de la réponse qu'y fera Marie. L'original a disparu (Marie le brûla sans doute). Mais la copie d'où est tiré le texte ci-dessus porte, de la main de Babington : « Ceci est la copie véridique de la lettre que j'ai écrite à la reine d'Écosse. » Même en tenant compte de la torture qu'il avait subie au cours de son interrogatoire, une telle attestation doit enlever tous les doutes car la lettre, par ailleurs, correspond exactement aux données objectives du complot. L'historien moderne qui a étudié au plus près toute l'affaire, J.-H. Pollen, qui était lui-même jésuite et grand admirateur de Marie (« cette femme au grand cœur »), admet comme démontrée son authenticité.

Que Marie Stuart ait bien reçu la lettre de Babington et qu'elle ait pleinement compris ce qu'elle impliquait est évident d'après la réponse qu'elle y fit le 17 juillet, et que nous allons maintenant citer ; mais, puisque l'authenticité de cette réponse a été elle aussi contestée (notamment par elle-même), il pourrait subsister un doute si Mendoza, de Paris, ne devait écrire à Philippe II le 10 septembre au moment du procès : « Il me semble que la reine d'Écosse connaissait bien toute l'affaire, car cela ressort d'une lettre qu'elle m'a envoyée[12]. »

Reste que la lettre de Marie à Babington, datée du 17 juillet, que les historiens anglais appellent la « lettre sanglante », est l'élément à charge le plus lourd du dossier — celui qui entraînera la condamnation à mort de la prisonnière.

Avant d'entrer dans la discussion sur son authenticité, il faut la citer, telle qu'elle nous est connue par plusieurs copies d'époque, dont celle qui a figuré au procès : « Féal et bien amé, suivant le zèle et entière affection dont j'ai remarqué que [vous] avez été poussé en ce qui concerne la cause commune de la religion et de la mienne aussi en particulier, j'ai toujours fait état et fondement de vous, comme d'un principal et très digne instrument pour être employé en l'un ou l'autre. » Après l'avoir remercié de sa dernière lettre (celle du 6 juillet citée ci-dessus), elle enchaîne : « Pour donner un bon fondement à cette entreprise, afin de la pouvoir conduire à un heureux succès, il faut que vous considériez de point en point quel nombre de gens, tant de pied que de cheval, vous pourrez lever entre tous [...], de quelles villes, ports et havres vous vous tenez assuré pour y recevoir des secours [...], quel nombre de forces étrangères [vous] voudrez demander, et pour combien de temps payés [...], la quantité d'armes et d'argent dont il vous faudra pourvoir [...], *comment les six gentilshommes sont délibérés de procéder,* et le moyen qu'il faudra aussi prendre pour me délivrer de cette prison [...]. Ces choses étant ainsi préparées et les forces, tant dedans que dehors le royaume, toutes prêtes, *il faudra alors mettre les six gentilshommes en besogne et donner ordre que, leur dessein étant exécuté, je puisse quant et quant* [aussitôt] *être tirée hors d'ici* [...]. Or, d'autant qu'on ne peut constituer un jour préfix (fixer à l'avance un jour) pour l'accomplissement de ce que *lesdits gentilshommes ont entrepris,* je voudrais qu'ils eussent toujours auprès d'eux quatre vaillants hommes bien montés pour donner avis en toute diligence *du succès dudit dessein, aussitôt qu'il sera effectué,* à ceux qui auront charge de me tirer hors d'ici, avant que mon gardien soit averti *de ladite exécution.* »

Suivent, dans la lettre, des considérations très précises sur le moyen de réaliser l'enlèvement à Chartley (en incendiant les écuries pour faire diversion, ou en bloquant les portes du château avec des charrettes), sur le commandement de l'opération, sur la discrétion à observer vis-à-vis de l'ambassadeur de France, qui doit être tenu dans l'ignorance de toute l'affaire. Et Marie conclut, à l'intention de Babington : « Votre entièrement bonne amie à jamais. X. Ne faillez (ne manquez pas de) brûler la présente quant et quant (aussitôt)[13]. »

Les passages de la lettre imprimés en italique sont ceux dont l'authenticité est contestée par certains historiens, notamment par le prince Labanoff, qui pensent qu'ils ont été ajoutés par Phelippes, l'espion de Walsingham, pour mieux compromettre la reine d'Écosse (ce sont ceux qui visent explicitement l'assassinat d'Élisabeth). Mais Marie elle-même, lors de son procès, alla plus loin : elle nia globalement avoir écrit la lettre à Babington, et soutint même n'avoir jamais correspondu avec ce gentilhomme. Il faut donc examiner la genèse et le cheminement de ce document.

Pour nous éclairer, nous avons les témoignages, fort précis, de Curle et de Nau, les deux secrétaires. Marie Stuart avait l'habitude, soit de rédiger de sa main ses brouillons de lettres, soit de les dicter, en français, à Nau. Si la lettre devait être expédiée en français, Nau la rédigeait lui-même, puis la chiffrait au moyen des grilles de codage que seuls possédaient (en principe) les destinataires — en réalité, nous savons que Phelippes et Walsingham les connaissaient aussi, grâce à la trahison de Gifford. S'il s'agissait de lettres en anglais, c'est Curle qui les traduisait et les chiffrait.

Dans le cas particulier de la fatale lettre du 17 juillet à Babington, Nau et Curle ont témoigné qu'elle fut chiffrée en anglais par Curle, d'après un brouillon manuscrit de leur maîtresse (brouillon qui fut détruit aussitôt après chiffrage). Remise au brasseur le 18 juillet, elle était le soir même entre les mains de Phelippes, et Walsingham était en possession de la transcription dès le 20. L'original, apparemment intact, était pendant ce temps apporté à Londres par Phelippes en personne, et remis à Babington le 29, à son retour d'un voyage à Lichfield.

Babington, semble-t-il, obéit à la demande de Marie Stuart et détruisit la lettre, puisque celle-ci ne fut pas retrouvée lors de son arrestation. C'est la copie prise par Phelippes qui fut produite au procès. L'exemplaire conservé aux Archives nationales d'Angleterre porte, en marge, la triple attestation suivante : de la main de Babington, « C'est la copie de la lettre de la reine d'Écosse dernièrement à moi envoyée » ; de la main de Nau, « Je pense de vrai que c'est la lettre envoyée par Sa Majesté à Babington, comme il me souvient » ; de la main de Curle, « Telle ou semblable me semble avoir été la réponse écrite en français par M. Nau, laquelle j'ai traduite et mise en chiffre. » Tout cela doit suffire à lever les hésitations.

Un mystère subsiste cependant, qui reste sans explication vraiment convaincante jusqu'à nos jours : pourquoi cette copie « officielle », celle sur laquelle se fonda l'accusation lors du procès, est-elle en français, alors que l'original envoyé à Babington et déchiffré par Phelippes était en anglais ? Aucun des témoins cités ne s'est jamais expliqué sur ce point, et les juges du procès n'en ont point manifesté leur étonnement.

Quoi qu'il en soit, trois théories restent donc en présence à propos de cette lettre et de son authenticité. La première (conforme à la défense de Marie Stuart devant ses juges) est que la lettre entière est une « forgerie » : opinion insoutenable, compte tenu des aveux mêmes de Babington et des autres documents prouvant que Marie était en relation avec lui, sans compter les témoignages indépendants. Deuxième théorie : la lettre est authentique dans son intégralité, et Marie est bien coupable. Reste la troisième théorie, celle d'une addition, par Phelippes, des passages concernant l'assassinat d'Élisabeth, dans une lettre où Marie aurait seulement envisagé son projet de libération armée. Quelque chose, en somme, d'analogue au traitement subi, selon les partisans de la reine d'Écosse, par les « lettres de la cassette » de 1567.

Rien, à vrai dire, ne permet d'écarter formellement cette dernière hypothèse. Walsingham et Phelippes étaient fort capables de ce genre de trucage. Mais rien, non plus, ne permet de l'affirmer comme vraie, si ce n'est le désir d'exonérer Marie de toute complicité dans l'assassinat projeté. Au regard de tous les autres éléments de l'affaire, de tout ce que nous savons par ailleurs de la prisonnière et de ses désirs, des confidences de l'ambassadeur d'Espagne à Philippe II, des témoignages de Nau, de Curle et de Babington lui-même, la vraisemblance est beaucoup plus en faveur de l'authenticité intégrale de la lettre du 17 juillet que de son interpolation. L'historien doit toujours, pour pouvoir contester la valeur d'un document, disposer d'éléments concrets qui font ici totalement défaut. Le refus de considérer la « lettre sanglante » comme authentique relève beaucoup plus d'une volonté délibérée d'innocenter Marie Stuart que d'une critique interne de son contenu. Pour notre part, nous la considérerons donc, dans sa version produite au procès, comme authentique et sortie entièrement de la volonté de la reine d'Écosse, sinon de sa propre main *.

* En revanche, le post-scriptum où Marie Stuart demande à Babington de lui donner les noms des six gentilshommes chargés

Donc, le 20 juillet 1586, Walsingham était en possession de la lettre de Marie Stuart à Babington. « Je crois que vous avez maintenant assez de preuves en ce qui concerne Babington, à moins que vous ne souhaitiez découvrir d'autres détails sur ses complices », notait Phelippes en la lui envoyant — et en dessinant une potence au dos, sinistre symbole[14].

Walsingham, en effet, attendit encore quinze jours avant de frapper le grand coup. On a parfois interprété ce retard comme un délai qu'il se serait donné pour parachever le maquillage des lettres de Marie ; mais il suffit, pour l'expliquer, de songer que Babington était absent de Londres quand la lettre arriva chez lui, et que chaque jour qui passait augmentait les chances d'un coup de filet policier. Il n'y avait aucun danger pour la vie d'Élisabeth, puisque de toute façon toutes les lettres, dans les deux sens, passaient par les mains de Phelippes, et que tous les conjurés étaient étroitement surveillés.

Cependant, Babington avait des inquiétudes. Le 3 août, de retour à Londres, il écrivait à Marie pour l'informer qu'un des compagnons de Ballard, un certain Maude, s'était révélé être un espion du gouvernement anglais. L'entreprise ne s'en poursuivait pas moins, ajoutait-il, et serait menée à bien[15].

Trop tard : le lendemain, Ballard était arrêté, et Babington, affolé, s'enfuyait pour se cacher dans la forêt aux environs de Londres, puis chez un ami à Harrow. Il fut à son tour arrêté le 30 août *.

Walsingham avait mené toute l'affaire de main de maître. Maintenant, il lui fallait convaincre Élisabeth de

---

d'assassiner Élisabeth (post-scriptum qui figure sur certaines copies), est certainement apocryphe. C'était une invention de Phelippes, mais à la réflexion Walsingham la jugea trop invraisemblable pour la retenir. Le post-scriptum ne figure pas sur la copie authentifiée par Babington, Nau et Curle.

* S'il faut en croire un assez sordide agent double, Robert Poley, Babington aurait, pour sauver sa tête, tenté alors de se vendre à Walsingham et de lui livrer les secrets de la conspiration. Il n'existe aucune preuve d'une telle trahison[16].

la gravité du complot et l'amener à consentir, d'abord à faire juger sa cousine, ensuite à la faire exécuter.

La reine d'Angleterre savait que son ministre était sur la piste de quelque chose, mais quand il choisit, à son heure, de lui révéler toute l'ampleur de la conspiration et de lui montrer la copie des lettres de Babington et de Marie, elle fut « frappée du tonnerre [17] ». Elle exigea l'arrestation immédiate de tous les complices connus et la mise hors d'état de nuire de la captive de Chartley.

Les deux opérations furent simultanées. Dès le 2 ou 3 août, Babington, Savage et leurs amis étaient sous les verrous. Quant à Marie Stuart, on ne peut exactement parler de son « arrestation » puisqu'elle était déjà prisonnière, mais on s'assura de sa personne le 16 août, à l'occasion d'une prétendue partie de chasse organisée tout exprès. Son médecin Bourgoing, qui l'accompagnait ce jour-là ainsi que Nau et Curle, a laissé un récit très détaillé et très vivant de cet épisode. Il nous décrit la reine, tout heureuse du divertissement qui lui est proposé, partant à cheval vers le château de Tixall, au petit matin, entourée de ses gardiens ; l'apparition inopinée d'une troupe de cavaliers ; Marie s'arrêtant, pleine d'espoir, pensant qu'il s'agissait de Babington et de ses compagnons venus la délivrer ; l'approche des cavaliers, dont le chef, Thomas George, met pied à terre pour accuser la reine d'Écosse, au nom de la reine d'Angleterre, d'avoir conspiré contre la sécurité du royaume et contre la vie de Sa Majesté ; enfin, Marie emmenée à Tixall après une vigoureuse résistance, tandis que tous ses serviteurs sont éloignés d'elle et que son appartement de Chartley est fouillé, ses coffres mis sous scellés.

Elle restera au secret à Tixall pendant neuf jours, sans aucune communication avec qui que ce soit, et ce n'est que le 25 août que l'opinion publique sera informée de l'accusation pesant sur elle. Pendant ce temps, à Londres, c'était une explosion simultanée de joie et d'horreur après l'arrestation de Ballard. Des feux de joie furent allumés aux carrefours, les cloches sonnèrent « vingt-quatre heures durant pour l'aise qu'a eue la reine d'avoir échappé à un si grand péril ». Pour empêcher toute fuite de complices, tous les ports étaient bloqués et les navires arrêtés. Même l'ambassade de France (pourtant bien innocente) était mise sous surveillance, et lorsque Châteauneuf, qui n'en pouvait mais, s'avisa de protester auprès de Walsingham, il s'entendit rappeler le souvenir de la Saint-Barthélemy en guise d'invitation à la discrétion[18].

Marie Stuart, à son retour à Chartley, trouva tous ses coffres ouverts, ses bijoux enlevés, ses serviteurs disparus. Elle protesta avec la plus grande véhémence contre cet outrage. « Il y a deux choses qu'on ne pourra pas m'enlever, s'écria-t-elle : mon sang anglais et ma religion catholique, que je garderai jusqu'à ma mort. » Elle était si indignée que, malgré le danger, elle pensait encore à proférer des menaces : « Beaucoup d'entre vous regretteront ce qu'ils ont fait », dit-elle à ses gardiens. Elle écrivit sur-le-champ à Élisabeth une lettre que Paulet refusa de transmettre. Tout au plus obtint-elle que quelques-uns de ses plus intimes serviteurs lui fussent rendus, notamment le médecin Bourgoing et la femme de Curle, qui venait d'accoucher d'une petite fille. Conformément aux prescriptions de l'Église catholique, elle procéda elle-même, en l'absence de l'aumônier Du Préau resté éloigné par ordre de Paulet, au baptême de l'enfant, qui reçut le nom de Marie : ce qui scandalisa fort le calviniste, qui y vit « la violation des lois divines et humaines[19] ».

Cependant, tout allait dépendre, pour la suite des événements, du procès de Babington et de ses amis. Par malchance pour la prisonnière de Chartley, ils avouèrent assez rapidement tout le mécanisme de la conspiration. Pendant trois jours, du 13 au 15 septembre, ils furent interrogés (en partie sous la torture, conformément à la procédure légale de l'époque) et livrèrent leurs secrets — non sans se rejeter la responsabilité les uns sur les autres, le coupable principal apparaissant en définitive le prêtre Ballard. Ils furent tous condamnés à mort et exécutés, les 20 et 21 septembre, avec l'atroce rituel des régicides : pendaison à demi, éventration, éviscération et écartèlement. Élisabeth, paraît-il, fut si émue par le récit de la boucherie du premier jour, où périrent Ballard, Savage et Babington, qu'elle ordonna pour le lendemain une exécution plus expéditive *.

Non seulement Babington, avant de mourir, avait certifié l'authenticité de la lettre de Marie Stuart du 17 juillet, mais, la veille de son exécution, il reconnut le chiffre dont il s'était servi dans ses correspondances avec elle. C'était plus qu'il n'en fallait à Walsingham pour entreprendre le procès de l'ancienne reine d'Écosse.

De leur côté, Nau et Curle, les deux secrétaires, confirmaient les aveux de Babington. Les 3 et 5 septembre, ils avouèrent devant le Conseil privé (sous menace de torture, il est vrai) que leur maîtresse avait bien correspondu avec les conspirateurs et que la lettre du 17 juillet, dont on leur montrait la copie, était bien « telle ou semblable » à celle qu'ils avaient souvenir d'avoir rédigée et chiffrée à cette date. Il fallait bien reconnaître que les perquisitions à Chartley n'avaient fourni aucun document vraiment probant de la propre main de Marie Stuart, mais, à une époque où la procédure contradictoire n'existait pas, où les accusés n'étaient jamais confrontés avec les témoins de l'accusation — en Angleterre pas plus que dans les autres pays —, Walsingham estimait avoir en main suffisamment de munitions pour convaincre Élisabeth de faire juger sa cousine.

Comme à York dix-huit ans plus tôt, une question préalable difficile se posait : pouvait-on, en droit, traduire une reine devant des juges ? Il était prévisible que, comme en 1568, Marie Stuart refuserait de se reconnaître responsable devant aucune juridiction humaine. Cependant, le gouvernement anglais disposait de beaucoup plus d'arguments positifs qu'à York. D'abord, il s'agissait cette fois de juger un crime, ou une complicité de crime, dont le théâtre était l'Angleterre et la victime désignée la reine du pays — tandis qu'à York, le crime

* Gilbert Gifford, l'architraître, s'était éclipsé aussitôt après la découverte officielle du complot. Il devait mourir en France quatorze ans plus tard, dans des circonstances déshonorantes, emprisonné après une rixe dans un bordel.

dont on discutait (l'assassinat de Darnley) avait été commis en Écosse, et que les Anglais n'avaient rigoureusement rien à y voir. Ensuite, la loi sur la protection de la reine, votée par le Parlement en 1585 *, fournissait une arme redoutable aux juges, dans la mesure où elle visait non seulement la complicité active dans toute tentative contre Élisabeth, mais la complicité passive, voire inconsciente, de toute personne « au profit de qui » se ferait une telle tentative.

Malgré tout, Élisabeth hésitait. Leicester, alors aux Pays-Bas, la poussait à faire exécuter Marie discrètement, sans jugement, comme cela se pratiquait à l'époque en matière de crimes d'État [20] ; mais il était vraiment trop difficile de trouver des exécutants pour une telle procédure expéditive, et Walsingham écarta cette solution : sans doute les collaborateurs de la reine Tudor craignaient-ils, non sans raison, que celui qui aurait pris la responsabilité de l'acte ne serve de bouc émissaire après la mort de l'Écossaise. L'avenir ne devait que trop justifier une telle crainte.

Élisabeth, selon son habitude, hésitait encore : Cecil, le 10 septembre, la décrivait à Walsingham « variable comme le temps » **. Finalement, après une longue conversation avec Cecil, elle se décida. C'est la loi sur la protection de la reine qui serait invoquée, et c'est elle qui servirait de base à la procédure. Plus qu'un tribunal, ce serait une commission spéciale qui déciderait de la culpabilité de Marie Stuart. Élisabeth en désigna elle-même les quarante-six membres ; personne ne douta du résultat de ses travaux.

Depuis son retour à Chartley, Marie vivait dans l'ignorance de ce qui se passait à l'extérieur. Le médecin

* Voir p. 464.

** C'est probablement de cette époque que date un mémoire qui figure dans les archives de Sir Nicolas Bacon (voir p. 127), où sont exposés en détail les arguments juridiques et historiques en faveur du droit d'Élisabeth à faire juger Marie Stuart, malgré les arguments contraires invoqués par les Français. Le principal exemple historique invoqué est celui de Cléomène, roi de Sparte, mis à mort par le roi d'Égypte Ptolémée, auprès de qui il s'était réfugié après sa défaite par Antigone de Syrie et contre qui il avait comploté... en 219 avant J.-C. !

Bourgoing témoigne qu'elle était à nouveau malade, « prise d'un bras et d'une jambe », et qu'elle restait le plus souvent au lit. Paulet avait reçu pour instruction de la tenir étroitement surveillée. Elle n'avait plus autour d'elle, d'ordre de Walsingham, que quinze serviteurs hommes et femmes, ce qui, à l'époque, était considéré comme indigne d'une femme de son rang. Bientôt on lui enleva son cocher et ses palefreniers, qui, lui dit-on, ne lui étaient plus nécessaires puisqu'elle ne serait plus autorisée à sortir[21].

Dès son arrestation, le 16 août à Tixall, elle avait protesté avec force qu'elle était ignorante de toute entreprise contre sa bonne sœur Élisabeth, et « qu'elle savait bien que ce n'était pas la première fois qu'on l'avait mal informée d'elle et fait de mauvais offices en son endroit ». Le 10 septembre, Paulet vint lui notifier les charges qui pesaient sur elle et lui enleva tout son argent, pour l'empêcher de continuer à « suborner les monstres traîtres et méchants à leur patrie ». Elle réaffirma son innocence, sans résultat, et on ne lui laissa que dix écus « pour jouer et s'ébattre » ; décharge lui fut donnée de tout le reste. Le filet se resserrait autour d'elle[22].

Pour la commodité de la commission judiciaire, Walsingham avait décidé que la prisonnière serait transférée plus près de Londres, à Fotheringay, dans les environs de Peterborough, où le château disposait de deux grandes salles convenant à des séances solennelles d'interrogatoire et de spacieux appartements pouvant loger de nombreux seigneurs. Pour la convaincre d'accepter ce changement de résidence sans faire d'esclandre, Paulet mit en avant des raisons sanitaires ; le voyage eut lieu du 21 au 25 septembre, en coche, sans incidents. Deux cents cavaliers servaient d'escorte pour prévenir toute tentative d'enlèvement, armés de lances, de hallebardes, de javelines, d'arcs, d'arquebuses, d'épées, de dagues, de pistolets : de quoi intimider, s'il en était encore besoin après les exécutions de Babington et de ses compagnons, les plus intrépides des catholiques.

Le château de Fotheringay — aujourd'hui disparu — était une forteresse austère, d'aspect particulièrement rébarbatif. Une tradition locale rapporte que, lorsque Marie Stuart vit où on la menait, elle s'écria : « *Perio !** » Sans doute dut-elle penser qu'elle y mourrait, étouffée ou empoisonnée comme cela se pratiquait en pareil cas. Mais elle fut bientôt détrompée : six jours après son arrivée, Paulet lui annonça qu'elle allait être interrogée par des commissaires envoyés par la reine d'Angleterre. Elle répondit que, « comme elle était reine souveraine, elle ne reconnaissait point d'offense ni faute pour en rendre compte à personne ici-bas », et que les commissaires « prenaient beaucoup de peine pour peu de choses et qu'ils n'avanceraient pas beaucoup[23] ».

La commission, nous l'avons dit, était composée de quarante-six personnes, choisies par Élisabeth parmi les plus grands seigneurs et hauts dignitaires du royaume. Compte tenu de la personnalité de l'accusée, il importait que toute la solennité possible fût conférée à cette procédure exceptionnelle, dont il n'existait pas d'exemple historique. On y trouvait l'archevêque (anglican) de Cantorbéry, primat d'Angleterre, le grand chancelier Bromley, le grand trésorier Cecil (Lord Burghley), le grand chambellan Oxford, les secrétaires d'État Walsingham et Davison, des magistrats, des lords, des chevaliers, plusieurs courtisans proches de la reine. Le comte de Shrewsbury avait été désigné pour siéger ; il aurait bien voulu se récuser en alléguant sa mauvaise santé, mais on lui fit comprendre que, dans son propre intérêt, il valait mieux ne pas insister. Paulet, lui, n'avait pas de tels scrupules.

Tous ces importants personnages arrivèrent à Fotheringay le 11 octobre. Quelques jours plus tôt, Paulet avait encore tenté d'obtenir de Marie Stuart des aveux spontanés (moyennant quoi, promettait-il, la reine d'Angleterre pourrait se montrer clémente : c'était la manœuvre qu'on avait déjà tentée à York dix-huit ans plus tôt, sans succès). Comme à York, Marie refusa en remarquant « que cela lui semblait être comme on a

* « Je meurs » : jeu de mots sur un lieu-dit des environs nommé Perryho Lane.

accoutumé [de] faire aux petits enfants quand on leur veut faire confesser quelque chose[24] ».

Élisabeth, peut-être comme mesure d'intimidation, ou tout simplement dans un mouvement de colère comme elle en était coutumière, avait envoyé à sa cousine une lettre menaçante : « À mon grand et inexprimable chagrin, il m'a été donné d'entendre qu'avec force protestations vous prétendiez n'avoir en aucune manière consenti à un complot dirigé contre ma personne et contre l'État, et n'en avoir même pas connaissance. Or je sais que, par preuves claires et manifestes, le contraire se trouvera vérifié et établi contre vous [...]. J'ai donc jugé opportun d'envoyer vers vous plusieurs des personnages de la plus illustre et de la plus ancienne noblesse de mon royaume, avec certains de mes conseillers privés et de mes principaux magistrats, pour vous accuser d'avoir eu connaissance de ce très horrible et monstrueux attentat et d'y avoir consenti[25]. »

A quoi Marie, le 12 octobre, répondit selon la ligne de défense qu'elle avait dès lors adoptée et dont elle ne se départirait plus : « J'ai grand chagrin que la reine, ma très chère sœur, soit si mal informée sur mon compte [...]. Il me semble bien étrange qu'elle m'ordonne de comparaître pour être jugée, comme si j'étais sa sujette. Je suis reine absolue et je ne consentirai à rien qui puisse porter atteinte à ma dignité royale, ni à celle de mon fils [...]. Je suis innocente de tout crime contre la reine, je n'ai excité personne contre elle. Je ne nie pas avoir recommandé ma cause à certains princes étrangers, mais rien d'autre ne peut être prouvé contre moi[26]. »

Elle acceptait cependant de se justifier devant le Parlement d'Angleterre, mais comme reine et non comme sujette de sa cousine. « Je souffrirai mille morts plutôt que de me reconnaître sujette de qui que ce soit », déclara-t-elle à Cecil et au grand chancelier Bromley lorsqu'ils parurent pour la première fois devant elle. « Votre commission n'a été réunie que pour donner l'illusion d'un procès légal, alors que je suis déjà jugée et condamnée d'avance. Je vous en avertis : examinez votre conscience, et souvenez-vous que le théâtre du monde est infiniment plus vaste que le royaume d'Angleterre ! » Comme il fallait s'y attendre, les commissaires refusèrent d'enregistrer cette protestation, comme « préjudiciable à la couronne ».

Cependant, comme jadis à York, après cette belle affirmation d'indépendance et de souveraineté, Marie Stuart finit par céder. Le 14 octobre, elle accepta de sortir de son appartement pour comparaître devant la commission au grand complet. Un dessin d'époque montre la disposition des lieux : une grande table rectangulaire au centre de la salle, deux rangées de bancs, de part et d'autre de la table, les secrétaires de séance écrivant tant bien que mal sur leurs genoux. À l'une des extrémités de la salle, des personnages debout, non identifiés, donnent à penser que quelques spectateurs (des gentilshommes du voisinage ?) avaient été admis à assister aux interrogatoires. À l'autre extrémité, un trône sur une estrade, surmonté d'un dais aux armes d'Angleterre. À son entrée, Marie Stuart se dirigea vers lui, mais le chancelier Bromley, président de la commission, lui indiqua que sa place était sur un fauteuil de velours rouge préparé à cette intention, vers la tête de la table : le trône était celui d'Élisabeth, ainsi présente symboliquement. « Je vois ici bien des juges, mais pas un seul en ma faveur », remarqua Marie en s'asseyant[27].

Il serait fastidieux de retracer par le menu toute la procédure, qui occupa les journées des 15 et 16 octobre en entier. Nous connaissons l'accusation : complot contre la vie de la reine d'Angleterre et contre la sécurité du royaume. Nous connaissons également la défense : d'une part Marie, en tant que reine, ne relève pas de l'autorité de sa cousine ; d'autre part, en tant qu'Écossaise, elle n'est pas justiciable des lois anglaises. Elle est retenue injustement prisonnière depuis dix-huit ans dans ce pays où elle était venue chercher aide et assistance sur la foi des promesses maintes fois formulées par la reine Élisabeth. Enfin, elle ignore tout de la conspiration dans laquelle on veut l'impliquer. Sans tenir compte de cette déclaration de principe, le sergent de la reine, Gawdy, entama la lecture de l'acte d'accusation, en citant tous les documents que nous avons examinés en relatant le déroulement du complot*. Si, jusque-là, Marie Stuart avait pu douter que toute sa correspondance des derniers mois eût été connue de Walsingham, elle perdait maintenant toute illusion sur ce point. Une seule chance lui restait pour sa défense : c'était d'exiger qu'au lieu de copies, on produisît les originaux signés de sa main. Elle savait bien que c'était impossible, puisqu'elle détruisait elle-même les lettres qu'elle recevait (on n'avait rien trouvé, dans ses coffres à Chartley, qui fût de nature à l'incriminer), et que ses correspondants en faisaient de même. De toute façon, l'opinion des commissaires était faite, mais beaucoup d'historiens modernes, jusqu'à notre époque, ont été troublés par cette condamnation prononcée au vu de copies de documents. Frédéric Pottecher, grand spécialiste des procédures judiciaires, a exprimé l'avis qu'un jury de nos jours hésiterait à rendre en pareil cas un verdict de culpabilité — ce qui ne l'empêche pas, d'ailleurs, d'estimer que tout compte fait, Marie était bien réellement au courant de l'entreprise de Babington, et donc coupable aux termes de la loi anglaise en vigueur[28].

L'accusation était évidemment gênée par le fait qu'il lui était impossible d'avouer l'origine des copies produites devant la commission : c'eût été dévoiler le rôle de Gifford, de Phelippes et du complaisant brasseur, et révéler toute la machination. On se contenta donc de certifier que les copies étaient fidèles (Babington, Nau et Curle les avaient d'ailleurs authentifiées), mais on ne répondit pas au défi de Marie de produire les originaux. À York comme à Fotheringay, elle était donc jugée sur des documents qu'on se refusait à lui montrer. Bien que les circonstances des deux procès fussent très différentes, cette coïncidence n'a jamais cessé de servir, depuis le XVIe siècle, la thèse des partisans de l'innocence de la reine d'Écosse.

* Il n'existe pas à proprement parler de procès-verbal officiel des débats de Fotheringay. Cecil fit rédiger un compte rendu qui contient surtout les actes de l'accusation. Le *Journal* du médecin Bourgoing, au contraire, développe surtout les interventions de Marie Stuart. En complétant l'un par l'autre, on peut avoir une idée assez globale de la procédure.

Cette thèse bénéficie aussi de l'indéniable dignité dont Marie Stuart fit preuve, au témoignage même de ses ennemis, tout au long de ces débats confus. Les années d'épreuves, si elles ne lui avaient pas enseigné l'humilité ni la prudence, lui avaient du moins conféré une sérénité bien éloignée des emportements de sa jeunesse. À Fotheringay, sans avocat, sans conseil juridique, elle réussit, face aux juristes les plus retors du royaume, à faire impression lorsqu'elle protesta de son bon droit : « Sa Majesté répondit qu'elle n'avait jamais quitté son droit, qu'elle ne le quitterait jamais, et qu'elle priait le Trésorier (Cecil) de ne pas la presser davantage [...] ; qu'elle savait bien que ses ennemis et ceux qui prétendaient la débouter de son droit [d'héritière d'Angleterre] avaient fait jusqu'ici tout ce qu'ils avaient pu par tous moyens à eux possibles, voire jusqu'à attenter à sa vie [...] ; mais que Dieu lui avait donné cette grâce de patience de supporter les adversités qu'il Lui avait plu [de] lui envoyer, et qu'elle Le priait de faire d'elle selon Son bon plaisir, pour l'augmentation de Son Église, en laquelle elle voulait vivre et mourir et pour laquelle elle répandrait jusqu'à la dernière goutte de son sang[29]. »

Sans doute commençait-elle, par le ton des interrogatoires, à comprendre quel sort l'attendait. À partir de ce moment, son attitude ne variera plus : elle est persécutée pour sa foi, et elle mourra en martyre de la religion catholique. Finies les coquetteries avec le protestantisme, les protestations d'amitié pour Élisabeth, les offres de bonnes relations. Elle est la championne de la foi, celle que Dieu a choisie pour témoigner de sa fidélité. Peu importe dès lors que les « chicaneurs » se montrent plus ou moins agressifs. « Elle ne sait rien d'aucun meurtre ni attentat à l'encontre de personne, ni de conspiration ou invasion du royaume » ; mais « les catholiques tous les jours sont en tous lieux bannis et exilés, fugitifs et errants de çà et de là pour se cacher ». Quant au titre de reine d'Angleterre, « ce n'est pas elle qui le prenait, mais c'était toute l'Église catholique et les princes chrétiens qui le lui donnaient et estimaient légitime ». Et le soir, revenue à son appartement, « elle se devisait entre ses gens familièrement et tout joyeusement, sans aucune apparence de tristesse, avec un bon visage, voire meilleur qu'auparavant de son trouble[30] ».

Enfin, les commissaires prirent congé, au soir du 15 octobre, et regagnèrent Londres, Élisabeth désirant voir elle-même les pièces du procès avant de les autoriser à prononcer leur verdict. Ils se retrouvèrent à Westminster, à la « Chambre étoilée », où, le 25 octobre, sans surprise, ils proclamèrent l'accusée coupable *. En vertu de la loi sur la protection de la reine de 1585, cette sentence équivalait à une condamnation à mort. Tout au plus prit-on la précaution, pour désamorcer les réactions de Jacques VI, de préciser dans le document que la condamnation de sa mère ne diminuerait en rien ses propres droits à la succession d'Angleterre.

Quelques jours plus tard, le Parlement, convoqué tout exprès, confirma la sentence. L'éloquence biblique coula à flots, Marie Stuart fut à loisir comparée à Jézabel et à Athalie. La session se termina par une supplication adressée à Élisabeth de faire exécuter la prisonnière au plus vite, pour assurer le salut de la religion du Christ (entendons le protestantisme) et du royaume.

Élisabeth répondit par un long discours, plein de tristesse devant la trahison de sa chère cousine, mais évitant de conclure. « C'est une affaire des plus graves, dit-elle, et vous savez que j'ai l'habitude de délibérer longtemps avant de me décider, même dans les choses de moindre conséquence. Je vais prier Dieu d'éclairer mon esprit afin de me faire savoir ce qui convient pour le bien de Son Église et de l'État et pour votre bonheur à tous. Je vous ferai connaître ma résolution en temps opportun, et vous pouvez être sûrs qu'elle sera conforme à ce que les meilleurs sujets peuvent attendre du meilleur prince[31]. »

Une longue attente commençait. La partie s'engageait maintenant sur l'échiquier diplomatique européen.

* Un seul membre de la commission, Lord Zouch, vota contre ses collègues. Douze membres, dont Shrewsbury, étaient absents.

CHAPITRE XXII

« Ce misérable spectacle et barbare exécution... »

Exécuter une reine, fût-elle déchue depuis vingt ans, n'était pas une petite affaire, dans une Europe où le droit monarchique était en plein essor. Au plan juridique, on n'aurait trouvé qu'un seul précédent à invoquer, la condamnation à mort du jeune Conradin, roi de Sicile, par son vainqueur Charles d'Anjou, en 1268 : ce n'était pas un exemple bien glorieux. D'ailleurs, en l'occurrence, le pape, vicaire de Jésus-Christ, avait donné son approbation à la sentence — ce qui ne pouvait être le cas, et pour cause, en 1586.

En réalité, les puissances protestantes se désintéressaient du sort de Marie Stuart : une reine catholique de moins n'était pas de nature à les indigner ni à les inquiéter. L'Espagne, certes, serait furieuse ; mais elle était impliquée au premier chef dans la conspiration de Babington, et la mort de Marie ne modifierait pas substantiellement sa position. Élisabeth connaissait suffisamment Philippe II pour savoir qu'après tant d'années d'hésitations, il n'irait pas improviser une opération militaire pour sauver sa lointaine cousine en déclenchant une guerre avec l'Angleterre.

Restaient cependant deux pays qui, l'un et l'autre, avaient des raisons puissantes pour intervenir en faveur de la reine captive, et possédaient les moyens de le faire : la France et l'Écosse.

En France, Henri III était, nous le savons, aux prises avec la Ligue et avec les Guise, qui commençaient à proclamer ouvertement leur intention de le détrôner. Ce n'était pas là une circonstance de nature à lui inspirer une grande ferveur pour leur cousine Stuart. Mais Marie était, personne ne l'oubliait, reine douairière de France, et tous les catholiques — c'est-à-dire l'immense majorité de la population du pays — se passionnaient pour cette victime de la perverse et hérétique Élisabeth. Henri III, personnellement, n'avait guère d'affection pour son ex-belle-sœur (il l'avait peu connue, étant âgé de neuf ans quand elle avait quitté la France), et tout permet de penser qu'il croyait à sa culpabilité, aussi bien dans le meurtre de Darnley que dans le complot de Babington. Il était le fils très chéri de Catherine de Médicis, dont nous savons la froideur à l'égard de la reine d'Écosse. Mais le procès de Fotheringay et la condamnation à mort créaient une situation nouvelle, inédite. Laisser exécuter l'ancienne reine de France serait un véritable camouflet infligé au royaume des Valois. Il fallait agir, et agir vite.

Malheureusement pour la diplomatie française, le terrain était miné. Dans sa lutte contre la Ligue — question de vie ou de mort pour lui —, Henri III avait besoin de l'aide d'Élisabeth. Objectivement, les alliés de Marie Stuart — l'Espagne, le pape, les Guise — étaient les ennemis du roi de France, dont les intérêts coïncidaient au contraire, au moins temporairement, avec ceux du gouvernement anglais.

Depuis plusieurs années, au grand dépit de l'ex-reine d'Écosse, la France tentait de renouer des liens d'amitié avec Jacques VI. On ne pouvait plus revenir, certes, à l'étroite alliance franco-écossaise du début du siècle ; pour Jacques VI, le principal partenaire, par la force des choses, était désormais l'Angleterre, dont il espérait ceindre la couronne à la mort d'Élisabeth. Mais, puisque précisément l'Angleterre et la France étaient maintenant en bons termes, rien n'empêchait que les relations entre Paris et Édimbourg redeviennent amicales. Rien, sauf l'obstination de Marie Stuart à refuser à son fils le titre de roi. Tant pis pour elle : Henri III s'était décidé à sauter le pas et à envoyer à son « très cher neveu Jacques, roi d'Écosse », un ambassadeur extraordinaire, Charles de Prunelé, baron d'Esneval, en décembre 1585.

Les résultats de cette ambassade n'avaient pas été très concrets — Jacques VI n'attendait pas grand-chose de la France, et Henri III n'avait rien d'efficace à offrir —, mais elle avait contribué à refroidir sensiblement l'atmosphère entre le roi de France et son ex-belle-sœur, pour qui tout rapprochement avec son fils « rebelle et ingrat » était une trahison[1].

Dans ces conditions, Henri III se préoccupait certes d'améliorer le sort de la reine déchue, mais il y mettait une modération remarquée. « S'il vient à propos que vous puissiez faire ouverture (aborder le sujet) de la libération de la reine d'Écosse, vous regarderez que ce soit si modestement et de telle façon qu'on ne puisse l'interpréter en mauvaise part[2] », écrit-il à son ambassadeur Châteauneuf le 16 février 1586. Châteauneuf prenait personnellement intérêt à Marie, tout en jugeant sévèrement ses imprudences, mais il ne pouvait, de sa propre initiative, aller au-delà des instructions de son souverain.

Dès l'arrestation de Ballard et l'annonce officielle de la découverte de la conspiration, des dépêches informèrent la Cour de France de l'événement et de ses suites. Châteauneuf fut reçu par Élisabeth à Windsor le 3 septembre et la trouva « très animée » contre la reine d'Écosse, tenant « de fort aigres propos ». Il en conçut l'impression qu'elle avait « l'intention de mal traiter ladite reine[3] ». Mais, soit par prudence, soit par mauvaise appréciation de la gravité de la situation, Henri attendit le 17 septembre pour convoquer au Louvre l'ambassadeur d'Angleterre et lui faire savoir qu'il ne tolérerait pas « qu'on attentât à la personne de la reine d'Écosse[4] ». Cela ne fit pas apparemment grande impression sur Élisabeth, car le 4 octobre Châteauneuf exprimait sa crainte que « le peu de soin que l'on a en France des affaires d'Angleterre n'aide bien à perdre cette pauvre princesse ». Le 20 octobre encore, il constate que « l'on se soucie fort peu en France du fait de la reine d'Écosse » et la considère comme « perdue et en très mauvais état ». Tout cela ne montre pas, c'est le moins qu'on puisse dire, un grand empressement du gouvernement français à se compromettre pour la prisonnière de Fotheringay.

Du côté de l'Écosse, la bonne volonté n'était pas plus grande. L'ambassade de Charles d'Esneval avait pris fin juste au moment de l'exécution de Babington. « Les pauvres misérables conspirateurs ont été mal assistés de leur prétendu secours, car on les pend là comme andouilles », écrit-il pittoresquement. Jacques VI, personnellement, avait tout à perdre dans la conspiration où trempait sa mère ; l'Espagne était son ennemie principale, puisque Philippe II le considérait comme un hérétique obstiné et irrécupérable ; et sa terreur était qu'une condamnation de Marie en application de la loi de 1585 n'entraînât sa propre exclusion de la succession d'Élisabeth.

Lors de la découverte officielle de la conspiration, il s'empressa d'envoyer ses félicitations à sa marraine. Comme l'ambassadeur de France le pressait d'intervenir en faveur de sa mère, il répondit assez sèchement qu'elle n'avait qu'à boire « la bière qu'elle avait brassée » ; au reste, ajoutait-il, il savait de source sûre qu'elle avait cherché à le priver de son trône, et il était heureux qu'elle fût désormais « hors d'état de continuer ses pratiques et ses intrigues[5] ».

Élisabeth, d'ailleurs, avait pris les devants en envoyant à son cousin d'Écosse copie d'un document trouvé à Chartley prouvant l'intention de sa mère de léguer son royaume à l'Espagne, et en lui faisant comprendre qu'une intervention de sa part risquerait de lui coûter sa position d'héritier présomptif d'Angleterre. Dans son propre entourage, Jacques VI entendait plutôt des conseils de prudence que d'audace : « Il est persuadé que la reine d'Angleterre n'osera rien contre elle [Marie] sans le consulter, et alors il verra ce qu'il aura à faire. »

L'opinion qu'Élisabeth ne donnerait pas suite à la condamnation prononcée contre Marie Stuart par le Parlement était, en effet, assez répandue en Angleterre, en Écosse et sur le continent. Après tout, déjà par deux fois, après les conspirations de Ridolfi et de Throckmorton, on avait parlé d'exécuter la prisonnière, et en chaque occasion sa « bonne sœur » avait opposé son veto. On pouvait croire qu'il en serait de même cette fois encore. Même Mendoza, à Paris, jugeait qu'Élisabeth cherchait seulement à faire monter les enchères pour « vendre Marie plus cher à la France[6] ». Seul l'ambassadeur de France, mieux renseigné ou meilleur psychologue, était pessimiste dès le début sur l'issue de l'affaire.

C'est lui qui avait raison. Élisabeth, désormais, avait peur, et Walsingham avait réussi à la convaincre que tant que Marie vivrait elle ne serait jamais en sécurité. Elle tenta bien, le 14 novembre, une ultime démarche auprès du Parlement pour trouver une solution permettant de sauver la vie de sa cousine (hypocrisie ? désir sincère d'éviter l'effusion de sang ? Comment savoir...) mais les députés répondirent qu' « il n'existait pas d'autre moyen que l'exécution », en insistant pour que celle-ci eût lieu au plus tôt. La réaction d'Élisabeth, à la réception de ce message, est si caractéristique qu'elle vaut la peine d'être citée : « Si je vous disais que je ne veux pas faire droit à votre prière, j'en dirais peut-être plus que je ne veux. Mais si je vous disais que j'accepte de faire ce que vous me demandez, j'en dirais certainement plus qu'il ne vous convient de savoir. Aussi vous répondrai-je en ne vous faisant pas de réponse[7]. » Étonnante époque où un souverain pouvait ainsi jouer avec l'opinion publique !

Apparemment, la reine d'Angleterre hésitait toujours. Cependant, le verdict de condamnation était notifié le 22 novembre à la prisonnière, et l'on a peine à croire qu'une démarche aussi grave pût être effectuée sans un ordre précis de la souveraine.

À la mi-décembre, un nouveau pas était franchi : la sentence fut proclamée officiellement dans le royaume, provoquant une grande liesse populaire. Désormais il ne manquait plus que l'ordre d'exécution. Cette fois, aucune illusion n'était plus permise aux amis de Marie Stuart quant à la gravité de la situation.

C'est alors que, pendant un mois et demi, les grandes manœuvres diplomatiques vont s'engager ; manœuvres où, de façon assez surprenante, c'est parfois Élisabeth qui prendra l'offensive, selon la tactique bien connue qui consiste à attaquer pour se défendre.

Le premier à réagir, dès l'annonce officielle de la condamnation de Marie, est Henri III. La dignité de la couronne de France est maintenant en jeu. Il envoie à Londres, à la fin de novembre, Pomponne de Bellièvre, surintendant des Finances et conseiller d'État, chargé d'un message personnel pour Élisabeth. Le duc de Guise, allié de l'Espagne, ne voit dans cette démarche qu'un geste de pure forme : « Ce voyage m'apporte un merveilleux et très juste soupçon, n'y ayant point de doute que ce sujet est le moindre qui l'y fait aller » ; le pape est du même avis : « Quelque apparence de démonstration que fasse le roi de France, il est en très bonne intelligence avec la reine d'Angleterre. » Un pamphlet de la Ligue résume en termes imagés cette opinion, qui a trouvé des échos parmi les historiens hostiles à Henri III : « La reine d'Angleterre le conduit par le mufle comme un bœuf, et lui fait trouver bonne la conspiration de la mort de sa belle-sœur la reine d'Écosse, que, sans son aveu (approbation), elle n'eût jamais osé attenter[8]. » En réalité, ces soupçons étaient infondés, comme le prouve la correspondance échangée entre Bellièvre, Châteauneuf et Henri III. Bellièvre avait bien des instructions formelles pour défendre la cause de Marie Stuart et pour proposer, sous réserve de sa renonciation solennelle et irrévocable à tout droit sur la couronne d'Angleterre du vivant de sa cousine, soit sa libération, soit son transfert en France où le roi se porterait garant de sa bonne conduite (allant jusqu'à suggérer qu'elle pourrait être internée dans un couvent). Mais le temps était passé où Élisabeth aurait pu prêter foi à de telles promesses : devant Châteauneuf, elle évoquait le complot de Ridolfi et combien sa clémence d'alors avait été mal récompensée[9].

Bellièvre arriva à Londres le 1er décembre 1586. La reine le fit attendre jusqu'au 7 et le reçut avec hauteur. Il avait préparé une longue harangue en style très orné, bourrée de références à l'histoire grecque et romaine (« Un passereau poursuivi par un épervier se sauva dans le sein du philosophe Xénocrate »), mettant en œuvre toutes les ressources de l'art oratoire pour plaider tout à la fois, sans souci des contradictions, le respect du droit d'asile pour Marie, son innocence de toute participation à quelque complot que ce fût, son indépendance à l'égard de la juridiction anglaise, le caractère sacré de sa personne comme reine couronnée, enfin l'offense que ressentirait la France de toute atteinte faite à son ancienne souveraine.

Élisabeth le prit de très haut, affirma que Marie était bien « son inférieure quand elle était venue de son plein gré en Angleterre », et rappela que, tant que la reine d'Écosse serait en vie, c'est elle-même qui serait en danger de mort. Une nouvelle audience, le 15 décembre, n'aboutit pas à de meilleurs résultats. L'insistance d'Henri III en faveur de la condamnée donnait même prétexte à la reine d'Angleterre de se considérer comme offensée : c'est elle, maintenant, qui exigeait que Morgan et Paget, les deux conjurés résidant à Paris, fussent exécutés !

Cette fois, Henri III était piqué au vif. Bellièvre suggérait qu'en versant des dessous de table substantiels à certains conseillers d'Élisabeth, on pourrait encore sauver la tête de Marie Stuart. Hélas ! les coffres français étaient vides : « Pour 20 000 ou 30 000 écus, on ne les pourrait pas [trouver] présentement comptant. »

Finalement, Élisabeth, sentant son avantage, renvoya Bellièvre, le 18 janvier 1587, avec une lettre autographe passablement insolente à l'intention de son « bon frère » le roi de France : « Vos États, mon bon frère, ne permettent [de] trop demeurer. Ne donnez, au nom de Dieu, la bride à chevaux effarouchés, de peur qu'ils n'ébranlent votre selle [...]. Je ne suis née de si bas lieu ni ne gouverne si petit royaume que, en droit et en honneur, je cède à prince vivant qui m'injuriera[10]. »

Jamais la France n'avait été humiliée à ce point. Henri III n'avait aucun moyen de rétorsion : Élisabeth le savait, et elle en profitait. Bellièvre retraversa la Manche, sachant que Marie était perdue.

Du côté de l'Écosse, les choses étaient plus délicates. Marie Stuart gardait suffisamment de partisans au nord de la Tweed pour que la perspective de la voir mise à mort par la reine d'Angleterre soulevât des tempêtes. D'autre part, malgré tout ce qui pouvait les séparer,

Jacques VI était son fils, et il n'était pas concevable qu'il assistât sans réagir à son exécution. Lorsque, à la mi-novembre 1586, il apparut que le risque d'une issue fatale se précisait, il fut au pied du mur. L'opinion publique était déchaînée à Édimbourg : « Tous les hommes harcèlent le roi, en lui exposant quel déshonneur ce serait pour lui de souffrir la mort de sa mère. » Certains allaient jusqu'à dire que, s'il n'agissait pas avec énergie pour la sauver, « il mériterait d'être lui-même pendu[11] ».

Jacques se décide donc, vers le 15 novembre, à envoyer à Élisabeth une première lettre, à laquelle elle répond en affirmant qu'elle ne « tolérera pas » le ton menaçant sur lequel il écrit. Le 27 novembre, il revient à la charge, tout en insistant sur « le joyau d'affection » envers sa marraine que renferme son cœur, « enfermé dans un écrin de perplexité ». Cette fois, la reine d'Angleterre éclate d'une telle fureur « que c'était merveille à voir ». Elle demande si Jacques VI approuve les trahisons de sa mère. Il fait aussitôt machine arrière : « Je suis désolé du fond du cœur, Madame, que vous ayez mal interprété ma lettre, au point de croire que je voulais vous menacer, ce qui est totalement contraire à mon intention [...]. Je voulais seulement, Dieu m'en est témoin, vous faire savoir combien l'Écosse est enflammée [...]. Vous pouvez être sûre, Madame, que vous n'avez jamais eu plus fidèle et plus honnête ami que moi. » Il écrit aussi à Leicester : « Si quelqu'un ose insinuer que j'aie pu avoir la moindre intelligence avec ma mère [...], il ment effrontément. Ma religion m'a toujours conduit à détester ses actions, même si mon honneur me contraint (*sic*) à insister pour qu'elle ait la vie sauve. »

Pour dissiper le malentendu, Jacques VI envoie à Londres, à la fin de décembre, une ambassade extraordinaire, confiée à Robert Melville et... à Patrick Gray, celui-là même qui avait si bien trahi Marie Stuart dans la négociation sur l' « association » trois ans plus tôt. Ce choix ne laissait pas présager une grande efficacité de la mission. Élisabeth, fidèle à la tactique qu'elle avait décidément adoptée, contre-attaque aussitôt : « Par la mort du Christ, ce serait me couper à moi-même la gorge que de vous accorder ce que vous me demandez ! » Et, comme Gray et Melville sollicitent un délai pour écrire à leur maître : « Pas une heure ! » réplique-t-elle. L'ambassade, comme il était prévisible et comme Gray le remarqua lui-même, « accouchait d'une souris * ».

Personne, au reste, ne se faisait d'illusions sur les sentiments profonds du roi d'Écosse à l'égard de sa mère : « L'unique souhait qu'il forme pour elle est qu'elle soit enfermée dans une chambre si étroitement qu'elle ne puisse parler à homme ou femme qui vive, et qu'elle soit déclarée simple sujette et vassale de la reine d'Angleterre », écrit le 20 décembre l'ambassadeur de France à Édimbourg.

Élisabeth savait tout cela, et elle était sûre que, quoi qu'il arrivât, Jacques VI ne romprait pas avec elle. C'était tout ce qu'elle demandait. Pour le reste, les états d'âme de son cousin d'Écosse lui étaient indifférents.

Quant à l'Espagne, tout en critiquant à haute voix les lenteurs et les timidités de la France, son attitude n'était pas non plus exempte d'ambiguïté. « Le nonce du pape à Paris dit que si la reine d'Écosse mourait, il est persuadé que cela se ferait en accord avec Votre Majesté [12] », écrit crûment Mendoza à Philippe II le 27 janvier 1587. Bellièvre lui-même, dans sa noble harangue cicéronienne, avait remarqué que le roi Philippe avait tout intérêt à l'exécution de Marie Stuart, « pour ce qu'il est bien assuré que les catholiques d'Angleterre se rangeraient alors entièrement de son côté ».

La prisonnière de Fotheringay était bien abandonnée de tous.

Cependant, les tergiversations d'Élisabeth n'étaient pas feintes. La meilleure preuve en est que si, vraiment, elle avait voulu se débarrasser de sa cousine, elle aurait pu donner l'ordre d'exécution aussitôt après sa condamnation par le Parlement. Henri III et Jacques VI

* Une tradition, d'ailleurs controversée, rapporte qu'en prenant congé de la reine d'Angleterre le 10 janvier 1587, Gray lui aurait murmuré à l'oreille : *Mortui non mordent* (« Les morts ne mordent pas »). Une telle remarque aurait bien été dans son style.

auraient protesté, mais le fait accompli aurait désamorcé les possibles réactions belliqueuses : une fois Marie Stuart morte, qui aurait eu intérêt à déclarer la guerre pour venger sa mémoire ? Au contraire, plus on attendait, plus les obstacles risquaient de surgir. Même en tenant compte de sa duplicité coutumière, Élisabeth ne pouvait que se trouver embarrassée par les interventions de la France et de l'Écosse. Les témoignages abondent de sa perplexité, en ces mois de novembre 1586 à janvier 1587. Répondant à un message de Jacques VI, le 29 novembre, elle affirme qu'« elle aimerait mieux perdre un bras plutôt que de souffrir qu'on fasse du mal à la reine d'Écosse ». Ses colères même, dont la violence frappait les diplomates, trahissent son hésitation.

Elle n'était pas sanguinaire. Elle n'était pas non plus sentimentale. Seize ans plus tard, elle confiera à l'ambassadeur d'Henri IV, au moment de l'exécution du maréchal de Biron * : « Je ne sais que trop ce qu'on peut ressentir en pareil cas, mais quand la nécessité de l'État est en jeu, nous ne devons pas tenir compte de nos sentiments personnels[13]. » À côté des interventions des rois de France et d'Écosse, elle était soumise aux pressions en sens contraire de son entourage, en premier lieu de Walsingham. L'Angleterre était en ébullition. On parlait de débarquement espagnol, d'une évasion de Marie Stuart, d'incendies criminels, d'attentats contre la reine[14].

Enfin, le 1er février 1587, à Greenwich où elle se trouvait, elle se fit apporter l'ordre d'exécution, préparé depuis plus d'un mois à l'initiative de Cecil, et le signa avec d'autres papiers. Le secrétaire d'État, Davison, collègue de Walsingham, fut l'homme à qui incombait ce jour-là — Walshingham étant malade — la redoutable responsabilité de recueillir la signature royale. Après plusieurs réflexions sur la nécessité d'agir secrètement, elle ordonna à Davison de porter le document au grand chambellan pour le faire sceller et de le faire parvenir à destination, tout en déclarant « qu'elle ne voulait plus en

* Vieux compagnon d'Henri IV, que celui-ci dut se résoudre à faire exécuter en 1602 pour haute trahison.

entendre parler jusqu'à ce que tout fût terminé ». « Elle répéta plusieurs fois qu'elle avait tardé à signer pour bien montrer qu'elle n'était poussée ni par la passion ni par la méchanceté, mais qu'elle n'avait jamais été assez inconsciente pour douter de la nécessité d'en finir » (témoignage de Davison après l'exécution, 20 février 1587)[15].

Mais, comme le secrétaire ramassait ses papiers pour prendre congé, la reine l'arrêta par une remarque qu'il s'agissait de comprendre à demi-mot. Elle regrettait que Paulet et son compagnon Drew Drury ne lui eussent pas épargné le souci de « frapper le coup elle-même ». Le soir même, Walsingham et Davison écrivaient à Paulet et à Drury : « Sa Majesté remarque en vous un manque de courage et de zèle à son service, parce que vous n'avez pas trouvé, de vous-mêmes, le moyen d'abréger la vie de la reine d'Écosse, considérant le grand péril où elle [Élisabeth] est à chaque instant tant que cette reine vivra[16]. »

Rarement le cynisme est allé plus loin que dans une telle démarche. Elle reste, sur la mémoire d'Élisabeth et de Walsingham, une tache indélébile — dont nous n'avons connaissance que parce que Paulet, par prudence ou exigence morale, négligea de brûler la lettre, comme l'y incitaient ses signataires. Au reste, le gardien de Marie Stuart était peut-être « farouche » (comme elle le qualifiait elle-même), mais ce n'était pas un meurtrier. Il répondit à Walsingham avec indignation : « Je ne peux manquer de vous faire savoir quel chagrin et quelle amertume sont les miens, d'avoir reçu de Sa Majesté l'ordre de commettre un acte que Dieu et la loi prohibent. Mes biens et ma vie sont à la disposition de Sa Majesté, mais à Dieu ne plaise que j'imprime une telle tache à ma conscience, que de verser le sang sans ordre légal ! » Élisabeth, informée, railla la « conscience délicate » et les « scrupules » de ces gens qui « promettent tout et ne tiennent rien ». Ce genre de remarques la situe dans la droite ligne des Machiavel et des Catherine de Médicis ; en ce temps pas plus qu'en d'autres, la religion, décidément, ne faisait rien à l'affaire[17].

Puisque le trop « délicat » Paulet ne voulait pas

épargner à sa souveraine la responsabilité de ses actes, force était donc de laisser les choses suivre leur cours. Davison, en sortant de chez elle, était allé porter l'ordre d'exécution au chancelier Bromley, qui procéda sur-le-champ au scellement. Après quoi des copies certifiées conformes furent envoyées aux comtes de Kent et de Shrewsbury, commissaires désignés pour présider à l'exécution.

Élisabeth, à nouveau, faisait semblant de tergiverser. Le 5 février au matin, convoquant Davison, elle commença à lui dire qu'elle avait « rêvé la nuit » que la reine d'Écosse était morte, et qu'elle « l'en tenait, lui Davison, pour responsable ». Puis elle fit machine arrière, confirmant « d'un ton véhément » qu'elle maintenait son ordre précédent. Tout cela n'était pas très rassurant pour l'avenir.

La machine fatale, de toute façon, était en marche. Seul un ordre formel envoyé par courrier spécial aurait pu l'arrêter ; Élisabeth ne le fit pas, ne l'esquissa même pas. Force est donc de considérer toutes ces palinodies comme un assez misérable jeu de scène, que les historiens ont eu beau jeu de taxer d'hypocrisie.

Le 3 février, le clerc du Conseil privé, Robert Beale, était parti pour Fotheringay avec l'original de l'ordre d'exécution. Kent et Shrewsbury chevauchaient de leur côté, arrivant au château trois jours plus tard. Le bourreau de Londres, Bull, avait été envoyé sur les lieux, avec sa hache, moyennant un paiement de dix livres sterling.

Le 7 février vers deux heures de l'après-midi, les deux comtes, accompagnés de Beale, se présentèrent à l'appartement de Marie Stuart. Elle était au lit, souffrante, mais se leva pour les recevoir. Beale lut l'acte d'exécution ; « Sur quoi Sa Majesté, fort constamment et sans s'émouvoir, répondit qu'elle les remerciait d'une si agréable nouvelle, qu'ils lui faisaient un très grand bien de la retirer de ce monde, duquel elle était très contente de sortir pour la misère qu'elle y voyait [...] ; qu'en toute sa vie elle n'avait eu que mal, bien heureuse qu'il avait plu à Dieu, par leur moyen, de la tirer de tant de maux et afflictions, très prête de répandre son sang pour la querelle (cause) de Dieu Tout-Puissant et de l'Église catholique[18]. »

De ce moment, elle entrait dans l'éternité de sa légende.

Sans doute Marie Stuart n'avait-elle plus beaucoup d'illusions, depuis le moment où, le 22 novembre, Lord Buckhurst, membre du Conseil privé d'Angleterre, et Robert Beale étaient venus lui notifier officiellement sa condamnation. Tout aussitôt, Paulet, pour bien lui montrer qu'elle n'était plus qu'une morte en sursis et qu'elle était dépouillée de toute dignité terrestre, avait fait enlever le dais qui surmontait son fauteuil, dernier et dérisoire symbole de sa royauté, et la table de billard, disant qu' « il n'était plus temps d'exercice et de divertissement pour elle ». Vaines humiliations : « C'est de Dieu que je tiens ma couronne, répliqua Marie, et Lui seul peut me l'enlever. La reine d'Angleterre n'est pas ma supérieure et je ne suis pas sa sujette. Dieu montrera Sa justice sur cet État après ma mort[19]. »

Tout, ce jour-là, laissait penser que l'exécution aurait lieu dans les plus brefs délais. Marie Stuart s'y prépara aussitôt, en écrivant quatre lettres, datées des 23 et 24 novembre, au pape Sixte Quint, à Mendoza, au duc de Guise, à l'archevêque Beaton. Dans celles au pape et à Mendoza, elle confirmait que, faute pour son fils de revenir à l'Église catholique, elle le déshéritait et transmettait tous ses droits sur la couronne d'Angleterre au roi d'Espagne. À Henri de Guise, elle recommandait ses serviteurs et le chargeait de l'exécution de diverses dispositions testamentaires. En fait, ces messages, confiés un peu plus tard à l'aumônier Du Préau, ne devaient parvenir à leurs destinataires qu'après la mort de leur auteur[20].

Mais les jours passaient, et le bourreau n'arrivait pas. Marie Stuart eut alors peur d'être assassinée en secret — crainte qui, nous le savons, n'avait rien d'imaginaire. Elle écrivit à Élisabeth, le 19 décembre, une lettre d'une admirable dignité. « Madame, m'ayant été de votre part signifié la sentence de votre dernière assemblée, m'admonestant par le Lord Buckhurst et Beale de me préparer à la fin de mon long et ennuyeux pèlerinage, je les ai priés de vous remercier de ma part de si agréable nouvelle, et vous supplier de me permettre certains points pour la décharge de ma conscience [...]. Je ne veux accuser personne, mais pardonner de bon cœur à chacun, comme je désire qu'on me pardonne, et Dieu le premier [...]. Je vous requiers de permettre que, après que mes ennemis auront assouvi leur noir désir de mon sang innocent, vous permettrez que mes pauvres serviteurs désolés puissent emporter mon corps pour être enseveli en terre sainte, avec aucuns (certains) de mes prédécesseurs qui sont en France, spécialement la feue reine ma mère [...]. Aussi, pour ce que je crains la secrète tyrannie de ceux au pouvoir desquels vous m'avez abandonnée, je vous prie [de] ne permettre que, sans votre su (à votre insu), l'exécution se fasse de moi, non par crainte du tourment, lequel je suis prête à souffrir, mais pour les bruits que l'on ferait courir de ma mort sans témoins non suspects [...]. Ne m'accusez de présomption si, abandonnant ce monde et me préparant pour un meilleur, je vous ramente (rappelle) qu'un jour vous aurez à répondre de votre charge aussi bien que ceux qui y sont envoyés les premiers [...]. De Fotheringay, ce 19e décembre 1586. Votre sœur et cousine, prisonnière à tort, Marie, Reine[21]. »

L'envoi de cette lettre plongea Paulet dans une infinie perplexité. Il n'avait pas reçu d'ordres de Walsingham sur la conduite à tenir en pareil cas, et il n'était pas homme à prendre des initiatives sans la certitude d'être couvert. Il prétexta d'abord que la missive pourrait contenir quelque chose de dangereux (du poison ?) ; à quoi Marie répliqua avec dérision « qu'elle le remerciait de la bonne opinion qu'il avait d'elle », et « montrant la lettre toute ouverte, elle la frotta contre son visage puis la ferma avec de la soie blanche et la cacheta avec cire d'Espagne » — ce sont de ces détails qui, mieux qu'un long discours, traduisent l'atmosphère de mesquinerie que faisait régner Paulet à Fotheringay. En transmettant, finalement, la lettre à sa destinataire, Paulet ne manqua pas l'occasion de souhaiter qu'Élisabeth « veuille hâter un sacrifice si agréable à Dieu et aux hommes », craignant « que Sa Majesté ne soit trop portée à la clémence ». La haine ne désarmait pas[22].

Élisabeth, en recevant le message de sa cousine, pleura. Ces larmes inquiétèrent Walsingham ; mais personne n'avait à craindre qu'un mouvement de pitié influât jamais sur une décision politique de la fille d'Henri VIII. Elle ne répondit pas à Marie Stuart.

Sans doute, à mesure que les jours et les semaines passaient sans que le bourreau parût, il est humain de supposer que l'espoir renaissait au cœur de la captive. Elle se souvenait que, dans le passé, elle avait échappé à plusieurs reprises à l'exécution. Sur ordre de Londres, Paulet avait autorisé son aumônier Du Préau à venir la voir, ce qui lui permit de se confesser et de lui confier les lettres qu'elle avait écrites les 23 et 24 novembre. Mais en même temps, elle mettait ordre à ses affaires et se préparait à la mort. Le 12 janvier, elle écrivait à nouveau à Élisabeth : « Je vous supplie derechef, Madame, en l'honneur de la Passion de Jésus-Christ, de ne me retenir plus en ce misérable suspens, plus cruel que toute peine terminée, mais pleinement me faire entendre votre volonté [...]. J'espère que par ma mort tant souhaitée, vous et plusieurs autres recevrez une expérience qui servira et éclaircira beaucoup de choses dont Dieu pourra être glorifié. » Cette fois, Paulet refusa purement et simplement d'acheminer la lettre ; nous n'en connaîtrions même pas l'existence si le médecin Bourgoing n'avait pris soin de la recopier dans les notes qu'il prenait au jour le jour pendant ces semaines tragiques[23].

Enfin, les comtes de Kent et de Shrewsbury arrivèrent à Fotheringay, le 7 février, et c'en fut fini de l'interminable attente.

Les derniers moments de Marie Stuart ont été maintes fois relatés. C'est même, dans l'œuvre de beaucoup d'historiens romantiques et post-romantiques, un « morceau de bravoure » obligatoire. Nous en possédons, en effet, plusieurs récits d'époque, très vivants et détaillés ; les uns émanent de l'entourage de Walsingham et de Cecil, les autres reflètent le témoignage des serviteurs de Marie. Aussitôt après l'événement, des versions commencèrent à circuler sur le continent, à la gloire de la martyre devenue héroïne de la foi catholique. Les traits édifiants se multiplièrent. Le « mythe Marie Stuart » commençait à prendre forme — nous en esquisserons l'histoire au dernier chapitre de ce livre.

Pour éviter la dérive hagiographique, nous nous en tiendrons, pour le présent récit, aux documents strictement contemporains : le *Journal* du médecin Bourgoing, témoin oculaire ; la relation envoyée à Henri III par l'ambassadeur Châteauneuf ; le *Vrai rapport de l'exécution...* riche en détails originaux ; l'*Account of the Execution of Queen Mary Stuart,* donnant le point de vue d'un Anglais hostile à la condamnée ; le compte rendu officiel envoyé au Conseil privé d'Angleterre (« *A report of the manner of the execution of the Scottish Queen* ») ; la lettre de Richard Wingfield, envoyé spécial de Cecil, à son maître. Le texte le plus souvent cité, parce que le plus répandu à l'époque, *Le Martyre de la reine d'Écosse, douairière de France,* est directement inspiré de Bourgoing, dont il reproduit des passages textuellement. Toutes les autres versions découlent peu ou prou de ces sources primitives[24].

Quoi qu'on puisse penser de la culpabilité ou de l'innocence de Marie Stuart dans le complot de Babington, il est hors de doute que sa mort fut empreinte d'une noblesse et d'une majesté qui contrastent, en la circonstance, avec la duplicité et les faux-fuyants d'Élisabeth. Elle avait toujours possédé au plus haut degré le sentiment de sa dignité royale ; jamais elle n'en donna plus de preuves que face aux ultimes vexations de ses gardiens et à la hache du bourreau, aux dernières heures de son existence terrestre.

Cependant, l'image d'une sorte de sainte, détachée des choses de ce monde, que tracent les récits édifiants répandus dans le monde catholique, appelle plus d'une retouche à la lecture de certains des textes cités ci-dessus, notamment du *Vrai rapport de l'exécution faite sur la personne de la reine d'Écosse,* publié par Alexandre Teulet en 1851, qui n'a pourtant rien d'hostile à Marie Stuart puisqu'il se termine par ces mots : « Voilà la fin de ce misérable spectacle et plus que barbare exécution d'une vertueuse et catholique princesse. » Certaines des réactions de la condamnée, telles qu'elles sont rapportées par ce récit, nous montrent une femme d'abord effrayée, puis indignée, et habitée par la rancœur à l'égard de ses ennemis. Ce n'est qu'après une nuit de prières qu'elle aboutit à la sérénité qui marque ses derniers instants. Elle apparaît ainsi plus humaine et plus émouvante que le stéréotype assez fade des livres pour couvents de religieuses ou pour propagande guisarde.

Selon ce *Vrai rapport,* lorsque Beale et les deux comtes, au soir du 7 février, lui eurent annoncé l'exécution pour le lendemain matin, « elle fut fâchée et déplaisante de ces nouvelles, ne voulant en partie croire la commission être signée de la main de la reine d'Angleterre, et en partie la dédaignant [...]. Elle appela son médecin pour lui compter ce que le roi de France lui devait, et était si impatiente à cette heure-là qu'ils doutaient (redoutaient) qu'elle se dût tuer la nuit [...], craignant grandement qu'ils ne fussent contraints par quelque étrange moyen [de] l'amener par main-forte de violence à la mort ».

Bourgoing lui-même a noté qu'à ce moment elle se plaignait amèrement de son fils et de Nau (disant « qu'elle mourait par la faute de lui, qui l'accusait et la faisait mourir pour se sauver »), qu'elle réclamait un délai de quelques jours pour mettre ordre à ses affaires. Cette agitation, bien compréhensible, contraste avec le calme presque anormal que décrit le texte plus apologétique cité ci-dessus *.

Un incident particulièrement pénible, en ce soir du mardi 7 février, fut le refus opposé par les comtes et par Paulet à la demande de Marie Stuart de pouvoir s'entretenir avec son confesseur pour recevoir les sacrements. « Ils dirent que c'était contre leur conscience, contre Dieu et leur religion, et qu'ils devaient empêcher cette abomination. » Loin de lui permettre de pratiquer les derniers rites de son Église, ils prétendaient la convertir *in extremis ;* le Dr Fletcher, doyen de Peterbo-

* Voir p. 505.

rough, théologien protestant de grande réputation, fut appelé à la rescousse, et tous se scandalisèrent qu'elle osât leur répondre « qu'ayant vécu jusques ici en la vraie religion, il n'était plus temps d'en changer, et plutôt que d'y faillir, voudrait perdre dix mille vies si elle en avait autant *. »

Une fois les comtes et Paulet retirés, Marie passa la nuit dans son appartement à rédiger un testament très détaillé pour la disposition de ses biens, avec force legs pour ses serviteurs, et à écrire deux lettres, l'une pour son aumônier (« Avisez-moi des plus propres prières pour cette nuit et pour demain matin, car le temps est compté[25] »), l'autre pour Henri III. Ce dernier document, terminé le 8 février « à deux heures après minuit », est l'ultime écrit qui soit sorti de la plume de Marie Stuart. Il existe encore en original à la Bibliothèque nationale d'Écosse. « La religion catholique et le maintien du droit que Dieu m'a donné à cette couronne [d'Angleterre] sont les deux points de ma condamnation, et toutefois ils ne me veulent permettre de dire que c'est pour la religion catholique que je meurs, mais pour la crainte du change de la leur. » Elle conclut en suppliant son ancien beau-frère, au nom de leur parenté, d'exécuter ses dispositions testamentaires concernant la France, et en lui recommandant son fils « autant qu'il le méritera, car je n'en puis répondre[26]. »

Puis elle se retira dans son oratoire, où elle pria toute la nuit. Pendant ce temps, on entendait les coups de marteau des ouvriers qui montaient l'échafaud dans la grande salle du rez-de-chaussée et le cliquetis des armes des soldats qui entouraient le château.

Vers huit heures, le 8 février, le sheriff du comté de Northampton vint frapper à l'appartement de la condamnée. Il trouva porte close, « barrée et verrouillée », ce qui l'inquiéta fort, mais quelques instants plus tard, les comtes de Kent et de Shrewsbury et Paulet

* Cet acharnement à vouloir faire prier Marie selon le rite anglican avait évidemment un arrière-plan politique : si le doyen Fletcher avait réussi, Marie aurait perdu son auréole de martyre catholique. C'est pour éviter ce risque qu'elle tenait tant à être exécutée en public.

trouvèrent la reine prête, « avec une face ouverte et résolue de prendre tout en gré avec une grande patience ».

Elle descendit l'escalier, escortée de ses suivantes Élisabeth Curle — la sœur du secrétaire Gilbert Curle — et Jeanne Kennedy, du médecin Bourgoing, du chirurgien Gervais, de l'apothicaire Gorion et de l'intendant André Melville. Il y eut une discussion au sujet de l'admission, sur le lieu de l'exécution, des deux suivantes ; Marie promit que celles-ci ne créeraient pas d'incidents et obtint de les garder auprès d'elle.

Le centre de la grande salle était occupé par un échafaud tendu de noir, entouré d'une barrière également noire. Au-delà de la barrière se pressaient de nombreux gentilshommes « et autres de moindre degré ». Sur l'échafaud, un billot drapé de noir et un « carreau » (coussin) de serge noire. Au pied des marches, un petit siège sans dossier, couvert de tissu noir. Des hommes en armes gardaient les issues et entouraient le château.

Avec un grand sens de la solennité de l'heure, la reine s'était vêtue d'une austère robe de satin noir gaufré à boutons de jais ciselé, avec une traîne et de longues manches pendantes également noires, la tête couverte d'une coiffe de dentelle blanche avec un voile de linon, les pieds chaussés de souliers de maroquin découpé. En dessous, elle portait un « cotillon » (jupon) de velours ponceau et un corsage de satin de même couleur ; au moment de monter sur l'échafaud, elle se fit ajuster une paire de manches de satin rouge, « et ainsi fut exécutée tout en rouge ».

Elle tenait en sa main un crucifix d'ivoire ; un autre crucifix d'or était suspendu à son cou, et des chapelets (deux ou trois selon Bourgoing, « jusques au nombre de douze ou quatorze » selon le *Vrai rapport*) pendaient à sa ceinture, ainsi qu'une chaîne de boules de senteur. « Bien peu vous sert cette image de Jésus-Christ si vous ne l'avez engravée dans votre cœur », commenta sévèrement le puritain comte de Kent. Les protestants étaient scandalisés de l'étalage de tout ce

« superstitieux attirail » ; il devait, au contraire, émouvoir les cœurs des catholiques qui liraient le récit de l'événement.

À son entrée dans la salle, Marie dit quelques mots à André Melville, le chargeant d'aller raconter à Jacques VI la mort de sa mère, puis elle s'assit sur la sellette, où elle écouta lecture de l'ordre d'exécution « sans rien changer sa contenance, avec autant d'indifférence que si c'eût été une autre personne ».

Le fanatisme du doyen de Peterborough se manifesta à nouveau lorsqu'il entreprit de faire prier la condamnée avec lui, selon le *Livre de prière en commun* de l'Église anglicane, ce qu'elle refusa évidemment avec énergie. On eut alors le spectacle scandaleux de deux prières simultanées, l'une récitée à haute voix par les protestants, l'autre par Marie et ses serviteurs, chacun cherchant à couvrir la voix des autres. Selon les formes très extériorisées de la piété du temps, Marie se frappait la poitrine de son crucifix d'ivoire « avec une véhémente passion » et le « baisait incessamment », en priant Dieu de convertir son fils et la reine d'Angleterre à la vraie religion et de « détourner son ire » des deux royaumes hérétiques. L'exécution prenait de plus en plus l'aspect d'un martyre pour la foi.

Le moment fatal était enfin venu. « Madame, vous voyez ce que vous avez à faire », dit le comte de Kent. « Faites votre devoir », répondit-elle. Les deux suivantes sanglotaient ; elle les morigéna : « Est-ce là ce que vous m'avez promis ? Vous devriez plutôt remercier Dieu pour ma résolution que d'ébranler ma constance. Adieu, jusques au revoir. »

Le bourreau s'avança pour la préparer, mais elle le repoussa en remarquant « qu'elle n'était accoutumée de tels valets ». Jeanne Kennedy et Élisabeth Curle la dépouillèrent de sa robe et de son long voile, et lui fixèrent les manches rouges qu'elles avaient préparées.

Un moment pénible fut celui où, selon l'usage, le bourreau voulut lui prendre des mains le crucifix pour le garder. Elle le supplia en vain de le lui laisser, promettant de l'indemniser ; mais les ordres du gouvernement étaient formels : le bourreau ne pourrait rien conserver des objets de la condamnée ; tout serait brûlé pour éviter qu'on n'en fît des reliques *.

Montée sur l'échafaud, elle s'agenouilla devant le billot tandis que Jeanne Kennedy lui bandait les yeux d'un précieux mouchoir brodé d'or qu'elle avait elle-même choisi à cette fin. Tout d'abord, elle se tint la tête droite, « pensant qu'on lui dût donner le coup à la mode de France [avec l'épée], jusqu'à ce qu'on la fît coucher sur le devant et mettre la tête sur le billot » : en Angleterre, on décapitait avec « une hache emmanchée de court, de celles dont on fend le bois ». Elle joignit les mains et les plaça sous son menton, « ce qu'étant aperçu, furent retirées par les exécuteurs, autrement elles eussent été coupées avec la tête ».

Le premier coup de hache tomba trop haut, sur l'occiput ; « ce qui fut digne d'une constance non pareille, est que l'on ne vit remuer aucune partie de son corps, ni pas seulement jeter un soupir ». Peut-être était-elle morte aussitôt, par écrasement des vertèbres cervicales. Il fallut deux coups encore pour détacher la tête. Le doyen de Peterborough priait toujours à haute voix.

L'exécuteur saisit les cheveux pour soulever la tête, mais elle lui échappa des mains : on vit alors que la reine d'Écosse portait une perruque, et qu'elle avait le crâne rasé, sauf quelques cheveux gris « comme ceux d'une femme de soixante-dix ans », coupés court. Les traits du visage étaient « si étrangement retraits (rétractés) que ceux qui l'avaient connue eurent peine à la reconnaître, laquelle auparavant était large et pleine ». Détail macabre : « Ses lèvres continuèrent à remuer presque un quart d'heure après que la tête eut été coupée », ce qui frappa de stupeur les assistants.

* Cette disposition fut exécutée, semble-t-il, assez rigoureusement. Cela rend bien douteuse l'authenticité des nombreuses reliques de Marie Stuart qu'on trouve dans les châteaux et les musées d'Angleterre. Cependant le rosaire et le livre de prières conservés au château d'Arundel, propriété de l'actuel duc de Norfolk, sont bien réellement ceux que la reine remit à Jeanne Kennedy à l'intention de lady Arundel, la veille de sa mort ; ils sont restés sans interruption dans la famille Arundel-Norfolk depuis l'origine.

Quand on releva le corps, on découvrit le petit chien de la reine, qui s'était caché sous la jupe de sa maîtresse ; il se plaça entre le tronc et la tête, mais sans lécher le sang, sans vouloir bouger de là. Il fallut l'emporter et le laver, car il était couvert de sang. Déjà la légende s'emparait des circonstances du drame.

« Dieu sauve la reine ! » cria d'une voix forte le bourreau. « Amen ! » répondit la foule. « Plût à Dieu que tous les ennemis de la reine fussent en cet état », ajoutèrent le comte de Kent et le doyen Fletcher ; « mais le comte de Shrewsbury et plusieurs autres furent remarqués avoir répandu des larmes ». Après quoi la salle fut évacuée et les portes closes.

Il était dix heures du matin, le mercredi 8 février 1587 *.

Marie Stuart avait exactement quarante-quatre ans et deux mois. Elle avait régné en France un an et cinq mois, en Écosse cinq ans et dix mois ; elle avait été prisonnière en Angleterre pendant dix-neuf ans et presque neuf mois.

* 18 février selon notre calendrier ; Voir p. 456.

CHAPITRE XXIII

« Étrange monument que celui-ci... »

On peut, en général, terminer la biographie d'un personnage historique avec le récit de sa mort — ou, tout au plus, de ses funérailles. Il n'en va pas ainsi de Marie Stuart : sa vie posthume, si l'on peut oser cette expression, devait se prolonger longtemps, au point de devenir le *mythe* que nous tenterons d'évoquer dans le dernier chapitre de ce livre.

Mais, avant d'en arriver là, il importe de retracer brièvement les événements qui suivirent immédiatement l'exécution du 8 février 1587, et le sort réservé aux principaux acteurs qui y avaient joué un rôle.

Élisabeth avait donné des ordres pour que le « culte des reliques » ne pût s'emparer des restes de son infortunée cousine. Que celle-ci devînt une martyre de la foi était une de ses hantises. Aussi l'embaumement (rite courant à l'époque pour les princes) fut-il pratiqué de la façon la plus discrète, l'après-midi de son exécution, par un chirurgien local. Le corps fut trouvé « d'une belle charnure, la poitrine grasse, les parties nobles bien disposées et tempérées, le cœur sain, les entrailles et poumons bien peu altérés, avec quelque petite quantité d'eau en son ventre, qui donnait argument que l'indisposition de son corps était entachée d'hydropisie [1] ».

Aucun document d'époque ne fait allusion à la prise d'un masque mortuaire, ce qui rend fort hypothétique l'authenticité du masque, d'ailleurs fort beau, conservé au musée de Lennoxlove et communément présenté comme étant celui de Marie Stuart. Aucun document non plus ne confirme l'étrange tradition selon laquelle Élisabeth Curle aurait emporté la tête après l'embaumement, pour l'enterrer, le moment venu, dans son propre tombeau.

Le corps de la reine fut placé dans un lourd cercueil de plomb, qui resta à Fotheringay dans une salle close, serrures bouchées, fenêtres condamnées. Au matin du 9 février, les serviteurs de la défunte furent enfin autorisés à sortir des chambres où on les avait consignés, et l'aumônier Du Préau put célébrer la messe sur l'autel de l'oratoire de Marie, après quoi l'autel fut détruit par ordre de Paulet. Mais tous restèrent prisonniers au château, dont l'accès était interdit. Comme l'a remarqué Lady Antonia Fraser, le lieu était devenu comme maudit, « le château de la Belle au bois dormant ».

Après toutes ses tergiversations au cours des semaines précédentes, on pouvait se demander quelle serait l'attitude d'Élisabeth en apprenant la mort de sa cousine. Ses intimes savaient parfaitement qu'elle avait signé l'ordre d'exécution en pleine connaissance de cause, et qu'elle n'ignorait pas qu'il était parvenu à destination. Mais, fidèle à la piètre comédie qu'elle affectait de jouer, elle « fut plongée dans l'affliction, versa d'abondantes larmes et se vêtit de deuil » lorsque le courrier de Fotheringay lui parvint, le 9 au matin[2]. Son attitude était dès lors décidée : la tragédie était le résultat d'un malentendu, elle n'avait jamais eu l'intention de faire exécuter la reine d'Écosse, tout était de la faute de Davison qui avait outrepassé les ordres reçus. Elle le fit jeter en prison, sous l'inculpation de trahison. Même Cecil, le fidèle des fidèles, essuya l'ire royale et eut quelque peine à faire comprendre à sa souveraine qu'un peu plus de modération dans l'indignation serait séante, faute de quoi elle risquerait de donner à croire qu'après tout Marie Stuart était innocente.

Le malheureux Davison paya cher son zèle ; il fut traduit devant la « Chambre étoilée » (c'est par les débats de cette haute cour que nous connaissons les détails concernant la signature et l'acheminement de l'ordre d'exécution de Marie le 1er février). Malgré la solidité de sa défense, il fut condamné à la confiscation de ses biens, à 10 000 livres d'amende et à l'emprisonnement « au bon plaisir de Sa Majesté ». Ce jugement fut unanimement considéré comme inique, mais Davison ne fut libéré que deux ans plus tard, et resta en disgrâce jusqu'à la mort d'Élisabeth *.

Amias Paulet, qui avait passé près de deux ans de sa vie à garder la reine d'Écosse conformément aux ordres du gouvernement, fut décoré de l'ordre de la Jarretière, mais ne réussit jamais (pas plus d'ailleurs que le comte de Shrewsbury) à obtenir le remboursement de tout l'argent qu'il avait dépensé, sur sa fortune personnelle, pour suppléer à l'insuffisante allocation consentie par sa parcimonieuse souveraine. Il mourut ruiné l'année suivante.

À Londres et dans le reste de l'Angleterre, la mort de la reine d'Écosse fut accueillie par des manifestations d'allégresse, des sonneries de cloches, des feux de joie. Élisabeth affecta de n'en rien savoir (elle était toujours à Greenwich, à quatre lieues de la capitale), ce qui lui évitait d'avoir à interdire des réjouissances qu'en toute logique elle devait réprouver, étant donné sa version officielle de l' « accident ».

Cependant, le souci qu'elle avait de présenter à l'Europe catholique une version « civilisée » de l'événement n'allait pas jusqu'à lui faire oublier les exigences de la sécurité publique. Les réactions possibles de la France restaient une inconnue préoccupante. Pour les désamorcer à l'avance, Walsingham avait pris la précaution, dès avant l'exécution, de compromettre le secrétaire de l'ambassadeur français Châteauneuf, un certain Destrappes, dans un prétendu complot monté de toutes pièces par la police. Il put ainsi faire placer l'ambassade sous surveillance, et même en bloquer les accès pendant quelque temps, au grand scandale de Châteauneuf (« Ces beaux messieurs d'Angleterre ont forgé, falsifié

* Chose curieuse, c'est Jacques VI, devenu Jacques Ier d'Angleterre, qui devait lui rendre ses biens confisqués. Preuve qu'il n'ignorait rien de la responsabilité personnelle d'Élisabeth dans la signature de l'ordre d'exécution.

et composé toutes belles écritures qu'ils ont voulu [...] car il faut noter que jamais ne produisent les pièces originales, mais seulement des copies auxquelles ils ajoutent et diminuent tout ce qui leur plaît[3] »). Une fois Marie exécutée, il ne restait plus à Walsingham qu'à lever le blocus et à présenter ses excuses : il était « très marri de ce qui s'était passé pour le sieur Destrappes, lequel il tenait pour innocent », et s'engageait à le faire libérer au plus tôt.

La ficelle était quand même grosse, et Henri III réagit comme l'exigeait la dignité de la France. Dès que la nouvelle de la mort de Marie Stuart était parvenue à Paris, la Cour avait pris le deuil, et un service solennel de requiem avait été organisé à Notre-Dame — là même où, vingt-neuf ans plus tôt, l'infortunée princesse, dans tout l'éclat de sa jeunesse, avait épousé le dauphin François. Toute la grandeur de la liturgie romaine avait retenti sous les voûtes de la cathédrale, et l'archevêque de Bourges, Renaud de Beaune, avait prononcé une oraison funèbre de haut style : « Quand je vois vos visages ainsi trempés de larmes, et que parmi le silence j'entends vos soupirs et sanglots, je doute en moi-même si je dois ou me taire ou parler. Que dirai-je ? raconterais-je une misère publique et lamentable tragédie ? [...] Quelquefois on voit des vertus paraître plus que l'ordinaire en des particuliers, mais de voir tant de perfections se rencontrer en un même sujet, cela surpasse la loi et condition de notre humanité. Car outre cette émerveillable beauté qui arrêtait les yeux de tout le monde, elle avait l'esprit si excellent, l'entendement si net, la vertu si pleine que l'âge ni le sexe ne le semblaient comporter [...]. Beaucoup de nous ont vu, en ce lieu où nous sommes aujourd'hui, cette reine que nous y déplorons maintenant, le jour de ses noces, parée de son accoutrement royal, si couverte de pierreries que le soleil n'était pas plus luisant, si belle que jamais femme ne le fut tant [...]. Il s'est coulé peu de temps, qui a passé comme un nuage, et nous avons vu captive celle qui auparavant triomphait, prisonnière celle qui mettait les prisonniers en liberté, cette excellente beauté enfin effacée par une piteuse mort [...]. Le marbre, le bronze et l'airain se consument à l'air, ou se rongent par la rouille ; mais la souvenance d'un si bel et mémorable exemple vivra éternellement[4]. »

On conçoit, dans ces conditions, qu'Henri III, même s'il n'appréciait guère les allusions par trop « guisardes » du discours de l'archevêque *, fût fort peu disposé à accueillir la version officielle de la mort de Marie Stuart qu'Élisabeth lui faisait envoyer par Châteauneuf : « M'est advenu, disait-elle, le plus grand malheur et ennui que jamais je pusse recevoir, qui est la mort de ma cousine germaine, dont je jure Dieu que je suis innocente. Véritablement j'avais signé la commission, mais c'était pour contenter mes sujets, mais je n'avais jamais eu l'intention de la faire mourir, sinon en cas que je visse une armée étrangère descendre en Angleterre[5]. »

Henri III fit savoir qu'il n'était pas dupe, et qu'il considérait que « l'offense et déshonneur » retombaient sur lui. Mais que pouvait-il en pratique ? Il était ruiné, acculé à la défensive contre la Ligue, réduit à tenter en vain de s'entendre — lui, le Roi Très-Chrétien — avec le protestant Henri de Navarre pour sauver son trône. Une rupture ouverte avec l'Angleterre était impensable : c'eût été jouer le jeu des Guise, qui jetaient feu et flammes, avec leurs alliés espagnols, contre la Jézabel hérétique et meurtrière. Élisabeth le comprenait d'ailleurs fort bien, puisqu'en même temps qu'elle se défendait d'avoir ordonné l'exécution de Marie, elle offrait à son « bon frère » ses bons offices, et un peu davantage, contre ses ennemis : « Elle est prête à envoyer vers Votre Majesté un seigneur d'importance, pour restreindre (renouveler) avec vous plus d'amitié que jamais [...], vous offrant ses gens, argent et navires contre vos ennemis, même l'amitié de quatre princes d'Allemagne qui lui ont écrit qu'ils étaient prêts à vous servir contre ceux de la Ligue avec une bonne troupe toute prête[6]. »

Henri III, dans la situation où il se trouvait, ne pouvait pas repousser une mains ainsi tendue, fût-elle

* Il fit supprimer, dans la version imprimée, un passage où les Guise étaient comparés aux Scipions, héros de l'histoire romaine.

quelque peu tachée de sang. Il fut bientôt évident que la France ne bougerait pas pour venger Marie Stuart.

Pour l'Écosse, en revanche, on pouvait se poser la question. Si l'Église presbytérienne affichait sa joie de voir disparaître la reine catholique, la bête noire de feu John Knox*, toute une partie de l'opinion écossaise ressentait l'outrage infligé par l'Angleterre. Après tout, Jacques VI était le fils de la victime, et la plus élémentaire décence, sans même parler de l'orgueil national, lui interdisait l'indifférence.

La nouvelle de l'exécution parvint à Édimbourg, officieusement, le 15 février ; Jacques, dit-on, refusa d'y croire et partit à la chasse. Le 23 seulement, il reçut un message officiel d'Élisabeth (rédigé le 14 : on se demande pourquoi ce long délai d'acheminement), qui est un extraordinaire monument de cynisme : « Mon cher frère, je désire que vous sachiez quelle douleur a submergé mon âme pour le malheureux accident qui, bien malgré moi, s'est produit. Je vous supplie de croire, comme Dieu m'en est témoin, à mon innocence dans cette affaire [...]. Je ne suis pas de si bas lignage et n'ai pas l'âme si vile que de nier la chose si elle était vraie. Soyez donc certain que vous n'avez pas dans le monde de parente plus aimante et d'amie plus fidèle que moi, et que personne n'a plus de souci que moi de vous-même et de votre État [...]. À la hâte, je vous quitte en priant Dieu de vous accorder un long règne. Votre très assurément affectionnée sœur et cousine, Élisabeth, Reine[7]. »

Selon certains témoignages, Jacques VI reçut le message avec « profond chagrin et déplaisir », se montrant « profondément chagriné et offensé » au point d'aller s'enfermer dans sa chambre sans dîner ; selon d'autres, il « eut peine à cacher sa joie et dit : " Maintenant je suis seul roi. " ». La seconde réaction semble bien invraisemblable, au moins dans son expression publique (quels qu'aient été les sentiments intimes du jeune homme, dont les preuves d'indifférence à l'égard de sa mère abondent par ailleurs). Quoi qu'il en soit, les

* Mort en 1572.

velléités de vengeance des Écossais ne tardèrent pas à faire long feu. Le comte d'Argyll eut beau parader en armure, clamant que « c'était là la seule tenue de deuil digne d'une reine d'Écosse », tout se borna à quelques incidents de frontière et à quelques brigandages en territoire anglais. Une lettre habile de Walsingham, mettant en lumière les avantages pour Jacques VI de l'alliance anglaise et le danger des ambitions du roi d'Espagne, acheva de convaincre le fils de Marie Stuart. « Si les choses sont telles que les expose votre lettre, vous êtes réellement innocente de ce crime, répondit-il à Élisabeth. Étant donné votre rang, votre sexe, votre parenté avec la défunte, la bienveillance dont vous avez toujours fait preuve à son égard, ce serait vous faire outrage que de mettre en doute votre absence de responsabilité dans ces malheureuses circonstances[8]. »

Bientôt l'entente régna à nouveau entre les deux Cours, et le souvenir de la reine décapitée s'estompa à l'horizon de l'Écosse comme de l'Angleterre. Même Patrick Gray, rendu (non sans raison) responsable de l'échec des négociations de décembre 1586, ne fut que temporairement disgracié ; Élisabeth eut l'élégance de l'accueillir à Londres, et au bout de deux ans il revint prendre sa place auprès de Jacques VI. Une seule chose comptait, en réalité, pour ce dernier : monter sur le trône d'Angleterre à la mort de sa cousine. On sait que ce rêve si longtemps caressé devait enfin se réaliser, seize ans plus tard : ultime triomphe posthume, mais l'histoire a de ces ironies, de Marie Stuart, l'éternelle rivale d'Élisabeth Tudor.

Une fois Marie décédée, le principal obstacle à l'accession des Stuart à la royauté anglaise — son catholicisme — avait en effet disparu.

Pour la même raison, les catholiques anglais se trouvaient désormais dépourvus, si l'on ose cette expression, de candidat de rechange, puisque décidément le roi d'Écosse se confirmait protestant. Philippe II d'Espagne en tira la conclusion que Dieu l'avait désigné pour ramener l'Angleterre à la religion romaine. Pour un peu, il eût considéré la mort de Marie Stuart comme un acte de la Providence.

C'était, en tout cas, l'avis de l'ambassadeur Mendoza à Paris : « Dieu n'a permis cette tragédie que pour donner à Votre Majesté la propriété de ces deux couronnes », écrit-il à son maître le 28 février[9]. En parlant des « deux » couronnes, Mendoza s'avançait quand même beaucoup, car jusqu'à nouvel ordre, seule celle d'Angleterre pouvait être revendiquée par Philippe II, comme descendant des Plantagenêt *. Peu importe : on ferait prononcer par le pape la déchéance de Jacques VI comme hérétique, et le tour serait joué. C'est ainsi qu'au XVIe siècle un Espagnol disposait à son gré, au moins sur le papier, du sort des deux royaumes britanniques.

Pour le succès de la chose, il importait — ne fût-ce que pour des raisons psychologiques, étant donné l'auréole du martyre conférée à Marie Stuart par sa mort violente — de retrouver le testament qu'on disait avoir été écrit par elle en faveur du roi d'Espagne.

L'existence de ce testament pose un problème historique, pour la solution duquel il n'existe pas et n'existera probablement jamais de preuve absolue.

On se souvient qu'à plusieurs reprises, après l'échec de ses négociations avec Jacques VI pour leur association sur le trône d'Écosse, Marie avait manifesté son intention de déshériter cet enfant ingrat et de lui substituer le Roi Catholique : « Considérant l'obstination si grande de mon fils en l'hérésie, et prévoyant sur ce le dommage éminent qui est pour réussir à l'Église catholique, lui venant (s'il venait) à la succession de ce pays, j'ai pris délibération, au cas qu'il ne se réduise à la religion catholique (comme j'en ai peu d'espérance tant qu'il restera en Écosse) de céder et donner mon droit, par testament, en la succession de cette couronne [d'Angleterre], au sieur roi votre maître, me sentant plus obligée de respecter en cela le bien universel de l'Église que, au détriment d'icelle,

* Voir p. 473.

la grandeur particulière de ma postérité[10] », avait-elle écrit à Mendoza le 20 mai 1586.

Mais ce testament en faveur de Philippe II fut-il effectivement rédigé, ou resta-t-il à l'état de velléité ? Nulle trace n'en subsiste : cela ne signifie pas qu'il n'ait jamais existé. Aussitôt après la mort de Marie Stuart, l'infatigable Mendoza fit savoir au roi que Pomponne de Bellièvre, revenant de Londres, lui avait dit qu'Élisabeth avait eu le document en sa possession (sans doute saisi à Chartley dans les papiers de la captive), mais que sur le conseil de Cecil elle l'avait « brûlé de ses propres mains[11] ». La chose n'est pas, en soi, invraisemblable. Elle n'est pas non plus, tant s'en faut, prouvée.

Ce qui est certain, en revanche, c'est qu'à partir de ce moment Philippe II se considéra comme l'héritier légitime de Marie Stuart et comme son exécuteur testamentaire. Toute une partie de sa correspondance avec Mendoza, pendant l'année 1587, porte sur les legs à honorer, le sort à assurer aux anciens serviteurs de Marie, la crainte qu'ils ne se laissent séduire par Élisabeth.

La grande expédition militaire contre l'Angleterre, si longtemps retardée, prit enfin corps en 1588 : c'est l'Invincible Armada, la plus formidable flotte de débarquement que le monde eût jamais vue. Il est évident que le prudent roi de l'Escurial était davantage prêt à prendre des risques pour venger la martyre (et, accessoirement, pour s'installer lui-même sur le trône d'Angleterre) que pour la libérer de prison quand elle était vivante.

L'Armada, pourtant, devait disparaître corps et biens dans la bataille et la tempête. Dieu, cette fois, n'était pas du côté des catholiques. Et l'Angleterre demeura protestante : sur ce point au moins, Marie Stuart avait perdu la partie.

Pendant qu'Élisabeth menait, avec des dés pipés, ces négociations pour désamorcer les possibles bien qu'improbables réactions de l'Écosse et de la France, le corps de la suppliciée restait, dans son cercueil de plomb, sans sépulture, au château de Fotheringay.

Ce long délai apporté à la faire enterrer correspondait si peu à la thèse officielle du « malheureux accident » et de la douleur de la souveraine qu'on peut à bon droit s'interroger sur ses causes. Ni Élisabeth ni aucun de ses ministres ne s'est jamais expliqué sur ce point. La logique était, en maintes circonstances, la moindre qualité des actions et des décisions de la reine Tudor.

Mais les choses ne pouvaient demeurer éternellement en l'état. Le château avait beau être interdit d'accès, il fallait bien un jour ou l'autre prendre une décision. Celle-ci intervint à la fin de juillet — près de six mois après l'exécution — sous la forme d'une inhumation solennelle du corps à la cathédrale de Peterborough[12]. Cathédrale anglicane, domaine du doyen Fletcher qui avait tant tourmenté Marie en ses derniers instants. Le vœu qu'elle avait exprimé à plusieurs reprises, par oral et par écrit, d'être enterrée à Reims auprès de sa mère Marie de Guise, ne fut pas respecté. Il ne fut même pas évoqué dans les correspondances entre Élisabeth et Henri III ; sans doute celui-ci ne tenait-il pas outre mesure à avoir, dans son royaume, un lieu de pèlerinage guisard près de la cathédrale du sacre.

La cérémonie de Peterborough eut lieu le 31 juillet, avec tout le faste propre aux funérailles royales. Les armes d'Écosse, de France et de la famille Lennox ornaient les draperies de deuil tendues sur la façade et dans la grand-nef : allusion aux deux premiers époux de Marie — François II et Darnley —, mais du malheureux Bothwell il n'était pas question d'évoquer, fût-ce par allusion héraldique, la mémoire abolie.

Le cercueil avait été amené dans la nuit de Fotheringay, à la lueur des torches, sur un char funèbre entouré de bannières armoriées, et descendu dans un caveau surmonté d'un haut catafalque décoré d'insignes royaux. Une couronne d'or reposant sur un coussin de velours pourpre rappelait le rang de la défunte.

Au matin, la comtesse de Bedford, représentant la reine Élisabeth, ouvrit le cortège de l'évêché à la cathédrale, suivie de nombreux pairs du royaume, de pairesses, de chevaliers et de dames en grand deuil. Cent pauvres femmes, vêtues de noir pour la circonstance aux frais du trésor royal, fermaient le défilé. Selon la coutume, un mannequin représentant la défunte reposait sous un dais, entouré de hérauts d'armes portant l'épée, la couronne, l'écusson et le heaume.

À la porte de la cathédrale, l'évêque anglican et le doyen Fletcher attendaient la procession. Les serviteurs de Marie Stuart avaient été autorisés à assister à la cérémonie (en revanche, chose notable, on n'avait pas invité le roi d'Écosse à se faire représenter : sans doute craignait-on des incidents). L'aumônier Du Préau se fit remarquer et souleva une certaine indignation en participant au cortège, un crucifix d'argent à la main.

Les catholiques n'entrèrent pas dans la cathédrale, où le service liturgique se déroula suivant le rite anglican. L'évêque de Lincoln prononça un sermon du plus parfait mauvais goût, où, citant « notre père Luther », il laissa entendre que Marie Stuart était peut-être morte protestante en dépit des apparences, et exprima l'espoir que malgré ses erreurs elle serait néanmoins sauvée pour l'éternité par la grâce de Jésus-Christ. À la sortie, Lady Saville, fille du comte de Shrewsbury, et sa belle-sœur Lady Talbot pleurèrent en embrassant les suivantes de celle dont elles avaient partagé si longtemps, malgré elles, la captivité au vieux château de Sheffield.

Le caveau fut refermé par une simple dalle, sans épitaphe. Un peu plus tard, Adam Blackwood, un des plus fidèles partisans de Marie, vint secrètement placer, sur la paroi voisine, une inscription latine de sa composition : « Marie, reine d'Écosse, fille de roi, veuve du roi de France, cousine et héritière de la reine d'Angleterre, douée de toutes les vertus royales, ornement et lumière de notre siècle, a été éteinte par une barbare et tyrannique cruauté. Par ce jugement inique, tous les rois sont réduits au rang de simples hommes. Étrange monument que celui-ci, où les vivants reposent avec les morts : car avec les cendres sacrées de la bienheureuse Marie, c'est la majesté de tous les rois et de tous les princes qui est violée et foulée aux pieds. Secret royal, qui rappelle à tous les princes leur devoir. Passant, je n'en dirai pas plus[13]. » Cette épitaphe, comme on peut bien le penser, fut rapidement enlevée et la tombe de Marie Stuart demeura anonyme.

Par une curieuse rencontre du destin, l'avant-dernière reine catholique d'Angleterre, Catherine d'Aragon, reposait à quelques pas de là, de l'autre côté du chœur de la cathédrale.

Pour mettre un terme définitif à l'existence terrestre de Marie Stuart, il restait à régler le sort de ses serviteurs, et à exécuter ses dispositions testamentaires. Élisabeth apporta d'abord une réticence marquée à laisser les derniers familiers de sa cousine quitter Fotheringay et l'Angleterre ; elle redoutait qu'une fois parvenus en France ou en Espagne ils ne se fissent les hérauts de la propagande antianglaise et antiprotestante. Cependant on ne pouvait pas (ne fût-ce que pour des raisons d'économie) les garder indéfiniment en captivité. Après la cérémonie de Peterborough, on commença à se préoccuper d'eux. Ceux qui étaient français souhaitaient regagner leur pays : Bourgoing, Gorion, Gervais. Ils y furent autorisés et arrivèrent à Paris en octobre 1587 — en pleine guerre civile, une fois de plus. Gorion apportait avec lui quelques bijoux de Marie Stuart, qu'elle léguait à des membres de la famille royale ou de Guise (« des babioles » précise l'ambassadeur Mendoza dans une lettre du 24 octobre à Philippe II, sauf une bague de diamant destinée précisément au roi d'Espagne). Bourgoing commença la mise au net de son *Journal* et documenta sur les derniers instants de sa maîtresse les auteurs de brochures exaltant le « martyre de la reine d'Écosse ».

Jeanne Kennedy et Élisabeth Curle, les deux fidèles suivantes qui avaient assisté Marie au pied de l'échafaud, passèrent également en France, puis Jeanne retourna en Écosse, son pays, où elle épousa André Melville. Élisabeth Curle et sa belle-sœur Barbara se retirèrent à Anvers, en territoire espagnol ; c'est là qu'elles firent peindre le tableau célèbre figurant Marie Stuart en grande robe noire, avec la scène de l'exécution représentée sur le côté. Ce tableau, longtemps conservé au collège écossais de Douai, est aujourd'hui au *Blairs College* d'Aberdeen. Plus tard, Élisabeth et Barbara Curle élevèrent à la mémoire de leur chère maîtresse, dans l'église Saint-André d'Anvers, un monument qui s'y trouve encore.

Plus délicat était le sort à réserver à Claude Nau et à Gilbert Curle, les deux secrétaires dont les témoignages — spontanés ou forcés — avaient si fort contribué à la condamnation de la reine d'Écosse. Leurs aveux mêmes établissaient leur complicité dans la rédaction de la fatale lettre du 17 juillet 1586 ; on aurait pu concevoir qu'ils soient exécutés à leur tour, ce qui aurait coupé court à tout jamais à toute possibilité de rétractation. Il faut porter à l'honneur d'Élisabeth qu'elle ne le fit pas. Nau fut libéré en novembre 1587, et passa en France où apparemment on ne lui tint pas rigueur de sa « trahison » envers Marie. C'était, on s'en souvient, un serviteur des Guise ; il resta dans leur maison, et beaucoup plus tard, il fut même anobli par Henri IV. Curle resta en prison un peu plus longtemps, puis passa en Flandre où il rejoignit sa femme et sa sœur à Anvers[14].

De la fortune de Marie Stuart, il ne restait plus grand-chose après les spoliations de la guerre civile française et les irrégularités de gestion dont elle était victime depuis si longtemps. Henri III et le duc de Guise avaient, en 1587, d'autres soucis que d'honorer les legs de leur ex-belle-sœur et cousine. C'est Philippe II, en noble Castillan qu'il était, qui eut à cœur d'accomplir les dernières volontés de celle qui (il en était persuadé) lui avait légué sa couronne. Il paya les dettes de Marie envers l'archevêque Beaton, Charles Paget, Thomas Morgan, tous ceux qui avaient combattu pour elle. Il servit même une pension à l'évêque Leslie de Ross, le compagnon de la reine d'Écosse pendant les tristes jours de 1567-1568. Il ne tint pas à lui de ne pouvoir accomplir ce qui, selon Gorion, avait été le dernier vœu de la martyre : la venger des mauvais traitements qu'elle avait reçus « du trésorier Cecil, du comte de Leicester, du secrétaire Walsingham [...] et d'Amias Paulet[15] ».

La cathédrale de Peterborough fut pillée par les troupes de Cromwell en 1643, mais à cette date le corps de Marie Stuart ne s'y trouvait plus.

Jacques VI, ayant succédé à Élisabeth, avait décidé en effet de le faire transférer à l'abbaye de Westminster, lieu de sépulture des rois d'Angleterre. Tardif mais solennel hommage à la mémoire de sa mère ; à défaut d'avoir pu régner à Londres, celle-ci du moins y reposerait — à peu de distance de sa rivale la « reine vierge ». Le tombeau, qui coûta plus de 1000 livres, est somptueux, en marbre blanc, avec une admirable effigie de la souveraine défunte, au visage serein et majestueux. Le cercueil fut transféré de Peterborough à Westminster en septembre 1612, avec toute la pompe du cérémonial monarchique. Il n'a jamais été ouvert depuis.

CINQUIÈME PARTIE

Ce fut une mauvaise femme, déguisée en martyre.

J. A. Froude, 1862

Nul personnage de l'histoire n'a été aussi calomnié.

J. Gauthier, 1869

Sa destinée est d'éprouver et de déchaîner les passions les plus violentes.

F. Schiller, *Lettre à Goethe*, 1799

CHAPITRE XXIV

« En ma fin est mon commencement »

Parmi les devises que Marie Stuart brodait dans sa prison de Sheffield, figurait une formule assez énigmatique : « *En ma fin est mon commencement.* »

Qu'entendait-elle par là ? Était-ce une maxime chrétienne sur la mort et la résurrection, ou s'agissait-il d'un jeu de mots, dans le goût de l'époque, sur le mot « fin » avec son double sens d' « achèvement » et de « but » ? On en discute et on en discutera toujours. Ce qui est certain, en tout cas, est qu'elle ne soupçonnait pas à quel point cette phrase d'apparence anodine deviendrait, dans son cas particulier, littéralement prophétique : c'est bien sa fin — sa fin spectaculaire sur l'échafaud de Fotheringay — qui devait être le commencement de sa légende.

Une légende, ou plutôt un mythe, dont la naissance, la diffusion, le développement, méritent d'être étudiés avec la même attention et le même soin que la vie de Marie Stuart elle-même, car si ce personnage historique occupe, encore de nos jours, une telle place dans l'imaginaire des peuples, c'est qu'on ne peut, pour l'expliquer, se borner à la critique des documents d'archives, aussi passionnante soit-elle.

Le mythe a commencé à s'esquisser du vivant même de Marie, dans la mesure où, dès la mort d'Henri Darnley, les opinions les plus contradictoires ont couru sur cet événement et sur le rôle qu'elle avait pu y jouer.

Dans le climat de guerre idéologique, et même de guerre tout court, qui régnait dans l'Écosse et dans l'Europe des années 1560, rien de ce qui touchait au comportement des souverains n'échappait à la controverse, à l'outrance, à l'affabulation. Élisabeth d'Angleterre, Catherine de Médicis, ont aussi leur légende, contrastée selon les opinions des uns et des autres.

Mais dans le cas de Marie Stuart, sa mort tragique, le drame — unique alors dans l'histoire — de cette prison puis de cet échafaud pour une reine, confèrent à la controverse politique et religieuse une dimension émotionnelle qui fait défaut pour la sèche Élisabeth ou l'ondoyante Catherine. Si l'on ajoute à cela la beauté, le charme ensorcelant dont tous les contemporains (même ses ennemis) créditent la reine d'Écosse en ses jeunes années, tous les éléments du mythe sont réunis.

Au XVIe siècle, tant que vécurent les contemporains de Marie Stuart — ceux qui l'avaient connue comme ceux qui l'imaginaient de loin —, c'est de polémique plus que de mythe qu'il faut parler. Quatre thèmes, surtout, excitaient à son sujet l'indignation ou l'enthousiasme (selon le cas) : son droit à la succession d'Angleterre, sa responsabilité dans le meurtre de Darnley (et, corollairement, la nature de ses relations avec Bothwell), le bien-fondé de son maintien en détention par Élisabeth, enfin sa participation au complot de Babington.

Sur chacun de ces quatre points, d'innombrables écrits fleurissent à partir de 1565-1566 : officiels ou clandestins, simples brochures de propagande ou pesants traités latins, conduisant parfois leurs auteurs à la prison ou leur valant de discrètes récompenses, c'est toute une littérature dans laquelle, il faut l'avouer, l'historien d'aujourd'hui trouve peu de grain à moudre. L'invective y remplace trop souvent l'argumentation, et les affirmations y sont en général assénées sans l'ombre d'une preuve, qu'il s'agisse des libelles de Buchanan contre Marie ou des apologies de l'évêque Leslie en sa faveur. Tout au plus, lorsqu'il s'agit d'auteurs ayant eux-mêmes joué un rôle dans les événements relatés, comme Leslie ou Knox, pouvons-nous leur prêter plus d'intérêt factuel qu'aux publications venues de l'extérieur.

L'emprisonnement de Marie Stuart en 1568, et surtout sa mort en 1587, poussent à son paroxysme cette littérature polémique. Ce sont, bien entendu, les pays catholiques qui se distinguent surtout dans l'exaltation de la reine martyre. Les écrivains liés à la Compagnie de Jésus, à l'Espagne et aux Guise — ce sont en général les mêmes — font de Marie Stuart un symbole de la Contre-Réforme, une héroïne de la foi. Aucune nuance à chercher dans cette production de combat. Élisabeth y apparaît sous les traits de la femme maudite, « cause de la perdition de millions d'âmes » comme l'écrit le pape Sixte Quint. Si une allusion est faite à la mort de Darnley, aux lettres de la cassette, aux conspirations de Norfolk et de Babington, c'est pour proclamer très haut la totale innocence de Marie et la fausseté des accusations formulées contre elle. Tel est dès 1568, tel sera jusqu'au milieu du XVIIe siècle, le ton de ces brochures et de ces in-folio, de ces tracts d'inspiration ligueuse et de ces pieuses hagiographies pour âmes dévotes, qui vont de *L'Innocence de la très illustre, très chaste et très débonnaire princesse Madame Marie, reine d'Écosse,* de François de Belleforest (1572), au *Martyre de la reine d'Écosse* d'Adam Blackwood et à la *Vraie histoire de l'incomparable reine Marie Stuart,* publiée en 1624 par le P. Caussin, jésuite, dans son « best-seller », *La Cour sainte, ou l'institution chrétienne des grands avec les exemples de ceux qui dans les cours ont fleuri dans la sainteté,* dont les rééditions se succèdent sans interruption pendant vingt ans.

S'ajoutent à ces productions militantes les poèmes de Cour, qui expriment depuis l'époque de son enfance le charme de la jeune reine puis, plus tard, la pitié pour ses malheurs ; qu'il s'agisse de Du Bellay :

Toi qui as vu l'excellence de celle
Qui rend le Ciel sur l'Écosse envieux,
Dis hardiment : contentez-vous, mes yeux,
Vous ne verrez jamais chose si belle[1].

ou de Ronsard pleurant son départ de France en 1561 :

Tout ce qui est de beau ne se garde longtemps,
Les roses et les lis ne règnent qu'un printemps :
Ainsi votre beauté, seulement apparue
Quinze ans en notre France, est soudain disparue[2]...

Voilà pour l'idéalisation. Du côté anglais-écossais-protestant, c'est au contraire une image noire, démoniaque, qui se dessine, à partir des sermons de John Knox ou des accusations de Georges Buchanan : adultère, meurtrière, idolâtre, telle apparaît Marie Stuart dans la *Détection des actions de Marie reine d'Écosse* (1572) et dans l'*Histoire des choses d'Écosse* en latin, au retentissement international (1583). Répondant à la propagande marianiste, le gouvernement d'Élisabeth fait diffuser des brochures hostiles : ainsi la *Défense de la juste et honorable sentence contre la reine d'Écosse* de Kyffin (1587, en anglais et en français) ou la *Brève déclaration sur la fin des traîtres, touchant les crimes de la reine d'Écosse...* de Crompton (1587, en anglais).

L'impact de ces œuvres sur l'opinion publique est tel qu'on peut s'y attendre, en ce siècle de passions ardentes et de manque général de sens critique. À Londres, à la nouvelle de l'exécution de Marie, les feux de joie flambent, les cloches carillonnent à toute volée ; à Paris, le prédicateur qui commente la nouvelle aux paroissiens de Saint-Eustache « est obligé de descendre de chaire sans pouvoir terminer son sermon, si grands sont les pleurs et les gémissements des auditeurs[3] ».

En France, l'opposition Guise-Henri III, doublant la traditionnelle haine catholiques-protestants, rend les opinions sur Marie Stuart particulièrement contrastées. Les huguenots cachent à peine leur croyance à l'image négative popularisée par Buchanan ; la traduction française de la *Détection,* avec le texte des lettres de la cassette, paraît clandestinement à La Rochelle et on peut penser qu'elle recueille grand succès auprès des réformés. Jusque vers le milieu du XVIIe siècle, nos historiens de tendance antiligueuse et antijésuite peignent unanimement la reine d'Écosse comme coupable d'adultère et de meurtre : ainsi Agrippa d'Aubigné dans son *Histoire universelle* (1616), et surtout l'illustre Jacques-Auguste de Thou, considéré comme un des grands érudits de l'Europe, auteur de l'*Histoire de son temps* (1620 en latin, 1659 en français). Même au XVIIIe siècle, l'hostilité générale aux jésuites prolonge en France cette opinion globalement défavorable sur Marie Stuart : par exemple Rapin de Thoyras, dont l'*Histoire d'Angleterre* (1734-1736) reproduit les jugements sévères de De Thou, directement inspirés de Knox et de Buchanan. L'auteur des *Mémoires historiques, critiques et anecdotiques sur les reines de France,* Dreux du Radier (1776), représente assez bien cette tendance critique : « L'humanité ne saurait refuser des larmes à une fin aussi malheureuse, mais l'attentat d'Élisabeth ne justifie point la conduite de Marie. On ne saurait accuser les historiens d'avoir employé des couleurs affreuses pour peindre les actions de Marie : ce sont les couleurs de la vérité même[4]. »

Chose curieuse, c'est en Angleterre et en Écosse, pays protestants, que l'opinion, jusqu'alors presque uniformément défavorable à Marie Stuart, évolue en sens contraire aux XVIIe et XVIIIe siècles. L'influence personnelle de Jacques Ier, qui succède à Élisabeth en 1603, explique en partie ce revirement. Il détestait Buchanan, fit condamner et interdire ses œuvres anti-Marie (qui, il est vrai, jetaient un doute sur sa propre légitimité en accusant sa mère d'avoir été la maîtresse de Rizzio). Il commandita, dès 1624-1626, les livres de Camden, *Annales d'Angleterre sous le règne d'Élisabeth,* et de W. Udall, *Histoire de la vie et de la mort de Marie Stuart,* qui constituent des réfutations en règle de Buchanan et de Knox.

La polémique était donc relancée, mais cette fois sur des bases de critique historique et non plus d'invective politique. À partir de ce moment, les recherches d'archives se multiplient dans les deux royaumes britanniques. Pour les Écossais, prendre la défense de la mémoire de Marie Stuart devient un moyen d'affirmer leur identité nationale. Les études érudites et les recueils de documents authentiques se succèdent, les uns concluant à l'innocence de la reine exécutée (Jebb, Anderson, Keith, Goodall, William Tytler, Whitaker), les autres à sa culpabilité (Strype, Robertson, Hume). Les lettres de la cassette, leur authenticité ou leur fausseté, sont au centre des débats, qui agitent toute l'Angleterre et toute l'Écosse — presbytériens contre anglicans, hanovriens contre jacobites *. Même la Révolution française, même la tempête napoléonienne, ne tariront pas le bouillonnement.

En France, c'est plutôt sur le plan littéraire et poétique que se développe le mythe de Marie Stuart. Dès le début du XVIIe siècle, les malheurs de la reine d'Écosse étaient mis sur le théâtre sous forme de tragédies classiques : Montchrestien, Regnault, Boursault, Tronchin, d'autres encore. À part celle du premier, toutes ces pièces ont en commun de centrer leur intrigue sur la captivité de Marie en Angleterre, sur son projet de mariage avec Norfolk et sur sa mort, les deux derniers événements étant souvent confondus au mépris de la chronologie. La tragédie de Montchrestien, *L'Écossaise ou le Désastre* (1605), n'est pas dépourvue de souffle dramatique. On y voit Élisabeth, poussée par Davison à faire périr Marie, s'y refuser au nom de la pitié :

Non, non, il ne faut pas que mon nom renommé
Soit d'un si cruel acte à jamais diffamé.

Mais Davison l'emporte, et Marie chante sa joie de voir venir la fin de ses tribulations :

Depuis le jour fatal de mon heure première,
Jusques au jour présent contre moi conjuré,
Sans trêve ni repos j'ai toujours enduré.
Mais dis-moi, ciel cruel, quel mal ou quelle injure
T'a fait dans le berceau si faible créature ?

La conclusion, après le récit de la mort de la reine que vient apporter un serviteur, est d'un beau lyrisme :

* Jacobites : partisans des Stuart, exilés à partir de 1688 ; hanovriens : partisans de la dynastie de Hanovre, qui règne à partir de 1714.

Las, on vient de meurtrir [tuer] des reines l'orne-
[ment,
Le seul digne sujet où tout mérite abonde,
Le soleil de la terre et la perle du monde.
Les plus beaux jours s'en vont ainsi qu'un vent léger,
N'étant la vie à rien qu'à un rien comparable[5].

Plus tard, le ton galant du XVIIIᵉ siècle l'emportera sur le dramatique. Dans *Marie Stuart, reine d'Écosse,* tragédie de Tronchin représentée devant Louis XV à Fontainebleau en 1734, toute l'intrigue roule sur l'amour secret de Norfolk et de Marie, tandis que Dudley (Leicester), amoureux lui aussi de la captive, cherche à ruiner son rival en excitant la jalousie d'Élisabeth. Dialogue pathétique entre Marie et Norfolk :

MARIE

Ah, Norfolk, je te perds !
Déjà de tes desseins ma rivale est instruite.
Dérobe, s'il se peut, ta tête à sa poursuite.

NORFOLK

Je meurs pour vous, ma mort ne peut être que
[belle.

Élisabeth décide la punition des deux coupables. Marie la brave, Norfolk tente en vain de soulever la foule, et Marie le suit à l'échafaud :

... Toujours infortunés ensemble,
Sa mort nous séparait, et ma mort nous rassem-
[ble[6].

À ce degré de fantaisie historique *, on peut à peine parler de « mythe » ; mais on voit ainsi prendre forme, peu à peu, le terrain sur lequel s'élèvera bientôt la *Marie Stuart* de Schiller.

* Rappelons que Norfolk a été exécuté en 1572, Marie Stuart en 1587.

Le drame de Schiller marque une date capitale dans l'histoire du mythe Marie Stuart, en raison de la personnalité de son auteur, de sa beauté et de son immense retentissement dans toute l'Europe.

1800 : nous sommes en plein *Sturm und Drang,* en plein essor du romantisme allemand. Frédéric Schiller a quarante-trois ans, il est au sommet de sa gloire littéraire ; il a connu le succès avec *Les Brigands, Don Carlos, Wallenstein,* il est le seul rival (amical d'ailleurs) de l'olympien Goethe. Le thème de Marie Stuart l'intéresse depuis longtemps : dès 1782 il y songeait. Il s'est abondamment documenté sur le sujet, il a lu Buchanan, Camden, Brantôme, Rapin de Thoyras, Robertson, Hume, l'essentiel de ce qui existe alors sur l'histoire de l'héroïne — œuvres d'ailleurs écrites en majorité plutôt d'un point de vue hostile à Marie qu'en sa faveur. Au moment d'entreprendre la rédaction de sa pièce, il écrit à Goethe pour lui dire dans quel esprit il la conçoit : « Il y aura là, à satiété, cette *terreur* que réclame Aristote ; pour ce qui est de la *pitié,* on l'y trouvera aussi. Ma Marie ne provoquera pas la sensiblerie ; je veux la traiter comme un être d'instincts naturels. Sa destinée est d'éprouver et de déchaîner des passions violentes[7]. »

La pièce, fort longue, selon le goût du théâtre allemand d'alors, est construite selon les schémas du drame romantique. Elle se passe alternativement à Fotheringay et à Londres, dans les jours précédant l'exécution. Le thème central est l'opposition entre Élisabeth, qui symbolise (avec Cecil, Davison, Paulet) la froideur de la raison d'État, et Marie, toute passion et toute ferveur. Dans l'ensemble, la réalité des faits historiques est assez bien respectée, sauf deux entorses de taille : l'introduction d'un personnage fictif, Mortimer, neveu de Paulet, amoureux de Marie et qui tente de la sauver *in extremis* en feignant l'ultrapuritanisme ; et surtout la rencontre entre Élisabeth et Marie dans le jardin de Fotheringay, sommet dramatique de la pièce — on imagine aisément quelle carrière une telle scène ouvrait à un poète —, alors que, comme nous le savons, les deux femmes ne se sont jamais vues. Leur dialogue n'est d'ailleurs pas entièrement inventé, car Schiller y a intégré des éléments des lettres échangées entre elles.

ÉLISABETH

Sont-ce donc là ces charmes qu'aucun homme ne peut impunément regarder, à côté desquels aucune femme ne peut risquer de se faire voir ? En vérité, c'était là une gloire acquise à bon marché. Pour être une beauté reconnue par tous, il suffit de se donner à tous. Mais c'est fini, lady Marie. Vous ne trouverez plus personne à séduire. Personne n'a envie de devenir votre quatrième mari, car vous tuez aussi bien vos prétendants que vos époux !

MARIE

C'en est trop ! Assez de cette résignation, de cette douceur d'agneau. Fais sauter tes chaînes, ô ma colère trop longtemps contenue !

ÉLISABETH

(avec un rire insultant)

Maintenant vous montrez votre vrai visage, votre masque est enfin tombé.

MARIE

(brillante de colère, mais avec une noble dignité)

Oui, j'ai péché quand j'étais jeune. Je n'en ai jamais fait mystère. Mes torts, tout le monde les connaît. Tandis que vous, le jour où tombera le manteau d'honorabilité dont vous couvrez vos débauches cachées, malheur à vous ! Le trône d'Angleterre est déshonoré par une bâtarde, les nobles anglais sont trompés par une comédienne hypocrite. Si le droit régnait, c'est vous qui seriez à mes pieds, car c'est moi qui suis votre roi.

Et, comme Élisabeth s'éloigne, furieuse, ne respirant que vengeance, Marie jubile :

MARIE

Oh, comme je me sens bien ! Après toutes ces années d'humiliation, de souffrance, j'ai enfin connu ce moment de vengeance, de triomphe ! C'est comme si mon cœur était allégé du poids d'une montagne. J'ai enfoncé le poignard dans le cœur de mon ennemie[7].

Le succès de la pièce fut immense. En quelques mois, elle était traduite et jouée en Angleterre, en France, en Italie. Ce personnage de femme malheureuse, passionnée, revendiquant sa liberté au nom de la justice, répondait trop aux préoccupations de l'époque pour ne pas soulever l'enthousiasme. On retrouve l'influence du drame de Schiller, directement ou indirectement, dans toute la littérature romantique sur le sujet. Il inspire, presque mot à mot, les livrets des opéras italiens de Casella, Mercadante, Coccia, Donizetti (*Maria Stuarda*, 1834), de l'opéra français de Fétis (1823). La tragédie de Pierre-Antoine Lebrun, *Marie Stuart* (1820), est une traduction, arrangée au goût français, de la pièce allemande. Encore en 1895, Rodolphe Lavello donnera à l'Opéra de Paris une *Marie Stuart, drame lyrique* sur un livret « d'après Schiller ».

Or on a remarqué, d'après l'extrait cité plus haut, que Schiller, suivant en cela Buchanan, Robertson et Hume, admet comme réelles la passion adultère de Marie pour Bothwell et sa participation au meurtre de Darnley. C'est donc l'image, ô combien romantique, d'une femme coupable mais absoute par son repentir, que la littérature allemande et française du XIXe siècle va véhiculer en majorité. C'est ainsi que George Sand, Sainte-Beuve, entre autres, verront Marie Stuart : le brillant essai de Stefan Zweig, en notre siècle, se situe dans une lignée qui trouve son origine dans le drame de Schiller.

En France, un autre aspect de la vie de la reine d'Écosse retient l'attention des écrivains romantiques : ce sont ses jeunes années, ses regrets de quitter le beau royaume des Valois pour la froide Écosse. L'opéra de Niedermeyer, *Marie Stuart* (1844), connut un triomphe grâce à la romance « Adieu donc, belle France » et aux « mélodies touchantes » dont il était émaillé. Image affadie d'une Marie Stuart de style troubadour, jouant du luth en écoutant le beau Châtelard ou le séduisant Rizzio chanter à ses pieds. La peinture et les gravures romantiques popularisent ces mièvres scènes (*Marie*

Stuart et Châtelard, par Charles Housez, 1859, musée de Poitiers ; *Marie Stuart et Rizzio,* de Louis Ducis, 1876, musée de Limoges, etc.) : autre aspect du « mythe », qui n'a pas totalement disparu d'une certaine littérature rosâtre.

Les poèmes de Marie Stuart (authentiques ou apocryphes) inspirent eux aussi les musiciens : Robert Schumann, en 1852, publie son opus 135, *Gedichte der Königins Maria Stuart,* composé de mélodies sur l'*Adieu à la France,* la *Lettre à la reine Élisabeth* et l'*Adieu au monde* de la reine d'Écosse.

L'imagination romantique, surtout en Écosse, s'empare enfin des épisodes dramatiques et pittoresques tels que l'affrontement avec John Knox, la mort de Rizzio, la fuite nocturne à Dunbar, l'emprisonnement à Lochleven, l'abdication forcée (avec les seigneurs armés et menaçants derrière le fauteuil de la reine), la traversée du golfe de Solway dans une barque de pêcheur ; tous thèmes qu'illustrent tableaux et gravures et qu'on retrouve à satiété dans la littérature pour jeunes personnes sensibles des débuts de l'ère victorienne. À cet égard, le roman de Walter Scott *L'Abbé* (*The Abbot*, 1820), dont une partie importante met en scène l'évasion de Lochleven, exerce une influence qui ne peut être trop soulignée, étant donné la célébrité de son auteur.

Cependant, à côté de cette production superficielle et souvent assez niaise, le XIXe siècle est aussi l'ère des grandes études historiques sur Marie Stuart, au point que vers 1890 il devient déjà impossible d'établir une bibliographie complète du sujet.

Tout d'abord, les publications de sources se multiplient. Les dépôts d'archives publiques et privées d'Angleterre, d'Écosse, de France, d'Espagne, de Belgique, d'Italie, sont fouillés avec passion et méthode. D'immenses collections de documents et d'inventaires paraissent. Les Mémoires de la fin du XVIe siècle sont exhumés de leurs manuscrits, édités avec des notes critiques. Des textes capitaux, jusqu'alors inconnus, apparaissent : le *Journal* du médecin Bourgoing, les *Mémoires* de Claude Nau. Surtout, la mise au jour des correspondances de Cecil, de Walsingham, de Paulet, de Shrewsbury, de Jacques VI et d'Élisabeth, des ambassadeurs de France et d'Espagne, révèle le dessous des cartes, remet en perspective ce qu'on croyait savoir jusqu'alors, rétablit la vérité sur bien des épisodes.

Chose notable : presque toutes ces révélations se font dans un sens favorable à Marie Stuart. La machination policière dont elle a été la victime dans l'affaire Babington apparaît ainsi au grand jour. Les « témoignages » hostiles de Buchanan sont confrontés à des documents incontestables qui en révèlent le caractère douteux, parfois la fausseté pure et simple.

En même temps, la publication des lettres de Marie Stuart par le prince Labanoff (1844) rend plus vivante la personnalité de la reine — tout en confirmant, sans que l'érudit aristocrate russe l'ait certes voulu ainsi, les intrigues dangereuses auxquelles elle se complaît pendant son interminable captivité.

Au cœur de toutes ces savantes publications, les lettres de la cassette occupent évidemment une place de choix. Tout au long du XIXe siècle et au-delà, la polémique fait rage autour de leur authenticité ou de leur fausseté, totale ou partielle. À vrai dire, aucun argument décisif ne vient trancher le débat, faute de pouvoir étudier les originaux de ces documents. Nous avons dit, au chapitre XVII de ce livre, ce qu'on pouvait tenter de conclure à leur sujet, dans l'état actuel de nos connaissances. Il est peu probable que la question soit jamais close de façon définitive.

Les études érudites sur Marie Stuart — soit sur l'ensemble de sa vie, soit sur des épisodes particuliers — foisonnent donc tout au long du XIXe siècle, au fur et à mesure que de nouveaux documents viennent au jour. On en trouvera un aperçu, non exhaustif certes, dans la bibliographie.

Mais les passions ne restent pas absentes de cette production. Jules Michelet, par exemple (qui écrit, il est vrai, en 1856, avant donc les principales publications de sources d'archives), reste profondément hostile à Marie Stuart, qu'il juge à travers sa haine des Guise et des jésuites. « Elle naquit violente et dure. En cette merveille des Guise, comme en eux tous, il y avait tous les dons, moins la mesure et le bon sens. Chimérique, malgré son intrigue, avec tant d'apparence de ruse et de finesse, elle donna dans tous les panneaux. » La « légende dorée » de Marie Stuart excite tout particulièrement la verve de Michelet : « Qui pouvait être insensible à son malheur ? Tout le monde savait par cœur les très beaux vers où Ronsard, cette fois vrai et grand poète, rappelle l'impression charmante, mélancolique et religieuse qu'il eut quand il la vit sous ses blancs voiles de reine veuve dans les bois de Fontainebleau... Nos plus sérieux historiens en subissent le charme. Je ne m'en défendrais pas, sans tant de preuves qui montrent en cette fatale fée tout ce qui faisait le danger du monde. »

Pour Michelet, Marie était dure et méchante. C'était surtout une comédienne consommée : « Elle écrit partout des lettres où elle se pose elle-même comme une sainte, où elle offre des broderies et des travaux de sa main. Traits touchants ! Quels effets devaient-ils produire dans les âmes simples ! Que de pleurs durent verser les femmes ! Quelle rage durent mettre ces choses dans le cœur des hommes, de ces jeunes gens exaltés qu'on enivrait de son nom ! [...]. Que de femmes pourtant, des millions de femmes anglaises, eussent trouvé pis que la mort dans la vie de cette femme[8]. »

En Angleterre, le même genre de motivations idéologiques — hostilité au catholicisme et au parti *tory*, idéalisation du protestantisme — conduit l'universitaire chevronné qu'est James Anthony Froude, dans sa monumentale *Histoire d'Angleterre de la chute de Wolsey à la mort d'Élisabeth* (1856-1870), à adopter envers la reine d'Écosse une position presque aussi hostile que Knox ou Buchanan trois siècles plus tôt : « Ce fut une mauvaise femme, déguisée en martyre... une panthère, aussi dangereuse qu'une bête féroce... une femme si sensuelle, si démoniaque qu'elle semble hors nature... Elle quitta le monde avec bravoure, mais le mensonge aux lèvres. » La victime, pour Froude, est Élisabeth, la « fée bienfaisante venant secourir une sœur égarée et malheureuse », contre qui Marie gagne en définitive la dernière manche « en imprimant une tache indélébile à la mémoire de la grande reine ».

Mais l'excès même de ce parti pris suscite des réactions vigoureuses. En effet, en ces belles années du règne de Victoria, l'Angleterre est secouée par un phénomène imprévu : le *Catholic Revival*, renaissance catholique autour de Newman et Manning, issu du « mouvement d'Oxford » qui prêchait le retour de l'anglicanisme aux origines liturgiques et doctrinales. La figure de Marie Stuart est, tout naturellement, au cœur des débats. Plusieurs historiens jésuites, les PP. Pollen et Morris entre autres, scrutent les archives (y compris celles du Vatican, jusqu'alors peu accessibles) et mettent au jour des documents de première importance en faveur de l'innocence de Marie Stuart.

Cependant, peu à peu, les passions s'apaisent. Au lieu de vouloir imposer à tout prix une vision « monocolore » de l'héroïne — meurtrière ou martyre —, les historiens anglais de la fin du XIXe siècle et du XXe tentent de plus en plus une synthèse équilibrée. C'est le cas, par exemple, de Martin Philippson, de Thomas F. Henderson, de David H. Fleming. En France, on reste en général plus partisan : l'*Histoire de Marie Stuart* de l'écrivain royaliste Jules Gauthier (1869) part du principe que « nul personnage de l'histoire n'a été plus calomnié » que la reine d'Écosse, et que tous les documents sur lesquels s'appuient les accusations contre elle sont des faux ou des mensonges délibérés. L'ouvrage de Paule Henry-Bordeaux, *Marie Stuart reine de France et d'Écosse* (1938), dépeint celle-ci comme victime, dès le début de son règne à Édimbourg, d'un « piège » monté par Moray. C'est peut-être le livre — un peu terne mais bien documenté et argumenté — de Roger Chauviré, *Le Secret de Marie Stuart* (1937), qui donne l'image la plus prudente et la plus nuancée ; il reste utile aujourd'hui encore.

On pourrait croire, après tout ce qui précède, que vers 1930 tout avait été dit sur Marie Stuart, et que rien ne pourrait plus rénover le sujet.

Ce serait compter sans l'impact que peut avoir une

œuvre littéraire de grand renom, sans commune mesure, auprès du public, avec les plus savants apports des historiens. Aussi la *Marie Stuart* de Stefan Zweig (1935), même s'il ne s'agit en aucune façon d'un livre d'histoire mais plutôt d'un « essai », a-t-elle un immense retentissement en raison de la personnalité de son auteur et, il faut le dire, du talent littéraire de l'œuvre, qui devient vite un *best-seller* dans le monde entier*.

Zweig, en 1935, est de longue date un écrivain illustre. Il a publié *Confusion des sentiments, La Pitié dangereuse,* et plusieurs biographies qui font de lui un maître incontesté du genre : *Verlaine, Romain Rolland, Fouché, Marie-Antoinette.* Ce qui l'attire en Marie Stuart, c'est l'image de la femme consumée par l'embrasement violent d'une passion qui ruine sa vie et la laisse anéantie ; c'est le contraste entre la force irrésistible qui la pousse au mal et la personnalité morale qui est la sienne ; c'est enfin le thème dostoïevskien de « crime et châtiment ». Zweig accepte donc, sans la mettre en doute ne fût-ce que par une phrase, l'authenticité des lettres de la cassette ; mieux : c'est sur elles qu'il bâtit toute son interprétation du caractère et de la destinée de Marie.

C'est dire l'absence d'intérêt de ce livre du point de vue historique. Pour le mythe de Marie Stuart, il est en revanche primordial. De même que toute l'Europe romantique avait rêvé la reine d'Écosse sous les traits de l'héroïne de Schiller, de même toute une génération de lecteurs de notre siècle verra dans son couple avec Bothwell les « amants maudits » dépeints par Zweig. N'en prenons qu'un exemple, mais frappant : la pièce de Marcelle Maurette, *Marie Stuart,* jouée en 1941 par la troupe de Gaston Baty, avec Marguerite Jamois dans le rôle-titre. « Que sais-tu de l'homme ? lui demande Bothwell. Tu ne sais rien, ni la peur, ni le désir de cette peur au long de ta peau, de tes flancs. » Et, comme elle veut le cingler de sa cravache : « Prends garde, Marie ! Je ne suis pas la tranquillité, moi. On ne me cantonne

* Édité en France dans « Le Livre de poche », c'est l'unique ouvrage que beaucoup de lecteurs connaissent sur Marie Stuart.

point dans les jupes, on ne m'ordonne point. Je serai ton roi, si tu es reine. Je te ferai du mal. Prends garde. Je t'aime ! » Bien des années plus tard, ayant expié le meurtre de Darnley, au moment de monter à l'échafaud, elle entend la voix de Bothwell qui l'appelle. « Mon Bothwell ! » dit-elle ; et comme Walsingham lui offre sa main pour gravir les marches, elle secoue la tête en souriant : « Merci, j'ai mon cavalier. » Tout cela sort tout droit du livre de Zweig[9].

C'est, avec des nuances, la même image que véhiculera le cinéma, avec *Queen of Scotland* de John Ford (1936, avec Katherine Hepburn dans le rôle-titre) et surtout *Das Herz der Königins,* de Carl Froelich (titre français : *Marie Stuart,* avec la cantatrice suédoise Zarah Leander jouant Marie, 1940). Le film de John Ford ne sort pas du domaine des poncifs romantiques, avec baisers au clair de lune et coups de tonnerre aux bons endroits, mais celui de Carl Froelich, avec un arrière-plan évident de propagande antianglaise vu sa date, faisait un effort méritoire pour une interprétation « historique » du caractère de la reine d'Écosse tel que Zweig l'avait décrit. On y voyait Zarah Leander chanter, de sa fameuse voix de gorge, les prétendus poèmes de Marie à Bothwell (les « sonnets de la cassette »), sur une musique néo-brahmsienne de Theo Mackeben.

Plus récemment encore, le cinéaste anglais Charles Jarrott, confiant à Vanessa Redgrave le rôle de Marie Stuart et à Glenda Jackson celui d'Élisabeth (*Mary Queen of Scots,* 1972), tentait une reconstitution aussi fidèle que possible de la vie de l'héroïne, bien documentée historiquement, mais toujours axée sur les amours Marie-Bothwell selon les lettres de la cassette — et sans se refuser, comme jadis Schiller, le plaisir d'imaginer l'entrevue Marie-Élisabeth, que l'austère histoire ignore, et pour cause.

Ainsi, à l'issue de ce périple à travers les « images » de Marie Stuart dans la littérature et dans l'art, les contradictions ressortent et subsistent plus éclatantes que jamais.

Chaque écrivain, chaque historien, avec son style propre et son optique personnelle, a « sa » Marie Stuart. On peut, sans trop de risque d'injustice, écarter comme insignifiantes les images trop monocolores. À prétendre rejeter intégralement tous les témoignages et tous les textes favorables (ou défavorables) à la reine d'Écosse, on affadit singulièrement le débat. Vouloir réduire cette femme complexe à une motivation unique — l'ambition, l'amour, la ferveur religieuse, la volonté de vengeance — équivaut à l'amputer, voire à la caricaturer. La meilleure biographe moderne de Marie, Lady Antonia Fraser, a eu raison d'insister au contraire sur les contradictions internes, parfois déconcertantes, sur la richesse psychologique du personnage, en qui coexistent l'orgueil, le charme, le désir de plaire, l'impulsivité, la générosité, le goût de l'intrigue, la facilité à mentir, bien d'autres traits encore ; et aussi sur son évolution au long des années, car il y a loin de l'adolescente insouciante de Saint-Germain-en-Laye à la chrétienne fervente de Fotheringay.

Est-ce à dire que nous devrions renoncer, par excès de scrupule, à tenter à notre tour, non pas une « interprétation » — le mot convient mieux au romancier qu'à l'historien — mais une conclusion sur Marie Stuart, après tout ce que nous avons vu d'elle au long des pages qui précèdent ?

À l'inverse de certaines figures historiques dont le caractère nous échappe faute de documentation, c'est ici la surabondance des sources qui rend la connaissance difficile. Sur presque tous les points, les témoignages contemporains concernant Marie Stuart divergent selon leur origine. Dès sa jeunesse, elle était jugée différemment par les partisans des Guise et par les huguenots. Une fois rentrée en Écosse, chacune de ses actions connaît une interprétation opposée de la part des Anglais, des Français, des Espagnols, des catholiques, des calvinistes, sans parler des partis antagonistes dans son propre pays.

Rares sont les traits sur lesquels tous les auteurs soient d'accord. La beauté de Marie Stuart en est un. Ses portraits ne la traduisent qu'imparfaitement. Même

Knox, même Buchanan reconnaissent qu'elle charmait à volonté ; nous sommes bien obligés, sur ce point, de croire le témoignage des contemporains. Encore faut-il ne pas perdre de vue que, dans la femme percluse et grisonnante que le bourreau décapitait en 1587, il devait être bien difficile de reconnaître la radieuse jeune fille lyriquement chantée par Ronsard.

Quant à son caractère, tous les témoins ont reconnu en Marie Stuart l'orgueil dynastique, le sentiment très aigu de sa dignité de reine par la grâce de Dieu, l'impatience des contraintes. A l'inverse d'Élisabeth, elle était toute impulsivité, toute passion, au risque des pires imprudences.

Cela ne signifie pas, bien au contraire, qu'elle fût toujours franche. Son éducation à la cour des Valois l'avait habituée, très jeune, à considérer qu'une princesse peut impunément mentir, renier sa parole, prendre simultanément des engagements contradictoires. Assez vite, cela apparut dans son comportement, dans ses négociations secrètes, car elle manquait précisément de l'habileté manœuvrière qui seule permet de réussir dans la duplicité. Le résultat fut que personne, bientôt, ne lui fit plus confiance ; c'est là une des clefs de son destin.

Pour apprécier sa personnalité, une question fondamentale se pose. Ses ennemis, à partir de 1566, ont clamé très haut qu'elle avait trompé son mari avec Bothwell, qu'elle s'était livrée avec celui-ci à une folle passion, qu'elle avait été pour lui jusqu'au meurtre. Beaucoup de ses amis même l'ont cru, en Écosse, en Angleterre, jusqu'en France, en Espagne, à Rome, et cette image de grande amoureuse a traversé les siècles.

Elle, au contraire, n'a jamais cessé d'affirmer que tout cela était faux, qu'il s'agissait d'une conspiration diabolique montée contre elle avec fabrication de fausses preuves et de faux témoignages, que son mariage avec Bothwell lui avait été imposé par la tromperie et l'intimidation.

Nous avons, au cours de ce livre, tenté de confronter les uns aux autres les documents contemporains sur cette difficile question. Après examen, il nous a paru que l'ensemble des faits — dans la mesure où ils peuvent être isolés des interprétations qui en ont été données dès l'origine — justifie plutôt la seconde version que la première. Tous les témoignages sur la liaison de Marie et de Bothwell sont postérieurs aux événements (notamment celui de Buchanan, le plus souvent cité) ou émanent de milieux hostiles, tels que l'ambassade d'Angleterre. Que des diplomates français ou vénitiens s'en soient fait l'écho prouve seulement que ces bruits circulaient, nullement qu'ils fussent exacts. Sur les lettres de la cassette et les poèmes amoureux attribués à Marie, rien ne nous permet d'accorder plus de foi à l'accusation qu'à la défense. Nous n'avons, à l'appui de l'authenticité de ces documents, que les affirmations de Moray, Morton et consorts, et les « aveux » de comparses interrogés sous la menace et la torture ; historiquement, ils sont sans valeur.

Les faits bruts, en 1566-1567, sont donc parfaitement compatibles avec l'explication, maintenue avec constance par Marie Stuart, d'une machination délibérément montée pour la perdre. Reste que son comportement, dans cette crise décisive de sa vie, a été incohérent, maladroit à l'extrême, et qu'il a, par là, contribué à accréditer la version de ses ennemis ; mais il faut y voir plus l'effet de l'épuisement nerveux que d'une culpabilité hypothétique.

C'est une tout autre conclusion qui s'impose, en revanche, sur les actions de Marie Stuart après sa fuite en Angleterre, pendant les dix-neuf dernières années de sa vie. La mauvaise foi de sa cousine, sa duplicité même, sont dès lors déterminantes dans l'évolution de la prisonnière. Nous avons dit, au cours du récit, quelles raisons de froid calcul avaient pu pousser Élisabeth à la retenir captive. La politique de Guillaume Cecil, tout entière axée sur le protestantisme, interdisait que la reine catholique fût replacée sur son trône ; or celui-ci, selon les conceptions de l'époque, lui appartenait en propre. À partir de cet éclatant déni de justice, Marie Stuart s'estimait le droit de chercher par tous les moyens à se libérer ; tous les princes de son temps auraient pensé comme elle.

Pour son malheur, elle agit, dans cette juste cause,

avec tant de légèreté et d'imprudence qu'elle acheva de ruiner la confiance qu'on pouvait mettre en elle. Il paraît certain, après examen de tous les éléments du problème, qu'elle fut bien informée de la conspiration — d'ailleurs incroyablement maladroite — de Babington et qu'elle y donna son entier accord, y compris en ce qui concerne l'assassinat de sa cousine. Après tout, elle avait tenté depuis dix-huit ans tous les moyens pacifiques pour échapper à son injuste prison. Ils avaient échoué par la faute d'Élisabeth. La mort de celle-ci restait la seule voie ouverte vers la liberté : aux yeux de Marie comme de tout le monde catholique, c'était une justification plus que suffisante.

Il ne faut pas, en effet, minimiser à ce stade l'importance que revêtait, pour la prisonnière, l'aspect religieux de son combat. Quand elle avait fui l'Écosse en 1568 — mariée selon le rite calviniste à un protestant —, elle était bien loin d'apparaître comme la championne du catholicisme ; moins encore comme une martyre. Mais, avec les années, elle s'était trouvée, par l'évolution de la politique anglaise et européenne, symboliser la foi romaine face à l'hérésie. A cet égard, l'insurrection catholique de 1569 — la Rébellion du Nord — a joué un rôle essentiel. Non qu'elle y ait participé ; mais les insurgés de Durham combattaient au nom de la messe et des Cinq Plaies du Christ, et tout naturellement la reine d'Écosse, prisonnière de son inique rivale, était leur espoir et leur héroïne. A mesure que la résistance des catholiques anglais à l'oppression protestante se durcissait, Marie Stuart en devenait l'enjeu, et aussi le symbole. Très sincèrement, elle se considéra dès lors comme la combattante de la foi ; ce thème revient souvent dans ses lettres des dernières années.

Le comte de Moray, en 1568, avait ironisé assez lourdement sur la « soudaine dévotion » de sa sœur. Sans doute y voyait-il, ou affectait-il d'y voir, une forme d'opportunisme. Il avait tort : tout permet de penser, au contraire, que face à l'épreuve, Marie trouvait refuge et réconfort dans la religion. Même si elle n'est pas morte en sainte aussi marmoréenne que la décrivent les récits hagiographiques répandus par les jésuites après son exécution, même si l'angoisse, l'impatience et le désir de vengeance n'ont pas été absents de ses derniers moments, elle a su atteindre, aux minutes suprêmes, à la sérénité d'une véritable chrétienne.

Cela signifie-t-il qu'elle eût toujours été telle ? Non, certes. Elle s'était montrée, au cours de sa vie, trop souvent légère, irréfléchie, coléreuse, entêtée. Mais elle était foncièrement généreuse, et par cela elle faisait contraste avec la réfléchie, la calculatrice Élisabeth.

Le parallèle entre les deux cousines est un élément obligé de toute biographie de l'une ou de l'autre. Il a tout pour inspirer l'historien aussi bien que le psychologue. L'une, née d'une mère décriée, bientôt déclarée bâtarde, élevée au sein de tous les dangers, puis triomphant par la dissimulation et la maîtrise de soi. L'autre, adulée et choyée dès son enfance dans la Cour la plus brillante d'Europe, gâchant ses chances par impulsivité et excès de confiance en son entourage et en soi-même.

Auraient-elles pu s'entendre ? Après tout, rien n'obligeait la reine d'Angleterre à vouloir à tout prix abattre celle d'Écosse. L'imprudence initiale, dans leur dialogue, vint de la France. Marie en subit les conséquences toute sa vie sans en être responsable. Mais après le retour de Marie dans son pays, c'est bien à Élisabeth qu'incombent le refus de tout accord sincère (et d'abord de toute rencontre personnelle), les perpétuels faux-fuyants, les dérobades, les promesses fallacieuses. Dans l'affaire du mariage de Darnley, elle se montre franchement détestable, multipliant les exigences contradictoires, reniant chaque jour ses paroles de la veille ; on comprend que Marie, excédée, ait décidé de couper court. Plus tard, quand il sera question de restaurer Marie sur son trône après la fin de la conférence d'York-Westminster, Élisabeth agira encore avec le même manque de franchise. Sur ce point au moins, on peut dire que les torts sont de son côté.

Le désir de Marie d'être déclarée héritière officielle d'Élisabeth n'était pas un moindre obstacle entre elles. C'était, pour l'une comme pour l'autre, une question de principe. Elle empoisonna leurs relations dès le début et jusqu'à la fin. L'Anglaise ne voulait pas de successeur désigné ; l'Écossaise voulait être reconnue comme telle. Opposition insoluble. Plus souple, plus habile, Marie aurait peut-être pu triompher à la longue de la méfiance obsessionnelle de sa cousine ; au contraire, elle ne cessa de la raviver par ses démarches intempestives. A cet égard, l'appui des catholiques anglais lui était plus dangereux qu'utile : Seigneur, gardez-nous de nos amis.

Nous voici loin, certes, de l'image de la grande amoureuse brûlée de passion que peignait, voilà cinquante ans, Stefan Zweig. Soyons modestes : de la vie sentimentale de Marie Stuart, nous ne savons presque rien ; les témoignages sont par trop contradictoires. Elle avait eu une grande flambée de désir pour le jeune et sportif Darnley ; selon toute apparence, elle en avait été déçue dès leur nuit de noces, ou tôt après. Écartée la passion supposée pour Bothwell (comme ne reposant sur aucune documentation valable), restent les épisodes Châtelard et Rizzio : tout juste de quoi alimenter des hypothèses, des suppositions, des « peut-être », des « encore que... » ; certainement pas de quoi bâtir une analyse psychologique solide.

Bien ébranlée aussi, l'image de la sainte reine martyrisée pour avoir voulu, au péril de sa vie, rétablir l'Église catholique dans l'Écosse hérétique. C'est là pure légende, que l'origine en soit l'intolérance de John Knox ou la propagande intéressée des jésuites. Marie Stuart aurait certes souhaité voir son royaume revenir dans le giron de Rome ; mais elle ne l'a jamais vraiment tenté, et ce n'est pas cela qui a causé sa chute.

Cependant cette femme, avec toutes ses séduisantes qualités et ses défauts évidents, était aussi une reine. Il faut donc, avant de la quitter, tenter d'établir le bilan de son règne — entendons par là les six années (1561-1566) où elle exerça effectivement le pouvoir en Écosse.

« Politique inepte », tranche en deux mots l'historien anglais S. T. Bindoff, qui commente : « En quelques mois, elle commit à peu près toutes les erreurs possibles[10]. » Jugement sans appel ? C'est vite dit. Marie Stuart a échoué, mais tout ce qu'elle a fait n'était pas méprisable ni négligeable, loin de là. Elle a rêvé d'une coexistence pacifique, d'une tolérance mutuelle entre les deux religions. C'était impossible, mais il était à son honneur de le vouloir. Peut-être, si elle avait continué, après 1566, à suivre les conseils de son frère Moray, à se laisser guider par lui, aurait-elle finalement régné en paix. Sa brouille avec lui, à cause de Darnley, a été la grande cassure de son règne. Sentimentalement et politiquement, Darnley a été son mauvais génie.

Face à une noblesse indocile et avide, à une *Kirk* fanatique, cette jeune femme demi-française, aimant le jeu, la danse, la vie au grand air, coquette, influençable, manquait des qualités qui lui auraient été nécessaires pour s'affirmer comme souveraine. Sa réflexion politique ne dépassait pas le niveau des quelques principes que lui avaient inculqués son oncle le cardinal et sa mère la reine régente : princesse de droit divin, ses sujets lui devaient obéissance, comme elle leur devait justice. C'était bien court comme programme de gouvernement. En d'autres temps, elle eût pu connaître un règne sans histoire, laisser le souvenir d'une reine aimable et populaire. Avec John Knox et Élisabeth comme adversaire, elle ne pesait pas assez lourd dans la balance des forces.

Son rôle, dans l'histoire du XVIe siècle, est pourtant essentiel ; mais c'est un rôle, en quelque sorte, négatif. Son échec a décidé, sans appel possible, d'un des tournants majeurs de l'histoire écossaise : après elle, c'en est fini à tout jamais de l'*Auld Alliance,* des liens privilégiés entre Édimbourg et la France. Désormais, l'Écosse est unie à l'Angleterre, pour le meilleur et pour le pire ; l'avènement de Jacques VI au trône des Tudor, en 1603, ne fera que confirmer une évolution qui était devenue inéluctable au moment où sa mère avait franchi le golfe de Solway dans une barque de pêcheur, au soir du 16 mai 1568. Sur ce plan, comme du point de vue religieux, le règne de Marie Stuart clôt l'histoire de l'Écosse médiévale. En cette fin aussi était un commencement.

Un journaliste, connu pour ses formules à l'emporte-pièce, évoquait naguère, dans un grand quotidien français, « Marie Stuart, dont le martyre devait faire pleurer, et qui était en réalité une peste doublée d'une sotte[11] ». Souci évident de se démarquer de l'image idéalisée de la reine d'Écosse prédominante dans les pays de culture catholique. Mais à trop vouloir réagir contre un mythe, on finit par en créer un autre, tout aussi éloigné de la réalité.

L'historien n'a rien à gagner à ces exagérations et à ces légèretés. Une destinée tragique ne pare pas obligatoirement la victime de toutes les vertus ; elle n'autorise pas non plus à la ridiculiser.

Dans le portrait de Marie Stuart, il y a des lumières et des ombres. Il y a aussi, et il y aura toujours, une part de mystère : « l'énigme Marie Stuart », comme titre un de ses récents biographes[12]. C'est de cela que naît cette fascination qui a traversé les siècles et qui n'a jamais cessé de hanter les imaginations.

Peu de personnages ont suscité un aussi grand nombre de biographies, érudites ou romancées. Peu ont inspiré autant de poètes et d'artistes. Peu — la chose est significative, en un monde où la publicité est reine — sont aussi souvent invoqués comme enseigne commerciale : confiseries, boutiques de mode, magasin de médailles et de décorations au Palais Royal, jusqu'à une grande marque de champagne, portent le nom de Marie Stuart. À de tels témoignages se mesure l'ampleur du mythe et la fascination qu'il continue d'exercer.

Le prélat qui, en larmes, prononçait son oraison funèbre dans Notre-Dame tendue de noir, le 12 mars 1587, avait vu juste : « Le marbre, le bronze et l'airain se consument à l'air, ou se rongent par la rouille, mais la souvenance d'un si bel et mémorable exemple vivra éternellement. »

ANNEXES

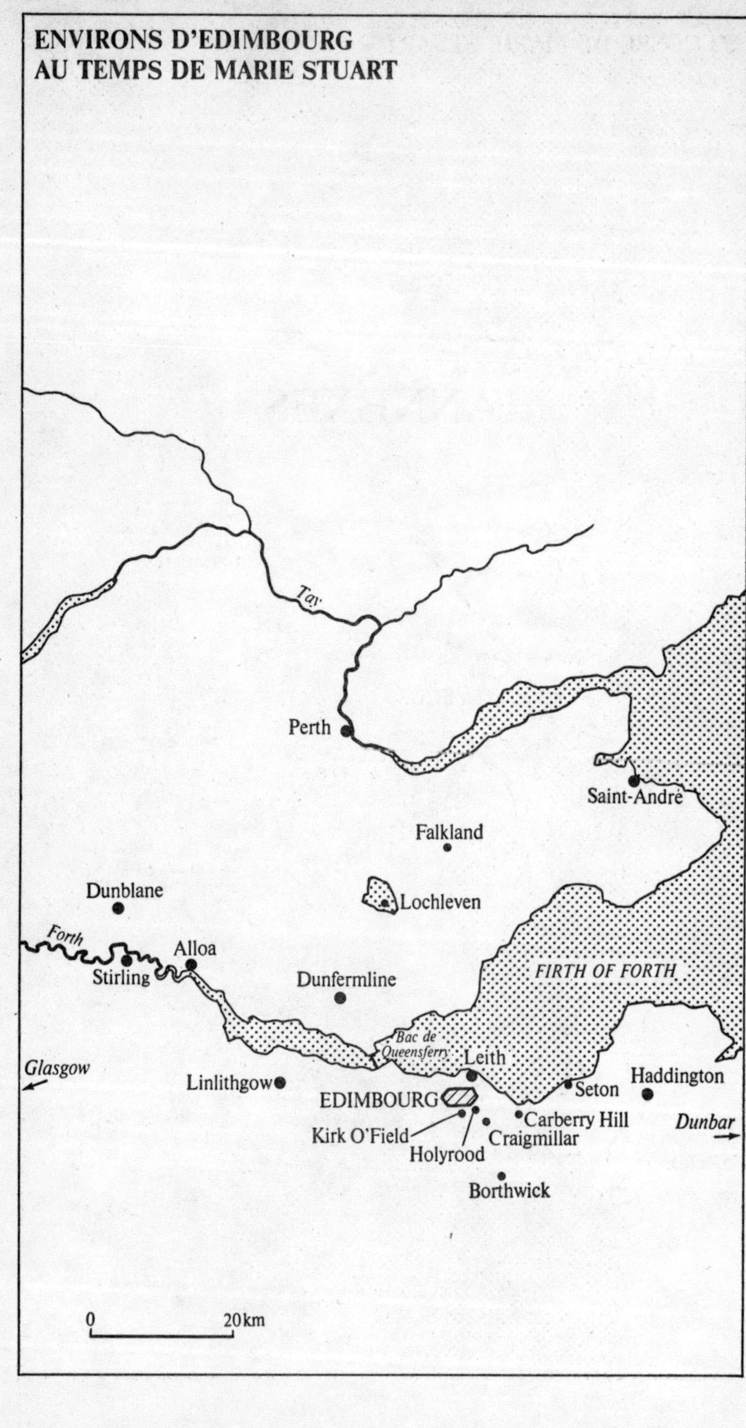
ENVIRONS D'EDIMBOURG
AU TEMPS DE MARIE STUART
Tay
Perth
Saint-André
Falkland
Dunblane
Lochleven
Forth
Alloa
Stirling
Dunfermline
FIRTH OF FORTH
Bac de Queensferry
Leith
Glasgow
Linlithgow
Seton
Haddington
EDIMBOURG
Carberry Hill
Kirk O'Field
Craigmillar
Dunbar
Holyrood
Borthwick
0
20 km

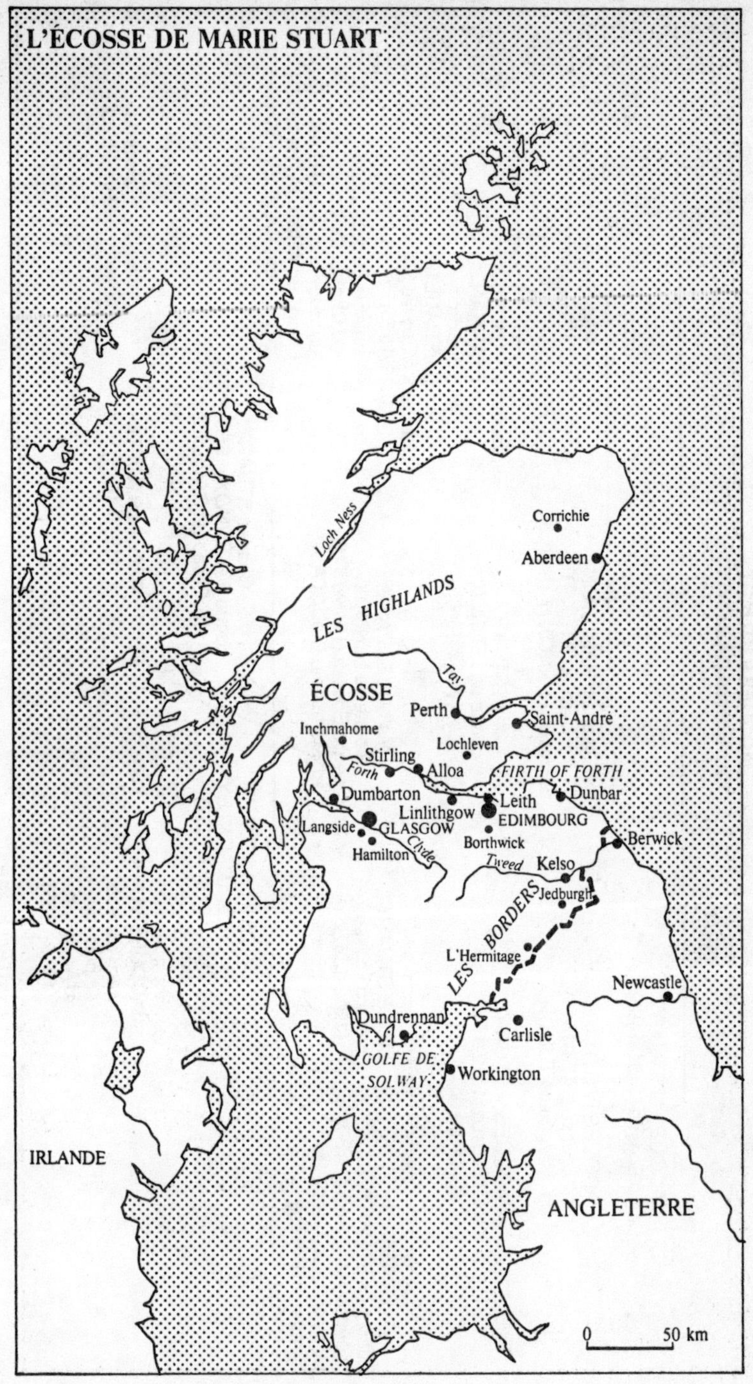
L'ÉCOSSE DE MARIE STUART
Loch Ness
Corrichie
Aberdeen
LES HIGHLANDS
Tay
ÉCOSSE
Perth
Saint-André
Inchmahome
Lochleven
Stirling
Forth
Alloa
FIRTH OF FORTH
Dumbarton
Leith
Dunbar
Linlithgow
EDIMBOURG
Langside
GLASGOW
Borthwick
Berwick
Hamilton
Clyde
Tweed
Kelso
Jedburgh
LES BORDERS
L'Hermitage
Newcastle
Dundrennan
Carlisle
GOLFE DE SOLWAY
Workington
IRLANDE
ANGLETERRE
0
50 km

STUART, LENNOX et HAMILTON : LA SUCCESSION D'ÉCOSSE (généalogie simplifiée)

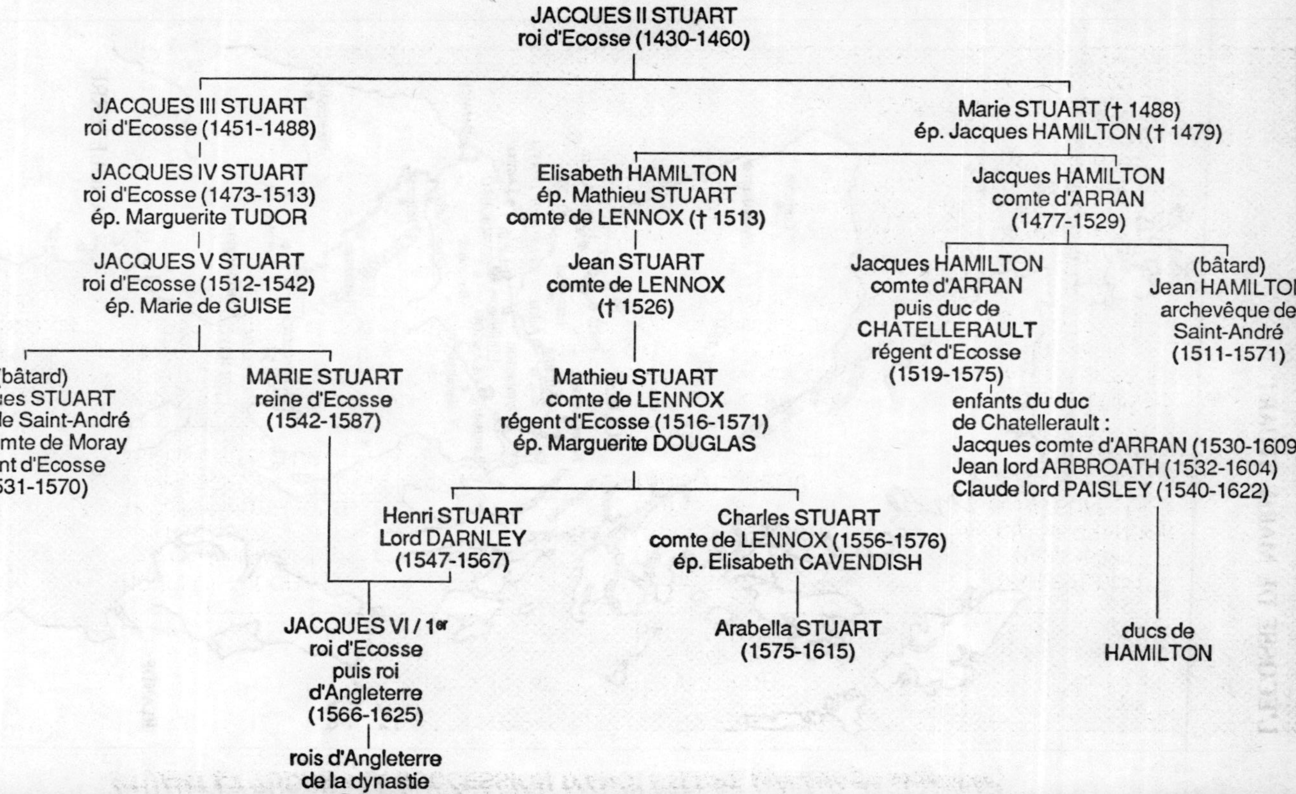

STUART ET TUDOR : LA SUCCESSION D'ANGLETERRE (généalogie simplifiée)

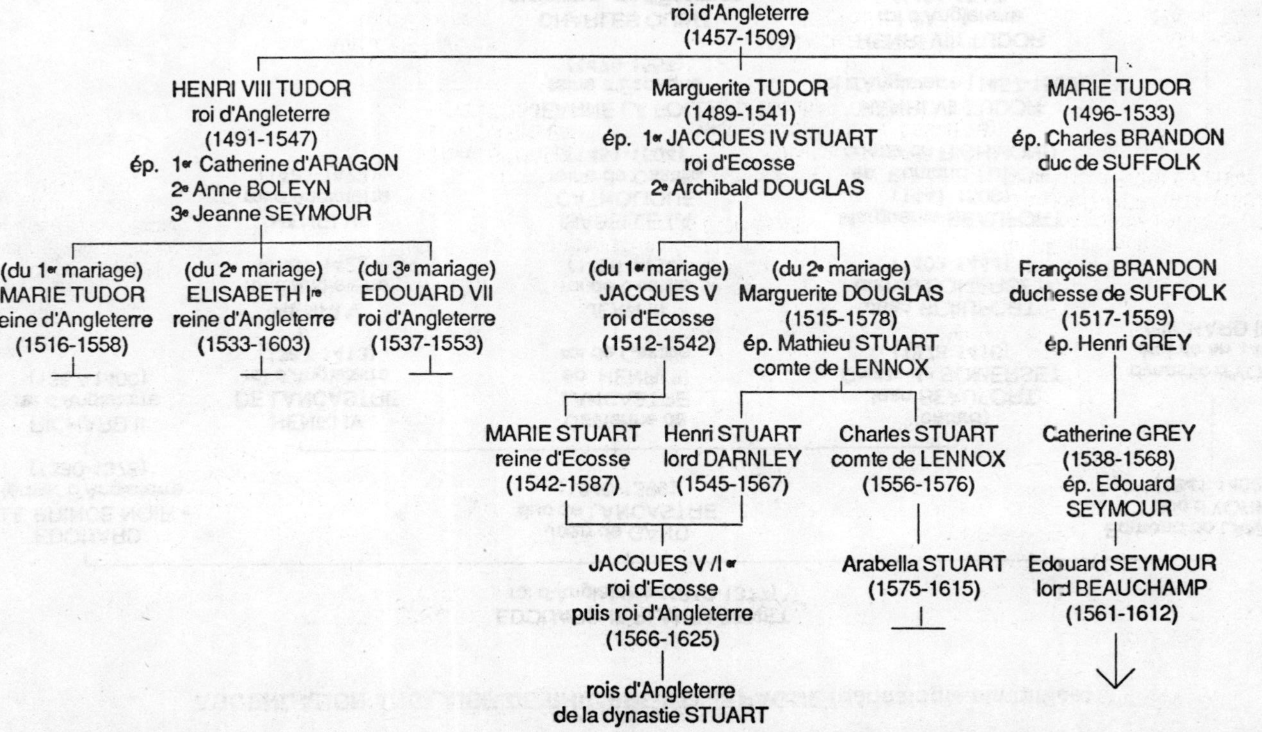

ASCENDANCE ANGLAISE DE PHILIPPE II D'ESPAGNE (généalogie simplifiée)

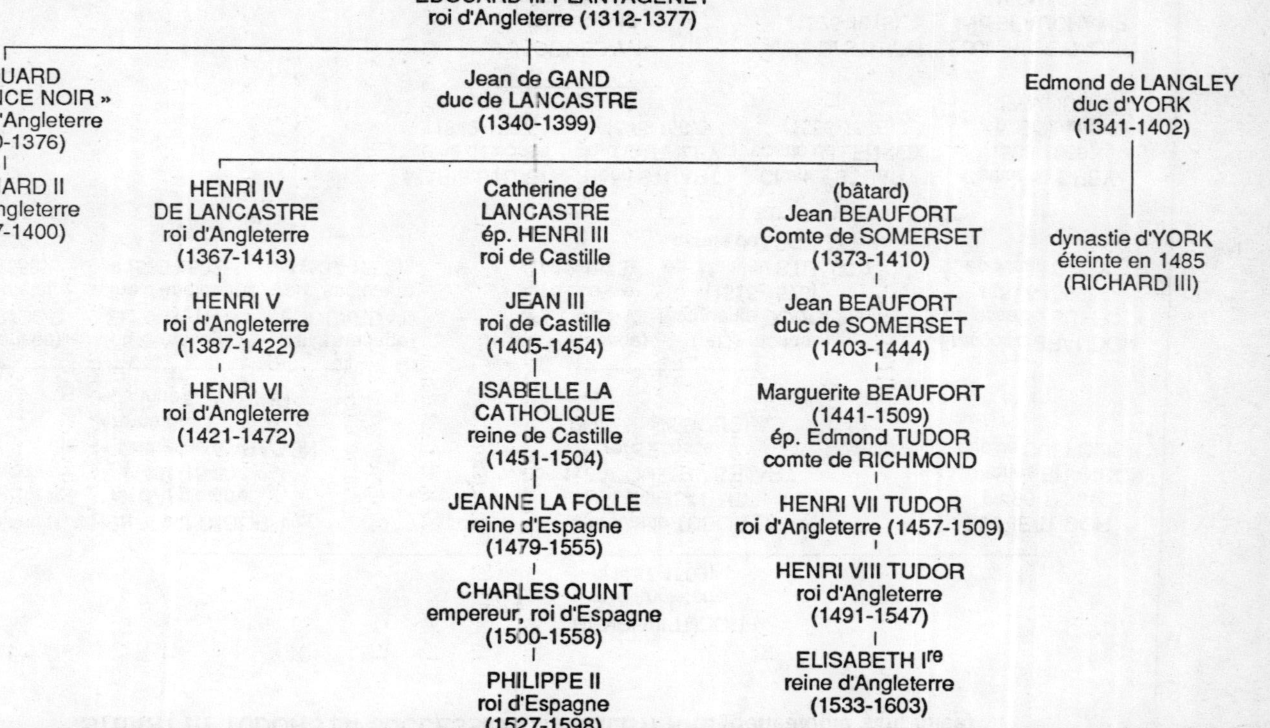

Chronologie

1538 — *25 juin :* mariage de Jacques V d'Écosse et de Marie de Guise.

1542 — *24 novembre :* défaite de l'armée écossaise par les Anglais à Solway Moss.
7 ou 8 décembre : naissance de Marie Stuart à Linlithgow.
13 décembre : mort de son père Jacques V.

1543 — *9 septembre :* couronnement de Marie Stuart à Stirling.

1544-1545 — Incursions anglaises en Écosse.

1546 — *29 mai :* assassinat du cardinal Beaton à Saint-André.

1547 — *8 septembre :* défaite des Écossais par les Anglais à Pinkie Cleugh.

1548 — *Juin :* arrivée de la flotte française en Écosse.
7 août : départ de Marie Stuart pour la France.
16 octobre : arrivée de Marie Stuart à la Cour de France.

1554 — *Avril :* Marie de Guise nommée régente d'Écosse.

1557 — *Juin :* guerre franco-anglaise.
Décembre : formation de la « Congrégation » (ligue protestante) en Écosse.

1558 — *6 janvier :* prise de Calais par François de Guise.
24 avril : mariage de Marie Stuart et du dauphin François.
17 novembre : mort de Marie Tudor, avènement d'Élisabeth Ire en Angleterre.

1559 *11 mai :* émeute anticatholique à Perth.
10 juillet : mort d'Henri II. Marie Stuart devient reine de France.

1560 *Janvier :* intervention anglaise en Écosse contre Marie de Guise.
Mars : conjuration d'Amboise, répression antiprotestante en France.
10 juin : mort de Marie de Guise à Édimbourg.
6 juillet : traité d'Édimbourg.
Août : Parlement d'Édimbourg. Le protestantisme proclamé religion officielle en Écosse.
5 décembre : mort de François II. Marie Stuart veuve.

1561 *16 avril :* Marie Stuart reçoit son demi-frère Jacques à Saint-Dizier.
15 août : embarquement de Marie Stuart à Calais.
19 ou 20 août : arrivée en Écosse.
24 août : incidents au cours de la messe au palais royal de Holyrood.
4 septembre : première entrevue de Marie Stuart et de John Knox.

1562 *Août-septembre :* guerre contre le clan Gordon (Huntly). Jacques Stuart créé comte de Moray.
28 octobre : défaite des Gordon à Corrichie.

1563 *15 février :* Châtelard surpris dans la chambre de Marie Stuart.
15 août : la chapelle royale de Holyrood saccagée par les protestants.

1563-1564 Négociations pour le remariage de Marie Stuart.

1565 *18 février :* rencontre de Marie Stuart et d'Henri Darnley à Wemyss.
15 mai : Henri Darnley créé comte de Ross.
29 juillet : mariage de Marie Stuart et d'Henri Darnley.
Août-septembre : révolte de Moray, guerre dite « course-poursuite » ; fuite de Moray en Angleterre.

1566 *7 mars :* ouverture du Parlement à Édimbourg.
9 mars : assassinat de David Rizzio, secrétaire de Marie Stuart.
11 mars : Marie Stuart s'enfuit à Dunbar.
19 juin : naissance du fils de Marie Stuart, futur Jacques VI-Ier.
8 octobre : Bothwell blessé à l'Hermitage.
15 octobre : visite de Marie Stuart à l'Hermitage.
15-25 octobre : grave maladie de Marie Stuart.

Fin novembre : séjour de Marie Stuart à Craigmillar, signature du « pacte de Craigmillar » (?).
17 décembre : baptême du prince Jacques à Stirling.

1567 *Fin janvier :* Marie Stuart à Glasgow au chevet de son mari malade.
9 février : Henri Darnley tué dans l'explosion de sa maison à Kirk O'Field.
12 avril : procès de Bothwell, accusé du meurtre de Darnley.
19 avril : « pacte d'Ainslie » en faveur du mariage de Marie Stuart et de Bothwell.
24 avril : enlèvement de Marie Stuart par Bothwell.
15 mai : mariage de Marie Stuart et de Bothwell.
12 juin : révolte des lords contre Marie Stuart et Bothwell.
15 juin : défaite de Marie Stuart et Bothwell à Carberry Hill ; Marie Stuart prisonnière, Bothwell en fuite.
17 juin : transfert de Marie Stuart à Lochleven.
26 juillet : abdication forcée de Marie Stuart à Lochleven.
29 juillet : Jacques VI proclamé roi et couronné à Stirling.
22 août : Moray proclamé régent.
Décembre : réunion du Parlement à Édimbourg, confirmation de la régence de Moray.

1568 *5 mai :* évasion de Marie Stuart de Lochleven.
13 mai : défaite de Marie Stuart à Langside.
16 mai : Marie Stuart fugitive aborde en Angleterre.
17 mai : Marie Stuart accueillie à Carlisle.
13 juillet : transfert au château de Bolton.
Octobre-décembre : conférences d'York-Westminster.

1569 *Printemps-été :* premières négociations secrètes pour le mariage de Marie Stuart et du duc de Norfolk.
Juillet : l'Assemblée de Perth refuse la restauration de Marie Stuart.
2 octobre : arrestation du duc de Norfolk.
Novembre-décembre : rébellion du Nord.

1570 *11 janvier :* assassinat de Moray.
Février : excommunication d'Élisabeth par Pie V.
Juin-octobre : négociations anglo-écossaises pour la libération de Marie Stuart.
Août : libération du duc de Norfolk.
Novembre : transfert de Marie Stuart à Sheffield.

1571 *Février :* début de la conspiration de Ridolfi.
Avril-mai : découverte de la conspiration de Ridolfi.

Mai-juin : chute du château de Dumbarton, exécution de l'archevêque Hamilton.
3 septembre : blessure mortelle du comte de Lennox.
Novembre : première édition (latine) de la *Détection des actions de Marie, reine d'Écosse,* par G. Buchanan.

1572 *16 janvier :* condamnation du duc de Norfolk.
mai : réunion du Parlement à Londres.
2 juin : exécution du duc de Norfolk.
24 août : massacre de la Saint-Barthélemy en France.
Septembre-octobre : négocations secrètes anglo-écossaises pour l'extradition de Marie Stuart.

1573 *Mai-juin :* chute du château d'Édimbourg, exécution de Kirkcaldy de Grange, mort (suicide ?) de Maitland de Lethington.

1573-1578 Négociations secrètes pour le mariage de Marie Stuart et de Don Juan d'Autriche.

1580-1585 Négociations pour l'association de Marie Stuart et de son fils sur le trône d'Écosse.

1583 Début de la conspiration de Francis Throckmorton.

1584 *10 juillet :* exécution de Francis Throckmorton.
Août : transfert de Marie Stuart à Wingfield.
Novembre : pacte d'Association pour la défense d'Élisabeth.

1585 *Janvier :* transfert de Marie Stuart à Tutbury.
Mars : conspiration de Parry. Loi pour la protection de la reine.
Décembre : transfert de Marie Stuart à Chartley. Premiers contacts avec l'espion Gilbert Gifford.

1586 *Avril-mai :* début de la conspiration de Babington.
6 juillet : lettre de Babington à Marie Stuart lui exposant les détails de la conspiration.
17 juillet : réponse de Marie Stuart à Babington (« lettre sanglante »).
16 août : Marie Stuart arrêtée à Tixall.
20-21 septembre : exécution de Babington et de ses complices.
21-25 septembre : transfert de Marie Stuart à Fotheringay.
15-16 octobre : réunions de la commission judiciaire chargée de juger Marie Stuart à Fotheringay.
25 octobre : Marie Stuart déclarée coupable.

Décembre : ambassade de Pomponne de Bellièvre en Angleterre.

1587 *8 février :* exécution de Marie Stuart.
31 juillet : enterrement de Marie Stuart à Peterborough.

1588 *Juillet :* expédition de l'Invincible Armada contre l'Angleterre.

1612 *Septembre :* transfert du corps de Marie Stuart à Westminster.

NOTES

Titres cités en abrégé

Anderson : J. Anderson, *Collections relating to the history of Mary Queen of Scotland,* 4 vol. 1727.

Brantôme : P. de Brantôme, *Œuvres complètes* (Société de l'Histoire de France), 10 vol.

Buchanan/Gatherer : G. Buchanan, *The Tyrannous Reign of Mary Stuart,* éd. par W. Gatherer, 1958.

Chantelauze : R. de Chantelauze, *Marie Stuart, son règne et son exécution,* 1876.

Chéruel : A. Chéruel, *Marie Stuart et Catherine de Médicis,* 1858.

CSP. Foreign : Calendar of State Papers, Foreign Series, Reign of Elizabeth, 22 vol. (les citations se font par année).

CSP. Scot. : Calendar of State Papers relating to Scotland and Mary Queen of Scots, 9 vol. (les citations se font par n° de volume).

CSP. Span. : Calendar of State Papers relating to English affairs in the Spanish Archives of Simancas, t. I à IV (les citations se font par n° de volume).

CSP. Venet. : Calendar of State Papers relating to English affairs in the Archives of Venice... (etc.), t. VII et VIII (les citations se font par n° de volume).

Davison : M. H. A. Davison, *The Casket Letters,* 1965.

Fleming : D. H. Fleming, *Mary Queen of Scots from her birth till her flight into England,* 1897.

Fraser : A. Fraser, *Marie Stuart reine de France et d'Écosse* (trad. de l'anglais), 1973.

Froude : J. A. Froude, *History of England from the fall of Wolsey to the death of Elizabeth,* 12 vol., 1856-1870.

Goodall : W. Goodall, *An examination of the letters said to be written by Mary Queen of Scots to the Earl of Bothwell,* 2 vol., 1714.

Henderson : T. F. Henderson, *Mary Queen of Scots,* 2 vol., 1905.

Hosack : J. Hosack, *Mary Queen of Scots and her accusers,* 2 vol., 1870-1872.

KEITH : R. KEITH, *The History of the Affairs of Church and State in Scotland from the Beginning of the Reformation to the Retreat of Queen Mary into England,* 1734.

KNOX : J. KNOX, *History of the Reformation of the Church of Scotland,* éd. par W. C. Dickinson, 2 vol., 1959.

LABANOFF : *Lettres et mémoires de Marie Stuart,* éd. par A. S. LABANOFF, 7 vol., 1844.

MAHON : R. H. MAHON, *Mary Queen of Scots, a Study of the Lennox narrative,* 1924.

MELVILLE : *Mémoires de Melvil* (trad. de l'anglais), 2 vol., 1745.

NAU : C. NAU, *History of Mary Stuart from the murder of Rizzio to her flight into England,* éd. par J. Stevenson, 1883.

POLLEN, *Babington Plot :* J. H. POLLEN, *Mary Queen of Scots and the Babington Plot,* 1922.

POLLEN, *Papal Negotiations :* J. H. POLLEN *Papal negotiations with Mary Queen of Scots during her reign in Scotland,* 1901.

RAUMER : F. von RAUMER, *Queen Elizabeth and Mary Queen of Scots,* 1836.

ROBERTSON : W. ROBERTSON, *Histoire d'Écosse depuis la naissance de Marie Stuart jusqu'à l'avènement de Jacques VI au trône d'Angleterre* (trad. de l'anglais), 4 vol., 1821-1825.

SPOTTISWOODE : J. SPOTTISWOODE, *History of Church and State in Scotland,* 1655.

TEULET, *Papiers :* A. TEULET, *Papiers d'État relatifs à l'histoire de l'Écosse au XVIe siècle,* 3 vol., 1851-1859.

TEULET, suppl. à LABANOFF : A. TEULET, *Lettres de Marie Stuart, supplément au recueil du prince Labanoff,* 1859.

THOMAS : M. THOMAS, *Le Procès de Marie Stuart,* 1972.

TYTLER : P. F. TYTLER, *History of Scotland,* 3e éd. en 7 vol., 1845.

CHAPITRE I

1. PITSCOTTIE, *History and Chronicles of Scotland,* I, p. 406.
2. TYTLER, IV, p. 266.
3. *CSP. Span., Henry VIII,* VI/2, n° 87.
4. TYTLER, IV, p. 277.
5. Le comte de Huntly, cité par Robertson, I, p. 137.
6. F. MICHEL, *Les Écossais en France, les Français en Écosse,* I, pp. 458 et suiv.
7. *CSP. Scot.,* I, p. 157.

CHAPITRE II

1. J. de BEAUGUÉ, *Histoire de la guerre d'Écosse,* éd. Montalembert, p. 58.
2. A. de RUBLE, *La Première Jeunesse de Marie Stuart,* p. 31.
3. Sur le problème controversé du lieu de débarquement de Marie

en France, voir W. M. BRYCE, « Mary Stewart's voyage to France in 1548 », dans *English Historical Review,* XXII (1907), pp. 43-50.

4. Sur toute l'enfance française de Marie Stuart, voir A. de RUBLE, *La Première Jeunesse de Marie Stuart,* 1891.
5. TEULET, *Papiers,* I, p. 249.
6. BRANTÔME, IX, p. 490.
7. LABANOFF, I, p. 40.
8. KEITH, p. 66.
9. KEITH, Appendix pp. 15-18 ; LABANOFF, I, p. 50.
10. Publié par CIMBER et DANJOU, *Archives curieuses de l'histoire de France,* III, 1835.

CHAPITRE III

1. TEULET, *Papiers,* I, p. 303.
2. Sur la conjuration d'Amboise, voir L. ROMIER, *La Conjuration d'Amboise,* 1923.
3. CALDERWOOD, *History of the Kirk of Scotland.*
4. KEITH, p. 89.
5. S. de LAUBESPINE, *Négociations...,* éd. par L. Paris, 1841, p. 206.
6. TEULET, *Papiers,* I, p. 408.
7. TEULET, *Papiers,* I, p. 496.
8. KEITH, p. 128.
9. S. de LAUBESPINE, *Négociations...,* p. 424.
10. Sur la mort de François II, voir A. POTIQUET, *La Maladie et la mort de François II,* 1835.

CHAPITRE IV

1. KNOX, I, p. 349.
2. *Queen Mary's Book,* éd. par P. S. W. ARBUTHNOT, 1907.
3. TEULET, *Papiers,* I, p. 734.
4. S. de LAUBESPINE, *Négociations...,* pp. 738-744.
5. BRANTÔME, VII, p. 413.
6. S. de LAUBESPINE, *Négociations...,* pp. 786 et suiv.
7. BRANTÔME VII, p. 413.
8. TYTLER, V, p. 169.
9. FRASER, p. 136.
10. KEITH, p. 172.
11. KEITH, p. 166.
12. KEITH, p. 176.
13. BRANTÔME, VII, pp. 415 et suiv.
14. KNOX, II, p. 7.
15. KNOX, II, p. 8.
16. Récit de la journée dans *Diurnal of Remarkable Occurrents.*

CHAPITRE V

1. André THEVET, *Le grand et insulaire pilotage d'André Thevet, Angoumoisin,* cité par F. MICHEL, *Les Écossais en France...*, II, p. 26.

2. FRASER, p. 151. Pour un tableau général de l'Écosse au XVIe siècle, voir P. H. BROWN, *Scotland in the reign of Queen Mary,* 1904, et J. WORMALD, *Court, Kirk and Community : Scotland 1470-1625,* 1981.

3. KNOX, II, pp. 13-20.

4. TYTLER, V, p. 227 (lettre du 30 déc. 1562).

5. Sur toute la campagne de 1562 contre les Gordon, voir TYTLER, V, pp. 221 et suiv.

CHAPITRE VI

1. Sur la mission du P. de Gouda, voir H. POLLEN, *Papal Negotiations,* pp. 131-136.

2. LABANOFF, I, p. 175.

3. KEITH, p. 239.

4. KNOX, II, p. 81.

5. ROBERTSON, I, p. 378.

6. FRASER, p. 182.

7. BUCHANAN/GATHERER, p. 53.

8. *Inventaires de la Royne d'Écosse,* éd. par J. Robertson, p. CXLII.

9. Sur l'épisode Arran-Bothwell, voir KNOX, II, pp. 40-42, et aussi la version donnée par Bothwell lui-même, dans TEULET, *suppl. à Labanoff,* p. 161-162.

10. BRANTÔME, VII, pp. 449-453.

11. POLLEN, *Papal Negotiations,* p. 164.

12. LABANOFF, I, p. 150.

13. J. E. NEALE, *Queen Elizabeth I,* éd. de poche *(Triad Panther),* pp. 125-126.

14. *CSP. Span.*, I, p. 150.

15. *CSP. Foreign, 1563,* n° 1162.

16. *CSP. Span.*, I, n° 216.

17. *CSP. Foreign, 1564-1565,* n° 282.

18. *CSP. Span.*, I, n° 259.

19. MELVILLE, I, p. 142.

20. KEITH, p. 275.

21. LABANOFF, I, p. 266.

22. TYTLER, V, p. 285.

23. POLLEN, *Papal Negotiations,* pp. 201-221.

CHAPITRE VII

1. CASTELNAU de MAUVISSIÈRE, *Mémoires,* éd. par Petitot, 1823, p. 344.
2. *CSP. Foreign, 1564-1565,* n° 1587.
3. KEITH, p. 300.
4. LABANOFF, VII, p. 340.
5. KEITH, p. 299.
6. *CSP. Foreign, 1564-1565,* n° 1365.
7. TYTLER, V, p. 316.
8. TEULET, *Papiers,* II, p. 96.
9. KNOX, II, p. 162.
10. HENDERSON, I, p. 350.
11. *CSP. Foreign, 1564-1565,* n° 1491.
12. LABANOFF, I, p. 281.
13. LABANOFF, VII, p. 58.
14. TEULET, *Papiers,* II, p. 70.
15. *CSP. Span.,* I, p. 330.
16. *CSP. Foreign, 1566-1568,* n° 77.
17. TEULET, *Papiers,* II, p. 85.
18. POLLEN, *Papal Negotiations,* p. 232.
19. KNOX, II, p. 175.
20. *CSP. Span.,* I, n° 327.
21. *CSP. Scot.,* II, n°s 148, 186, 280 ; *CSP. Foreign, 1564-1565,* n° 1290.
22. MELVILLE, I, p. 164.
23. LABANOFF, VII, p. 167.
24. MELVILLE, I, p. 164.
25. *CSP. Foreign, 1564-1565,* n°s 1510, 1587.
26. HENDERSON, II, p. 356.
27. TEULET, *Papiers,* II, p. 120.
28. MELVILLE, I, p. 193.
29. *CSP. Scot.,* II, n° 319.
30. KNOX, II, p. 174.

CHAPITRE VIII

1. SPOTTISWOODE, p. 194.
2. *CSP. Scot.,* II, n° 335.
3. HERRIES, *Memoirs,* p. 73.
4. KEITH, p. 329.
5. *CSP. Scot.,* II, n° 310.
6. TYTLER, V, p. 334.
7. *CSP. Scot.,* II, n° 351.
8. LABANOFF, VII, pp. 86-96.
9. KEITH, p. 329.
10. MELVILLE, I, pp. 181-182.
11. LABANOFF, I, p. 316.

12. *CSP. Scot.*, II, n° 349.
13. Lettre de Marie à Beaton : LABANOFF, I, pp. 342-350 ; récit de Ruthven : KEITH, Appendix p. 119 et suiv. ; récit de Nau : NAU, p. 215 et suiv.
14. NAU, p. 218.
15. MELVILLE, I, p. 199.
16. NAU, pp. 224-226.
17. NAU, p. 223.

CHAPITRE IX

1. *Diurnal of Remarkable Occurrents,* p. 94.
2. *CSP. Scot.*, II, n° 364.
3. *Ibid.*, n° 368.
4. *Ibid.*, n° 371.
5. *Ibid.*, n° 380.
6. *CSP. Foreign, 1566-1568,* n°s 297, 298.
7. LABANOFF, I, p. 335.
8. *CSP. Span.*, I, n° 349.
9. *CSP. Scot.*, II, n° 372.
10. *Ibid.*, n° 394.
11. Sur cet épisode, voir KEITH, p. 337, et NAU, p. 236.
12. *CSP. Span.*, I, n° 344.
13. POLLEN, *Papal Negotiations,* p. 236.
14. *CSP. Ven.*, VII, n° 357.
15. *CSP. Scot.*, II, n° 384.
16. *Inventaires de la Royne d'Écosse,* éd. J. ROBERTSON, p. XXVI.
17. *CSP. Scot.*, II, n° 401.
18. HERRIES, *Memoirs,* p. 79.
19. DAVISON, p. 120.
20. FRASER, p. 273.
21. MELVILLE, I, p. 213.
22. BUCHANAN/GATHERER, p. 105.
23. KEITH, p. 345.
24. *CSP. Scot.*, II, n°s 428, 429.
25. *CSP. Foreign, 1566-1568,* n° 508.
26. *Ibid.*, n° 521.
27. *Ibid.*, n° 521.
28. *Ibid.*, n° 601.
29. *Ibid.*, n° 723.
30. *CSP. Scot.*, II, n° 439.
31. D. H. WILLSON, *King James VI and I,* 1956, p. 17.
32. MELVILLE, I, p. 221.
33. *CSP. Scot.*, II, n° 439.
34. NAU, p. 237.
35. *Ibid.*, p. 239.
36. *CSP. Span.*, I, n° 385.
37. LABANOFF, I, p. 374.

38. MAHON, p. 123.
39. MELVILLE, I, p. 204.

CHAPITRE X

1. LABANOFF, I, pp. 373-374.
2. *Ibid.*
3. TEULET, *Papiers*, II, pp. 139-146.
4. DAVISON, p. 184.
5. *CSP. Span.*, I, n° 354.
6. *CSP. Foreign, 1566-1568,* n°s 749, 760, 761, 772.
7. ANDERSON, II, p. 12.
8. *CSP. Venet.*, VII, n° 373.
9. *CSP. Span.*, I, n° 388.
10. KEITH, Appendix, p. 134.
11. NAU, p. 241.
12. FRASER, p. 283.
13. KEITH, pp. 347, 352.
14. MELVILLE, I, p. 240.
15. ANDERSON, II, p. 13.
16. KEITH, p. vii.
17. *Selections...* éd. par J. Stevenson, p. 164.
18. ANDERSON, II, pp. 7-9.
19. MAHON, p. 122.
20. KEITH, Appendix, pp. 136-139.
21. HOSACK, I, p. 532.
22. *CSP. Span,*, I, n° 402.
23. NAU, p. 254.
24. *Criminal trials of Scotland,* éd. R. Pitcairn, I^2, pp. 511-513.
25. ANDERSON, II, p. 14.
26. KEITH, p. 359.
27. *CSP. Foreign, 1566-1568,* n° 723.
28. FLEMING, p. 144, note 95.
29. MELVILLE, I, p. 233.
30. MELVILLE, I, p. 239.
31. KEITH, p. VII.
32. *Ibid.*

CHAPITRE XI

1. KEITH, pp. 362-363.
2. *CSP. Scot.*, II, p. 461.
3. LABANOFF, I, p. 388.
4. FLEMING, p. 428.
5. LABANOFF, I, p. 394 ; *CSP. Foreign, 1566-1568,* n°s 895, 898, 906.
6. FLEMING, pp. 430-431.
7. LABANOFF, I, p. 395.

8. Texte cité d'après la publication française de 1572, éd. par A. Teulet, supplément à Labanoff, pp. 3-35. Ce texte est en réalité une retraduction du latin ou de l'anglais (voir chapitre XVII).
9. *CSP. Scot.*, II, n° 474.
10. Anderson, IV, p. 165.
11. Nau, p. 242.
12. Hosack, I, p. 534.
13. Anderson, IV, pp. 165-169; *Inventaires de la Royne d'Écosse,* éd. par J. Robertson, p. xcviii-c.
14. Mahon, p. 115.
15. Nau, p. 342.
16. Hosack, I, p. 536.
17. Melville, I, p. 241.
18. *History of James the Sext,* p. 7.
19. Mahon, p. 128.
20. Fleming, p. 150, note 19.
21. Anderson, I, p. 24.
22. Labanoff, II, p. 3.
23. Anderson, I, pp. 38-39.
24. *CSP. Span.*, I, n°s 408, 409.
25. Labanoff, VII, p. 102.
26. Keith, p. ix.
27. Confessions publiées dans *Criminal trials of Scotland,* éd. par R. Pitcairn, I^2, pp. 488-513 ; et par Hosack, I, pp. 580 et suiv.
28. *CSP. Foreign, 1566-1568,* n° 977.
29. Mahon, *The Tragedy of Kirk O'Field,* 1930.
30. Labanoff, II, p. 4.
31. Anderson, I, pp. 199-200.
32. Nau, p. 243.

CHAPITRE XII

1. Catherine de Médicis, *Lettres,* III, p. 14.
2. Bannatyne, *Memorials,* p. 318.
3. Labanoff, II, p. 6.
4. *CSP. Foreign, 1566-1568,* n°s 960, 977.
5. Anderson, I, p. 29.
6. *CSP. Foreign, 1566-1568,* n° 977.
7. *CSP. Scot.*, II, n° 479.
8. *CSP. Foreign, 1566-1568,* n°s 1053, 1054.
9. Labanoff, II, pp. 12-13.
10. *CSP. Span,* I, n° 413.
11. *CSP. Foreign, 1566-1568,* n° 1053.
12. Keith, p. 374.
13. Tytler, V, p. 396.
14. Keith, p. 376.
15. *CSP. Span.*, I, n° 413.
16. *CSP. Venet.*, VII, n° 385.
17. Labanoff, II, p. 20.

18. *CSP. Scot.*, II, n° 494.
19. *CSP. Foreign, 1566-1568,* n° 116.
20. KEITH, pp. 380-382.
21. KEITH, *ibid.*
22. SPOTTISWOODE, p. 202.
23. *CSP. Scot.*, II, n° 492.
24. ANDERSON, I, p. 6.
25. ANDERSON, I, p. 90 ; LABANOFF, II, p. 33.
26. POLLEN, *Papal Negotiations,* p. 386.
27. MELVILLE, I, p. 246.
28. *CSP. Scot.*, II, n° 493.
29. MELVILLE, I, p. 248.
30. ANDERSON, I, p. 32.
31. *CSP. Span.*, I, p. 419.
32. *Diurnal of Remarkable Occurrents,* p. 4.
33. FLEMING, I, p. 429.
34. *CSP. Foreign, 1566-1568,* n°s 1179, 1181, 1203.
35. *CSP. Foreign, 1566-1568,* n° 1129.
36. ANDERSON, I, p. 87.
37. TYTLER, V, p. 413.
38. TEULET, *Papiers,* II, p. 151 ; TEULET, Suppl. à LABANOFF, pp. 107-108.
39. TEULET, *Papiers,* II, p. 154.

CHAPITRE XIII

1. *CSP. Foreign, 1566-1568,* nos 1199, 1226.
2. LABANOFF, VII, p. 110.
3. MELVILLE, I, p. 253.
4. POLLEN, *Papal Negotiations,* p. cxxxi.
5. S. ZWEIG, *Marie Stuart,* trad. Alzir Hella (*Livre de Poche*), p. 231.
6. ANDERSON, I, pp. 89-102.
7. *CSP. Scot.* II, n° 501.
8. ANDERSON, I, p. 27.
9. NAU, p. 245.
10. *Ibid.*, pp. 245, 249.
11. *Ibid.*, p. 244.
12. *CSP. Foreign, 1566-1568,* nos 1232, 1233.
13. *CSP. Foreign, 1566-1568,* n° 1244.
14. ANDERSON, I, pp. 89-102.
15. SPOTTISWOODE, p. 204.
16. *CSP. Venet.*, VII, nos 392, 393.
17. LA MOTHE-FÉNELON, *Correspondance diplomatique,* I, p. 20.
18. LABANOFF, VII, p. 111.
19. *CSP. Venet.*, VII, n° 394.
20. KEITH, pp. 396-397.
21. *CSP. Foreign, 1566-1568,* n° 1289.
22. KEITH, pp. 399.

23. NAU, p. 250.
24. TEULET, *Papiers,* II, pp. 171-180.
25. NAU, p. 254.
26. ANDERSON, I, p. 41.
27. TEULET, Suppl. à LABANOFF, pp. 127-130.
28. *CSP. Foreign, 1566-1568,* nº 1324.

CHAPITRE XIV

1. *CSP. Foreign, 1566-1568,* nº 1313.
2. NAU, p. 261.
3. NAU, p. 264.
4. J. LE LABOUREUR, note à l'édition des *Mémoires* de CASTELNAU DE MAUVISSIÈRE (1659), I, p. 648.
5. GOODALL, II, p. 91.
6. ANDERSON, II, p. 173 ; *CSP. Foreign, 1566-1568,* nº 1576 ; *CSP. Span.,* I, nº 434.
7. TEULET, Suppl. à LABANOFF, p. 180.
8. *CSP. Foreign, 1566-1568,* nº 1358.
9. *CSP. Foreign, 1566-1568,* nº 1570.
10. FROUDE, IX, p. 107.
11. *CSP. Foreign, 1566-1568,* nº 1557.
12. KEITH, p. 413.
13. *CSP. Foreign, 1566-1568,* nº 1447.
14. Publié dans *CSP. Foreign* et *CSP. Scot.*
15. *CSP. Foreign, 1566-1568,* nº 1502.
16. TEULET, *Papiers,* II, p. 184.
17. *CSP. Foreign, 1566-1568,* nº 1497.
18. KEITH, p. 422.
19. NAU, p. 263.
20. ANDERSON, I, p.36.
21. KEITH, pp. 430-433.
22. NAU, p. 268.
23. *CSP. Foreign, 1566-1568,* nº 1570.
24. NAU, p. 264 ; *CSP. Venet.,* VII, nº 401.
25. *CSP. Foreign, 1566-1568,* nº 1557 ; TYTLER, V, p. 60.
26. NAU, p. 270.
27. NAU, p. 271.
28. KEITH, p. 445.
29. MELVILLE, I, p. 276.

CHAPITRE XV

1. NAU, p. 279.
2. *Criminal trials of Scotland,* éd. par R. Pitcairn, I^2, p. 491.
3. ANDERSON, II, pp. 257-258.
4. KEITH, Appendix, p. 153.
5. MELVILLE, I, p. 280.

5. ROBERTSON, II, p. 366.
7. KEITH, p. 463.
8. TYTLER, VI, p. 35 ; *CSP. Foreign, 1566-1568,* n° 2000.
9. NAU, p. 278.
10. LABANOFF, II, p. 61.
11. NAU, p. 285.
12. LABANOFF, II, p. 67.
13. NAU, p. 291.
14. FLEMING, pp. 486-488.
15. *CSP. Foreign, 1566-1568,* n° 2173.
16. KEITH, p. 475.
17. MELVILLE, I, p. 289.
18. LABANOFF, II, p. 115.
19. LABANOFF, II, p. 71.

CHAPITRE XVI

1. FROUDE, IX, p. 219.
2. LABANOFF, II, pp. 73-77.
3. NAU, p. 296.
4. TEULET, *Papiers,* II, p. 220.
5. ANDERSON, IV, pp. 34-44.
6. LABANOFF, II, p. 82.
7. ANDERSON, IV, pp. 70-80.
8. FROUDE, IX, pp. 247-248.
9. LABANOFF, II, p. 97.
10. ANDERSON, IV, p. 70.
11. NAU, p. 296.
12. *CSP. Venet.,* VII, n°s 426, 427.
13. FROUDE, IX, p. 256.
14. LABANOFF, II, pp. 136, 147, 175, 177, 183.
15. TYTLER, VI, pp. 46 et suiv.
16. TYTLER, VI, p. 55.
17. ANDERSON, IV, p. 113.
18. LABANOFF, II, pp. 199 et suiv.
19. ANDERSON, IV, pp. 58-63.
20. LABANOFF, II, p. 221.
21. ANDERSON, IV, p. 27.
22. MELVILLE, I, p. 307.

CHAPITRE XVII

1. Voir chapitre XI, note 8.
2. ANDERSON, IV, pp. 183-184.
3. LABANOFF, II, pp. 254-256.
4. LABANOFF, II, pp. 274-277.
5. GOODALL, II, p. 305.
6. TYTLER, VI, p. 81.

7. LABANOFF, II, p. 237.
8. LABANOFF, II, p. 319.
9. FROUDE, IX, p. 422.
10. LABANOFF, II, pp. 344, 368.
11. LABANOFF, II, pp. 348-350.
12. ANDERSON, III, pp. 70 et suiv.
13. On en trouve le texte dans le recueil d'ANDERSON, III.
14. ANDERSON, III, p. 51.
15. ANDERSON, III, p.54.
16. ROBERTSON, II, pp. 397 et suiv.
17. TYTLER, VI, p. 101.
18. FROUDE, IX, p. 474.
19. FROUDE, IX, p. 472.
20. TYTLER, VI, p. 73.

CHAPITRE XVIII

1. TYTLER, VI, p. 109.
2. LABANOFF, III, p. 310.
3. ANDERSON, III, p. 87.
4. MELVILLE, II, p. 17.
5. TYTLER, VI, p. 132.
6. LABANOFF, III, pp. 61-66.
7. LABANOFF, III, pp. 90-105.
8. LABANOFF, III, pp. 124-127.
9. TYTLER, VI, p. 110.
10. LABANOFF, III, p. 203.
11. MELVILLE, II, p. 25.
12. Texte de la bulle dans *CSP. Venet.,* VII, n° 475.
13. LABANOFF, III, p. 11-12.
14. LABANOFF, III, pp. 181-187.
15. LABANOFF, III, p. 187.
16. LABANOFF, III, pp. 221-233.
17. TEULET, *Papiers,* III, pp. 103-144.
18. LABANOFF, III, p. 280.
19. FROUDE, X, p. 251 et suiv.
20. FROUDE, X, p. 269.
21. Publiés dans MURDIN, *Collection of State Papers,* 1759.
22. FROUDE, X, p. 300.

CHAPITRE XIX

1. LABANOFF, III, p. 350.
2. LABANOFF, III, p. 360.
3. LABANOFF, III, p. 366.
4. LABANOFF, III, pp. 382-396.
5. FROUDE, X, p. 360.
6. FROUDE, X, p. 329.

7. FROUDE, X, p. 369.
8. *CSP. Venet.*, VII, n° 537.
9. LABANOFF, III, p. 340.
10. MURDIN, *Collection...*, p. 244.
11. TYTLER, VI, p. 181.
12. LABANOFF, IV, pp. 184-188, 404.
13. LABANOFF, IV, p. 111.
14. LABANOFF, IV, p. 172.
15. FRASER, p. 419.
16. FRASER, p. 451.
17. LABANOFF, IV, p. 332.
18. LABANOFF, IV, p. 185 ; V, p. 65.
19. LABANOFF, V, pp. 395, 414.
20. LABANOFF, VI, pp. 50 et suiv.
21. LABANOFF, IV, p. 390.

CHAPITRE XX

1. LABANOFF, VI, pp. 257-260.
2. *CSP Span.*, II, n° 455.
3. TEULET, *Papiers,* III, p. 127.
4. LABANOFF, IV, p. 346.
5. LABANOFF, IV, p. 396.
6. LABANOFF, V, p. 26.
7. RAUMER, p. 253.
8. CHÉRUEL, p. 90.
9. LABANOFF, V, p. 233.
10. LABANOFF, VI, p. 71.
11. RAUMER, p. 252.
12. LABANOFF, VI, pp. 125-126.
13. FROUDE, XII, p. 207.
14. LABANOFF, IV, p. 404.
15. LABANOFF, V, p. 418.
16. FROUDE, XII, p. 2.
17. LABANOFF, VI, pp. 76-77.
18. LABANOFF, VI, p. 141.
19. LABANOFF, VI, pp. 152-158.
20. LABANOFF, VI, pp. 159-164.

CHAPITRE XXI

1. LABANOFF, VI, p. 257.
2. FROUDE, XII, p. 36.
3. LABANOFF, VI, pp. 295-302.
4. LABANOFF, VI, pp. 309-311.
5. LABANOFF, VI, p. 286.
6. RAUMER, p. 303.
7. LABANOFF, VI, pp. 345-346.

8. LABANOFF, VI, p. 291.
9. TEULET, *Papiers,* III, p. 141.
10. LABANOFF, VI, p. 314.
11. POLLEN, *Babington Plot,* pp. 18-22.
12. TEULET, *Papiers,* III, p. 458.
13. LABANOFF, VI, pp. 385-396.
14. *Letter-book of Amias Paulet,* p. 46.
15. POLLEN, *Babington Plot,* p. 234.
16. TYTLER, VII, p. 57.
17. POLLEN, *Babington Plot,* p. CLXI.
18. THOMAS, pp. 55-59.
19. *Letter-book of Amias Paulet,* pp. 275-276.
20. CHANTELAUZE, p. 125.
21. CHANTELAUZE, p.479.
22. CHANTELAUZE, p. 468-491.
23. CHANTELAUZE, p. 494.
24. CHANTELAUZE, p. 494.
25. STEUART, *Trial of Mary Stewart,* p. 111 ; THOMAS, p. 117.
26. THOMAS, p. 26.
27. CHANTELAUZE, p. 193.
28. Introduction à THOMAS.
29. CHANTELAUZE, p. 532.
30. CHANTELAUZE, p. 536.
31. CHANTELAUZE, p. 272.

CHAPITRE XXII

1. Les papiers de cette ambassade sont conservés au château d'Esneval, à Pavilly (Seine-Maritime), chez Mme la princesse Raoul de Broglie, descendante de Charles d'Esneval. Je la remercie, ainsi que M. François Garnier, de la communication de l'ouvrage (manuscrit) rédigé par M. Bernard de Broglie et M. Garnier sur ces archives. Ce qui frappe surtout, en lisant cet ouvrage, est le peu de place que tient Marie Stuart dans les instructions reçues par Charles d'Esneval pour sa mission en Écosse.
2. CHÉRUEL, p. 134.
3. THOMAS, pp. 55-59.
4. CHÉRUEL, p. 147.
5. COURCELLES, *Despatches...* 4 oct. 1586.
6. FROUDE, XII, p. 276.
7. TYTLER, VII, p. 89.
8. CHÉRUEL, p. 156.
9. TEULET, II, pp. 832-846.
10. CHÉRUEL, p. 167.
11. RAIT-CAMERON, *King James's secret,* pp. 41 et suiv.
12. FROUDE, XII, p. 299.
13. RAUMER, p. 453.
14. CHANTELAUZE, p. 367.
15. RAUMER, p. 393.

16. HOSACK, II, p. 454.
17. CHANTELAUZE, pp. 377-379.
18. CHANTELAUZE, p. 572.
19. LABANOFF, VI, p. 470.
20. LABANOFF, VI, pp. 448-455, 457-461.
21. LABANOFF, VI, pp. 475-480.
22. CHANTELAUZE, pp. 307-322.
23. CHANTELAUZE, pp. 579-582.
24. Journal de Bourgoing dans CHANTELAUZE ; rapport de Châteauneuf dans TEULET, *Papiers,* III, pp. 890-908 ; *Vrai rapport...* dans TEULET, *Papiers,* III, pp. 832-846 ; *Account of the Execution* dans M. M. SCOTT, *The Tragedy of Fotheringay,* 1895, pp. 249-256 ; *A Report of the manner...* dans *Original letters,* éd. H. ELLIS, III, pp. 112-120 ; Lettre de Wingfield dans A. F. STEUART, *Trial of Mary Queen of Scots,* 1924, pp. 173-188.
25. LABANOFF, VI, pp. 483-484.
26. LABANOFF, VI, pp. 485-497.

CHAPITRE XXIII

1. TEULET, *Papiers,* II, p. 883.
2. CAMDEN, *Annales,* p. 115.
3. TEULET, *Papiers,* II, p. 866.
4. R. de BEAUNE, *Oraison funèbre de... Marie Stuart,* 1588.
5. TEULET, *Papiers,* III, pp. 915-924.
6. TEULET, *Papiers,* III, pp. 915-924.
7. *Original letters,* éd. par H. ELLIS, III, pp. 22-23.
8. RAIT-CAMERON, *King James's secret,* p. 191 et suiv.
9. TEULET, *Papiers,* III, p. 542.
10. LABANOFF, VI, p. 311.
11. TEULET, *Papiers,* III, pp. 540 et suiv.
12. R. PRESCOTT-JONES, *The Funerals of Mary Queen of Scots,* 1898.
13. M. M. SCOTT, *The Tragedy of Fotheringay,* p. 220.
14. STEVENSON, préface à NAU.
15. TEULET, Suppl. à LABANOFF, p. 383.

CHAPITRE XXIV

1. Cité par F. MIGNET, *Histoire de Marie Stuart,* 1876, I, p. 48.
2. P. de RONSARD, *Poèmes dédiés à... Marie Stuart, reine d'Écosse.*
3. TEULET, *Papiers,* II, p. 557.
4. DREUX du RADIER, *Mémoires historiques...* V, p. 69.
5. A. de MONTCHRESTIEN, *L'Écossaise ou le Désastre,* 1605.
6. TRONCHIN, *Marie Stuart reine d'Écosse,* 1734.
7. F. SCHILLER, *Marie Stuart,* éd. bilingue par H. LOISEAU, éd. Aubier-Montaigne, 1964.

8. J. MICHELET, *Histoire de France. Les Guerres de Religion* (1856).
9. M. MAURETTE, *Marie Stuart,* Théâtre Gaston-Baty, 1941.
10. T. S. BINDOFF, *Tudor England,* 1950, p. 206.
11. Philippe BOUCHER, dans *Le Monde,* 28 décembre 1985.
12. Ian B. COWAN, *The Enigma of Mary Stuart,* 1971.

SOURCES ET BIBLIOGRAPHIE

La production d'ouvrages sur Marie Stuart est énorme depuis son époque, pour les raisons évoquées au dernier chapitre de ce livre. Il serait impossible de relever tous les titres, qui se chiffrent par centaines dans la plupart des langues européennes.

Même les recueils de documents originaux (qui d'ailleurs se répètent souvent les uns les autres) sont trop nombreux pour qu'on puisse les citer tous ici.

La présente bibliographie est donc *sommaire* et *sélective*. On a tenté d'y faire figurer au moins les ouvrages qui ont marqué des étapes dans notre connaissance de Marie Stuart, soit par l'usage de documents nouveaux, soit par le retentissement littéraire et l'influence sur les ouvrages ultérieurs. La plupart de ces ouvrages comportant eux-mêmes des bibliographies, le lecteur intéressé n'aura pas de peine à compléter celle-ci. Les œuvres littéraires, théâtrales, etc., sont citées au chapitre XXIV.

I. ŒUVRES ET LETTRES DE MARIE STUART

Letters of Mary Queen of Scots and Documents Connected with her Personal History, éd. par Agnès Strickland, Londres, 3 vol., 1842-1843.

Lettres et mémoires de Marie Stuart, éd. par A. S. Labanoff, Paris, 7 vol. 1844, supplément par A. Teulet, t. VIII, 1859.

Poésies françaises de la reine Marie Stuart, éd. par G. Pawlowski, Paris, 1883.

Queen Mary's Book : A Collection of Poems and Essays by Mary Queen of Scots, éd. par Mrs. P. Stewart-Mackenzie Arbuthnot, Londres, 1907.

II. DOCUMENTS D'ARCHIVES, CORRESPONDANCES, RAPPORTS D'AMBASSADEURS

Accounts and Papers Relating to Mary Queen of Scots, éd. par John Bruce, Édimbourg, 2 vol., 1867.

Acts of the Parliament of Scotland, éd. par T. Thomson, Édimbourg, 11 vol., 1844-1875.

Acts of the Proceedings of the General Assembly of the Kirk of Scotland, éd. par T. Thomson, t. I et II. Édimbourg, 1839-1840.

ANDERSON (James), *Collections relating to the history of Mary Queen of Scotland,* Londres, 4 vol., 1727.

Balcarres Papers : Foreign Correspondence with Marie de Lorraine, Queen of Scotland, éd. par Margaret Wood, Édimbourg, 2 vol., 1923-1925.

Bardon Papers : Documents Relating to the imprisonnement and Trial of Mary Queen of Scots, éd. par Conyers Read, Londres, 1909.

Calendar of State Papers Relating to Scotland and Mary Queen of Scots Preserved in the Public Record Office... and Elsewhere in England, éd. par J. Bain et W. K. Boyd, t. I à IX, Londres, 1898-1936.

Calendar of State Papers Relating to English affairs in the Spanish Archives of Simancas, éd. par M.A.S. Hume, t. I à IV, Londres, 1892-1899.

Calendar of State Papers Relating to English Affairs Existing in the Archives of Venice and in other Libraries of Northern Italy, éd. par R. Brown et G. Bentinck, t. VII et VIII, Londres, 1890-1892.

Calendar of State Papers, Foreign Series of the Reign of Elizabeth, t. I à XXI, éd. par Joseph Stevenson et al., Londres, 1863-1950.

CATHERINE DE MÉDICIS, *Lettres,* éd. par H. de La Ferrière-Percy et G. Baguenault de Puchesse, 11 vol., Paris *(Documents inédits sur l'Histoire de France),* 1880-1943.

Collections relative to the Funerals of Mary Queen of Scots, éd. par R. Pitcairn, Édimbourg, 1822.

COOPER (C. P.), *Recueil des dépêches des ambassadeurs de France en Angleterre et en Écosse pendant le XVIe siècle,* Londres-Paris, 7 vol., 1838.

Correspondencia de Felipe II con su Embajador en la corte de Inglaterra, éd. par Navarrette et al., Madrid, 6 vol., 1886-1888.

COURCELLES (C. de), *Extract from the Despatches of M. de Courcelles, French Ambassador to the Court of Scotland,* 1586-1587, éd. par Robert Bell, Édimbourg, 1828.

Criminal Trials in Scotland..., éd. par Robert Pitcairn, t. I², Édimbourg, 1833.

D'EWES (Simon), *Journal of all the Parliaments during the Reign of Queen Elizabeth,* Londres, 1882.

Discours du grand et magnifique triomphe fait du mariage de très noble... Marie d'Estreuart... (1558), éd. par Cimber et Danjou, *Archives curieuses de l'histoire de France,* t. III, Paris, 1835.

Diurnal of Remarkable Occurrents... within the Country of Scotland since the Death of King James V to the Year 1575, éd. par T. Thomson, Édimbourg, 1833.

ELIZABETH I and JAMES VI OF SCOTLAND, *Letters,* éd. par J. Bruce, Édimbourg, 1849.

FORBES (Patrick), *A full View of the Public Transaction in the Reign of Queen Elizabeth... in a Series of Letters and other Papers of State...,* Londres, 2 vol., 1740.

Hamilton Papers : Letters and Papers Illustrating the Political Relations of Scotland and England in the XVI th century, éd. par James Bain, Édimbourg, 2 vol., 1890-1892.

Hardwicke Papers : Miscellaneous State Papers from 1501 to 1726, éd. par Philip Yorke, Earl of Hardwicke, Londres, 1778.

Hatfield Papers : Calendar of the Manuscripts of the Marquess of Salisbury at Hatfield House..., t. I à III, Londres, 1883-1885.

HAYNES (S.), *A collection of State Papers relating to the affairs of the reigns of Henry VIII and Queen Elizabeth.* Londres, 1740.

Inventaires de la Royne d'Écosse, douairière de France, éd. par J. Robertson, Édimbourg, 1863.

LA MOTHE-FÉNELON (Bertrand de), *Correspondance diplomatique,* éd. par C. Cooper et A. Teulet, Paris-Londres-Leipzig, 7 vol., 1838-1841.

LAUBESPINE (Sébastien de), *Négociations, lettres et pièces diverses relatives au règne de François II,* éd. par L. Paris, Paris, 1841.

Letters and Papers Relating to Patrick, Master of Gray, éd. par Thomas Thompson, Édimbourg, 1835.

Lettres et mémoires d'Estat des Roys, princes, ambassadeurs... sous les règnes de François Ier, Henry II et François II, éd. par Guillaume Ribier, Paris, 2 vol., 1660.

MARIE DE LORRAINE, *Scottish Correspondance, 1542-1560,* éd. par Annie Cameron, Édimbourg, 1927 (Voir aussi *Balcarres Papers).*

Miscellaneous Papers Principally Illustrative of the Events in the Reign of Queen Mary and James VI, éd. par P. Macgeorge. Glasgow, 1834.

MURDIN (William), *A Collection of State Papers Relating to the Affairs in the Reign of Queen Elizabeth from 1571 to 1590,* Londres, 1759.

Original Letters Illustrations of English History, éd. par H. Ellis, Londres, 7 vol., 1824-1827.

PAULET (Amyas), *The Letter-book of Sir Amyas Poulet,* éd. par J. Morris, Londres, 1874.

PHILIPPE II D'ESPAGNE : voir *Correspondencia.*

Register of the Privy Council of Scotland, éd. par J. H. Burton, t. I et II, Édimbourg, 1877-1878.

RYMER (Thomas), *Foedera, conventiones, litterae...,* t. XV, Londres, 1717.

SADLER (Ralph), *State Papers and letters,* éd. par A. Clifford. Édimbourg, 3 vol., 1809.

Selections from Unpublished Manuscripts... Illustrating the Reign of Mary Queen of Scots, 1563-1567, éd. par J. Stevenson, Glasgow, 1837.

Shrewsbury Papers. A Calender of the Shrewsbury Papers in the Lambith Palace Library, éd. par E. G. W. Bill, Londres, 1966.

Talbot Papers. A Calendar of the Talbot Papers in the College of Arms, éd. par G. R. Batho, Londres, 1971.

TEULET (Alexandre), *Papiers d'Etat... relatifs à l'histoire de l'Écosse au XVI*e *siècle,* Édimbourg, 3 vol., 1851-1859. (Réédité à Paris, 5 vol., 1862, sous le titre *Relations politiques de la France et de l'Espagne avec l'Écosse au XVI*e *siècle).*

Warrender Papers : a collection of Scottish letters and papers... 1542-1625, éd. par A. Cameron, Édimbourg, 1931.

III. MÉMOIRES ET OUVRAGES CONTEMPORAINS DE MARIE STUART

BAÏF (J. J. de), *Chant de joie des épousailles de François, Dauphin, et de Marie, Reine d'Écosse...,* Paris, 1558.

BANNATYNE (George), *Memorials,* éd. par D. Laing. Édimbourg, 1829.

BEAUGUÉ (Jean de), *L'Histoire de la guerre d'Écosse,* Paris, 1566. Rééd. par Ch.-R. de Montalembert, Bordeaux, 1862.

BEAUNE (Renaud de), *Oraison funèbre de la Très Chrestienne, Très Illustre, Très Constante Marie, Reyne d'Écosse...,* Paris, 1588.

[BELLEFOREST (François de)], *L'innocence de la très illustre, très chaste et débonnaire princesse Madame Marie, Reine d'Écosse..., s. l.,* 1572.

BELLIÈVRE (Pomponne de), *Harangue faite à la Reine d'Angleterre pour la démouvoir d'entreprendre aucune juridiction sur la Reine d'Écosse...,* 1587.

[BLACKWOOD (Adam)], *Martyre de la Royne d'Écosse, douairière de France...* Édimbourg [en réalité Anvers], 1587.

BOTHWELL (James, Earl of), *Les affaires du comte de Boduel, l'an 1568,* éd. par H. Cockburn et T. Maitland, Édimbourg, 1829.

BOURGOING, *Journal,* éd. par R. de Chantelauze dans *Marie Stuart, son règne et son exécution,* Paris, 1876.

BRANTÔME (Pierre de Bourdeille, abbé de), *Discours sur la Reyne d'Écosse jadis Reyne de notre France,* dans *Œuvres complètes. (Société de l'Histoire de France),* t. VII, Paris, 1873.

BUCHANAN (Georges), *Détection des crimes de Marie reine d'Écosse...* (voir au chapitre XVII de ce livre l'histoire des éditions successives de cette œuvre).

BUCHANAN (Georges), *Rerum Scoticarum Historia,* Édimbourg, 1583 (Éditions anglaises ultérieures).

BUCHANAN (Georges), *The Tyrannous Reign of Marie Stuart* (extraits d'œuvres de Buchanan concernant Marie Stuart), éd. par W. A. Gatherer, Londres, 1958.

CALDERWOOD (David), *History of the Kirk of Scotland,* éd. par T. Thompson, Édimbourg, 8 vol., 1842-1849.

CASTELNAU DE MAUVISSIÈRE (Michel de), *Mémoires,* éd. par J. Le Laboureur, Paris, 3 vol., 1659, éd. moderne par M. Petitot, 1823.

HERRERA (Antonio de), *Historia de lo sucedido en Escocia e Inglaterra en los años que vivió Maria Estuarda,* Madrid, 1589.
HERRIES (John Maxwell, Lord), *Historical Memoirs of the Reign of Mary Queen of Scots,* éd. par R. Pitcairn, Édimbourg, 1836.
Historie and Life of King James the Sext, éd. par T. Thomson, Édimbourg, 1825.
HOLINSHED (Raphaël), *Chronicles of England, Scotland and Ireland... Continued to the Year 1586,* Londres, 2 vol., 1587.
KNOX (John), *The History of the Reformation of the Church of Scotland,* éd. par W. C. Dickinson, Londres, 2 vol., 1959.
[KYFFIN (Maurice)], *A Defense of the Honourable Sentence and Execution of the Queen of Scots...* Londres, 1587 ; Trad. fr., *Apologie ou défense de l'honorable sentence...,* 1588.
LESLIE (John, évêque de Ross), *A Defence of the Honour of... Mary Queen of Scots..., s. l.,* 1569.
LESLIE (John, évêque de Ross). *L'Innocence de la très illustre... Marie reyne d'Écosse..., s. l.,* 1572.
LESLIE (John, évêque de Ross), *Du droit et titre de... Marie Reyne d'Écosse... à la succession du Royaume d'Angleterre...,* Rouen, 1584. (La 1re édition, en latin, est de 1580).
LESLIE (John, évêque de Ross), *Oraison funèbre sur la mort de la Reyne d'Escosse... traduit de l'escossois,* Paris, 1587.
MELVILLE (James), *Memoirs of his own life,* Londres, 1683. (Éd. moderne par A. F. Stuart, Londres, 1929. Trad. franç., *Mémoires de Melvil,* Édimbourg, 2 vol., 1745).
MOYSIE (David), *Memoirs of the Affairs of Scotland, 1577-1603),* éd. par J. Dennistoun, Édimbourg, 1830.
NAU (Claude), *History of Mary Stuart from the Murder of Rizzio to her Flight into England...,* éd. par J. S. Stevenson, Édimbourg, 1883.
PITSCOTTIE (Robert Lindsay of), *History and Chronicles of Scotland... to the year 1575,* éd. par A. J. G. Mackay, Édimbourg, 3 vol., 1899-1911.
RÉGNIER DE LA PLANCHE (Louis), *Histoire de l'Estat de France... sous le règne de François II,* Paris, 1576.

IV. OUVRAGES HISTORIQUES DES XVIIe ET XVIIIe SIÈCLES *

AUBIGNÉ (Agrippa d'), *Histoire universelle,* Paris, 3 vol., 1616-1620, (éd. moderne par A. de Ruble, Paris, 9 vol., 1886-1897).
CAMDEN (William), *Annales rerum Anglicarum regnante Elisabeth...,* Francfort, 2 vol., 1616, (trad. anglaise, 1626).
CARTE (Thomas), *A General History of England...,* Londres, 3 vol., 1747-1752.
CONAEUS [al. George Conn], *Vita Mariae Stuartae,* Wurzbourg, 1624.

* Dont beaucoup contiennent des documents originaux.

DREUX DU RADIER (Jean-François), *Mémoires historiques, critiques et anecdotiques des reines et régentes de France...*, t. V., Amsterdam, 1776.

GOODALL (Walter), *An Examination of the Letters Said to be Written by Mary Queen of Scots to James, Earl of Bothwell...*, Édimbourg, 2 vol., 1714.

HUME (David), *The History of England...*, Londres, 8 vol., 1762, (trad. française, Paris, 18 vol., 1809).

JEBB (Samuel), *De vita et gestis Serenissimae Principis Mariae, Scotorum Reginae...*, Londres, 2 vol., 1725 (trad. anglaise, même année).

KEITH (Robert), *History of the affairs of Church and State in Scotland down to 1568,* Londres, 1734.

RAPIN DE THOYRAS (Paul), *Histoire d'Angleterre,* Paris, 13 vol., 1724-1736.

ROBERTSON (William), *The History of Scotland during the Reign of Queen Mary and King James VI...*, Londres, 2 vol., 1759 (trad. franc. 1764).

SANDERSON (William), *A Compleat History of the Lives and Reigns of Mary Queen of Scotland and of her Son James VI...*, Londres, 1656.

SPOTTISWOODE (John), *The History of the Church and State of Scotland...* Londres, 1655.

STRYPE (John), *Annals of the Reformation... in the Church of England during Queen Elizabeth's Happy Reign... with Original Papers of State,* Londres, 3 vol., 1735-1737.

STUART (Gilbert), *The History of Scotland from the establishment of the Reformation... to the death of Queen Mary,* Londres, 2 vol., 1784.

THOU (Jacques-Auguste de), *Historia sui temporis...*, Paris, 5 vol., 1620 (trad. franç., 1659).

TYTLER (William), *An Inquiry Historical and Critical into the Evidence... against Mary Queen of Scots,* Édimbourg, 1759 (trad. fr. par A. Labanoff, Paris, 1860).

UDALL (W.), *Historie of the Life and Death of Mary Stuart Queen of Scotland,* Londres, 1624.

WHITAKER (John), *Mary Queen of Scots Vindicated,* Londres, 3 vol., 1787.

V. ŒUVRES HISTORIQUES DES XIXe ET XXe SIÈCLES CONSACRÉES À MARIE STUART

BLACK (J. B.), *Andrew Lang and the Casket Letters Controversy,* Édimbourg, 1951.

BLENNERHASSET (Lady Charlotte), *Marie Stuart,* Paris, 1909.

BRESSLAU (Harry), *Beiträge zur Geschichte Maria Stuarts,* Munich, 1884.

BRINGER (Rodolphe), *Une reine de seize ans : chronique du règne de François II,* Paris, 1912.

BRYCE (W. M.), « The Voyage of Mary Queen of Scots in 1548 », dans *English Historical Review*, XXII, 1907.

CHALMERS (Georges), *Life of Mary Queen of Scots*, Londres, 1818.

CHANTELAUZE (Régis de), *Marie Stuart, son règne et son exécution*, Paris, 1876 (contient le *Journal* du médecin Bourgoing).

CHAUVIRÉ (Roger), « État présent de la controverse sur les lettres de la cassette », dans *Revue historique*, 174, 1934.

CHAUVIRÉ (Roger), *Le secret de Marie Stuart*, Paris, 1937.

CHÉRUEL (Adolphe), *De Maria Stuarta, utrum Henricus III eam tutatus fuerit an Anglis prodiderit*, Rouen, 1849.

CHÉRUEL (Adolphe), *Marie Stuart et Catherine de Médicis...*, Paris, 1858.

COWAN (Samuel), *Mary Queen of Scots : who wrote the casket letters ?*, Londres, 2 vol., 1901.

COWAN (Ian B.), *The Enigma of Mary Stuart*, Londres, 1971.

CUST (Lionel), *Notes on the Authentic Portraits of Mary Queen of Scots*, Londres, 1903.

DACK (Charles), *The Trial, Execution and Death of Mary Queen of Scots, Compiled from the Original Documents*, Northampton, 1889.

DARGAUD (Jean-Marie), *Histoire de Marie Stuart*, Paris, 2 vol., 1850.

DAVISON (Meredith H. Armstrong), *The Casket Letters : a Solution to the Mystery of Mary Queen of Scots and the Murder of Lord Darnley*, Londres, 1965.

DONALDSON (Gordon), *The First Trial of Mary Queen of Scots*, Londres, 1969.

DONALDSON (Gordon), *Mary Queen of Scots*, Londres, 1974.

DUNCAN (J.), « The Relations of the Earl of Murray with Mary Stuart » dans *Scottish Historical Review*, VI, 1909.

EDWARDS (Francis), *The Dangerous Queen*, Londres, 1964.

ERLANGER (Philippe), *L'affaire Marie Stuart*, Paris, 1979.

FLEMING (David Hay), *Mary Queen of Scots from her Birth till her Flight into England*, Londres, 1897.

FOCKENS (Peter), *Maria Stuart, ein literar-historische Studie*, Berlin, 1887.

FRASER (Lady Antonia), *Mary Queen of Scots*, Londres, 1969 (trad. franç. *Marie Stuart, reine de France et d'Écosse*, Paris, 1973).

GAUTHIER (Jules), *Histoire de Marie Stuart*, Paris, 3 vol., 1869.

GERDES (H.) *Geschichte der Königin Maria Stuart*, Gotha, 1885.

GUERDAN (René), *Marie Stuart, reine de France et d'Écosse, ou l'ambition trahie*, Paris, 1986.

HANNAY (R. K.), « The Earl of Arran and Queen Mary », dans *Scottish Historical Review*, XVIII, 1920.

HARRIS (Carrie J.), *State Trials of Mary Queen of Scots*, Chicago, 1899.

HENDERSON (Thomas F.), *The Casket Letters and Mary Queen of Scots*, Londres, 1890.

HENDERSON (Thomas F.), *Mary Queen of Scots*, Londres, 2 vol., 1905.

HENRY-BORDEAUX (Paule), *Marie Stuart, reine de France et d'Écosse,* Paris, 2 vol., 1938.

HOSACK (John), *Mary Queen of Scots and her accusers...*, Édimbourg, 2 vol., 1870-1874 (comprend le texte du *Book of Articles* de G. Buchanan).

HUME (Martin A. S.), *The Love Affairs of Mary Queen of Scots, a Political History,* Londres, 1903.

JAMIESON (B.), *Mary Stewart Queen of Scotland,* Édimbourg, 1981.

KEITH (J.), *Mary Queen of Scots, the Captive Years,* Sheffield, 1982.

KERVYN DE LETTENHOVE (Joseph), *Marie Stuart, le procès, le supplice,* Paris, vol., 1889.

LABANOFF (Prince Alexandre), *Notice sur la collection de portraits de Marie Stuart appartenant au prince Labanoff,* Saint-Pétersbourg, 1860.

LANG (Andrew), *The Mystery of Mary Stuart,* Londres, 1901.

LANG (Andrew), *Portraits and Jewels of Mary Stuart,* Glasgow, 1906.

LEADER (J. D.), *Mary Queen of Scots in Captivity,* Londres, 1880.

LEONARD (Dympha), *Mary Stuart, the Historical Figure in English and American Drama,* Ann Arbor, 1966.

LINDSAY (Colin), *Mary Queen of Scots and her Marriage with Bothwell,* Londres, 1888.

MACKENZIE (Dan), « The Obstetrical History of Mary Queen of Scots », dans *Caledonian Medical Journal,* XV, 1921.

MACNALTY (Arthur Salusbury), *Mary Queen of Scots, the Daughter of Debate,* Londres, 1960.

MAHON (R. H.), *The Indictment of Mary Queen of Scots,* Londres, 1923.

MAHON (R. H.), *Mary Queen of Scots, a Study of the Lennox Narrative in the University of Cambridge,* Cambridge, 1924.

MAHON, (R. H.), *The Tragedy of Kirk o'Field,* Londres, 1930.

MARSHALL (Rosalind K.), *Queen of Scots,* Édimbourg, 1986.

MIGNET (François A. M.), *Histoire de Marie Stuart,* Paris, 2 vol., 1876.

MUMBY (Frank A.), *Elizabeth and Mary Stuart, the Beginning of the Feud,* Londres, 1914.

PETIT (Joseph-Adolphe), *Histoire de Marie Stuart,* Paris, 2 vol., 1876.

PHILIPPSON (Martin), *Marie Stuart et la Ligue catholique universelle,* Bruxelles, 1886.

PHILIPPSON (Martin), « Les lettres de la cassette », dans *Revue historique,* XXXV, 1887.

PHILIPPSON (Martin), *Histoire du règne de Marie Stuart,* Paris, 2 vol., 1891.

PHILIPPS (James Emerson), *Images of a Queen : Mary Stuart in XVIth. century literature,* Londres, 1964.

POLLEN (J. H.), *Mary Queen of Scots and the Babington Plot,* Édimbourg, 1922.

POLLEN (J. H.), *Papal Negociations with Mary Queens of Scots,* 1561-1567, Édimbourg, 1901.

PRESCOTT-JONES (R.), *The funerals of Mary Queen of Scots : a collection of curious traits relating to the burial of the unfortunate princess,* Édimbourg, 1898.

RAIT (Robert S.) and CAMERON (Annie I.), *King James's Secret : Negociations between Elizabeth and James VI Relating to the Execution of Mary Queen of Scots,* Londres, 1927.

RAUMER (Frederick von), *Queen Elizabeth and Mary Queen of Scots,* Londres, 1836.

RUBLE (Alphonse de), *La Première Jeunesse de Marie Stuart,* Paris, 1891.

SCOTT (Marie Monica Maxwell), *The Tragedy of Fotheringay,* Londres, 1895.

SCOTT (John), *A Bibliography of works relating to Mary Queen of Scots, 1544-1700,* Édimbourg, 1866.

SEPP (Bernhard), *Maria Stuarts Briefwechsel mit Antony Babington,* Munich, 1886.

SHOEMAKER (Michael W.), *Palaces, Prisons and Resting-places of Mary Queen of Scots,* Londres, 1902.

SKELTON (John), *Mary Stuart,* Paris, 1893.

SMALL (John), *Queen Mary at Jedburgh in 1566,* Édimbourg, 1881.

STEUART (A. F.), *The Trial of Mary, Queen of Scots,* Édimbourg, 1923.

STEVENSON (Joseph), *Mary Stuart : the first 18 years of her Life,* Édimbourg, 1886.

STODDART (Jane T.), *The Girlhood of Mary Queen of Scots,* Londres, 1908.

STRICKLAND (Agnes), *Life of Mary Queen of Scots,* Édimbourg, 5 vol., 1864.

STUART (John), *A Lost Chapter in the History of Mary Stuart recovered,* Édimbourg, 1874 (A propos du mariage de Marie et de Bothwell).

SWAIN (Margaret), *The Needlework of Mary Queen of Scots,* New York, 1973.

THOMAS (Marcel), *Le Procès de Marie Stuart, documents originaux,* Paris, 1972.

THOMSON (George Malcolm), *The Crime of Mary Stuart,* Londres, 1967.

VIOUX (Marcelle), *Marie Stuart,* Paris, 1946.

WIESENER (Louis), *Marie Stuart et le comte de Bothwell,* Paris, 1863.

VI. ŒUVRES HISTORIQUES SUR L'ÉPOQUE DE MARIE STUART (XIXe-XXe S.)

AVELING (J. C. H.), *The Handle and the Axe,* Londres, 1976 (Histoire des catholiques en Angleterre sous Élisabeth).

BOSSY (John), *The English Catholic Community, 1570-1850,* Londres, 1976.

BROWN (Peter Hume), *Scotland in the Time of Queen Mary,* Édimbourg, 1904.

BROWN (Peter Hume), *History of Scotland,* Édimbourg, 3 vol., 1911-1913 (Le règne de Marie Stuart est au tome II).

BURTON (J. H.), *History of Scotland,* Édimbourg, 7 vol., 1857-1870.

CHAMBERS (Robert), *Domestic Annals of Scotland from the Reformation to the Revolution,* Londres-Édimbourg, 2 vol., 1859.

DICKINSON (William C.), *A New History of Scotland,* t. VI : *Scotland from the earliest times to 1603,* Édimbourg, 1961.

DICKINSON (William C.) and DONALDSON (Gordon), *A Source Book of Scottish History,* Édimbourg, 1961.

DONALDSON (Gordon), *The Scottish Reformation,* Cambridge, 1960.

DONALDSON (Gordon), *Scotland : James V to James VII,* Édimbourg, 1976 (*The Edinburgh History of Scotland,* t. III).

DONALDSON (Gordon), *All the Queen's men : power and politics in Mary Stuart's Scotland,* Londres, 1983.

FOSTER (J. J.), *The Stuarts : being illustrations of the personal history of the family in the XVIth, XVIIth and XVIIIth centuries.* Londres, 2 vol., 1902.

FROUDE (James Anthony), *History of England from the Fall of Wolsey to the Death of Elizabeth,* Londres, 12 vol., 1856-1870.

GRANT (Isabel F.), *Social and Economic Development of Scotland before 1603,* Édimbourg, 1930.

GRANT (Isabel F.), *The Economic History of Scotland,* Londres, 1934.

HEWITT (George R.), *Scotland under Morton,* Édimbourg, 1982.

HUBAULT (Gustave), *Ambassade de M. de Castelnau en Angleterre, 1575-1585,* Paris, 1856.

LAING (Malcolm), *History of Scotland... with a Dissertation on the Participation of Queen Mary in the Murder of Darnley,* Londres, 4 vol., 1804.

LANG (Andrew), *History of Scotland,* Édimbourg, 3 vol., 1900-1907 (Le règne de Marie Stuart est au tome II).

LEVINE (Mortimer), *Early Elizabethan Succession Question, 1558-1568,* 1966.

LINGARD (John), *A History of England...,* Londres, 14 vol., 1821 (trad. fr. 1833-1835).

LYNCH (Michael), *Edinburgh and the Reformation,* Édimbourg, 1981.

LYTHE (Samuel), *The Economy of Scotland, 1350-1625,* Édimbourg, 1960.

MACALPINE (I.) and HUNTER (H.), *Porphyria, a royal malady,* Londres, British Medical Association, 1968.

MATTHIESON (W. L.), *Politics and Religion in Scotland,* Glasgow, 1902.

MICHEL (Francisque), *Les Écossais en France et les Français en Écosse,* Londres, 2 vol., 1862.

MICHELET (Jules), *Histoire de France,* Paris, 17 vol., 1833-1867 (Les passages concernant Marie Stuart sont dans *Les guerres de religion,* 1856).

MITCHELL (A. I.), *The Scottish Reformation,* Édimbourg, 1900.

RAIT (Robert S.), *The Parliaments of Scotland,* Glasgow, 1924.

ROGERS (Charles), *Social Life in Scotland from early to recent Times,* Édimbourg, 3 vol., 1884-1886.
TYTLER (Patrick Fraser), *History of Scotland,* Édimbourg, 6 vol., 1828-1837 (Le règne de Marie Stuart est aux t. V, VI, VII).
WORMALD (Jenny), *The New History of Scotland,* t. IV, *Court, Kirk and Community : Scotland 1470-1625,* Londres, 1981.

VII. ÉTUDES SUR DES PERSONNAGES CONTEMPORAINS DE MARIE STUART

Le *Dictionary of National Biography* (Londres, 63 vol., 1885-1900) contient des notices, à leur ordre alphabétique, sur tous les personnages importants ayant joué un rôle dans la vie de Marie Stuart. La notice *Mary Stewart Queen of Scots* (tome XXXVI) est de Thomas Henderson.

BOUILLÉ (René de), *Histoire des ducs de Guise,* Paris, 4 vol., 1849-1850.
BOURASSIN (Emmanuel), *Charles IX,* Paris, 1986.
BROWN (Peter Hume), *John Knox, a Biography,* Londres, 2 vol., 1895.
BROWN (Peter Hume), *George Buchanan,* Édimbourg, 1890.
CHEVALLIER (Pierre), *Henri III,* Paris, 1985.
CLOULAS (Ivan), *Catherine de Médicis,* Paris, 1979.
CLOULAS (Ivan), *Henri II,* Paris, 1985.
DRUMMOND (Humphrey), *Our Man in Scotland : Sir Ralph Sadler,* Londres, 1969.
DUCHEIN (Michel), *Jacques Ier Stuart, le roi de la paix,* Paris, 1985.
FORNERON (Henri), *Les ducs de Guise et leur époque,* Paris, 1877.
FRASER (William), *The Lennox,* Londres, 2 vol., 1874.
GORE-BROWN (R.), *Lord Bothwell,* Londres, 1937.
GUILLEMIN (J. J.), *Le Cardinal de Lorraine, son influence politique et religieuse,* Paris, 1847.
JOHNSON (Paul), *Elizabeth I, a Study in Power and Intellect,* Londres, 1934.
LEE (Maurice), *James Stewart, Earl of Moray,* New York, 1953.
MCCRIE (Thomas), *Life of John Knox,* Édimbourg, 1812.
MARSHALL (Rosalind), *Mary of Guise,* Londres, 1977.
NEALE (John Ernest), *Queen Elizabeth,* Londres, 1934 (trad. fr. 1949).
PERCY (Eustace), *John Knox,* Londres, 1937.
PIMODAN (Gabriel de), *La mère des Guise, Antoinette de Bourbon,* Paris, 1925.
POTIQUET (Albert), *La Maladie et la Mort de François II,* Paris, 1893.
READ (Conyers), *Mr. Secretary Walsingham and the policy of Queen Elizabeth,* Londres, 1925.
READ (Conyers), *Lord Burghley and Queen Elizabeth,* Londres, 1960.

REID (N. Stanford), *Trumpeter of God : a biography of John Knox,* New York, 1974.

RUSSELL (Ernest), *Maitland of Lethington, the Minister of Mary Stuart,* Londres, 1912.

SCHIERN (Frederick), *Life of James Hepburn, Earl of Bothwell,* Édimbourg, 1880 (traduit du danois).

SKELTON (John), *Maitland of Lethington and the Scotland of Mary Stuart,* Édimbourg, 2 vol., 1887-1888.

WILLIAMS (Neville), *The Life and Time of Queen Elizabeth I,* New York, 1972.

Index

TABLE DES MATIÈRES

DEUXIÈME PARTIE

TROISIÈME PARTIE

QUATRIÈME PARTIE

ANNEXES

DANS LA MÊME COLLECTION

Pierre Aubé	*Godefroy de Bouillon*
Françoise Autrand	*Charles VI*
Jean-Pierre Babelon	*Henri IV*
Michel Bar-Zohar	*Ben Gourion*
Jean Bérenger	*Turenne*
Guillaume de Bertier de Sauvigny	*Metternich*
Jean-François Bled	*François-Joseph*
François Bluche	*Louis XIV*
Michel de Boüard	*Guillaume le Conquérant*
Michel Carmona	*Marie de Médicis*
	Richelieu
Duc de Castries	*Mirabeau*
Pierre Chevallier	*Louis XIII*
	Henri III
Eugen Cizek	*Néron*
Ronald W. Clark	*Benjamin Franklin*
André Clot	*Soliman le Magnifique*
	Haroun al-Rachid
Ivan Cloulas	*Les Borgia*
	Catherine de Médicis
	Laurent le Magnifique
	Henri II
André Corvisier	*Louvois*
Liliane Crété	*Coligny*
Daniel Dessert	*Fouquet*
Jean Deviosse	*Jean le Bon*
Jacques Duquesne	*Saint Éloi*
Georges-Henri Dumont	*Marie de Bourgogne*
Danielle Elisseeff	*Hideyoshi*
Jean Elleinstein	*Staline*
Paul Faure	*Ulysse le Crétois*
	Alexandre
Jean Favier	*Philippe le Bel*
	François Villon
	La Guerre de Cent Ans
Marc Ferro	*Pétain*
Lothar Gall	*Bismarck*
Max Gallo	*Garibaldi*
Louis Girard	*Napoléon III*
Pauline Gregg	*Charles Ier*

Pierre GRIMAL	*Cicéron*
Pierre GUIRAL	*Adolphe Thiers*
Brigitte HAMANN	*Élizabeth d'Autriche*
Jacques HARMAND	*Vercingétorix*
Jacques HEERS	*Marco Polo*
	Machiavel
François HINARD	*Sylla*
Eberhard HORST	*César*
Jean JACQUART	*François Ier*
	Bayard
Paul Murray KENDALL	*Louis XI*
	Richard III
	Warwick le Faiseur de Rois
Yvonne LABANDE-MAILFERT	*Charles VIII*
Claire LALOUETTE	*L'Empire des Ramsès*
	Thèbes
André LE RÉVÉREND	*Lyautey*
Évelyne LEVER	*Louis XVI*
Robert K. MASSIE	*Pierre le Grand*
Pierre MIQUEL	*Les Guerres de religion*
	La Grande Guerre
	Histoire de la France
	Poincaré
	La Seconde Guerre mondiale
Inès MURAT	*Colbert*
Daniel NONY	*Caligula*
Stephen B. OATES	*Lincoln*
Régine PERNOUD	*Jeanne d'Arc*
	Les Hommes de la Croisade
Jean-Christian PETITFILS	*Le Régent*
Claude POULAIN	*Jacques Cœur*
Bernard QUILLIET	*Louis XII*
Jean RICHARD	*Saint Louis*
Pierre RICHÉ	*Gerbert d'Aurillac*
Jean-Paul ROUX	*Babur*
Yves SASSIER	*Hugues Capet*
Klaus SCHELLE	*Charles le Téméraire*
William SERMAN	*La Commune de Paris*
Daniel Jeremy SILVER	*Moïse*
Jean-Charles SOURNIA	*Blaise de Monluc*
Laurent THEIS	*Dagobert*
Jean TULARD	*Napoléon*
Bernard VINOT	*Saint-Just*

Cet ouvrage a été composé
par l'Imprimerie BUSSIÈRE
et imprimé sur presse CAMERON
dans les ateliers de la S.E.P.C.
à Saint-Amand-Montrond (Cher)
en octobre 1987
pour le compte de la librairie Arthème Fayard
75, rue des Saints-Pères - 75006 Paris

35-65-7733-01

ISBN 2-213-01961-4

Dépôt légal : octobre 1987.
N° d'Édition : 6574. N° d'Impression : 1988-1507.

Imprimé en France

Cet ouvrage a été composé
par l'Imprimerie BUSSIÈRE
et imprimé sur presse Cameron
dans les ateliers de la S.E.P.C.
à Saint-Amand-Montrond (Cher)
en octobre 1987
pour le compte de la Librairie Arthème Fayard
75, rue des Saints-Pères - 75006 Paris

35-65-7733-01

ISBN 2-213-01961-1

Dépôt légal : octobre 1987
N° d'Éditeur : 4578. N° d'Impression : [illegible]

Imprimé en France

35-7733-5